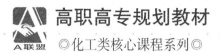

高职高专规划教材

◎化工类核心课程系列◎

U0241209

化工单元操作技术

主　　编　张学才

副 主 编　崔执应　刘义章

参编人员　李　超　方杨萍　柴翠元

北京师范大学出版集团
BEIJING NORMAL UNIVERSITY PUBLISHING GROUP

安徽大学出版社

图书在版编目(CIP)数据

化工单元操作技术/张学才主编. —合肥:安徽大学出版社,2014.4

高职高专规划教材. 化工类核心课程系列

ISBN 978-7-5664-0609-5

Ⅰ.①化… Ⅱ.①张 Ⅲ.①化工单元操作-高等职业教育-教材 Ⅳ.①TQ02

中国版本图书馆 CIP 数据核字(2014)第 063085 号

化工单元操作技术

张学才 主编

出版发行:北京师范大学出版集团
　　　　　安徽大学出版社
　　　　　(安徽省合肥市肥西路 3 号 邮编 230039)
　　　　　www. bnupg. com. cn
　　　　　www. ahupress. com. cn

印　　刷:中国科学技术大学印刷厂
经　　销:全国新华书店
开　　本:184mm×260mm
印　　张:23.75
字　　数:589 千字
版　　次:2014 年 4 月第 1 版
印　　次:2014 年 4 月第 1 次印刷
定　　价:47.00 元

ISBN 978-7-5664-0609-5

策划编辑:李　梅　张明举　　　　　　　　装帧设计:李　军　金伶智
责任编辑:张明举　　　　　　　　　　　　美术编辑:李　军
责任校对:程中业　　　　　　　　　　　　责任印制:赵明炎

前　言

　　"化工单元操作技术"是化工类及相关专业的一门重要的核心专业基础课程,是研究化工生产过程共同性操作规律、培养高端技能型人才的主干课程。该课程中所含有的化学工程基础知识和技能等内容是化工从业人员必备的。

　　本书介绍了流体输送、传热、气体吸收、液体精馏、非均相混合物的分离、蒸发、干燥、萃取等单元操作的基本原理、设计计算、典型设备及操作技术。全书在编写过程中贯彻以能力为主线,以培养创新意识和实践能力为重点的当代职教理念。在选择内容时,坚持面向岗位需求,实际实用,并兼顾未来发展的方向,主要注重以下几个方面:

　　1.基础理论方面坚持贯彻少而精的原则,在加强基本概念、理论计算等内容的基础上,删繁就简,深度适宜;本着必需、够用的原则,注重理论与实践相结合,注重培养读者的"工程观念和处理工程问题的能力",同时兼顾理论知识要有一定的发展空间,以适应高职高专学生的认知能力和理解能力。

　　2.根据模块化、项目化教学原理和规律编排教材内容,重点介绍各单元操作的基本概念、基本原理、典型设备,并配以能力目标要求等,使项目化教学具有可操作性。

　　3.为了便于教学和学生自学,教材内容按"了解"、"理解"和"掌握"三个层次编写,需要"了解"的知识,书中仅作一般的介绍;需要"理解"和"掌握"的知识内容,则通过例题、习题等进行反复练习来实现。

　　4.为了强化实际技能培养,在每个单元操作中增加"常用设备的操作与维护技术"内容,如开停车、正常运行维护、实际生产过程中的故障判断与处理等内容,增强了对实际操作技能的培养,使理论与实践结合得更加紧密。

　　5.适量增加现代化工新技术,以适应日新月异的新化工科技的发展。

　　本书可作为高职高专、应用型本科化工类及相关专业(生物工程、石油化工、化工机械、化工仪表自动化、制药、材料、环保、食品等专业)的专业基础教材,亦可作为成人高校及相关企业职工的培训教材,也可以作为各类化工技术人员及教师的参考书。

　　本教材由张学才(安徽工贸职业技术学院)任主编,崔执应(安徽水利水电职业技术学院)、刘义章(滁州职业技术学院)任副主编。本书的绪论、模块七由张学才编写;模块一(项目一~项目五)、模块八由崔执应编写;模块二由刘义章编写;模块三由李超(芜湖职业技术学院)编写;模块一(项目六)、模块四由方杨萍(安徽工贸职业技术学院)编写,模块五、模块六由柴翠元(淮南联合大学)编写。全书由张学才统稿。

　　本书的编写得到安徽省 A 联盟有关领导和安徽大学出版社的支持和帮助,在编写过程中得到了滁州安邦聚合高科有限公司曹春安高级工程师、滁州金丰化工有限责任公司张殿双高级工程师、跨越生物化学品(滁州)有限公司董事长童宣军等公司专业技术人员的大力支持,在此一并感谢! 本教材是编者在教学改革中逐步产生的,是编者在长期教学中的经验积累,但由于时间仓促和编者水平所限,疏漏之处在所难免,敬请读者予以批评指正。

编　者

2014 年 2 月

目　录

绪　论

一、化工概述

1.化学工业

化学工业是指以工业规模对原料进行加工处理，使其发生物理和化学变化而成为生产资料或生活资料的加工业。由于化学工业的产品渗透到生产及生活的各个方面，化工技术的进展影响到几乎所有的工业行业。化学工业是我国国民经济的支柱产业和基础产业，没有化学工业的发展就没有现代工业的发展，没有化学工业的技术进步，就没有现代工业的技术进步，因此，化学工业对国民经济的贡献和影响举足轻重。化学工业也因此赢得了"工业革命的助手"、"农业丰收的支柱"、"抵抗疾病的武器和现代文明的手段"等美誉。

化学工业能够为人类提供越来越多的新物质、新材料和新能源。同时，多数化工产品的生产过程是多步骤的，有的步骤及其影响因素很复杂，生产装备和过程控制技术也很复杂。

2.化工生产过程

化工生产过程是指化学工业的生产过程，它的特点之一是操作步骤多，原料在各步骤中依次通过若干个或若干组设备，经历各种方式的处理之后才能成为产品。例如无机肥料工业中的合成氨生产过程、制药工业中的葡萄糖生产过程。这些以化学变化为主要特点的化学工业，原料广泛，产品种类繁多，生产过程复杂，工艺路线多样且差别很大。

尽管化学工业过程千差万别，生产规模有大有小，但基本上都可用图 0-1 的简单流程模式来表示。

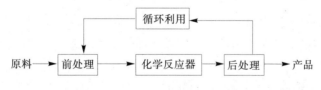

图 0-1　化工生产过程基本流程框图

为了保证化学反应过程的顺利进行，原料必须经过一系列预处理以提纯并达到必要的温度和压力等操作，这类过程称为"前处理"。反应产物也同样需要经过各种处理过程来分离精制等，以获得最终成品或中间产品，这类过程称为"后处理"。上述化学反应单元前、后处理中所进行的各个过程，多数是纯物理过程，但却是化工生产所必需的过程。另外，尽管化学反应单元是化工生产过程的核心，但它在工厂的设备投资和操作费用中所占比例通常并不是很高，而那些众多的物理过程，设备投资往往占全厂设备投资的 90％ 左右，由此可见它们在化工生产过程中的重要地位，这些重要的物理过程就是化工单元操作。

二、化工单元操作

将化工过程中的前处理、后处理等物理加工过程按其操作原理和特点归纳为若干个单元操作过程,即化工单元操作。常用的单元操作如表 0-1 所示。此外还有搅拌、结晶、冷冻、膜分离等单元操作。

表 0-1　常用化工单元操作

传递基础	单元操作	目的	物态	原理
动量传递	液体输送	以一定流量将流体从一处送到另一处	液或气	输入机械能
	沉降	非均相混合物的分离	液—固 气—固	利用密度差引起的沉降运动
	过滤	非均相混合物的分离	液—固 气—固	利用过滤介质使固体颗粒与流体分离
热量传递	传热	使物料升温、降温或改变相态	气或液	利用温度差引入或导出热量
	蒸发	溶剂与不挥发溶质的分离	液体	供热以汽化溶剂
质量传递	气体吸收	均相混合物的分离	气体	气体混合物各组分在溶剂中溶解度的差异
	液体精馏	均相混合物的分离	液体	各组分的挥发度不同
	干燥	去湿	固体	供热汽化湿分
	萃取	均相混合物的分离	液体	待分离溶液中各组分在萃取剂中溶解度的差异

单元操作具有以下特点:①它们都是物理过程,这些操作只改变物料的状态或其物理性质,并不改变物料的化学性质。②它们都是化学工业生产过程中共有的操作。例如,制糖工业中稀糖液的浓缩与制碱工业中苛性钠稀溶液的浓缩,都是通过蒸发这一单元操作来实现的;酒精工业中酒精的提纯与石油化工中烃类的分离,都要进行蒸馏操作等。所以,各种化工产品的生产过程,可由若干单元操作与化学反应过程做适当的串联组合而构成。③单元操作用于不同的化工产品生产过程时,其基本原理是相同的,而且进行该操作的设备往往也是通用设备。如蒸发操作过程使用的蒸发器与精馏操作过程使用的再沸器就是通用设备。

三、本课程的任务、性质与内容

本课程是化工技术类及相关专业学生必修的一门专业基础课,其主要任务是介绍流体流动、传热、传质的基本原理及主要单元操作的典型设备构造、操作原理、计算、选型及实验研究方法;培养学生运用基础理论分析和解决化工单元操作中各种工程实际问题的能力。具体内容可分为以下三个部分:

①讨论流体流动及流体与其相接触的固相发生相对运动时的基本规律,以及主要受这些基本规律支配的单元操作,如流体输送、沉降、过滤、离心分离。

②讨论传热的基本规律,以及受这些基本规律支配的单元操作,如加热、冷却、蒸发。

③讨论物质透过相界面迁移过程的基本规律,以及受这些基本规律支配的单元操作,如液体蒸馏、气体吸收、液-液萃取、湿物料的干燥。

本课程既不同于自然科学中的基本学科,又区别于具体的化工产品生产的工艺学。它是用基础学科中的一些基本原理来研究化学工业生产过程中基本规律的一门综合性的工程技术学科。它不仅是一门为化学工业生产服务的、内容十分广泛的工程技术学科,同时也是一切涉及物质变化的工业部门,如冶金工业、轻工业以及环境保护业所必需的。因此,它具有十分广泛的实用性。

学习本课程的主要任务是掌握各个单元操作的基本规律,熟练进行化工单元的操作,熟悉其操作原理及相关典型设备的构造、性能、基本选型和设计等,并能用来分析和解决化工生产过程中的某些实际问题,以便对现行的工业生产过程进行管理,最基本的要求是使设备能正常运转,进而能对现行的生产过程及设备进行适当的改进,以提高工作效率,从而使生产获得最大限度的经济效益。

四、化工单元操作中常用的一些基本概念

在研究化工单元操作时,经常用到下面四个基本概念,即物料衡算、能量衡算、物系的平衡关系及传递速率。这四个基本概念贯穿于本课程的始终,在这里仅做简要说明,详细内容见各模块。

1. 物料衡算

依据质量守恒定律,进入与离开某一化工过程的物料质量之差,等于该过程中物料的累积量,如图 0-2 所示,即

输入系统的物料量－输出系统的物料量＝系统中物料的累积量

$$G = \sum F - \sum D, \qquad (0-1)$$

式中　$\sum F$——输入量的总和。

$\sum D$——输出量的总和。

G——累积量。

图 0-2　物料衡算示意图

对于连续操作过程,若各物理量不随时间改变,即在稳定操作状态时,过程中物料的累积量为零。则物料衡算关系为:

$$\sum F = \sum D \qquad (0-2)$$

对于间歇操作,操作是周期性的,物料衡算时,常以一批投料作为计算基准。

在化工生产中,物料衡算是一切计算的基础,是保持系统物质平衡的关键,能够确定原料、中间产物、产品、副产品、废弃物中的未知量,能分析原料的利用及产品的产出情况,寻求减少副产物、废弃物的途径。

用物料衡算式可由过程的已知量求出未知量。物料衡算可按下述步骤进行:①首先根据题意画出各物流的流程示意图,物料的流向用带箭头的线段表示,并标上已知数据与待求量。②在写衡算式之前,要计算基准,一般选用单位进料量或单位排料量、单位时间及设备

的单位体积等作为计算基准。在较复杂的流程示意图上应划出衡算的范围,列出衡算式,求解未知量。

【例 0-1】 用蒸发器连续将质量分数为 0.20(下同)的 KNO_3 水溶液蒸发浓缩到 0.50,处理能力为 1000kg/h,再送入结晶器冷却结晶,得到的 KNO_3 结晶产品中含水 0.04,含 KNO_3 0.375 的母液循环至蒸发器。试计算结晶产品的流量、水的蒸发量及循环母液量。

解: 根据题意,画出流程示意图如下。

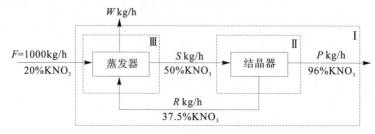

【例 0-1】附图

(1)求结晶产品量 P

以图中框Ⅰ为物料衡算的范围,以 KNO_3 为物质对象,以 1h 为衡算基准,则有物料衡算式:

$$Fx_F = Px_P$$

式中　$F = 1000$kg/h　$x_F = 0.20$　$x_P = 1 - 0.04 = 0.96$,

代入得

$$P = \frac{1000 \times 0.20}{0.96} = 208.3 \text{kg/h}$$

(2)求水分蒸发量 W

以图中框Ⅰ作为物料衡算的范围,以水为物质对象,以 1h 为衡算基准,则有物料衡算式:

$$F = W + P$$

因此,$W = F - P = 1000 - 208.3 = 791.7$kg/h

(3)求循环母液量 R

以图中框Ⅱ作为物料衡算的范围,并设进入结晶器的物料量为 Skg/h。分别以总物料和 KNO_3 为物质对象,以 1h 为衡算基准,则有物料衡算式:

$$S = R + P$$

$$Sx_S = Rx_R + Px_P$$

式中　$x_S = 0.50$　$x_R = 0.375$,其他同前

两式联合求解得

$$R = 766.6 \text{kg/h}$$

试比较对于(Ⅰ,Ⅲ)或(Ⅱ,Ⅲ)衡算范围列算式时计算结果有何不同?

2. 能量衡算

能量衡算的依据是能量守恒定律。本教材中所用到的能量主要有机械能和热能。机械能衡算将在流体输送模块中说明;热量衡算也将在传热、液体精馏、干燥等模块中结合具体单元操作有详细说明。能量衡算的通式为:

输入系统的能量－输出系统的能量＝系统中能量的累积量

衡算时,方程两边计量单位应保持一致。与物料衡算相似,能量衡算时,也要先确定衡算范围和衡算基准,不过能量衡算时还必须有能量的计算基准。

　　能量包括物料自身的能量(热力学能、动能、位能等)、系统与环境交换的能量(功、热)等,因此能量的形式是多种多样的。同物料衡算相比,能量衡算要复杂得多。但是,在化工生产中,特别是单元操作过程中,其他形式的能量在过程前后常常是不发生变化的,发生变化的大多是热量,此时,能量衡算可以简化为热量衡算,热量衡算的通式为:

　　进入系统物料的焓－离开系统物料的焓＋系统与环境交换的热量＝系统内物料焓的累积量

　　上式中,当系统获得热量时,系统与环境交换的热量取正值,否则取负值。

　　热量衡算的步骤与物料衡算的基本相同。热量衡算关系的数学表达式为:

$$Q = \sum Q_{入} - \sum Q_{出} \tag{0-3}$$

式中　　$\sum Q_{入}$ —— 输入量的总和。

　　　　$\sum Q_{出}$ —— 输出量的总和。

　　　　Q ——累积量。

　　对于稳态连续操作,过程中没有焓的累积,输入系统的物料的焓与输出系统的物料的焓之差等于系统与环境交换的热量,通常以单位时间为计算基准;对于间歇操作,操作是周期性的,热量衡算时,常以一批投料作为计算基准。

　　选取焓的计算基准通常以简单方便为准,通常包括基准温度、压力和相态。比如,物料都是气态时,基准态应该选气态;都是液态时,应该选液态。基准温度常选0℃,基准压力常选100kPa。还要考虑数据来源,应尽量使基准与数据来源一致。

　　在化工生产中,热量衡算主要用于保持系统能量的平衡,能够确定热量变化、温度变化、热量分配、热量损失、加热或冷却剂用量等,寻求控制热量传递的办法,减少热量损失,提高热量利用率。热量衡算的基础是物料衡算,其衡算过程与方法均与物料衡算相似,

3.物系的平衡关系

　　一定条件下,一个过程所能够达到的极限状态,称为"平衡态"。比如相平衡、传热平衡、化学反应平衡等。平衡状态下,各参数是不随时间变化而变化的,并保持特定的关系。平衡时各参数之间的关系称为"平衡关系"。平衡是动态的,当条件发生变化时,旧的平衡将被打破,新的平衡将建立,但平衡关系不发生变化。比如,当两个储槽中的液位不同时,连通起来就会发生流动现象,当两槽的液位相同时即达到了流动平衡,平衡关系就是液位1等于液位2,不论两液位差多高,其最终平衡关系都是一样的,即两液位相等。再如传热过程,当两物体温度不同时,即温度不相等,就会有净热量从高温物体向低温物体传递,直到两物体的温度相等为止,此时达到平衡,两物体间也就没有了热量传递,平衡关系就是温度1等于温度2。

　　过程的平衡问题说明过程进行的方向和所能达到的极限。当系统不是处于平衡态时,此过程必将以一定的传递速率趋于平衡过程,直至达到平衡状态。平衡状态表示的就是各种自然发生的过程可能达到的极限程度,除非影响物系的情况发生变化,否则,其极限是不会改变的。

　　在化工生产中,物系的平衡关系可以用于判定过程能否进行以及过程进行的方向和限度。操作条件确定后,可以通过平衡关系分析过程的进行情况,以确定过程方案、适宜设备等,明确过程限度和努力方向。

4.传递速率

任何物系只要不处于平衡状态,就必然发生使物系趋向平衡的过程。但过程以何速率趋向平衡,这不取决于平衡关系,而是取决于多方面的因素。传递过程所处的状态与平衡状态之间的差距通常称为"过程的推动力"。例如两物体间的传热过程,其过程的推动力就是两物体的温度差。

通常存在以下关系式:

$$过程传递速率 \propto \frac{过程推动力}{过程阻力}$$

即过程传递速率与推动力成正比,与阻力成反比。

过程推动力是实际状态偏离平衡状态的程度,对于传热来说,就是温度差;对传质来说,就是浓度差等。显然,在其他条件相同的情况下,推动力越大,过程传递速率越大。

过程阻力是阻碍过程进行的一切因素的总和,与过程机理有关。阻力越大,速率越小。

在化工生产中,过程传递速率用于确定过程需要的时间或需要的设备大小,也用于确定控制过程传递速率的办法。比如,通过研究影响过程传递速率的因素,可以确定改变哪些条件,以控制过程传递速率的大小,达到预期目的。这一点,对于一线操作人员来说,非常重要。

五、物理量的有关知识

正确掌握物理量的概念和单位制,及其运算规则是学好本课程的必要条件。

(一)物理量及其符号

现象、物体或物质可以定性区别并定量确定的属性称为"物理量"(physical quantity),亦称"可测量",简称"量"。

表示某物理量的符号称为"量的符号"。量的符号通常是单个字母。物理量皆由数值和计量单位(unit)构成。例如,某人身高 $h=1.75\text{m}$,h 为物理量,1.75 为数值(亦称"量值"),m即为其计量单位(简称"单位")。若以 cm 为单位,则 $h=175\text{cm}$。可见描述一个物理量,数值与单位密切相关,缺一不可。

设置量 Q 的单位为$[Q]$,其数值为$\{Q\}$,则

$$Q=\{Q\} \cdot [Q] \tag{0-4}$$

$\{Q\}$ 称为"量的数值",其大小与$[Q]$有关。

单位符号均为正体字母,除来源于人名的第一个字母用大写外,其余均为小写。例如,m 是米的符号,N 是牛顿的符号。

量可以分为很多类,凡可以相比较的量都称为"同一类量"。例如,长度、直径、距离、高度和波长等就是同一类量。

(二)我国的法定计量单位

1.量制

各类量之间存在确定关系的一组量称为"量制"(system of quantities),它是基本量及其导出量的集合。不同基本量构成不同的量制。有多种量制,如工程量制、英量制、曾使用过

的厘米、克、秒量制以及 SI 量制。

2.我国的法定计量单位

我国法定计量单位是以国际单位制(SI)为基础制定的。因此,所有 SI 的单位都是我国的法定计量单位。另外,根据我国的实际情况,还对 11 个量的 16 个非 SI 单位规定作为法定计量单位,在适当的场合与 SI 的单位并用。见表 0-2。

表 0-2　我国法定计量单位的构成

我国法定计量单位	SI 单位	SI 基本单位(表 0-3)
		SI 导出单位(表 0-4、表 0-5)
	由以上单位加 SI 词头构成的倍数和分数单位(表 0-6)	
	国家选定的 SI 制外的单位(表 0-7)	

可见,我国法定计量单位的主体是 1960 年第 11 届国际计量大会上通过的国际单位制(International System of Units),即 SI 量制。它的构成如下:

$$\text{国际单位制(SI)}\begin{cases}\text{SI 单位}\begin{cases}\text{SI 基本单位}\\\text{SI 导出单位}\\\text{SI 单位的倍数单位}\end{cases}\end{cases}$$

国际单位制的单位包括 SI 单位以及 SI 单位的倍数单位。SI 单位是国际单位制中由基本单位和导出单位构成一贯单位制的那些单位。除质量外,均不带 SI 词头(质量的 SI 基本单位为千克)。SI 单位的倍数单位包括 SI 单位的十进倍数和分数单位。

(1)7 个 SI 基本单位见表 0-3。

表 0-3　SI 基本单位

量的名称	量的符号	单位名称	单位符号
长度	l,L	米	m
质量	m	千克(公斤)	kg
时间	t	秒	s
电流	I	安[培]	A
热力学温度	T	开[尔文]	K
物质的量	n	摩[尔]	mol
发光强度	I_v	坎[德拉]	cd

注:①圆括号中的名称,是它前面名称的同义词,下同。

②无方括号的量与单位名称均为全称。方括号中的字,在不致引起混淆、误解的情况下,可以省略。去掉方括号中的字即为其名称的简称。下同。

③生活和贸易中,质量习惯称为重量。

(2)SI 导出单位是用 SI 基本单位以代数形式表示的单位。这种单位符号中的乘和除采用数学符号。常用的 SI 导出单位示例见表 0-4。

表 0-4　SI 导出单位示例

量的名称	单位名称	单位符号
面积	平方米	m^2
速度	米每秒	$m \cdot s^{-1}$
密度,体积质量	千克每立方米	$kg \cdot m^{-3}$

　　某些 SI 导出单位具有国际计量大会通过的专门名称和符号,其中与化学化工关系较为密切的见表 0-5。使用这些专门名称并用他们表示其他导出单位,往往更为方便。例如,热和能量的单位通常用焦耳(J)代替牛顿米(N·m),电阻率的单位通常用欧姆米(Ω·m)代替伏特米每安培(V·m·A^{-1})等。

表 0-5　具有专门名称的 SI 导出单位示例

量的名称	SI 导出单位		
	名称	符号	用 SI 基本单位或导出单位表示
力	牛[顿]	N	$1N=1kg·m·s^{-2}$
压力,压强,应力	帕[斯卡]	Pa	$1Pa=1N·m^{-2}$
能[量],功,热量	焦[耳]	J	$1J=1N·m$
功率	瓦[特]	W	$1W=1J·s^{-1}$
电荷[量]	库[仑]	C	$1C=1A·s$
电压,电动势,电势(位)	伏[特]	V	$1V=1W·A^{-1}$
电阻	欧[姆]	Ω	$1Ω=1V·A^{-1}$
电导	西[门子]	S	$1S=1Ω^{-1}$
摄氏温度	摄氏度	℃	$1℃=1K$
表面张力	牛[顿]每米	N·m^{-1}	$kg·s^{-2}$
摩尔热容	焦[耳]每摩[尔]开[尔文]	$J·mol^{-1}·K^{-1}$	$m^2·kg·s^{-2}·K^{-1}·mol^{-1}$
摩尔热力学能	焦[耳]每摩[尔]	$J·mol^{-1}$	$m^2·kg·s^{-2}·mol^{-1}$

　　(3)表 0-6 列出了 SI 单位的倍数单位。它给出了所有 20 个 SI 词头的名称及符号(词头的简称为词头的中文符号)。词头用于构成 SI 单位的倍数单位(十进倍数与分数单位),但不可单独使用。

表 0-6　SI 词头

因数	词头名称		符号
	英文	中文	
10^{24}	yotta	尧[它]	Y
10^{21}	zetta	泽[它]	Z
10^{18}	exa	艾[可萨]	E
10^{15}	peta	拍[它]	P
10^{12}	tera	太[拉]	T
10^9	giga	吉[咖]	G
10^6	mega	兆	M
10^3	kilo	千	k
10^2	hecto	百	h
10^1	deca	十	da
10^{-1}	deci	分	d
10^{-2}	centi	厘	c
10^{-3}	milli	毫	m
10^{-6}	micro	微	μ
10^{-9}	nano	纳[诺]	n
10^{-12}	pico	皮[可]	p
10^{-15}	femto	飞[母托]	f
10^{-18}	atto	阿[托]	a
10^{-21}	zepto	仄[普托]	z
10^{-24}	yocto	幺[科托]	y

（4）国际单位制（SI）以外的单位

我国法定计量单位是以国际单位制（SI）为基础制定的。因此，所有 SI 的单位都是我国的法定计量单位。另外，根据我国的实际情况，还对 11 个量的 16 个非 SI 单位也作为法定计量单位，在适当的场合与 SI 的单位并用。这些非 SI 的法定计量单位列于表 0-7。

表 0-7　国际单位制以外的我国法定计量单位

量的名称	单位名称	单位符号	与 SI 单位的关系
时间	分	min	$1\min=60s$
	［小］时	h	$1h=60\min=3600s$
	日，（天）	d	$1d=24h=86400s$
［平面］角	度	°	$1°=(\pi/180)\mathrm{rad}$
	［角］分	′	$1′=(1/60)°=(\pi/10800)\mathrm{rad}$
	［角］秒	″	$1″=(1/60)′=(\pi/648000)\mathrm{rad}$
体积	升	L,（l）	$1L=1dm^3=10^{-3}m^3$
质量	吨	t	$1t=10^3kg$
	原子质量单位	u	$1u≈1.660540×10^{-27}kg$
旋转速度	转每分	r/min	$1\ r/\min=(1/60)s^{-1}$
长度	海里	n mile	$1n\ mile=1852m$（只用于航行）
速度	节	kn	$1kn=1n\ mile/h=(1852/3600)m/s$（只用于航行）
能	电子伏	eV	$1eV≈1.602177×10^{-19}J$
级差	分贝	dB	
线密度	特［克斯］	tex	$1tex=10^{-6}kg/m$
面积	公顷	hm²	$1\ hm^2=10^4m^2$

3.量的符号组合及基本运算

（1）量 a 和 b 的组合为乘法时，可采用下列四种形式之一：

①ab；②$a\ b$；③$a\cdot b$；④$a×b$

几种表示方法等价，但第②、④种最好不采用，因在矢量分析中，ab 与 $a×b$ 有区别。

（2）量 a 和 b 的组合为除法时，可采用下列两种形式之一：

$$\frac{a}{b};a/b\ 或\ a\cdot b^{-1}$$

六、单位的正确使用

描述化工生产过程需使用大量物理量，物理量的正确表达应该是单位与数字统一的结果，比如，管径是 25mm，管长是 6m 等。因此，正确使用单位是正确表达物理量的前提。

长期以来，整个科学技术领域存在着各种单位制并存的现象，物理量常用不同单位制来表示。随着科学技术的迅速发展和国际学术交流的日益频繁，迫切需要一个公认的、统一的单位制。1960 年 10 月第 11 届国际计量会议制定了一种国际上统一的国际单位制，其国际代号为 SI。

由于国际单位制（SI 制）的一贯性与通用性，世界各国都在积极推广 SI 制，我国也于 1984 年颁发了以 SI 制为基础的法定计量单位，读者应该自觉使用法定计量单位。同一物理量若用不同单位度量时,其数值需相应地改变。这种换算称为"单位换算"。法定计量单位刚实行不久,由过去的 CGS 和工程单位制过渡到全部使用法定单位,还需要一段时间。因此,必须掌握这些单位间的换算关系。单位换算时,需要换算因数。化工中常用单位的换算因数,可从有关手册查得。

但是,由于数据来源不同,常常会出现单位不统一或不一定符合公式需要的情况,这就必须进行单位换算。本课程涉及的公式有两种,一种是物理量方程,一种是经验公式。前者是有严格的理论基础的,要么是某一理论或规律的数学表达式,要么是某物理量的定义式,比如,$p = \dfrac{F}{A}$,这类公式中各物理量的单位只要统一采用同一单位制下的单位就可以了;而后者则是由特定条件下的实验数据整理得到的,经验公式中,物理量的单位均为指定单位,使用时必须采用指定单位,否则公式就不成立了。如果想把经验公式计算出的结果换算成 SI 制单位,最好的办法就是先按经验公式的指定单位计算,最后再把结果转换成 SI 制单位,不要在公式中换算。

单位换算是通过换算因子来实现的,换算因子就是两个相等量的比值。比如,$1m = 100cm$,当需要把 m 换算成 cm 时,换算因子为 $\dfrac{100cm}{1m}$;当需要把 cm 换算成 m 时,换算因子为 $\dfrac{1m}{100cm}$。在换算时,目标单位等于原来的量乘上换算因子。

【例 0-2】 一个标准大气压(1atm)等于 $1.033kgf/cm^2$,等于多少 N/m^2?

解: $1atm = 1.033kgf/cm^2 = 1.033 \times \dfrac{kgf}{cm^2}\left(\dfrac{9.81N}{1kgf}\right)\left(\dfrac{100cm}{1m}\right)^2 = 1.013 \times 10^5 N/m^2$

可见,当多个单位需要换算时,只要将各换算因子相乘即可。

【例 0-3】 三氯乙烷的饱和蒸汽压可用如下经验公式计算,即

$$\lg p^\circ = \dfrac{-1773}{T} + 7.8238$$

式中　p°——饱和蒸汽压,mmHg。

　　　T——流体的温度,K。

试求 300K 时,三氯乙烷的饱和蒸汽压 p°。

解: 将温度 $T = 300K$ 代入得

$$\lg p^\circ = \dfrac{-1773}{T} + 7.8238 = \dfrac{-1773}{300} + 7.8238 = 1.9138,$$

因此　$p^\circ = 81.9974mmHg$　(注意,只能是 mmHg,而不能是 Pa)

　　　$= 81.9974 \times 133.3Pa = 10.93kPa$

七、有效数字及其运算规则

(一)有效数字

为获得准确的测试或分析结果,不仅要准确地测量而且还要正确地记录和计算。记录的数据和计算的结果不仅表示数值的大小,而且要正确反映测量的精密程度。有效数字就

是实际能测量的数字。

有效数字保留的位数,应根据仪器的准确度决定,应使纪录的数值中只有最后一位数字是可疑的。如用天平称取某物质的质量为 0.5370g,此数值中 0.537 是准确的,最后一位数字"0"是可疑的,可能有上下一个单位的误差,即其真实质量在 0.5370g±0.0001g。此时称量的绝对误差为±0.0001g,相对误差为±0.02%。若将上述结果记为 0.537g,则表明称量的绝对误差为±0.001g,相对误差为±0.2%。可见记录时多记或少记一位"0",从数学角度看关系不大,但测量精密程度无形中扩大或缩小了 10 倍。所以在数据中代表一定量的每一位数字都是重要的。记录数据时,必须注意有效数字的位数,不能随意增添或减少。

在确定各数的有效数字位数时,数字"0"具有双重意义:若作为普通数字使用,它就是有效数字;若作为定位用,则不是有效数字。例如:滴定管读数为 20.80mL,两个"0"都是有效数字,此数有效位数为四位。若改用立方分米表示则是 $0.02080dm^3$,这时前面的两个"0"仅起定位作用不是有效数字,此数仍是四位有效数字。所以改变单位不会、也不应改变有效数字的位数。当需要在数的末尾加"0"作定位时,最好采用指数形式表示,否则,有效数字的位数比较模糊。例如某物质的质量为 25.0mg,若以 μg 为单位,则表示为 $2.50 \times 10^4 \mu g$。

(二)有效数字的运算规则

在测试及相应的计算中,每个测量值的误差都要传递到结果内。因此必须应用有效数字的运算规则,合理取舍各数据有效数字的位数。

1.加减法

当几个数据相加或相减时,它们的和或差只能保留一位可疑数字,应以小数点后位数最少(即绝对误差最大的)的数字为依据。

【例 0-4】　$1.52+0.476=2.00;25.64-0.0121=25.63$。

2.乘除法

当几个数据相乘或相除时,它们的积或商的有效数字位数的保留应以其中相对误差最大的那个数,即以有效数字位数最少的为依据。

【例 0-5】　$\dfrac{0.0325 \times 5.103 \times 60.06}{139.8} = ?$

解:各数的相对误差分别为:0.0325 为 $\dfrac{\pm 0.0001}{0.0325} \times 100\% = \pm 0.3\%$;5.103 为 $\pm 0.02\%$;60.06 为 $\pm 0.02\%$;139.8 为 $\pm 0.07\%$。

相对误差最大的(位数最少的)数是 0.0325,结果应取三位有效数字:

故　　　　$\dfrac{0.0325 \times 5.103 \times 60.06}{139.8} = 0.0713$

在取舍有效数字时还应注意:

①若某一数据第一位有效数字大于等于 8,则有效数字的位数可多算一位。例如 8.37 是三位有效数字,但可作四位有效数字看待。

②计算过程中,可暂时多保留一位数字,得到最后结果时,再根据"四舍六入五成双"原则弃去多余数字(只允许对原测量值一次修约至所需位数,不可分次修约)。

【例 0-6】　已知 pH=4.30　求[H^+]=?

解:pH 的整数部分不是有效数字,只有小数部分才是有效数字,结果应取两位有效数字:

$$[H^+]=5.0\times10^{-5}\,mol\cdot dm^{-3}$$

计算器的应用现已很普遍,其上显示数值的位数较多。使用计算器计算时,要注意计算结果的有效数字位数,应根据有关规则取舍,不可照抄计算器的所有数字。

习题

1.当三氯乙烷的饱和蒸汽压为 10.93kPa 时,三氯乙烷的温度是多少? 第一种方法是将 10.93kPa 直接代入下式,第二种方法是将 10.93kPa 换算成 mmHg 后代入下式。比较两种方法的结果,判断哪一种算法正确。已知,三氯乙烷的饱和蒸汽压可用如下经验公式计算,即

$$\lg p^\circ=\frac{-1773}{T}+7.8238$$

式中　　p°——饱和蒸汽压,mmHg。

　　　　T——流体的温度,K。

2.下列数据中包含几位有效数字?

(1)0.0635;(2)2.0368;(3)0.3280;(4)4.1×10^{-3}。

3.按有效数字运算规则,计算下列各式的结果:

(1)2.187×0.854+9.6×10^{-5}—0.0326×0.0814;

(2)51.38/(8.709×0.09460);

(3)pH=0.05,求[H$^+$]。

项目 **1**
流体静力学

学习目标

- 了解流体静力学基本方程式的推导
- 掌握流体的密度和相对密度的计算方法
- 掌握流体的压强单位和表达方式
- 掌握流体静力学基本方程式及其应用

任务一　流体的主要物理量

流体无论是静止的还是流动的,以及其所发生的一切现象和表现都与流体的物理量有关。因此,流体的物理量是研究流体的基本出发点。在流体力学中,有关流体的物理量有以下几个。

一、流体的密度、相对密度和比体积

单位体积流体所具有的质量,称为"流体的密度"。其表达式为

$$\rho = \frac{m}{V} \tag{1-1}$$

式中　ρ——流体的密度,kg/m^3。

m——流体的质量,kg。

V——流体的体积,m^3。

流体的密度数据,可从有关手册中查到。本书附录中列有某些流体的密度,供练习查用。

1. 液体的密度

一般液体可以看成不可压缩性流体,其密度基本上不随压力变化而变化,也不随温度变化而变化。大多数液体的密度随温度升高而下降,因此,选用液体的密度时必须注意该液体所处的温度。常见液体的密度可从有关手册中查到。

（1）纯液体的密度

纯液体的密度可用仪器测量,通常采用比重计法(相对密度计法)和测压管法。

相对密度是相对密度计的读数,用符号 d_4^{20} 表示,是指流体密度与 4℃ 水的密度之比。即

模块一

流体输送

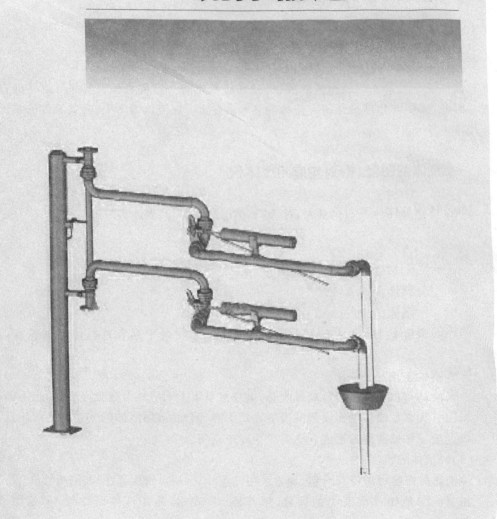

$$d_4^{20} = \frac{\rho}{\rho_水} \tag{1-2}$$

式中　ρ——液体在 t℃时的密度。

　　　$\rho_水$——水在 4℃时的密度。

　　由式(1-2)可知,相对密度是一个比值,没有单位。因为水在 4℃时的密度为 1000kg/m³,所以 $\rho = 1000 d_4^{20}$,即将相对密度值乘以 1000 即得该液体的密度 ρ,单位 kg/m³。

　　(2)混合液体的密度

　　混合液体的密度的准确值要用实验方法求得。如果液体混合时,体积变化不大,则工程计算时可用下式求得混合液体密度的近似值:

$$\frac{1}{\rho_混} = \sum_{i=1}^{n} \frac{w_i}{\rho_i} \tag{1-3}$$

式中　$\rho_混$——液体混合物的密度,kg/m³。

　　　ρ_i——液体混合物中 i 组分的密度,kg/m³。

　　　w_i——液体混合物中 i 组分的质量分数。

　　【例 1-1】　在一内径为 700mm、高 1000mm 的圆筒铁桶内盛满煤油。已知丙酮的相对密度为 0.80,求丙酮的质量为多少?

　　解:由式 $\rho = m/V$,得 $m = \rho V$。

　　丙酮的密度 $\rho = 1000 d_4^{20} = 1000 \times 0.80 = 800 \text{kg/m}^3$

　　丙酮的体积 $V = 0.785 d^2 h = 0.785 \times 0.7^2 \times 1 = 0.385 \text{m}^3$

　　丙酮的质量 $m = \rho V = 800 \times 0.385 = 308 \text{kg}$

　　【例 1-2】　已知甲醇水溶液中,甲醇占 80%,水占 20%(均为质量分数)。求此甲醇水溶液在 20℃时的密度近似值。

　　解:令甲醇为第 1 组分,水为第 2 组分。已知 $w_1 = 0.8, w_2 = 0.2$。

　　查附录三,在 20℃时,$\rho_1 = 791 \text{kg/m}^3$,$\rho_2 = 998 \text{kg/m}^3$。

　　将 w_i、ρ_i 值代入公式(1-3)得

$$1/\rho_混 = 0.8/791 + 0.2/998$$
$$= 0.001011 + 0.0002$$
$$= 0.001211$$

所以　　　　　　　　　　　$$\rho_混 = 1/0.001211 = 825.8 \text{kg/m}^3$$

　　2.气体的密度

　　(1)纯气体的密度

　　气体是可压缩性流体,其密度随压强和温度而变化。因此,气体的密度必须标明其状态。从手册中查得的气体密度往往是某一指定条件下的数值,这就需要将查得的密度换算成操作条件下的密度。一般当压强不太高、温度不太低时,也可按理想气体来处理。即可用下式计算:

$$\rho = \frac{pM}{RT} = \frac{M}{22.4} \times \frac{p T_0}{p_0 T} \tag{1-4}$$

式中　p——气体的绝对压力,kPa。

　　　M——气体的摩尔质量,kg/kmol。

T——气体的热力学温度，K。

R——通用气体常数，8.314kJ/(kmol·K)。

下标 0 表示标准状态，即 273K、101.3kPa。

(2)混合气体的密度

计算混合气体的密度时，应以混合气体的平均摩尔质量 $M_{均}$ 代替 M。

$$\rho = \frac{pM_{均}}{RT} \tag{1-5}$$

$$M_{均} = \sum_{i=1}^{n} y_i M_i \tag{1-6}$$

式中　y_i——混合气体中各组分的摩尔分数(体积分数或压强分数)。

　　　M_i——混合气体中各组分的摩尔质量，kg/kmol。

【例 1-3】 已知空气的组成为 21%O_2 和 79%N_2（均为体积分数），试求在 100kPa 和 400K 时空气的密度。

解：空气为混合气体，先求 $M_{均}$

$$M_{均} = M_1 y_1 + M_2 y_2$$

已知　　　　　　　$M_1 = M_{O_2} = 32kg/kmol, y_1 = y_{O_2} = 0.21$

　　　　　　　　　$M_2 = M_{N_2} = 28kg/kmol, y_2 = y_{N_2} = 0.79$

所以据式(1-6)得　　$M_{均} = 0.21 \times 32 + 0.79 \times 28 = 28.84kg/kmol$

已知 $\rho = 100kPa, T = 400K, R = 8.314kJ/(kmol·K)$

所以据式(1-5)得　　$\rho = \frac{100 \times 28.84}{8.314 \times 400} = 0.867kg/m^3$

3. 比体积

单位质量流体所具有的体积称为"流体的比体积"，用符号 v 表示，习惯称为"比容"。显然，比体积就是密度的倒数，其单位为 m^3/kg。表达式为

$$v = \frac{V}{m} = \frac{1}{\rho} \tag{1-7}$$

二、流体的压强

1. 压强的定义

流体垂直作用于单位面积上的力，称为"流体压力强度"，亦称为"流体静压强"，简称"压强"(工程上习惯称为"压力")。用符号 p 表示压强，A 表示面积，F 为流体垂直作用于面积上的力。则压强

$$p = \frac{F}{A} \tag{1-8}$$

式中　p——作用在该表面上的压力，N/m^2，即 Pa。

　　　A——垂直作用于表面的力，N。

　　　F——作用面的面积，m^2。

2. 压强的单位

在国际单位制 SI 中，压力的单位是帕斯卡，以 Pa 或 N/m^2 表示。工程上有时沿用其他

单位,如 atm(标准大气压)、流体柱高度、毫米汞柱、kgf/cm² 等,其换算关系如下:

$$1atm = 101.3kPa = 1.033kgf/cm^2 = 760mmHg = 10.33mH_2O$$

以某流体的流体柱高度表示流体的压力,必须指明流体的种类(如 mmHg、mH₂O 等)及温度,才能确定压强 p 的大小,否则就失去了表示压强的意义。其关系式为

$$p = h\rho g \tag{1-9}$$

式中　h ——液柱的高度,m。

　　　ρ ——液体的密度,kg/m³。

　　　g ——重力加速度,m/s²。

3.压强的表达方式

压强在实际应用中可有三种表达方式:绝压、表压和真空度。

(1)绝对压强(简称"绝压")

绝对压强是指流体的真实压强。更准确地说,它是以绝对真空为基准测得的流体压强。

(2)表压强(简称"表压")

表压强是指工程上用测压仪表以当时、当地大气压强为基准测得的流体压强。压力表测量的是测压处与环境的压力之差,通常称为"表压"。

$$表压 = 绝对压强 - (外界)大气压强$$

(3)真空度

当被测流体内的绝对压强小于当地(外界)大气压强时,使用真空表进行测量所得的读数即为真空度。真空表测量的是环境与测压处的压力之差,通常称为"真空度"。

$$真空度 = (外界)大气压强 - 绝对压强$$

因此,由压力表或真空表上得出的读数必须根据当时、当地的大气压强进行校正,才能得到测点的绝对压强。

绝对压强、表压强与真空度之间的关系,可以用图 1-1 表示。

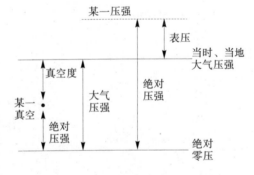

图 1-1　绝对压强、表压和真空度的关系

为了避免绝对压强、表压强与真空度三者关系混淆,规定在以后的讨论中,对表压和真空度均加以标注,如 1000Pa(表压)、650mmHg(真空度)。如果没有注明,即为绝压。

【例 1-4】 已知甲地区的大气压力为 640mmHg,乙地区的大气压力为 760mmHg。在甲地区的某真空精馏塔操作时,塔顶真空表的读数为 620mmHg。在乙地区操作时,若要求塔内维持相同的绝对压力,塔顶真空表的读数应为多少?

解:根据甲地区的条件,求得操作时塔顶的绝对压强。

$$绝对压强＝大气压强－真空度＝640－620＝20mmHg$$

在乙地区操作时，维持同样绝对压强，则

$$真空度＝大气压强－绝对压强＝760－20＝740mmHg$$

【例 1-5】 某设备进出口侧压仪表的读数分别为 30mmHg（真空度）和 600mmHg（表压），求两处的绝对压强差（kPa）。

解： 出口绝压 p_2 大于大气压强，而进口绝压 p_1 小于大气压强。

$$p_2 - p_1 = (p + p_{2表}) - (p - p_{1真})$$
$$= p_{2表} + p_{1真}$$
$$= 600 + 30 = 630mmHg = 84kPa$$

应当注意，在计算时表压和真空度的单位要一致。

任务二　流体静力学基本方程

一、流体静力学基本方程式的推导

静止的流体是在重力和压力的作用下达到静力平衡，因而处于相对静止状态。由于重力就是地心引力，可以看作是不变的，起变化的是压力。用以表述静止流体内部压力变化规律的公式就是流体静力学基本方程式。此方程可用下述方法推导：

如图 1-2 所示，容器内装有密度为 ρ 的液体，液体可认为是不可压缩流体，其密度不随压力变化。在静止液体中取一段液柱，其截面积为 A（m^2），以容器底面为基准水平面，液柱的上、下端面与基准水平面的垂直距离分别为 z_1（m）和 z_2（m）。作用在上、下两端面的压力分别为 p_1 和 p_2。

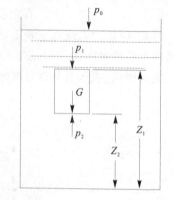

图 1-2　流体静力学基本方程式的推导

重力场中在垂直方向上对液柱进行受力分析：

①上端面所受总压力 $P_1 = p_1 A$，方向向下。

②下端面所受总压力 $P_2 = p_2 A$，方向向上。

③液柱的重力 $G = \rho g A(z_1 - z_2)$，方向向下。

液柱处于静止时，上述三项力的合力应为零，即

$$p_2 A - p_1 A - \rho g A(z_1 - z_2) = 0$$

整理并消去 A，得

$$p_2 = p_1 + \rho g(z_1 - z_2) \tag{1-10a}$$

变形得

$$\frac{p_1}{\rho} + z_1 g = \frac{p_2}{\rho} + z_2 g \tag{1-10b}$$

若将液柱的上端面取在容器内的液面上，设液面上方的压力为 p_0，液柱高度为 h，则式 (1-10a) 可改写为

$$p_2 = p_0 + \rho g h \tag{1-10c}$$

式(1-10a)、式(1-10b)及式(1-10c)均称为"静力学基本方程式"。其中式(1-10a)为压力形式,式(1-10b)为能量形式。

二、流体静力学基本方程式的讨论

(1)适用条件:静力学基本方程式适用于在重力场中静止、连续的同种不可压缩流体,如液体。而对于气体来说,密度随压力变化而变化,但若气体的压力变化不大,密度近似地取其平均值而视为常数时,式(1-10a)、式(1-10b)及式(1-10c)也适用。

(2)在静止的液体中,液体任一点的压力与液体密度和其深度有关。液体密度越大,深度越大,则该点的压力越大。

(3)在静止的、连续的同一液体内,处于同一水平面上各点的压力均相等。此压力相等的截面称为"等压面"。

(4)压力具有传递性:当液体上方的压力 p_0 或液体内部任一点的压力 p_1 有变化时,液体内部各点的压力 p_2 也发生相应的变化。

(5)式(1-10b)中,zg、$\dfrac{p}{\rho}$ 分别为单位质量流体所具有的位能和静压能,此式反映出在同一静止流体中,处在不同位置流体的位能和静压能各不相同,但总和恒为常量。因此,静力学基本方程式也反映了静止流体内部能量守恒与转换的关系。

(6)式(1-10c)可改写为

$$\frac{p_2 - p_0}{\rho g} = h$$

说明压力或压力差可用液柱高度表示,此为前面介绍压力的单位可用液柱高度表示的依据。但需注明液体的种类。

【例 1-6】 本题附图所示的开口容器内盛有油和水。油层高度 $h_1 = 0.7\text{m}$、密度 $\rho_1 = 800\text{kg/m}^3$、水层高度 $h_2 = 0.6\text{m}$、密度 $\rho_2 = 1000\text{kg/m}^3$。

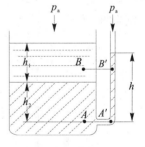

①判断下列两关系是否成立。

$$p_A = p'_A \qquad p_B = p'_B$$

②计算水在玻璃管内的高度 h。

例 1-6 附图

解:①判断题给的两关系式是否成立。

$p_A = p'_A$ 的关系成立。因 A 与 A' 两点在静止的连续的同一流体内,并在同一水平面上。所以截面 $A-A'$ 称为等压面。

$p_B = p'_B$ 的关系不能成立。因 B 及 B' 两点虽在静止流体的同一水平面上,但不是连续的同一种流体,即截面 $B-B'$ 不是等压面。

②计算玻璃管内水的高度 h。

由上面讨论知,$p_A = p'_A$,而 $p_A = p'_A$ 都可以用流体静力学基本方程式计算,即

$$p_A = p_a + \rho_1 g h_1 + \rho_2 g h_2$$

$$p'_A = p_a + \rho_2 g h$$

于是

$$p_a + \rho_1 g h_1 + \rho_2 g h_2 = p_a + \rho_2 g h$$

简化上式并将已知值代入,得

$$800 \times 0.7 + 1000 \times 0.6 = 1000h$$

解得　$h = 1.16\text{m}$

任务三　流体静力学基本方程的应用

利用静力学基本原理可以测量流体的压力或压力差、容器中液位及计算液封高度等。

一、压力及压力差的测量

1.U 形管压差计

U 形压差计的结构如图 1-3 所示。它是一根 U 形玻璃管,内装指示液。

要求指示液与被测流体不互溶,不起化学反应,且其密度大于被测流体密度。常用的指示液有水银、四氯化碳、水和液体石蜡等,应根据被测流体的种类和测量范围合理选择指示液。

当用 U 形压差计测量设备内两点的压差时,可将 U 形管两端与被测两点直接相连,利用 R 的数值就可以计算出两点间的压力差。

设指示液的密度为 ρ_0,被测流体的密度为 ρ。流体作用在两支管口的压力为 p_1 和 p_2,且 $p_1 > p_2$,则必使左支管内的指示液面下降,而右支管内的指示液液面上升,稳定时显示出读数,由读数 R 可求出 U 管两端的流体压差($p_1 - p_2$)。

由图 1-3 可知,A 和 B 点在同一水平面上,且处于连通的同种静止流体内,因此,A 和 B 点的压力相等,即 $p_A = p_B$,而 $p_A = p_1 + \rho g(m+R)$,$p_B = p_2 + \rho g m + \rho_0 g R$

所以　　　　　　　　$p_1 + \rho g(m+R) = p_2 + \rho g m + \rho_0 g R$

整理得

$$p_1 - p_2 = (\rho_0 - \rho)gR \tag{1-11a}$$

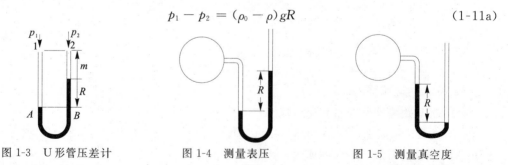

图 1-3　U 形管压差计　　　　图 1-4　测量表压　　　　图 1-5　测量真空度

若被测流体是气体,由于气体的密度远小于指示剂的密度,即 $\rho_0 - \rho \approx \rho_0$,则式(1-11a)可简化为

$$p_1 - p_2 \approx Rg\rho_0 \tag{1-11b}$$

式(1-11a)或式(1-11b)为用 U 管压差计测压力差的计算式。如果要测量某处的表压或真空度也很方便,只需将 U 管压差计的一端与所测的部位相接,另一端与大气相通,此时测得的是流体的表压或真空度。

图 1-4 表示用 U 管压差计测量容器表压的情况,此时 U 管压差计指示液的液面与测压

口相连的一端液面低,与大气相通的一端液面高。读数值即为表压。

图 1-5 表示用 U 管压差计测量容器负压的情况,此时 U 管压差计指示液的液面与测压口相连的一端液面高,与大气相通的一端液面低。读数值即为真空度。

U 管压差计所测压差或压力一般在 1 个大气压的范围内。其特点是:构造简单,测压准确,价格便宜。但玻璃管易碎,不耐高压,测量范围狭小,读数不便。通常用于测量较低的表压、真空度或压差。

2. 倒 U 形压差计

若被测流体为液体,也可选用比其密度小的流体(液体或气体)作为指示剂,采用如图 1-6 所示的倒 U 形压差计形式。最常用的倒 U 形压差计是以空气作为指示剂,此时,

$$p_1 - p_2 = Rg(\rho - \rho_0) \approx Rg\rho$$

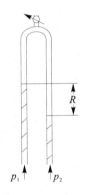

图 1-6　倒 U 形压差计

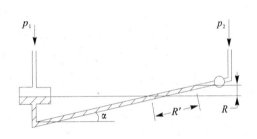

图 1-7　斜管压差计

3. 斜管压差计

当所测量的流体压力差较小时,可将压差计倾斜放置,即为斜管压差计,用以放大读数,提高测量精度,如图 1-7 所示。

此时,R 与 R' 的关系为

$$R' = \frac{R}{\sin\alpha} \tag{1-12}$$

式中 α 为倾斜角,其值越小,则读数放大倍数越大。

4. 微差压差计

由式(1-11a)可以看出,若所测量的压力差很小,U 管压差计的读数 R 也就很小,有时难以准确读出 R 值。为了把读数 R 放大,除了在选用指示液时,尽可能地使其密度与被测流体的密度相接近外,还可采用如图 1-8 所示的微差压差计。

其特点是:压差计内装有两种密度相近且互不相溶的指示液 A 和 $C(\rho_A > \rho_C)$,而指示液 C 与被测流体亦应不互溶;为了读数方便,在 U 管的两侧臂顶端各装有扩大室。扩大室内径与 U 管内径之比应大于 10。即使 U 管内指示液 A 的液面差 R 很大,但两扩大室内指示液 C 的液面变化微小,也可近似认为维持在同一水平面。

于是压力差($p_1 - p_2$)便可由下式计算,即

$$p_1 - p_2 = (\rho_A - \rho_C)gR \tag{1-13}$$

从式(1-13)可知,适当选取 A、C 两种指示液,使($\rho_A - \rho_C$)较小,就可以保证较大的读数

R。U 管压差计主要用于测量气体的微小压力差。工业上常用的双指示液有石蜡油与工业酒精、苯甲醇与氯化钙溶液等。

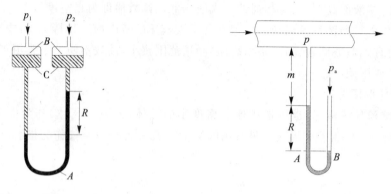

图 1-8 微差压差计   例 1-7 附图

【例 1-7】 如附图所示,水在水平管道内流动。为测量流体在某截面处的压力,直接在该处连接一个 U 形压差计,指示液为水银,读数 $R=250\text{mm}$,$m=900\text{mm}$。已知当地大气压为 101.3kPa,水的密度 $\rho=1000\text{kg/m}^3$,水银的密度 $\rho_0=13600\text{kg/m}^3$。试计算该截面处的压力。

解:图中 A—B 面间为静止、连续的同种流体,且处于同一水平面,因此为等压面,即

$$p_A = p_B$$

而 $$p_B = p_a \qquad p_A = p + \rho gm + \rho_0 gR$$

于是 $$p_a = p + \rho gm + \rho_0 gR$$

则截面处绝对压力

$$
\begin{aligned}
p &= p_a - \rho gm - \rho_0 gR \\
&= 101300 - 1000 \times 9.81 \times 0.9 - 13600 \times 9.81 \times 0.25 \\
&= 59117 \text{Pa}
\end{aligned}
$$

或直接计算该处的真空度

$$
\begin{aligned}
p_a - p &= \rho gm + \rho_0 gR \\
&= 1000 \times 9.81 \times 0.9 + 13600 \times 9.81 \times 0.25 \\
&= 42183 \text{Pa}
\end{aligned}
$$

由此可见,当 U 形管一端与大气相通时,U 形压差计实际反映的就是该处的表压或真空度。

U 形压差计在使用时为防止水银蒸汽向空气中扩散,通常在与大气相通的一侧水银液面上充入少量水,计算时其高度可忽略不计。

【例 1-8】 用 U 形压差计测量某气体流经水平管道两截面的压力差,指示液为水,密度为 1000kg/m^3,读数 R 为 12mm。为了提高测量精度,改用微差压差计,指示液 A 为含 40% 乙醇的水溶液,密度为 920kg/m^3,指示液 C 为煤油,密度为 850kg/m^3。问读数可以放大多少倍?此时读数为多少?

解:用 U 形压差计测量时,被测流体为气体,可根据式(1-11b)计算

$$p_1 - p_2 \approx Rg\rho_0$$

用微差压差计测量时,可根据式(1-12)计算

$$p_1 - p_2 = R'g(\rho_A - \rho_C)$$

因为所测压力差相同,联立以上二式,可得放大倍数

$$\frac{R'}{R} = \frac{\rho_0}{\rho_A - \rho_C} = \frac{1000}{920 - 850} = 14.3$$

此时微差压差计的读数为

$$R' = 14.3R = 14.3 \times 12 = 171.6\text{mm}$$

二、液位的测量

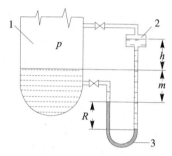

1-容器;2-平衡器;3-U形压差计

图 1-9 压差法测量液位

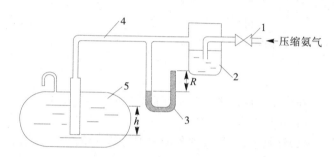

1-调节阀;2-吹泡观察器;3-U形压差计;
4-吹器管;5-贮槽

图 1-10 远距离液位测量

在化工生产中,经常要了解容器内液体的贮存量,或对设备内的液位进行控制,因此,常常需要测量液位。测量液位的装置较多,但大多数遵循流体静力学基本原理。

图 1-9 所示的是利用 U 形压差计进行近距离液位测量的装置。在容器或设备 1 的外边设一个平衡室 2,其中所装的液体与容器中的相同,液面高度维持在容器中液面允许到达的最高位置。用一个装有指示剂的 U 形压差计 3 把容器和平衡室连通起来,压差计读数 R 即可指示出容器内的液面高度,关系为

$$h = \frac{\rho_0 - \rho}{\rho}R \tag{1-14a}$$

若容器或设备的位置离操作室较远时,可采用图 1-10 所示的远距离液位测量装置。在管内通入压缩氮气,用阀 1 调节其流量,测量时控制流量使在观察器中有少许气泡逸出。用 U 形压差计测量吹气管内的压力,其读数 R 的大小,即可反映出容器内的液位高度,关系为

$$h = \frac{\rho_0}{\rho}R \tag{1-14b}$$

【例 1-9】 如图所示的容器内存有密度为 850kg/m^3 的油,U 形管压差计中的指示液为水银,读数 200mm。求容器内油面高度。

解:设容器上方气体压力为 p_0,油面高度为 h(指油面至 U 形管油侧指示液面间的距离),则

$$p_0 + h\rho g = p_0 + R\rho_0 g$$

即

$$h = R\rho_0/\rho$$

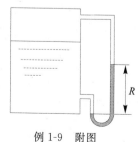

例 1-9 附图

已知　　　$\rho=800\text{kg/m}^3,\rho_0=13600\text{kg/m}^3$

故　　　$h=0.2\times13600/800=3.4\text{mm}$

三、液封高度的计算

在化工生产中，为了控制设备内气体压力不超过规定的数值，常常使用安全液封（或称水封）装置，如图 1-11 所示。作用有以下几点：

①当设备内压力超过规定值时，气体则从水封管排出，以确保设备操作的安全。

②防止气柜内气体泄漏。

液封高度可根据静力学基本方程计算。若要求设备内的压力不超过 p（表压），则水封管的插入深度 h 为

$$h=\frac{p}{\rho g} \tag{1-15}$$

在应用流体静力学基本方程式时，应当注意：

(1)正确选择等压面。

(2)计算时，方程式中各项物理量的单位必须一致。

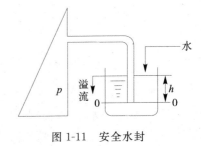

图 1-11　安全水封

项目 2 流体动力学

学习目标

- 了解定态流动与非定态流动
- 了解流动系统的能量
- 掌握管径的估算方法
- 掌握流体的流量与流速及其相互关系
- 掌握连续性方程式及其应用
- 掌握柏努利方程及其应用

任务一 流体的流量与流速

一、流量

单位时间内流经管道任一截面的流体量,称为"流体的流量"。流量有两种表示方法:

1. 体积流量

单位时间内流经管道任一截面的流体体积,称为"体积流量"。用符号 q_v 表示,单位是 m^3/s或 m^3/h。测定流量的简便方法是,在管道出口处测出在时间 τ 内流出的流体总体积 V,由下式求出体积流量

$$q_v = V/\tau \tag{1-16}$$

因气体的体积随温度和压力而变化,故气体的体积流量应注明温度、压力。

2. 质量流量

单位时间内流经管道任一截面的流体质量,称为"质量流量"。用符号 q_m 表示,单位是 kg/s或 kg/h。由下式求出质量流量

$$q_m = m/\tau$$

质量流量与体积流量的关系为

$$q_m = q_v \rho \tag{1-17}$$

二、流速

单位时间内流体在流动方向流过的距离,称为"流速"。流速亦有两种表示方法:

1. 平均流速

实验证明,流体流经管道截面上各点的流速是不同的,管道中心处的流速最大,越靠近管壁流速越小,在管壁处流速为零。流体在截面上某点的流速,称为"点速度"。流体在同一截面上各点流速的平均值,称为"平均流速"。在工程计算中常说的"流速"指的是平均流速,以符号 u 表示,单位为 m/s。

流速与流量的关系为

$$u = \frac{q_v}{A} = \frac{q_m}{\rho A} \tag{1-18a}$$

或者

$$q_v = uA \tag{1-18b}$$

$$q_m = u\rho A \tag{1-18c}$$

式中 A——流体流经管道的截面积,m^2。

2. 质量流速

质量流量与管道截面积之比称为"质量流速"。以符号 G 表示,其单位为 $kg/(m^2 \cdot s)$。表达式为

$$G = q_m/A = q_v\rho/A = u\rho \tag{1-19}$$

质量流速的物理意义是:单位时间内流过管道单位截面积的流体质量。

三、管径的估算

一般管道的截面是圆形的,若 d 为管子的内直径,则管子截面积 $A = \left(\dfrac{\pi}{4}\right)d^2$,带入公式 (1-18b),整理得

$$d = \sqrt{\frac{4q_v}{\pi u}} = \sqrt{\frac{q_v}{0.785u}} \tag{1-20}$$

式中,流量一般由生产任务决定。

由式(1-20)可知,流速越大,则管径越小,这样可节省设备费用,但流体流动时遇到的阻力大,会消耗更多的动力,增加日常操作费用;反之,流速小,则设备费用大而日常操作费用少。所以在管路设计中,选择适宜的流速是十分重要的,适宜流速由输送设备的操作费用和管路的设备费用经济权衡及优化来决定。通常,液体的流速取 0.5~3m/s,气体则为 10~30m/s。每种流体的适宜流速范围,可从手册中查取。表 1-1 列出了一些流体在管道中流动时流速的常用范围,可供参考选用。

表 1-1　某些流体在管道中的适宜流速范围

流体种类	范围流速/(m/s)	流体种类	范围流速/(m/s)
水及一般液体	1~3	饱和水蒸气:	
黏性液体,如油	0.5~1	0.3kPa(表压)	20~40
常压下一般气体	10~20	0.8kPa(表压)	40~60
压强较高的气体	15~25	过热蒸汽	30~50

一般，密度大或黏度大的流体，流速取小一些；对于含有固体杂质的流体，流速宜取得大一些，以避免固体杂质沉积在管道中。

由于管径已经标准化，所以经计算得到管径后，应圆整到标准规格。可参看附录二十二。

通常钢管的规格以外径和壁厚来表示，以"φ外径×壁厚"表示。

【例 1-10】 某厂要求安装一根输水量为 30m³/h 的管道，试选择一合适的管子。

解：已知 $q_v = \dfrac{30}{3600}$ m³/s，取适宜流速 $u = 1.8$ m/s，代入式(1-20)，则

$$d = \sqrt{\frac{q_v}{0.785u}} = \sqrt{\frac{30}{3600 \times 0.785 \times 1.5}} = 0.077\text{m} = 77\text{mm}$$

参考本书附录二十二，选公称直径 Dg80（英制 3″）的管子，或表示为 φ88.5×4mm，该管子外径为 88.5mm，壁厚为 4mm，则内径为

$$d = 88.5 - 2 \times 4 = 80.5 \text{ mm}$$

水在管中的实际流速为

$$u = \frac{q_v}{\frac{\pi}{4}d^2} = \frac{30/3600}{0.785 \times 0.0805^2} = 1.63\text{m/s}$$

其在适宜流速范围内，所以该管子合适。

任务二　定态流动与非定态流动

一、定态流动

流体在流动时，任一截面处流体的流速、压力、密度等有关物理量仅随位置而改变，不随时间而变，这种流动称为"定态流动"，也叫"稳定流动"。如图 1-12 所示。

图 1-12　定态流动　　　　　　　图 1-13　非定态流动

二、非定态流动

流体在流动时，任一截面处流体的流速、压力、密度等有关物理量不仅随位置而变，又随时间而变，这种流动称为"非定态流动"，也叫"不稳定流动"。如图 1-13 所示。

在化工生产中，流体输送操作多属于稳定流动。所以本章只讨论稳定流动。

在化工厂中，连续生产的开、停车阶段，属于非定态流动，而正常连续生产时，均属于定

态流动。本教材重点讨论定态流动问题。

任务三　连续性方程式

当流体在密闭管路中作稳定流动时,既不向管中添加流体,也不发生漏损,则根据质量守恒定律,通过管路任一截面的流体质量流量应相等。这种现象称为"流体流动的连续性"。

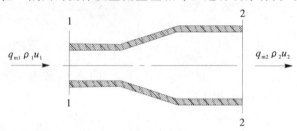

图 1-14　流体的定态流动

如图 1-14 所示,在管路中任选一段锥形管,流体经此锥形管从截面 1—1 到截面 2—2 作定态流动。流体完全充满管路,则物料衡算式为

$$q_{m1} = q_{m2} = 常数 \tag{1-21a}$$

$$u_1 \rho_1 A_1 = u_2 \rho_2 A_2 \tag{1-21b}$$

推广至任意截面有:

$$q_m = \rho_1 u_1 A_1 = \rho_2 u_2 A_2 = \cdots = \rho u A = 常数 \tag{1-21c}$$

式(1-21a)~式(1-21c)均称为"连续性方程",表明在定态流动系统中,流体流经各截面时的质量流量恒定。

对不可压缩流体,$\rho =$ 常数,连续性方程可写为

$$q_v = u_1 A_1 = u_2 A_2 = \cdots = u A = 常数 \tag{1-22a}$$

式(1-22a)表明不可压缩性流体流经各截面时的体积流量也不变,流速 u 与管截面积成反比,截面积小,流速越大;反之,截面积越大,流速越小。

对于圆形管道,式(1-22a)可变形为

$$\frac{u_1}{u_2} = \frac{A_2}{A_1} = \left(\frac{d_2}{d_1}\right)^2 \tag{1-22b}$$

上式说明不可压缩流体在圆形管道中,任意截面的流速与管内径的平方成反比。

连续性方程反映了在定态流动系统中,流量一定时管路各截面上流速的变化规律,而此规律与管路的安排以及管路上是否装有管件、阀门或输送设备等无关。

连续性方程式可以用来计算流体的流速或管径。若管路中有支管存在,则流体仍有连续性现象,总管内流体的质量流量应该是各支管内质量流量之和。

【例 1-11】　如附图所示,管路由一段 φ89×4mm 的管 1、一段 φ108×4mm 的管 2 和两段 φ57×3.5mm 的分支管 3a 及 3b 连接而成。若密度为 1000kg/m³ 液体水以 9×10⁻³ m/s 的体积流量流动,且在两段分支管内的流量相等,试求:①水在各段管内的流速。②水在管 1 中质量流量(kg/h)。

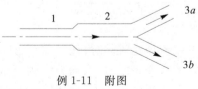

例 1-11　附图

解:①水在各段管内的流速

管 1 的内径为

$$d_1 = 89 - 2 \times 4 = 81 \text{mm}$$

则水在管 1 中的流速为

$$u_1 = \frac{q_v}{\frac{\pi}{4} d_1^2} = \frac{9 \times 10^{-3}}{0.785 \times 0.081^2} = 1.75 \text{m/s}$$

管 2 的内径为

$$d_2 = 108 - 2 \times 4 = 100 \text{mm}$$

由式(1-22b),则水在管 2 中的流速为

$$u_2 = u_1 \left(\frac{d_1}{d_2} \right)^2 = 1.75 \times \left(\frac{81}{100} \right)^2 = 1.15 \text{m/s}$$

管 3a 及 3b 的内径 $d_3 = 57 - 2 \times 3.5 = 50 \text{mm}$

又水在分支管路 3a、3b 中的流量相等,则有

$$u_2 A_2 = 2 u_3 A_3$$

即水在管 3a 和 3b 中的流速为

$$u_3 = \frac{u_2}{2} \left(\frac{d_2}{d_3} \right)^2 = \frac{1.15}{2} \left(\frac{100}{50} \right)^2 = 2.30 \text{m/s}$$

②水在管 1 中质量流量(kg/h)

$$q_m = q_v \rho = 9 \times 10^{-3} \times 1000 = 9 \text{kg/s} = 32400 \text{kg/h}$$

任务四　柏努利方程式

一、流动系统的能量

流动系统中涉及的能量有多种形式,包括内能、机械能、功、热、损失能量等。若系统不涉及温度变化及热量交换,内能为常数,则系统中所涉及的能量只有机械能、功和损失能量。能量根据其属性分为流体自身所具有的能量及系统与外部交换的能量。

1.流体所具有的能量——机械能

(1)位能　位能是流体处于重力场中而具有的能量。若质量为 m(kg)的流体与基准水平面的垂直距离为 z(m),则位能为 mgz(J),单位质量流体的位能则为 gz(J/kg)。位能是相对值,计算须规定一个基准水平面。

(2)动能　动能是流体具有一定速度流动而具有的能量。m(kg)流体,当其流速为 u(m/s)时具有的动能为 $\frac{1}{2} mu^2$(J),单位质量流体的动能为 $\frac{1}{2} u^2$(J/kg)。

(3)静压能　静压能是由于流体具有一定的压力而具有的能量。流体内部任一点都有一定的压力,如果在有液体流动的管壁上开一小孔并接上一个垂直的细玻璃管,液体就会在玻璃管内升起一定的高度,此液柱高度即表示管内流体在该截面处的静压力的大小。

管路系统中,某截面处流体压力为 p,流体要流过该截面进入系统,就需要对流体做一

定的功,以克服这个静压力。换句话说,进入截面后的流体,必须克服此压力做功,于是流体带着与此功相当的能量进入系统,流体的这种能量称为"静压能",也叫"流动功"。

质量为 $m(\mathrm{kg})$、体积为 $V(\mathrm{m}^3)$ 的流体,通过截面所需的作用力 $F = pA$,流体推入管内所走的距离 V/A,故与此功相当的静压能为

$$pA\,\frac{V}{A} = pV = \frac{mp}{\rho}\,(\mathrm{J})$$

$1\mathrm{kg}$ 的流体所具有的静压能为 $\dfrac{p}{\rho}$,其单位为 $\mathrm{J/kg}$。

以上三种能量均为流体在截面处所具有的机械能,三者之和称为某截面上的"总机械能"。因此,质量为 $m(\mathrm{kg})$ 流体的总机械能为

$$mgz + \frac{1}{2}mu^2 + \frac{mp}{\rho}(\mathrm{J})$$

$1\mathrm{kg}$ 流体的总机械能为

$$zg + \frac{1}{2}u^2 + \frac{p}{\rho} \quad (\mathrm{J/kg})$$

2. 系统与外界交换的能量

实际生产中的流动系统,与外界交换的能量主要有外加功和损失能量。

(1)外加功 当系统中安装有流体输送机械时,它将对系统做功,即将外部的能量转化为流体的机械能。单位质量流体从输送机械中所获得的能量称为"外加功",用 W_e 表示,其单位为 $\mathrm{J/kg}$。

外加功 W_e 是选择流体输送设备的重要数据,可用来确定输送设备的有效功率 p_e,即

$$p_\mathrm{e} = q_\mathrm{m}W_\mathrm{e} \tag{1-23}$$

(2)损失能量 由于流体在流动过程中要克服各种阻力,所以流动中有能量损失。单位质量流体流动时为克服阻力而损失的能量,用 $\sum h_\mathrm{f}$ 表示,其单位为 $\mathrm{J/kg}$。

二、柏努利方程

1. 理想流体的柏努利方程

无黏性、流动时不产生摩擦阻力的流体,称为"理想流体"。实际生产中,理想流体是不存在的,它只是实际流体的一种抽象"模型"。但任何科学的抽象都能帮助我们更好地理解和解决实际问题。

当理想流体在一个密闭管路中作定态流动时,由能量守恒定律可知,进入管路系统的总能量应等于从管路系统带出的总能量。在无其他形式的能量输入和输出的情况下,理想流体进行定态流动时,在管路任一个截面的流体总机械能是一个常数。即

$$zg + \frac{u^2}{2} + \frac{p}{\rho} = 常数 \tag{1-24a}$$

如图 1-15 所示,也就是将流体由截面 1—1 输送到截面 2—2 时,两截面处流体的总机械能相等。即

$$z_1 g + \frac{u_1^2}{2} + \frac{p_1}{\rho} = z_2 g + \frac{u_2^2}{2} + \frac{p_2}{\rho} \tag{1-24b}$$

式中 $z_1 g$、$\dfrac{u_1^2}{2}$、$\dfrac{p_1}{\rho}$——分别为流体在截面 1—1 上的位能、

动能、静压能,J/kg。

$z_2 g$、$\dfrac{u_2^2}{2}$、$\dfrac{p_2}{\rho}$——分别为流体在截面 2—2 上的位能、

动能、静压能,J/kg。

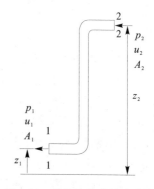

图 1-15　理想流体的管路系统

式(1-24a)和式(1-24b)称为"柏努利方程式",是以单位质量的流体为基准,其各项的单位为 J/kg。

由柏努利方程可知,流动的流体在不同截面间各种机械能的形式可以互相转化。流体在任一截面上,各种机械能的总和为常数。

2. 实际流体的柏努利方程

在化工生产中所处理的流体都是实际流体。实际流体在流动时有摩擦阻力产生,使一部分机械能转变成热能而无法利用,这部分损失掉的机械能称为"损失能量"(阻力损失)。对于 1kg 流体而言,从截面 1—1 输送到截面 2—2 时,克服两截面间各项阻力所消耗的损失能量为 $\sum h_f$。为了补充消耗掉的损失能量,需要使用外加设备(泵)来供应能量。

(1)如图 1-16 所示,按照能量守恒及转化定律,输入系统的总机械能必须等于由系统中输出的总能量。即

$$z_1 g + \frac{p_1}{\rho} + \frac{1}{2}u_1^2 + W_e = z_2 g + \frac{p_2}{\rho} + \frac{1}{2}u_2^2 + \sum h_f \qquad (1\text{-}25a)$$

式(1-25a)亦称为"柏努利方程式",它是以单位质量为基准的,其中每项的单位均为 J/kg。

在式(1-25a)的各种实际应用中,为了计算方便,常采用不同的衡算基准,得到不同形式的衡算方程。

(2)以单位重量(1N)流体为衡算基准　将式(1-25a)中各项除以 g,则得

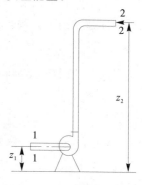

图 1-16　液体输送装置

$$z_1 + \frac{u_1^2}{2g} + \frac{p_1}{\rho g} + H_e = z_2 + \frac{u_2^2}{2g} + \frac{p_2}{\rho g} + \sum H_f \qquad (1\text{-}25b)$$

式中各项单位为:$\dfrac{J}{N} = \dfrac{N \cdot m}{N} = m$,其物理意义为:表示单位重量(1N)流体所具有的能量。虽然各项的单位为 m,与长度的单位相同,但在这里应理解为 m 液柱,其物理意义是指单位重量的流体所具有的机械能。

(3)以单位体积流体为衡算基准　将式(1-25)中各项乘以 ρ,得

$$z_1 g\rho + \frac{\rho u_1^2}{2} + p_1 + \rho W_{\text{功}} = z_2 g\rho + \frac{\rho u_2^2}{2} + p_2 + \rho \sum h_f \qquad (1\text{-}25c)$$

式中各项单位为:$\dfrac{J}{m^3} = \dfrac{N \cdot m}{m^3} = \dfrac{N}{m^2} = Pa$,即单位体积不可压缩流体所具有的能量。

习惯上将 z、$\dfrac{u^2}{2g}$、$\dfrac{p}{\rho g}$ 分别称为"位压头"、"动压头"和"静压头",三者之和称为"总压头",$\sum H_f = \sum h_f / g$ 称为"损失压头",$H_e = W_e / g$ 为单位重量的流体从流体输送机械所获得的能

量,称为"外加压头"或"有效压头"。

柏努利方程是流体动力学中最主要的方程,可以用来确定各项压头的转换关系;计算流体的流速;以及管路输送系统中所需的外加压头等问题。当 $H_e = 0$ 时,由式(1-25b)可看出,在无外加压头的情况下,流体在管路中流动时,只能从高压头处自动流向低压头处,反之就必须外加能量。换句话说,两截面间的总压头差就是流体流动的推动力。

3.柏努利方程的应用

应用柏努利方程时应注意以下几点:

①截面选取:先要定出管路的上游截面1—1和下游截面2—2,以明确所讨论的流动系统的范围。截面宜选在已知量多、计算方便处。两截面应与流体流动的方向垂直(此条件下的流体流动速度为 u),并且流体在两截面之间应是定态连续流动。

②基准面:基准面必须是水平面,原则上可以任意选定。通常把基准面选在低截面处,使该截面处值为零,另一个值等于两截面间的垂直距离,使计算简化。

③柏努利方程中各项物理量的单位必须一致。尤其在计算截面上的静压能时,p_1、p_2 不仅单位要一致,同时表示方法也应一致,即同为绝压或同为表压。

④如果两个横截面积相差很大,如大截面容器和小管子,则可取大截面处的流速为零。

⑤不同基准柏努利方程式的选用:通常依据所给条件中损失能量或损失压头的单位,选用相同基准的柏努利方程。

⑥柏努利方程是依据不可压缩流体的能量平衡而得出的,故只适用于液体。对于气体,当所取系统两截面之间的绝对压力变化小于原来压力的 $20\%\left(\dfrac{p_1-p_2}{p_1}<20\%\right)$ 时,仍可使用式(1-25a)、(1-25b)、(1-25c)进行计算。式中的流体密度应以两截面之间流体的平均密度 $\rho_{均}$ 代替。这种处理方法带来的误差在工程计算中是允许的。

【例 1-12】 如附图所示,某厂利用喷射泵输送氨。管中稀氨水的质量流量为 1×10^4 kg/h,密度为 1000 kg/m³,入口处的表压为 147 kPa。管道的内径为 53 mm,喷嘴出口处内径为 13 mm,喷嘴能量损失可忽略不计,试求喷嘴出口处的压力。

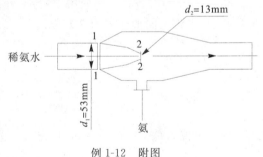

例 1-12　附图

解: 取稀氨水入口为 1—1 截面,喷嘴出口为 2—2 截面,管中心线为基准水平面。在 1—1 和 2—2 截面间列柏努利方程

$$z_1 g + \frac{1}{2}u_1^2 + \frac{p_1}{\rho} + W_e = z_2 g + \frac{1}{2}u_2^2 + \frac{p_2}{\rho} + \sum h_f$$

其中:$z_1=0$;$z_2=0$;$p_1=147\times10^3$ Pa(表压);$W_e=0$;$\sum h_f=0$

$$u_1 = \frac{q_m}{\frac{\pi}{4}d_2^2 \rho} = \frac{10000/3600}{0.785\times0.053^2\times1000} = 1.26\,\text{m/s}$$

喷嘴出口速度 u_2 可直接计算或由连续性方程计算

$$u_2 = u_1\left(\frac{d_1}{d_2}\right)^2 = 1.26\left(\frac{0.053}{0.013}\right)^2 = 20.94\ \text{m/s}$$

将以上各值代入上式

$$\frac{1}{2} \times 1.26^2 + \frac{147 \times 10^3}{1000} = \frac{1}{2} \times 20.94^2 + \frac{p_2}{1000}$$

解得

$$p_2 = -71.45 \text{kPa（表压）}$$

即喷嘴出口处的真空度为 71.45kPa。

喷射泵是利用流体流动时静压能与动能的转换原理进行吸、送流体的设备。当一种流体经过喷嘴时，由于喷嘴的截面积比管道的截面积小得多，流体流过喷嘴时速度迅速增大，使该处的静压力急速减小，造成真空，从而可将支管中的另一种流体吸入，二者混合后在扩大管中速度逐渐降低，压力随之升高，最后将混合流体送出。

【例 1-13】　如附图所示，从高位槽向塔内进料，高位槽中液位恒定，高位槽和塔内的压力均为大气压。送液管为 $\phi45 \times 2.5$mm 的钢管，要求送液量为 3.6m³/h。设料液在管内的压头损失为 1.2m（不包括出口能量损失），试问高位槽的液位要高出进料口多少米？

解：如图所示，取高位槽液面为 1—1 截面，进料管出口内侧为 2—2 截面，以过 2—2 截面中心线的水平面 0—0 为基准面。在 1—1 和 2—2 截面间列柏努利方程（由于题中已知压头损失，用式(1-25b)以单位重量流体为基准计算比较方便）

$$z_1 + \frac{1}{2g}u_1^2 + \frac{p_1}{\rho g} + H_e = z_2 + \frac{1}{2g}u_2^2 + \frac{p_2}{\rho g} + \sum H_f$$

其中：$z_1 = h$；因高位槽截面比管道截面大得多，故槽内流速比管内流速小得多，可以忽略不计，即

$$u_1 \approx 0; p_1 = 0(\text{表压}); H_e = 0$$
$$z_2 = 0; p_2 = 0(\text{表压}); \sum H_f = 1.2\text{m}$$
$$u_2 = \frac{q_v}{\frac{\pi}{4}d^2} = \frac{3.6/3600}{0.785 \times 0.04^2} = 0.796 \text{ m/s}$$

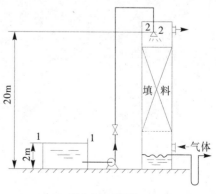

将以上各值代入上式中，可确定高位槽液位的高度

$$h = \frac{1}{2 \times 9.81} \times 0.796^2 + 1.2 = 1.23\text{m}$$

例 1-13　附图

计算结果表明，动能项数值很小，流体位能主要用于克服管路阻力。

解本题时应注意，因题中所给的压头损失不包括出口能量损失，因此 2—2 截面应取管出口内侧。若选 2—2 截面为管出口外侧，计算过程有所不同。

【例 1-14】　如附图所示，有一用水吸收混合气中氨的常压逆流吸收塔，水由水池用离心泵送至塔顶经喷头喷出。泵入口管为 $\phi108 \times 4$mm 无缝钢管，管中流体的流量为 40m³/h，出口管为 $\phi89 \times 3.5$mm 的无缝钢管。池内水深为 2m，池底至塔顶喷头入口处的垂直距离为 20m。管路的总阻力损失为 40J/kg，喷头入口处的压力为 120kPa（表压）。试求泵所需的有效功率为多少 kW？设泵的效率为 60%，试求泵所需的功率。

例 1-14　附图

解:取水池液面为截面 1—1,喷头入口处为截面 2—2,取截面 1—1 为基准水平面。在截面 1—1 和截面 2—2 间列柏努利方程,即

$$z_1 g + \frac{1}{2}u_1^2 + \frac{p_1}{\rho} + W_e = z_2 g + \frac{1}{2}u_2^2 + \frac{p_2}{\rho} + \sum h_f$$

其中　　$z_1 = 0$;$z_2 = 20 - 2 = 18\text{m}$;

　　　　$p_1 = 0$(表压),$p_2 = 120\text{kPa}$(表压);

　　　　$d_1 = 108 - 2 \times 4 = 100\text{mm}$;

　　　　$d_2 = 89 - 2 \times 3.5 = 82\text{mm}$;$\sum h_f = 40\text{J/kg}$;

　　　　$u_1 \approx 0$;$u_2 = \dfrac{q_v}{\dfrac{\pi}{4}d_2^2} = \dfrac{40/3600}{0.785 \times 0.082^2} = 2.11\text{m/s}$

代入柏努利方程得

$$W_e = g(z_2 - z_1) + \frac{p_2 - p_1}{\rho} + \frac{u_2^2 - u_1^2}{2} + \sum h_f$$

$$= 9.807 \times 18 + \frac{120 \times 10^3}{1000} + \frac{(2.11)^2}{2} + 40 = 338.75\text{J/kg}$$

质量流量　　$q_m = A_2 u_2 \rho = \dfrac{\pi}{4}d_2^2 u_2 \rho$

　　　　　　　　$= 0.785 \times 0.082 \times 2 \times 2.11 \times 1000 = 11.14\text{kg/s}$

有效功率　　$p_e = q_m W_e = 11.14 \times 338.75 = 3774\text{w} = 3.77\text{kw}$

泵所需的功率　　$p_{轴} = \dfrac{p_e}{\eta} = \dfrac{3.77}{0.60} = 6.28\text{kw}$

项目 3
流体流动阻力

学习目标

- 了解流体流动阻力产生的原因
- 了解流体在圆管中的速度分布
- 了解雷诺实验
- 掌握流体流动类型的判断
- 掌握流体流动阻力的计算方法

任务一　流体流动阻力产生的原因

一、流体流动阻力的表现和来源

做个实验来观测流体阻力的表现。图 1-17 所示,在一水槽的底部接出一段直径均匀的水平管,在截面 1—1、2—2 两处安装两根直立的玻璃管,用来观测当水流经管道时两截面处的静压力。

若把水平管的出口阀打开,水以流速 u 流动时,两直立玻璃管内的液柱高度将出现图示现象。由两截面间的柏努利方程式可得

$$\sum h_{\mathrm{f}} = \frac{p_1 - p_2}{\rho}$$

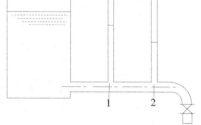

图 1-17　流体流动阻力的观察

由上式可见,由于存在流体流动阻力致使静压能下降。阻力越大,静压能下降就越多。这种压力降就是流体阻力的表现。

应当说明的是,上式只适用于流体在等径的水平管中流动的情况。

1.流体的黏性

为了更好地了解流体流动时产生的阻力,可以用河道的水流现象来说明。流体流经固体壁面时,由于流体对壁面有附着力作用,因此在壁面上黏附着一层静止的流体,同时在流体内部分子间是有吸引力的,所以,当流体流过壁面时,壁面上静止的流体层对于其相邻的流体层的流动有约束作用,使该层流体流速变慢,离开壁面越远其约束作用越弱,这种流速的差异造成了流体内部各层之间的相对运动。

由于流体层与流体层之间产生相对运动,流得快的流体层对于其流得慢的相邻流体层

产生一种牵引力,而流得慢的流体层对于其流得快的相邻流体层则产生一种阻碍力。上述这两种力是大小相等而方向相反的。因此,流体流动时,流体内部相邻两层之间必然有上述相互作用的剪应力存在,这种力称为"内摩擦力"。流体流动时产生内摩擦的性质称为"流体的黏性"。黏性大的流体流动性差,黏性小的流体流动性好。

　　黏性是流体的固有属性,流体无论是静止还是流动,都具有黏性。

　　2. 流体的流动状况

　　当流体流动激烈呈紊乱状态时,流体质点流速的大小与方向发生急剧的变化,质点之间相互激烈的交换位置。这种运动的结果,会损耗流体的机械能,而使阻力增大。可以说,流体流动状况是产生流体阻力的第二位原因。

　　所以,流体具有内摩擦力是产生流体阻力的内因,流体流动时受流动条件的影响是流体阻力产生的外因。另外,管壁粗糙程度和管子的长度、直径均对流体阻力的大小有影响。

二、牛顿黏性定律

　　如图 1-18 所示,有上下两块平行放置且面积很大而相距很近的平板,板间充满某种液体。若将下板固定,而对上板施加一个恒定的外力 F,上板就以恒定速度 u 沿 x 方向运动。此时,两板间的液体就会分成无数平行的薄层而运动,黏附在上板底面的一薄层液体也以速度 u 随上板运动,其下各层液体的速度依次降低,黏附在下板表面的液层速度为零,流体相邻层间的内摩擦力即为 F。实验证明,流体在圆管内流动时,内摩擦力 F 与两流体层的速度差 Δu 成正比,与两层之间的垂直距离 Δy 成反比,与两层之间的接触面积 S 成正比。即

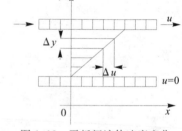

图 1-18　平板间液体速度变化

$$F = \mu \frac{du}{dy} S \qquad (1\text{-}26)$$

式中　$\dfrac{du}{dy}$——速度梯度,即在流动方向相垂直的 y 方向上流体流速的变化率。

　　μ——比例系数,称为黏性系数或动力黏度,简称黏度。

　　若单位流层面积上的内摩擦力称为剪应力,以 τ 表示,则

$$\tau = \frac{F}{S} = \mu \frac{du}{dy} \qquad (1\text{-}27)$$

式(1-27)称为"牛顿黏性定律",即流体层间的剪应力与速度梯度成正比。

　　剪应力与速度梯度的关系符合牛顿黏性定律的流体,称为"牛顿型流体",包括所有气体和大多数液体;不符合牛顿黏性定律的流体称为"非牛顿型流体",如高分子溶液、胶体溶液及悬浮液等。

三、流体的黏度

　　流体流动时流层之间产生内摩擦力的这种特性,称为黏性。黏性大的流体不易流动,从桶底把一桶油放完比一桶水放完要慢得多。其原因是油的黏性比水大,即流动时内摩擦力较大,因而流体阻力较大,流速较小。

　　衡量流体黏性大小的物理量,称为"黏性系数"或"动力黏度",简称"黏度",用符号 μ 表示。

1.黏度的单位

流体的黏度可由实验测定或从手册上查到。在物理单位制中黏度的单位为$(dyn \cdot s/cm^2)$，专用名称为泊，用符号 P 表示。由于泊的单位太大，一般常用的是厘泊(cP)。

$$1P = 100cP$$

在 SI 制中黏度的单位为$(N \cdot s/m^2)$或$(Pa \cdot s)$。

物理单位制中黏度的单位与 SI 制中黏度单位的换算关系如下：

$$1Pa \cdot s = 10P = 1000cP = 1000mPa \cdot s \text{ 或者 } 1cP = 1mPa \cdot s$$

流体的黏度随温度而变化。液体的黏度随温度的升高而降低；气体则相反，黏度随温度的升高而增大。

压力对液体黏度的影响可忽略不计；气体的黏度只有在极高或极低的压力下才有变化，一般情况下可以忽略。

2.混合液体的黏度

混合液体的黏度在缺乏实验数据时，可选用经验公式估算。

(1)对于分子不缔合的液体混合物，可用以下经验公式估算。

$$\lg\mu = \sum x_i \lg\mu_i \tag{1-28}$$

式中　μ——混合液的黏度，$Pa \cdot s$。

　　　　x_i——混合液中组分的摩尔分数。

　　　　μ_i——混合液中组分的黏度，$Pa \cdot s$。

(2)对于低压下的混合气体

$$\mu = \frac{\sum y_i\mu_i M_i^{\frac{1}{2}}}{\sum y_i M_i^{\frac{1}{2}}} \tag{1-29}$$

式中　μ——混合气体的黏度，$Pa \cdot s$。

　　　　μ_i——混合气体中组分的黏度，$Pa \cdot s$。

　　　　y_i——混合气体中组分的摩尔分数。

　　　　M_i——混合气体中组分的分子量，即千摩尔质量，$kg/kmol$。

任务二　流体的流动类型与雷诺数

一、雷诺实验

图 1-19 是雷诺实验装置的示意图。清水从恒位槽稳定地流入玻璃管，玻璃管进口中心处插有连接红墨水的针形细管，分别用阀 A、B 调节清水与红墨水的流量。

雷诺实验的结果表明，当玻璃管内水的流速较小时，红墨水在管中心呈明显的细直线，沿玻璃管的轴线通过全管。如图 1-20(a)所示。随着逐渐增大水的流速，作直线流动的红色细线开始抖动、弯曲、呈波浪形，如图 1-20(b)所示。速度再增大，红色细线断裂、冲散，全管内水的颜色均匀一致，如图 1-20(c)所示。

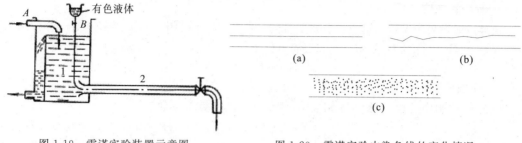

图 1-19　雷诺实验装置示意图　　　　　　图 1-20　雷诺实验中染色线的变化情况

二、流动类型及其判定

雷诺实验揭示了重要的流体流动机理,即流体有两种截然不同的流动类型。当流速较小时,流体质点沿管轴做规则的平行直线运动,与其周围的流体质点间互不干扰及相混,即分层流动,这种流动类型称为"层流"或"滞流"。流体流速增大到某一值时,流体质点除流动方向上的运动之外,还向其他方向做随机运动,即存在流体质点的不规则脉动,彼此混合。这种流动类型称为"湍流"或"紊流"。

层流和湍流最本质的区别是有无径向脉动。湍流的流体质点除了沿管轴方向向前流动外,还有径向脉动,质点的脉动是湍流运动的最基本点。自然界和工程上遇到的流动大多是湍流。

雷诺进行的实验研究还表明,流体的流动状况不仅与流体的流速有关,而且与流体的密度、黏度和管径有关。雷诺将这些因素组合成一个数群,用以判断流体的流动类型。这一数群称为"雷诺数",用 Re 表示:

$$Re = \frac{du\rho}{\mu} \tag{1-30}$$

雷诺数是没有单位的。由几个物理量按照没有单位的条件组合的数群,称为"特征数"或"准数"。这种组合一般都是在大量实践的基础上,对影响某一现象或过程的各种因素有了一定认识之后,利用物理分析或数学推导或两者相结合的方法产生的。它既反映所包含的各物理量的内在关系,并能说明某一现象或过程的一些本质。雷诺数反映了上述四个因素对流体流动类型的影响,因此 Re 数值的大小,可以作为判别流体流动类型的标准。

实验证明:当 Re<2000 时,流体的流动类型属于层流,称为"层流区";当 Re>4000 时,流体的流动类型属于湍流,称为"湍流区";当 Re 数值在 2000 与 4000 之间时,流动状态是不稳定的,称为"过渡区"。这种流动受外界条件的影响,易促成湍流的发生,所以过渡区的阻力计算,应按湍流流动处理。

需要指出的是,流动状态虽分为层流区、湍流区和过渡区,但流动类型只有层流和湍流。在实际生产中,流体的流动类型多属于湍流。

【例 1-15】 密度为 800kg/m^3,黏度为 $2.3 \times 10^{-3} \text{Pa·s}$ 的液体,以 $10 \text{m}^3/\text{h}$ 的流量通过内径为 25mm 的圆形管路。试判断管路中流体的流动类型。

解: 已知 $d=25\text{mm}=0.025\text{m}$,$\mu=2.3 \times 10^{-3} \text{Pa·s}$,$\rho=800 \text{kg/m}^3$,计算流速 $u=q_v/A=10/(0.785 \times 0.025^2 \times 3600)=5.66 \text{m/s}$。把这些数值代入式(1-30),求 Re:

$$Re = \frac{du\rho}{\mu} = \frac{0.025 \times 5.66 \times 800}{2.3 \times 10^{-3}} = 49200 > 4000$$

所以管路中流体的流动类型为湍流。

三、当量直径

如果管路的截面不是圆形，Re 计算式中的 d 应用当量直径 $d_当$ 代替。$d_当$ 按下式计算：

$$d_当 = \frac{4 \times 流通截面积}{润湿周边长度} \tag{1-31a}$$

对于边长为 a 和 b 的长方形管路，则

$$d_当 = \frac{4ab}{2(a+b)} = \frac{2ab}{a+b} \tag{1-31b}$$

对于套管环隙的当量直径，若外管的内径为 $D_内$，内管的外径为 $d_外$，如图 1-21 所示，则

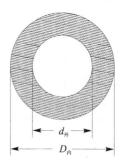

$$d_当 = 4\frac{\frac{\pi}{4}(D_内{}^2 - d_外{}^2)}{\pi(D_内 + d_外)} = D_内 - d_外 \tag{1-31c}$$

式中　$D_内$——外管的内径。

　　　$d_外$——内管的外径。

图 1-21　环行截面

当量直径的计算方法，完全是经验性的。只能用于非圆形管路，不能把其当作直径 d 来计算其截面积。

任务三　流体在圆管中的流动速度分布

由于流体流动时，流体质点之间和流体与管壁之间都有摩擦阻力。因此，靠近管壁附近处的流层流速较小，附在管壁上的流层流速为零，离管壁越远流速越大，在管中心线上流速最大。在流量方程式中流体的流速是指平均流速。但层流与湍流时在管道截面上的流速分布并不一样，所以流体的平均流速与最大流速的关系也不相同，如图 1-22 所示。

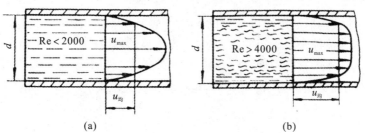

(a)　　　　　　　　　　　　　　　(b)

图 1-22　速度分布曲线

一、层流时的速度分布

流体质点沿管轴方向作直线运动，即分层流动；质点间不发生宏观混合；流体的内摩擦力遵循牛顿黏性定律；流体内的动量、热量和质量的传递靠分子运动来进行。

速度分布为

$$u_r = u_{\max}\left(1 - \frac{r^2}{R^2}\right) \tag{1-32}$$

式中　r——流层到管轴的距离。

　　　R——圆管半径。

　　显然，在壁面处，$u_r = 0$；在管中心处 $u_r = u_{max}$，平均流速 $u = \dfrac{1}{2}u_{max}$。

二、湍流时的速度分布

　　流体质点总体上沿管轴方向流动，同时还在各个方向上做剧烈的随机脉动；流体的内摩擦力不服从牛顿黏性定律；流体内的动量、热量和质量的传递是通过质子和分子的随机运动来进行共同完成的，质子随机运动强化了传递过程。

　　速度分布为

$$u_r = u_{max}\left(1 - \frac{r^2}{R^2}\right) \tag{1-33}$$

质点的碰撞和混合使速率平均化，平均速率

$$u \approx 0.82 u_{max}$$

　　化工生产中流体的流动多为湍流，但无论流体的湍动程度如何剧烈，由于流体与壁面间的摩擦作用，在靠近管壁处总黏附着一层做层流流动的流体薄层，称为"流动边界层"。流动边界层理论是德国科学家普朗特(Prandtl)在 1904 年提出的简化黏性运动方程的理论。湍流流动的流体中，做层流流动的流体层称为"层流内层"或"层流底层"或"流动边界层"；而流动边界层外的流体称为"流动主体"或"湍动主体"。流动边界层的厚度虽然很小，但边界层的存在，对流体的传热及传质过程均有不利的影响，减小流动边界层的厚度是提高传热及传质速率的重要手段。流动边界层的厚度与 Re 有关，Re 值越大，厚度越小；反之越大。

任务四　流体流动阻力的计算

　　流体在管路中流动时的阻力可分为直管阻力(或称沿程阻力)和局部阻力两部分。

　　直管阻力：流体流经一定管径的直管时，由于流体的内摩擦而产生的阻力。

　　局部阻力：流体流经管路中的管件、阀门或突然扩大与缩小等局部障碍所引起的阻力。

　　流体阻力除用损失能量 $\sum h_f$ 表示外，也经常用损失压头 $\sum H_f$ 表示，有时还用相当的压力降 $\Delta p = \sum h_f \rho = \sum H_f \rho g$ 表示。

一、直管阻力的计算

1. 范宁公式

直管阻力通常由范宁公式计算，其表达式为

$$h_f = \lambda \frac{l}{d}\frac{u^2}{2} \tag{1-34a}$$

式中　h_f——流体在圆形直管中流动时的损失能量，J/kg。

　　　l——管长，m。

　　　d——管内径，m。

$$\frac{u^2}{2} \text{——动能,J/kg。}$$

λ——摩擦系数,无单位。

摩擦系数 λ 与管内流体流动时的雷诺数 Re 有关,也与管道内壁的粗糙程度有关,这种关系随流体流动的类型不同而不同。

根据柏努利方程的其他形式,也可写出相应的范宁公式表示式:

压头损失:
$$H_f = \lambda \frac{l}{d} \frac{u^2}{2g} \tag{1-34b}$$

压力损失:
$$\Delta p = \lambda \frac{l}{d} \frac{\rho u^2}{2} \tag{1-34c}$$

值得注意的是,压力损失 Δp 是流体流动能量损失的一种表示形式,与两截面间的压力差 $\Delta p = (p_1 - p_2)$ 意义不同,只有当管路为水平时,二者才相等。

2.管壁粗糙程度

工业生产上所使用的管道,按其材料的性质和加工情况,大致可分为光滑管与粗糙管。通常把玻璃管、铜管和塑料管等列为光滑管,把钢管和铸铁管等列为粗糙管。实际上,即使是同一种材质的管子,由于使用时间的长短与腐蚀结垢的程度不同,管壁的粗糙度也会有很大的不同。

(1)绝对粗糙度　绝对粗糙度是指管壁突出部分的平均高度,以 ε 表示,如图 1-23 所示。表 1-2 中列出了某些工业管道的绝对粗糙度数值。

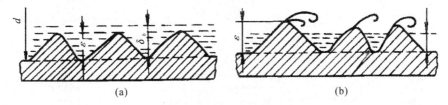

图 1-23　管壁粗糙程度对流体流动的影响

(2)相对粗糙度　相对粗糙度是指绝对粗糙度与管道内径的比值,即 ε/d。管壁粗糙度对摩擦系数 λ 的影响程度与管径的大小有关,所以在流动阻力的计算中,要考虑相对粗糙度的大小。

表 1-2　某些工业管道的绝对粗糙度

管道类别	绝对粗糙度 ε/(mm)
无缝黄铜管、铜管及铝管	0.01～0.05
新的无缝钢管或镀锌铁管	0.1～0.2
新的铸铁管	0.3
具有轻度腐蚀的无缝钢管	0.2～0.3
具有重度腐蚀的无缝钢管	0.5 以上
旧的铸铁管	0.85 以上
干净玻璃管	0.0015～0.01
很好整平的水泥管	0.33

3.摩擦系数

(1)层流时摩擦系数　流体作层流流动时,管壁上凹凸不平的地方都被有规则的流体层所覆盖,λ 与 ε/d 无关,摩擦系数 λ 只是雷诺准数的函数

$$\lambda = \frac{64}{Re} \tag{1-35}$$

将 $\lambda = \dfrac{64}{Re}$ 代入范宁公式，则

$$h_f = 32\frac{\mu u l}{\rho d^2} \tag{1-36}$$

上式为"哈根-伯稷叶方程"，是流体在圆形直管内做层流流动时的阻力计算式。

（2）湍流时摩擦系数

由于湍流时流体质点运动情况比较复杂，目前还不能完全用理论分析方法求算湍流时摩擦系数 λ 的公式，而只能通过实验测定，获得经验计算式。各种经验公式，均有一定的适用范围，可参阅有关资料。

为了计算方便，通常将摩擦系数 λ 对 Re 与 ε/d 的关系曲线标绘在双对数坐标上，如图 1-24 所示，该图称为"莫狄（Moody）图"。这样就可以方便地根据 Re 与 ε/d 值从图中查得各种情况下的 λ 值。

根据雷诺准数的不同，可在图中分出四个不同的区域：

a.层流区　当 $Re<2000$ 时，λ 与 Re 为一直线关系，与相对粗糙度无关。

b.过渡区　当 Re 在 $2000\sim4000$ 时，管内流动类型随外界条件影响而变化，λ 也随之波动。工程上一般按湍流处理，λ 可从相应的湍流时的曲线延伸查取。

c.湍流区　当 $Re>4000$ 且在图中虚线以下区域时，$\lambda=f(Re,\varepsilon/d)$。对于一定的 ε/d，λ 随 Re 数值的增大而减小。

d.完全湍流区　即图中虚线以上的区域，λ 与 Re 的数值无关，只取决于 ε/d。λ-Re 曲线几乎成水平线，当管子的 ε/d 一定时，λ 为定值。在这个区域内，阻力损失与 u^2 成正比，故又称为"阻力平方区"。由图可见，ε/d 值越大，达到阻力平方区的 Re 值越低。

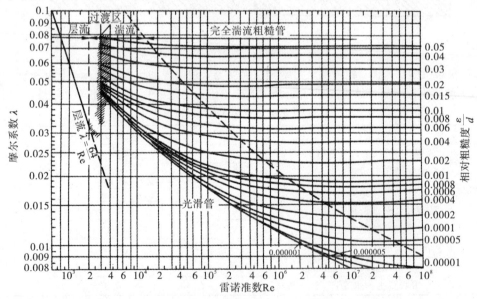

图 1-24　摩擦系数 λ 与雷诺准数 Re 及相对粗糙度 ε/d 的关系

4.非圆形管的直管阻力

当流体流经非圆形管道时，仍可用范宁公式计算直管阻力。但式中的 d 项及 Re 中的 d 值，均应以当量直径 $d_当$ 代替。

【例 1-16】　分别计算下列情况下流体流过 $\phi76\times3mm$、长 10m 的水平钢管的能量损失、

压头损失及压力损失。

①密度为 $910kg/m^3$、黏度为 $72cP$ 的油品,流速为 $1.1m/s$。

②$20℃$ 的水,流速为 $2.2m/s$。

解:①油品:

$$Re=\frac{d\rho u}{\mu}=\frac{0.07\times910\times1.1}{72\times10^{-3}}=973<2000$$

流动状态为层流。所以

$$\lambda=\frac{64}{Re}=\frac{64}{973}=0.0658$$

所以能量损失 $h_f=\lambda\frac{l}{d}\frac{u^2}{2}=0.0658\times\frac{10}{0.07}\times\frac{1.1^2}{2}=5.69J/kg$

压头损失 $H_f=\frac{h_f}{g}=\frac{5.69}{9.81}=0.58m$

压力损失 $\Delta p=\rho h_f=910\times5.69=5178Pa$

②$20℃$ 水的物性:$\rho=998.2kg/m3$,$\mu=1.005\times10^{-3}Pa\cdot s$

$$Re=\frac{d\rho u}{\mu}=\frac{0.07\times998.2\times2.2}{1.005\times10^{-3}}=1.53\times10^5$$

流动状态为湍流。求摩擦系数尚需知道相对粗糙度 ε/d,查表 1-2,取钢管的绝对粗糙度 ε 为 $0.2mm$,则

$$\frac{\varepsilon}{d}=\frac{0.2}{70}=0.00286$$

根据 $Re=1.53\times10^5$ 及 $\varepsilon/d=0.00286$,查图 1-24,得 $\lambda=0.027$

所以能量损失 $h_f=\lambda\frac{l}{d}\frac{u^2}{2}=0.027\frac{10}{0.07}\frac{2.2^2}{2}=9.33J/kg$

压头损失 $H_f=\frac{h_f}{g}=\frac{9.33}{9.81}=0.95m$

压力损失 $\Delta p=\rho h_f=998.2\times9.33=9313Pa$

二、局部阻力的计算

局部阻力是流体流经管路中的管件、阀门及截面的突然扩大和突然缩小等局部地方所产生的阻力。

流体在管路的进口、出口、弯头、阀门、突然扩大、突然缩小或流量计等局部流过时,必然发生流体的流速和流动方向的突然变化,流动受到干扰、冲击,产生旋涡并加剧湍动,使流动阻力显著增加,如图 1-25。

图 1-25　不同情况下的流动干扰

局部阻力一般有两种计算方法,即当量长度法和阻力系数法。

1.当量长度法

当量长度法是将流体通过局部障碍时的局部阻力计算转化为直管阻力损失的计算方法。所谓当量长度是与某局部障碍具有相同能量损失的同直径直管长度,用 le 表示,单位为m,可按下式计算

$$h'_f = \lambda \frac{le}{d} \frac{u^2}{2} \tag{1-37}$$

式中 u——管内流体的平均流速,m/s。

le——当量长度,m。

当局部流通截面发生变化时,u 应该采用较小截面处的流体流速。le 数值由实验测定,在湍流情况下,某些管件与阀门的当量长度也可以从图 1-26 查得。

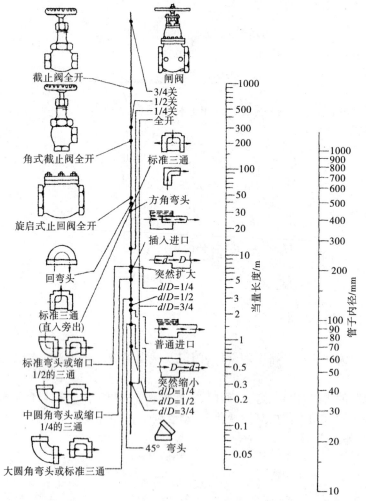

图 1-26　管件与阀件的当量长度共线图

2.阻力系数法

将局部阻力表示为动能的一个倍数,则

$$h'_f = \zeta \frac{u^2}{2} \tag{1-38}$$

式中 ζ——局部阻力系数,无单位,其值由实验测定。

常见的局部阻力系数见表1-3。

注意表中当管截面突然扩大和突然缩小时,式(1-38)中的速度 u 均以小管中的速度计。

当流体自容器进入管内,$\zeta_{进口}=0.5$,称为"进口阻力系数";当流体自管子进入容器或从管子排放到管外空间,$\zeta_{出口}=1$,称为"出口阻力系数"。

当流体从管子直接排放到管外空间时,管出口内侧截面上的压强可取为与管外空间相同,但出口截面上的动能及出口阻力应与截面选取相匹配。若截面取管出口内侧,则表示流体并未离开管路,此时截面上仍有动能,系统的总能量损失不包含出口阻力;若截面取管出口外侧,则表示流体已经离开管路,此时截面上动能为零,而系统的总能量损失中应包含出口阻力。由于出口阻力系数 $\zeta_{出口}=1$,两种选取截面方法计算结果相同。

表1-3 常见局部障碍的阻力系数

标准弯头		45°,$\zeta=0.35$				90°,$\zeta=0.75$				
90°方形弯头		1.3								
180°圆弯头		1.5								
活管接		0.4								
弯管	R/d \ φ	30°	45°	60°	75°	90°	105°	120°		
	1.5	0.08	0.11	0.14	0.16	0.175	0.19	0.20		
	2.0	0.07	0.10	0.12	0.14	0.15	0.16	0.17		
突然扩大	$\zeta=(1-A_1/A_2)^2$ $h_f=\zeta \cdot u1/2$									
	A_1/A_2	0	0.1	0.2	0.3	0.4	0.5	0.6	0.7	0.8	0.9	1.0
	ζ	1	0.81	0.64	0.49	0.35	0.25	0.16	0.09	0.04	0.01	0
突然缩小	$\zeta=0.5(1-A_2/A_1)$ $h_f=\zeta \cdot u1/2$									
	A_2/A_1	0	0.1	0.2	0.3	0.4	0.5	0.6	0.7	0.8	0.9	1.0
	ζ	0.5	0.45	0.40	0.35	0.30	0.25	0.20	0.15	0.10	0.01	0
水泵进口	没有底阀	2~3								
	有底阀	d_1 mm	40	50	75	100	150	200	250	300
		ζ	12	10	8.5	7.0	6.0	5.2	4.4	3.7
闸阀	全开		3/4 开		1/2 开		1/4 开			
	0.17		0.9		4.5		24			
标准截止阀(球心阀)	全开 $\zeta=6.4$				1/2 开 $\zeta=9.5$					
蝶阀	α	5°	10°	20°	30°	40°	45°	50°	60°	70°
	ζ	0.24	0.52	1.54	3.91	10.8	18.7	30.6	118	751
旋塞	θ	5°		10°		20°		40°		80°
	ζ	0.05		0.29		1.56		17.3		206
角阀(90°)	5									
单向阀	摇板式 $\zeta=2$					球形式 $\zeta=70$				
水表(盘形)	7									

二、管路总阻力的计算

管路系统是由直管和管件、阀门等构成,因此流体流经管路的总阻力应是直管阻力和所有局部阻力之和,即柏努利方程中的 $\sum h_f$ 项。

计算局部阻力时,可用局部阻力系数法,亦可用当量长度法。

当管路直径相同时,总阻力:

$$\sum h_f = h_f + h'_f = \left(\lambda \frac{l}{d} + \sum \zeta\right)\frac{u^2}{2} \tag{1-39a}$$

或

$$\sum h_f = h_f + h'_f = \lambda \frac{l + \sum l_e}{d} \frac{u^2}{2} \tag{1-39b}$$

式中 $\sum \zeta$、$\sum l_e$ 分别为管路中所有局部阻力系数和当量长度之和。

若管路由若干直径不同的管段组成时,各段应分别计算,再加和。

总阻力的表示方法除了以能量形式表示外,还可以用压头损失 H_f(1N 流体的流动阻力,m)及压力降 Δp(1m³ 流体流动时的流动阻力,Pa)表示。它们之间的关系为

$$H_f = \frac{h_f}{g} \tag{1-40a}$$

$$\Delta p = \rho h_f = \rho H_f g \tag{1-40b}$$

三、降低流体阻力的途径

(1)不影响管路布置的基本要求并保证流量的前提下,管子的长度尽可能缩短。

(2)局部阻力也是一项主要的阻力,应尽量减少不必要的管件、阀门、管道突然扩大或突然缩小。

(3)适当放大管径。

(4)在流体中加入少量的"添加剂"减少阻力,如石油工业及原油的输送中,常加入一些"添加剂",减少阻力,目前机理还不清楚,还处于研究阶段。

(5)适当提高流体温度,可降低其黏度,也可以降低阻力。

【例 1-17】 20℃的水以 16m³/h 的流量流过某一管路,管子规格为 φ57×3.5mm。管路上装有 90°的标准弯头两个、闸阀(1/2 开)一个,直管段长度为 30m。试计算流体流经该管路的总阻力损失。

解:查得 20℃下水的密度为 998.2kg/m³,黏度为 1.005mPa·s。

管子内径为 $d = 57 - 2 \times 3.5 = 50$mm $= 0.05$m

水在管内的流速为

$$u = \frac{q_v}{A} = \frac{q_v}{0.785 d^2} = \frac{16/3600}{0.785 \times (0.05)^2} = 2.26 \text{m/s}$$

流体在管内流动时的雷诺准数为 $\quad Re = \frac{du\rho}{\mu} = \frac{0.05 \times 2.26 \times 998.2}{1.005 \times 10^{-3}} = 1.12 \times 10^5$

查表取管壁的绝对粗糙度 $\varepsilon = 0.2$mm,则 $\varepsilon/d = 0.2/50 = 0.004$,由 Re 值及 ε/d 值查图得 $\lambda = 0.0285$。

（1）用阻力系数法计算

查表得：90°标准弯头，$\zeta=0.75$；闸阀（1/2 开度），$\zeta=4.5$。所以

$$\sum h_{\mathrm{f}}=\left(\lambda\frac{l}{d}+\sum\zeta\right)\frac{u^2}{2}=\left[0.0285\times\frac{30}{0.05}+(0.75\times2+4.5)\right]\times\frac{(2.26)^2}{2}=59.0\,\mathrm{J/kg}$$

（2）用当量长度法计算

查表得：90°标准弯头，$l/d=30$；闸阀（1/2 开度），$l/d=200$。

$$\sum h_{\mathrm{f}}=\lambda\frac{l+\sum le}{d}\frac{u^2}{2}=0.0285\times\frac{30+(30\times2+200)\times0.05}{0.05}\times\frac{(2.26)^2}{2}=62.6\,\mathrm{J/kg}$$

从以上计算可以看出，用两种局部阻力计算方法的计算结果差别不大，在工程计算中是允许的。

【例 1-18】　如附图所示，料液由敞口高位槽流入精馏塔中。塔内进料处的压力为 30kPa（表压），输送管路为 $\phi45\times2.5$mm 的无缝钢管，直管长为 10m。管路中装有 180°回弯头一个，90°标准弯头一个，标准截止阀（全开）一个。若维持进料量为 5m³/h，问高位槽中的液面至少高出进料口多少米？操作条件下料液的物性：$\rho=890\,\mathrm{kg/m^3}$，$\mu=1.2\times10^{-3}\,\mathrm{Pa\cdot s}$。

解：如图取高位槽中液面为 1—1 面，管出口内侧为 2—2 截面，且以过 2—2 截面中心线的水平面为基准面。在 1—1 与 2—2 截面间列柏努利方程：

$$z_1g+\frac{p_1}{\rho}+\frac{1}{2}u_1^2=z_2g+\frac{p_2}{\rho}+\frac{1}{2}u_2^2+\sum h_{\mathrm{f}}$$

其中：$z_1=h$；$u_1\approx0$；$p_1=0$（表压）；

$z_2=0$；$p_2=30$kPa（表压）；

$$u_2=\frac{V_s}{\frac{\pi}{4}d^2}=\frac{5/3600}{0.785\times0.04^2}=1.1\,\mathrm{m/s}$$

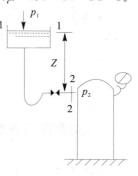

例 1-18　附图

管路总阻力
$$\sum h_{\mathrm{f}}=h_{\mathrm{f}}+h_{\mathrm{f}}'=\left(\lambda\frac{l}{d}+\sum\zeta\right)\frac{u^2}{2}$$

$$\mathrm{Re}=\frac{d\rho u}{\mu}=\frac{0.04\times890\times1.1}{1.3\times10^{-3}}=3.01\times10^4$$

取管壁绝对粗糙度 $\varepsilon=0.3$mm，则 $\dfrac{\varepsilon}{d}=\dfrac{0.3}{40}=0.0075$

从图 1-24 中查得摩擦系数 $\lambda=0.036$。

由表 1-3 查得各管件的局部阻力系数：

进口突然缩小 $\zeta=0.5$；180°回弯头 $\zeta=1.5$；

90°标准弯头 $\zeta=0.75$；标准截止阀（全开）$\zeta=6.4$

$$\sum\zeta=0.5+1.5+0.75+6.4=9.15$$

所以
$$\sum h_{\mathrm{f}}=\left(\lambda\frac{l}{d}+\sum\zeta\right)\frac{u^2}{2}=\left(0.036\times\frac{10}{0.04}+9.15\right)\frac{1.1^2}{2}=20.98\,\mathrm{J/kg}$$

所求位差 $z=\left(\dfrac{p_2}{\rho}+\dfrac{u^2}{2}+\sum h_{\mathrm{f}}\right)/g=\left(\dfrac{30\times10^3}{890}+\dfrac{1.1^2}{2}+10.98\right)/9.81=4.62\,\mathrm{m}$

本题也可将截面 2—2 取在管出口外侧，此时流体流入塔内，2—2 截面速度为零，无动能项，但应计入出口突然扩大阻力，即 $\zeta_{出口}=1$，所以两种方法的结果相同。

项目 4
流体流量的测量

学习目标

- 了解测速管和孔板流量计的特点
- 了解文丘里流量计
- 掌握测速管的测量原理
- 掌握孔板流量计的测量原理
- 掌握转子流量计的测量原理、安装和使用

任务一　测速管

一、测速管的测量原理

测速管又称"毕托管"，是测量点速度的装置，测速管是由两根弯成直角的同心管组成，内管是冲压管，所测的是静压能和动能之和，合称为"冲压能"；外管是静压管，管口是封闭的，在外管前端壁面四周开有若干测压小孔，为了减小误差，测速管的前端经常做成半球形以减少涡流，外管测的是流体静压能。其构造原理如图 1-27 所示，在 AB 之间列柏努利方程：

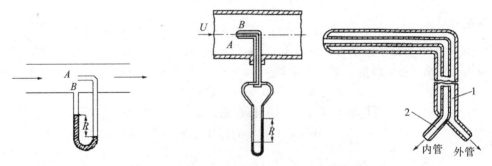

1-静压管;2-冲压管

(a)测速管的构造原理示意图　　　　(b)实际应用的测速管示意图

图 1-27　测速管

$$z_A g + \frac{u_A^2}{2} + \frac{p_A}{\rho} = z_B g + \frac{u_B^2}{2} + \frac{p_B}{\rho}$$

因 A、B 较近,故 $\Delta z=0$,且管口处速度 $u_B=0$,故有:

$$\frac{u_A{}^2}{2}+\frac{p_A}{\rho}=\frac{p_B}{\rho} \tag{1-41}$$

由式(1-41)可见,动能 $\dfrac{u_A^2}{2}$ 在 B 处转换为静压力,故 A、B 间压力差为 $\dfrac{u_A^2}{2}$,此压力差等于 U 形管压差计读数差 R。

设半径为 r 处的流速为 u_r (m/s),U 形管压差计内指示液的密度是 ρ_0,被测流体的密度是 ρ,则有:

$$R=\frac{\Delta p}{\rho}=\frac{Rg(\rho_0-\rho)}{\rho}=\frac{u_r^2}{2}$$

所以,

$$u_r=\sqrt{\frac{2gR(\rho_0-\rho)}{\rho}} \tag{1-42a}$$

当压差计内充满气体时,

$$u_r\approx\sqrt{\frac{2gR\rho_0}{\rho}} \tag{1-42b}$$

由于干扰和流动阻力的影响,式(1-41a)校正为

$$u_r=C\sqrt{\frac{2gR(\rho_0-\rho)}{\rho}} \tag{1-42c}$$

式中　C——校正系数,由实验标定,其值为 $1.98\sim1.00$,常取作"1"。

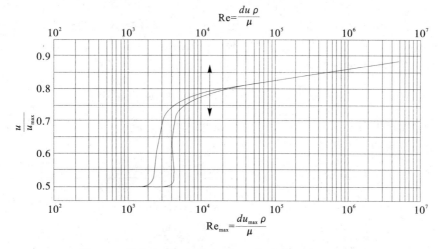

图 1-28　平均流速 u 与管中心 $u_{\max}$ 之比随 Re 的变化关系

若将测速管口放在管中心线上,则测得的流速为 $u_{\max}$,计算出 $Re_{\max}$,由 $Re_{\max}$ 借助图1-28确定流体在管内的平均流速 u。

二、测速管的特点

1.优点

结构简单,使用方便,对流体的机械能损失很少。

2.局限性

测速管较多地用于测量大管道中的气体速度,但它不能直接测得平均速度;测压孔易堵塞。

三、几点说明

(1)测量的是点速度。

(2)利用测速管可测定速度分布,不能测平均速度。

(3)测量点应在进口段以后的平稳区。

(4)为了尽量减少仪表本身对流动的干扰,测速管的外径应不大于管道内径的 1/50。

(5)使用测速管时,应使管口正对流向。

(6)静压头和动压头之和称为"冲压头", $\qquad h = \dfrac{u^2}{2g} + \dfrac{p}{\rho g}$ (1-43)

【**例 1-19**】 用测速管测定在圆管中流动的空气的体积流量,管内径为 600mm,管中空气的温度为 65.5℃。当测速管置于管道中心时,其压差计中的水柱读数为 10.7mm。另外,还测得测速管测量点处的压力为 205mmH$_2$O(表压)。已知测速管的校正系数 $C = 0.98$。试计算:

①管中心空气的最大速度和平均速度。

②空气的体积流量。

解:查表得空气在常压及 65.5℃时的密度 $\rho = 1.043\text{kg/m}^3$,黏度 $\mu = 2.03 \times 10^{-5}\text{Pa·s}$。U 形管中指示剂水的密度取为 1000kg/m^3,则管内流动空气的绝对压力 p 为

$$p = 1.01325 \times 10^5 + 0.205 \times (1000 - 1.043) \times 9.81 = 1.0333 \times 10^5 \text{Pa}$$

故测量点处空气的密度为

$$\rho = 1.043 \times \frac{1.0333 \times 10^5}{1.0133 \times 10^5} = 1.064 \text{kg/m}^3$$

若忽略该密度值对空气压力的影响,则不必重新计算 p 值。

①管中心空气的最大速度

$$u_{\max} = C \sqrt{\frac{2gR(\rho_0 - \rho)}{\rho}} = 0.98 \sqrt{\frac{2 \times 9.81 \times 0.0107 \times (1000 - 1.064)}{1.064}}$$

$$= 13.76 \text{m/s}$$

$$\text{Re}_{\max} = \frac{du_{\max}\rho}{\mu} = \frac{0.6 \times 13.76 \times 1.064}{2.03 \times 10^{-5}} = 4.327 \times 10^5$$

由图 1-28,查得 $\dfrac{u}{u_{\max}} = 0.85$,故平均速度为:

$$u = 0.85 \times 13.76 = 11.7 \text{m/s}$$

②空气的体积流量 q_v 为:

$$q_v = \frac{\pi}{4} d^2 u = \frac{\pi}{4} \times 0.6^2 \times 11.7 = 3.308 \text{m}^2/\text{s}$$

任务二　孔板流量计

一、孔板流量计的测量原理

孔板流量计是定截面、变压差的流量测定装置。如图 1-29 所示，中央开有锐角圆孔的一薄圆片（孔板）插入水平直管中，当管内流动的流体通过孔口时，因流通截面积突然减小，流速骤增，随着流体动能的增加，势必造成静压能的下降，由于静压能下降的程度随流量的大小而变化，所以测定压力差则可以知道流量。根据此原理测定流量的装置称为"孔板流量计"。因流体惯性的作用，流道截面积最小处是比孔板稍微偏下的下游位置，该处的流道截面积比圆孔的截面积更小，

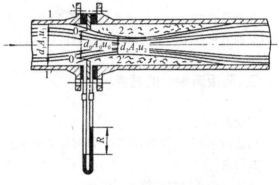

图 1-29　孔板流量计

这个最小的流道截面积称为"缩脉"。缩脉处位置随 Re 而变化。

若不考虑通过孔板的阻力损失，在水平管截面 1—1 和截面 2—2 之间列出柏努利方程，则

$$\frac{p_1}{\rho} + \frac{u_1^2}{2} = \frac{p_2}{\rho} + \frac{u_2^2}{2}$$

整理得

$$\sqrt{u_2^2 - u_1^2} = \sqrt{\frac{2(p_1 - p_2)}{\rho}} \tag{1-44}$$

在孔板流量计上安装 U 型管液柱压差计（$p_1 - p_2$），是为了求得式中的压差。但测压口并不是开在 1—1 和 2—2 截面处，而一般都在紧靠孔口的前后，所以实际测得的压差并非（$p_1 - p_2$）。以孔口前后的压差代替式中的（$p_1 - p_2$）时，上式必须校正。设 U 型管液柱压差计的读数为 R，指示液的密度为 ρ_0，管中流体的密度为 ρ，则孔口前后的压差为 $R(\rho_0 - \rho)g$。同时，由于缩脉处的截面积 A_2 难以知道，而小孔的截面积 A_0 是可以计算的，所以可用小孔处的流速 u_0 来代替 u_2。此外，流体流经孔板时还产生一定的损失能量。综合考虑上述三方面的影响，引入校正系数 C，将 u_0、实测压差带入式（1-44）得

$$\sqrt{u_0^2 - u_1^2} = C\sqrt{\frac{2R(\rho_0 - \rho)g}{\rho}}$$

根据连续性方程式

$$u_1 = u_0\left(\frac{d_0}{d_1}\right)^2$$

带入上式，整理得

$$u_0 = \frac{C}{\sqrt{1 - \left(\frac{d_0}{d_1}\right)^4}}\sqrt{\frac{2R(\rho_0 - \rho)g}{\rho}}$$

并令　　$\dfrac{C}{\sqrt{1-\left(\dfrac{d_0}{d_1}\right)^4}}=C_0$ ，其称为"孔流系数"。

则得　　　　　　　　$u_0=C_0\sqrt{\dfrac{2R(\rho_0-\rho)g}{\rho}}$　　　　　　　　(1-45)

管道中的流量 q_v 为

$$q_v=C_0A_0\sqrt{\dfrac{2R(\rho_0-\rho)g}{\rho}}\qquad(1-46)$$

孔流系数的数值一般由实验测定,当 Re 数超过某个限定值之后,亦趋于定值。流量计所测定的流量范围一般应取在定值的区域,其值为 $0.6\sim0.7$。

二、孔板流量计的特点

1.优点
构造简单,准确度高,可测气体和液体的流量。

2.缺点
流体流经孔口时的能量损失较大,大部分的压降无法恢复而损失掉。

三、几点说明

(1)孔板需安装在水平管道中,孔口中心应与管轴中心线重合,并置于流动平稳的区段。
(2)尽量使流量计在孔流系数为常数的范围内工作。

任务三　文丘里流量计

孔板流量计由于锐孔结构将引起过多的能量消耗。为了减少能量的损失,把锐孔结构改制成渐缩渐扩管,这样构成的流量计,称为"文丘里流量计"。其构造如图 1-30 所示。一般收缩角 $\alpha_1=15°\sim25°$,扩大角 $\alpha_2=5°\sim7°$。

利用文丘里流量计测定管道流量仍可采用式 (1-46),而以文丘里管的孔流系数 $C_{文}$ 代替 C_0,因而管道中的流量为

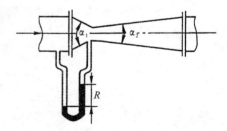

$$q_v=C_{文}A_0\sqrt{\dfrac{2R(\rho_{指}-\rho)g}{\rho}}\qquad(1-47)$$

式中　A_0 ——喉颈处的截面积,m^2。

　　　$C_{文}$ ——一般为 $0.98\sim0.99$。

文丘里流量计也是变压降型流量计。由于文丘

图 1-30　文丘里流量计

里流量计的渐缩渐扩短管安装在管道中,不产生漩涡,所以能量损失较小,大多数用于低压气体输送中的测量。但文丘里流量计加工精度要求高,造价较高。

任务四　转子流量计

一、转子流量计的测量原理

转子流量计是变流通截面积、恒压差型的流量计。转子流量计是由一个倒锥形的玻璃管和一个能上下移动的转子所构成,玻璃管外壁上刻有流量值。流量计垂直安装在管道上,流体自下而上通过转子与管壁间的环隙,转子随流量增大而上移,当转子受力达到平衡时,将悬浮在一定高度,流量值由壁面刻度读取。图 1-31 是表示转子流量计构造的示意图。

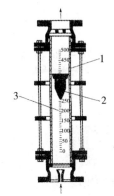

1-锥形玻璃管;2-转子;3-刻度
图 1-31　转子流量计

当转子稳定悬浮在一定高度时,对转子上、下两端面间的流体列柏努利方程:

$$z_1 + \frac{u_1^2}{2g} + \frac{p_1}{\rho g} = z_2 + \frac{u_2^2}{2g} + \frac{p_2}{\rho g} + \sum H_f$$

忽略位压头的变化及阻力损失;则有:

$$\frac{u_1^2}{2g} + \frac{p_1}{\rho g} = \frac{u_2^2}{2g} + \frac{p_2}{\rho g}$$

与孔板流量计流量式整理方法相同,转子流量计公式为:

$$q_v = C_R A_R \sqrt{\frac{2(p_1 - p_2)}{\rho}} \tag{1-48}$$

式中　C_R——孔板流量计的流量系数,一般为 0.98。

　　A_R——转子上端面与玻璃管的环隙截面积,m^2。

压差($p_1 - p_2$)可通过对转子受力平衡分析确定其计算式。如图 1-32 所示,转子平衡时,有:

$$p_1 A_f + V_f \rho g = p_2 A_f + V_f \rho_f g$$

即:

$$p_1 - p_2 = \frac{V_f g (\rho_f - \rho)}{A_f}$$

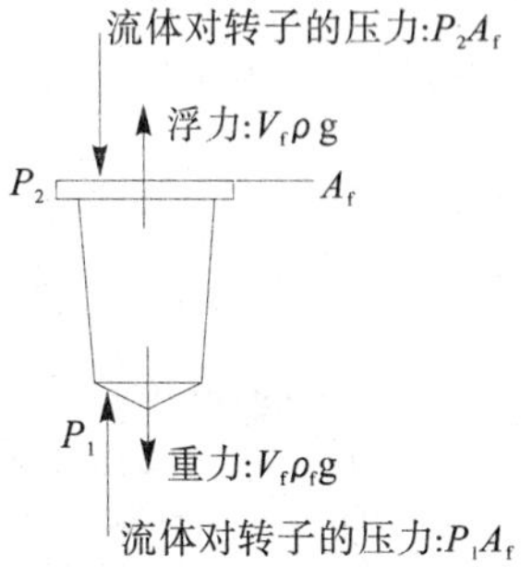

所以

$$q_v = C_R A_R \sqrt{\frac{2(p_1 - p_2)}{\rho}} = C_R A_R \sqrt{\frac{2 V_f g (\rho_f - \rho)}{A_f \rho}} \tag{1-49}$$

流体对转子的压力:$P_2 A_f$
浮力:$V_f \rho g$
P_2　　　　　　A_f
重力:$V_f \rho_f g$
P_1
流体对转子的压力:$P_1 A_f$
图 1-32　转子受力平衡分析

式中　V_f——转子体积,m^3。

　　A_f——转子最大部分截面积,m^2。

　　ρ_f——转子密度,kg/m^3。

　　ρ——被测流体的密度,kg/m^3。

二、转子流量计的安装

(1)转子流量计应垂直安装在无振动的管道上,不能使流量计有任何可见的倾斜,否则会造成误差。

(2)安装高度应与人眼平视为准。

(3)为便于检修,转子流量计应加旁路管。

(4)安装仪表时,切勿大力扭动仪表。

三、转子流量计的使用

(1)使用前应检查仪表示值范围与所需测量的范围是否相符。

(2)使用时应缓慢旋开控制阀门,以免突然启动,浮子急剧上升损坏玻璃锥管,如果打开阀门之后仍不见浮子升起,应关闭阀门找原因,待故障排除后再重新启动。

(3)使用过程中,如发现浮子卡住,绝不可用任何工具敲击玻璃锥管,可以用晃动管道、拆卸管子的方法排除故障;如发现玻璃锥管密封处有被测介质溢出,只要拆去前后罩,稍稍扳紧压盖螺栓,至不溢即可,如以上方法无效则一般是密封填料失效。

(4)使用过程中,浮子指标通常稳定,如浮子上下窜动较剧烈,可以稍关下游控制阀和稍开上游控制阀来消除。如上述方法不行,则应考虑工艺管道或流动源是否有问题。

(5)注意保持仪表清洁和外部防锈。

(6)使用过程中,若更换浮子材料,改变被测介质的密度时,需要进行刻度修正。转子流量计的刻度是用 20℃的水或 20℃、101.3kPa 下的空气(密度为 1.2kg/m^3)进行标定的。当被测流体与上述条件不符时,应进行刻度换算。同一刻度下,两种流体的流量关系为:

$$\frac{q_{v2}}{q_{v1}} = \sqrt{\frac{\rho_1(\rho_f - \rho_2)}{\rho_2(\rho_f - \rho_1)}} \qquad (1\text{-}50)$$

式中,下标 1 表示标定流体的参数,下标 2 表示实际被测流体的参数。

转子可用铅或不锈钢等材料制造,但要求 $\rho_f > \rho$,不合要求时要更换转子。

转子流量计主要用于低压下小流量的测定,因其测定方法简单,测量精度较高,阻力损失较小,所以广泛应用于制药、化工生产中。

项目 5
化工管路

学习目标

- 了解管路的分类
- 了解管路常见故障与处理
- 掌握管路的布置和安装原则
- 掌握管路的基本构成及其连接方式

化工生产中所处理的物料,大多为流体(包括液体和气体)。为了满足工艺条件的要求,保证生产的连续进行,需要把流体从一个设备输送至另一个设备。实现这一过程要借助管路。管路在化工生产中就相当于人体的血管,某个生产过程是否正常与管路是否畅通有很大关系。因此,了解管路的一些基础知识是非常必要的。

任务一　管路的分类

化工生产过程中的管路通常以是否分出支管来分类,见表 1-4。

表 1-4　管路的分类

类型		结构
简单管路	单一管路	单一管路是指直径不变、无分支的管路,如图 1-33(a)所示
	串联管路	虽无分支但管径多变的管路,如图 1-33(b)所示
复杂管路	分支管路	流体由总管分流到几个分支,各分支出口不同,如图 1-34(a)所示
	并联管路	并联管路中,分支最终又汇合到总管,如图 1-34(b)所示

(a)单一管路(等径)　　(b)串联管路(变径)　　　　(a)分支管路　　　(b)并联管路

图 1-33　简单管路　　　　　　　　　　图 1-34　复杂管路

对于重要管路系统,如全厂或大型车间的动力管线(包括蒸汽、煤气、上水及其他循环管道等),一般均应按并联管路铺设,以有利于提高能量的综合利用、减少因局部故障所造成的影响。

任务二　管路的基本构成

管路是由管子、管件和阀门等按一定的排列方式构成,也包括一些附属于管路的管架、管卡、管撑等辅件。由于生产中输送的流体是各种各样的,比如,有的易燃,有的易爆,有的高黏度,有的还含有固体杂质,有的是液体,有的是气体,还有的是蒸汽,等等;输送量与输送条件也是各不相同的,比如,有的流量很大而有的流量很小,有的是常温常压,有的是高温高压,有的是低温低压等。因此,管路也必然是各不相同的。工程上为了避免混乱,方便制造与使用,对管路进行了标准化。

化工管路的标准化是指制订化工管路主要构件,包括管子、管件、阀件(门)、法兰、垫片等的结构、尺寸、联接、压力等的标准及实施的过程。其中,压力标准与直径标准是制订其他标准的依据,也是选择管子和管路附件(管件、阀件、法兰、垫片等)的依据,已由国家标准详细规定,使用时可以参阅有关手册。

(1)压力标准　压力标准分为公称压力(p_N)、试验压力(p_s)和工作压力 3 种,公称压力又称"通称压力",其数值通常指管内工作介质的温度在 $273\sim393K$ 范围内的最高允许工作压力。用 p_N＋数值的形式表示,数值表示公称压力的大小,比如,$p_N2.45MPa$ 表示公称压力是 2.45MPa。公称压力一般大于或等于实际工作的最大压力,

为了水压强度试验或紧密性试验而规定的压力称为"试验压力",用 p_s＋数值表示,比如,p_s10MPa,表示试验压力为 10MPa。通常,取试验压力 $p_s＝1.5p_N$,特殊情况可以根据经验公式计算。

工作压力是为了保证管路正常工作而根据被输送介质的工作温度所规定的最大压力,用 p＋数值表示,为了强调相应的温度,常在 p 的右下角标注介质最高工作温度(℃)除以 10后所得的整数。比如,$p_{40}1.8at$ 表示在 400℃下,工作压力是 1.8at。

(2)直径(口径)标准　直径标准是指对管路直径所作的标准,一般称为"公称直径"或"通称直径",用 D_N＋数值的形式表示,比如,D_N800mm 表示管子或辅件的公称直径为800mm。通常,公称直径既不是管子的内径,也不是管子的外径,而是与管子内径相接近的整数。我国的公称直径在 $1\sim4000mm$ 之间分为 53 个等级,在 $1\sim1000mm$ 之间分得较细,而在 1600mm 以上,每 200mm 分一级,详见国家标准(GB1047-70)。

一、管子

管子是管路的主体,由于生产系统中的物料和所处工艺条件各不相同,所以用于连接设备和输送物料的管子除需满足强度和通过能力的要求外,还必须有耐温、耐压、耐腐蚀以及导热等性能。根据所输送物料的性质(如腐蚀性、易燃性、易爆性等)和操作条件(如温度、压力等)来选择合适的管材,是化工生产中经常遇到的问题之一。

管子的规格通常是用"ϕ 外径×壁厚"来表示,$\phi57×3.5mm$ 表示此管子的外径是57mm,壁厚是 3.5mm。但也有些管子是用内径来表示其规格的,使用时要注意。管子的长度主要有 3m、4m 和 6m,有些可达 9m、12m,但以 6m 最为常见。

按管子制造所使用的材料不同,通常将管子分为金属管、非金属管和复合管,其中以金

属管占绝大部分。

1.金属管

金属管主要有钢管(含合金钢管)、铸铁管和有色金属管等。

(1)钢管

主要包括有缝钢管和无缝钢管。

①有缝钢管　有缝钢管是用低碳钢焊接而成的钢管,又称为"焊接管"。易于加工制造、价格低。主要有水管和煤气管等,分镀锌管和黑铁管(不镀锌管)两种。目前主要用于输送水、蒸汽、煤气、腐蚀性低的液体和压缩空气等。因为有焊缝而不适宜在0.8MPa(表压)以上的压力条件下使用。

②无缝钢管　无缝钢管是用棒料钢材经穿孔热轧或冷拔制成的,它没有接缝。用于制造无缝钢管的材料主要有普通碳钢、优质碳钢、低合金钢、不锈钢和耐热铬钢等。无缝钢管的特点是质地均匀、强度高、管壁薄,少数特殊用途的无缝钢管的壁厚也可以很厚。无缝钢管能用于在各种压力和温度下输送流体,广泛用于输送高压、有毒、易燃易爆和强腐蚀性流体等。

(2)铸铁管

铸铁管有普通铸铁管和硅铸铁管。铸铁管价廉而耐腐蚀,但强度低,气密性也差,不能用于输送有压力的蒸汽、爆炸性及有毒性气体等。一般作为埋在地下的给水总管、煤气管及污水管等,也可以用来输送碱液及浓硫酸等。

(3)有色金属管

有色金属管是用有色金属制造的管子的总称,包括紫铜管、黄铜管、铅管和铝管。

①紫铜管与黄铜管　紫铜管与黄铜管统称"铜管",铜管导热性好,延展性好,易于弯曲成型。适用于制造换热器的管子;用于油压系统、润滑系统来输送有压液体;铜管还适用于低温管路,黄铜管在海水管路中也广泛使用。

②铅管　铅管因抗腐蚀性好,能抗硫酸及10%以下的盐酸,其最高工作温度是413K。由于铅管机械强度差、性软而笨重、导热能力小,目前正被合金管及塑料管所取代。主要用于硫酸及稀盐酸的输送,但不适用于浓盐酸、硝酸和乙酸的输送。

③铝管　铝管也有较好的耐酸性,其耐酸性主要由纯度决定,但耐碱性差。铝管广泛用于输送浓硫酸、浓硝酸、甲酸和醋酸等。小直径铝管可以代替铜管来输送有压流体。当温度超过433K时,不宜在较高的压力下使用。

2.非金属管

非金属管是用各种非金属材料制作而成的管子的总称,主要有陶瓷管、水泥管、玻璃管、塑料管和橡胶管等。

①陶瓷管　陶瓷管耐酸碱腐蚀,具有优越的耐腐蚀性,成本低廉,可节约大量的钢材。但陶瓷管性脆、强度低、不耐压,不宜输送剧毒及易燃、易爆的流体,多用于排除腐蚀性污水。

②水泥管　水泥管低廉、笨重,多用做下水道的排污水管,一般用于无压流体输送。水泥管主要有无筋水泥管和有筋水泥管,无筋水泥管内径范围在100～900mm,有筋水泥管内径范围在100～1500mm.。水泥管的规格均以"φ内径×壁厚"表示。

③玻璃管　工业生产中的玻璃管主要是由硼玻璃和石英玻璃制成的。玻璃管具有透明、耐腐蚀、易清洗、管路阻力小和价格低廉的优点。但玻璃管性脆、不耐冲击与振动,不耐

高压。常用于某些特殊介质的输送。

④塑料管　塑料管是以树脂为原料加工制成的管子。包括聚乙烯管、聚氯乙烯管、酚醛塑料管、ABS 塑料管和聚四氟乙烯管等。塑料管耐腐蚀性能较好、质轻、加工成型方便,能任意弯曲和加工成各种形状。但塑料管性脆、易裂、强度差、耐热性差。塑料管的用途越来越广,很多原来用金属管的场合逐渐被塑料管所代替,如下水管等。

⑤橡胶管　橡胶管是软管,质轻,能任意弯曲,耐温性、抗冲击性能较好。多用来作临时性管路。

3.复合管

复合管是金属与非金属两种材料复合得到的管子。复合管可以满足节约成本、强度和防腐的需要,通常用作一些管子的内层衬材料,如金属、橡胶、塑料和搪瓷等。

随着工业的发展,各种新型耐腐蚀材料不断出现,如有机聚合物材料管和非金属材料管正在越来越多的替代金属管。

二、管件

管件是用来连接管子以达到延长管路、改变管路方向或直径、分支、合流、封闭管路的附件的总称。

最基本的管件及其用途如下:

1.改变管路方向的管件

如图 1-35(a)所示,在管路系统中,弯头是改变管路方向的管件。按角度分,有 45°、90° 及 180°三种最常用,另外根据工程需要还包括 60°等其他非正常角度弯头。弯头的材料有铸铁、不锈钢、合金钢、可锻铸铁、碳钢、有色金属及塑料等。与管子联接的方式有:直接焊接(最常用的方式)、法兰联接、热熔联接、电熔联接、螺纹联接及承插式联接等。按照生产工艺可分为:焊接弯头、冲压弯头、推制弯头、铸造弯头等。其他名称:90 度弯头、直角弯头等。

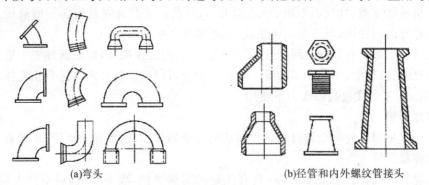

(a)弯头　　　　　　　　　　(b)径管和内外螺纹管接头

图 1-35　改变管路方向和管径的管件

2.改变管路管径的管件

如图 1-35(b)所示,变径是改变管路管径的一种连接装置。用于在阀门与管路(或管路与管路)公称直径不一致时(为省钱或利用现有材料),阀门与管路(或管路与管路)无法通过标准法兰、丝扣直接连接或焊接,这时加上一端能与阀门直接连接而另一端能与管路直接连接的管件(可自制或外购),这种管件俗称"大小头",通过接管改变管径。

　　异径管俗称"大小头";内外螺纹管接头俗称"内外丝"、"补心","补心"也称作"补芯"或"卜申"。

3.用于管路互相连接的管件

　　用于管路互相连接的管件有:法兰、活接、管箍、卡套、喉箍等,如图1-36所示。

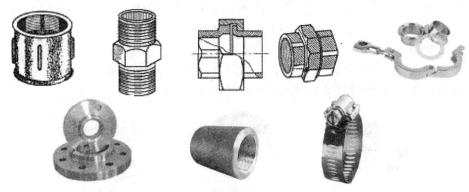

图1-36 连接管路的管件示意图

　　内螺纹管接头俗称"内牙管"、"管箍"、"束节"等,外螺纹管接头俗称"外牙管"、"对丝"等,活接头俗称"由壬"("游刃"、"油任"、"油壬")。

　　活接是管件的一种,外形为立体多边形设计,内层刻有立体螺纹,连接形式是一个固定接头和一个活母接头配套使用,两端与相应管螺纹相接,中间用PVC垫或橡胶垫密封。活接的规格主要由以下几种:四分活接、六分活接、一寸活接、一寸二活接、一寸六活接、二寸活接、二寸五活接、三寸活接等。

　　活接是由公口(没有螺纹)、母口(有螺纹)、套母、垫圈组成,设计时应注意从公口→母口(如流体方向一致)。另外,活接最后连接。

　　法兰又叫"法兰盘"或"突缘"。法兰是使管子与管子相互连接的零件,连接于管端。法兰上有孔眼,螺栓使两法兰紧连。法兰间用衬垫密封。

　　管箍是用来连接两根管子的一段短管。也叫"外接头"。使用的材料有:碳钢、不锈钢、合金钢、PVC、塑料等。

　　喉箍(胶管卡子)广泛用于汽车、拖拉机、机车、船舶、矿山、石油、化工、制药、农业等各种水、油、汽、尘等,是理想的连接紧固件。喉箍适用范围广,抗扭和耐压,喉箍扭转力矩均衡,锁紧牢固,严密,调节范围大,喉箍适用于30mm以上的软硬管连接的紧固件,装配后外观美观。

4.增加管路分支的管件

　　增加管路分支的管件:三通、斜三通、四通等,如图1-37所示。

三通　　　　　　　　斜三通　　　　　　　　四通

图1-37 增加管路分支的管件示意图

三通为管件、管道连接件。又叫"管件三通"或者"三通管件",三通接头,用在主管道要分支管处。三通有等径和异径之分,等径三通的接管端部均为相同的尺寸;异径的三通的主管接管尺寸相同,而支管的接管尺寸小于主管的接管尺寸。

四通为管件、管道连接件。又叫"管件四通"或者"四通管件",四通接头,用在主管道要分支管处。四通有等径和异径之分,等径四通的接管端部均为相同的尺寸;异径的四通的主管接管尺寸相同,而支管的接管尺寸小于主管的接管尺寸。

5.堵塞管路的管件

堵塞管路的管件,如"管帽"(俗称"闷头"等)、"管塞"(俗称"丝堵"、"堵头"等)、盲板等,其作用是堵塞管路,必要时打开清理或接临时管,如图1-38所示。

管帽　　　　　　　　堵头　　　　　　　　盲板

图1-38　堵塞管路的管件示意图

盲板的正规名称叫"法兰盖",是中间不带孔的法兰,供封住管道堵头用。密封面的形式种类较多,有平面、凸面、凹凸面、榫槽面、环连接面。材质有碳钢,不锈钢,合金钢及PVC等。

6.用于管路密封的管件

用于管路密封的管件有垫片、生料带等。

垫片是两个物体之间的机械密封,通常用以防止两个物体之间受到压力而泄漏流体。由于机械加工表面不可能完美,所以使用垫片可填补不规则性。垫片通常由片状材料制成,如垫纸,橡胶,硅橡胶,金属,软木,毛毡,氯丁橡胶,丁腈橡胶,玻璃纤维或塑料聚合物(如聚四氟乙烯)。特定应用的垫片可能含有石棉。

生料带是水暖安装中常用的一种辅助用品,用于管件连接处,增强管道连接处的密闭性。生料带化学名称是聚四氟乙烯,目前暖通和给排水中都使用普通白色聚四氟乙烯带,而天然气管道等也有专门的聚四氟乙烯带,其实主要原料都为聚四氟乙烯,只不过工艺不一样。

7.用于管路固定的管件

用于管路固定的管件主要有卡环、拖钩、吊环、支架等。卡环是活动义齿修复的主要固位体,它直接卡抱在主要基牙上,由金属制作,如图1-39所示。

此外,如管箍(束节)、螺纹短节、活接头、法兰等管件可以延长管路。法兰多用于焊接连接管路,而活接头多用于螺纹连接管路。在闭合管路上必须设置活接头或法兰,尤其是在需要经常维修或更换的设备、阀门附近必须设置,因为它们可以就地拆开,就地连接。

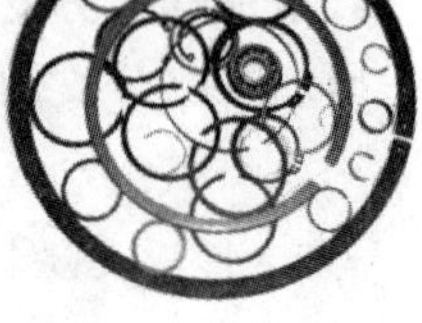

图1-39　卡环示意图

三、阀门

阀门是用来启闭和调节流量的部件。通过阀门可以调节流量、系统压力及流动方向,从而确保工艺条件的实现与安全生产。化工生产中阀门种类繁多,常用的有以下几种,如图1-40所示。

| 闸阀 | 截止阀 | 止回阀 | 安全阀 |
| 旋塞阀 | 球阀 | 节流阀 | 疏水阀 |

图 1-40　常用的阀门示意图

1.闸阀

闸阀主要部件为一闸板,通过闸板的升降以启闭管路。这种阀门全开时流体阻力小,全闭时较严密。多用于大直径管路上作启闭阀,在小直径管路中也有用作调节阀的。不宜用于含有固体颗粒或物料易于沉积的流体,以免引起密封面的磨损和影响闸板的闭合。

2.截止阀

截止阀主要部件为阀盘与阀座,流体自下而上通过阀座,其构造比较复杂,流体阻力较大,但密闭性与调节性能较好,不宜用于黏度大且含有易沉淀颗粒的流体。

3.止回阀

止回阀是一种根据阀前、后的压力差自动启闭的阀门,其作用是使流体只作一定方向的流动,它分为升降式和旋启式两种。升降式止回阀密封性较好,但流动阻力大,旋启式止回阀用摇板来启闭。止回阀一般适用于清洁流体,安装时应注意流体的流向与安装方向。

4.球阀

球阀的阀芯呈球状,中间有一个大小与管内径相近的连通孔,结构比闸阀和截止阀简单,启闭迅速、操作方便、体积小、重量轻、零部件少、流体阻力也小。适用于低温高压及黏度大的流体,但不宜用于调节流量。

5.旋塞阀

旋塞阀又称"考克",其主要部分为一可转动的圆锥形旋塞,中间有孔,当旋塞旋转至90°时,流动通道即全部封闭。需要较大的转动力矩,温度变化大时容易卡死,不能用于高压。

6.安全阀

安全阀是为了管道设备的安全保险而设置的截断装置,它能根据工作压力而自动启闭,从而将管道设备的压力控制在某一数值以下,以保证其安全。主要用在蒸汽锅炉及高压设备上。

7.节流阀

节流阀又称"针形阀",其外形与截止阀相似,其阀芯形状不同,呈锥状或抛物线状。常用于化工仪表中,以螺纹连接为主,因此,开闭时首先检查螺纹连接是否松动泄漏,同时,开闭阀门时要缓慢进行,因为其流通面积较小,流速较大,可能造成密封面的腐蚀,应留心观察,注意压力的变化。

8.疏水阀

疏水阀是蒸汽管路、加热器等设备系统中能自动的间歇排除冷凝水,又能防止蒸汽泄出的一种阀门。常用的有钟形浮子式、热动力式和脉冲式几种。使用前先用管道旁路阀排除冷凝水,当有蒸汽时关闭旁路,起用疏水阀正道,否则阀内将会闭水起不到疏水作用;起闭阀门时注意不要被蒸汽烫伤。

任务三　管路的连接方式

管路的连接包括管子与管子、管子与各种管件、阀门以及设备接口处的连接,目前工程上常用的连接方式主要有螺纹连接、法兰连接、承插式连接和焊接连接四种,如图 1-41所示。

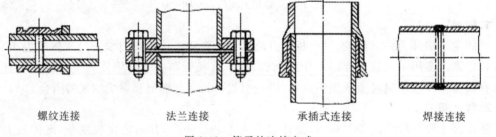

螺纹连接　　　　　法兰连接　　　　　承插式连接　　　　焊接连接

图 1-41　管子的连接方式

一、螺纹连接

螺纹连接是借助于一个带有螺纹的"活管接"将两根管路连接起来的一种连接方式,主要用于管径较小(<65mm)、压力也不大(<10MPa)的有缝钢管,其先在管的连接端绞出外螺纹丝口,然后用管件"活管接"将其连接。为了保证密封,通常在螺纹连接处缠以涂有油漆的麻丝、聚四氟乙烯薄膜等。螺纹连接的优点是拆装方便,密封性能比较好,但可靠性没有法兰连接好。一般管径在 150mm 以下的镀锌管路(如水、煤气管),常用螺纹连接的方法。螺纹连接拆装方便,但易发生电化学腐蚀。

二、法兰连接

法兰连接是工程上最常用的一种连接方式,法兰与钢管通过螺纹或焊接在一起,铸铁管的法兰则与管身铸为一体,法兰与法兰之间装上密封垫片,比较常用的垫片材料有石棉板、橡胶或软金属片等。其优点是拆装方便,密封可靠,适用的温度、压力、管径范围大,缺点是价格稍高。法兰连接主要用于需要拆卸、检修的管路上,例如水泵、水表、阀门等带法兰盘的附件在管路上的安装。

三、承插式连接

承插式连接适用于铸铁管、陶瓷管和水泥管,它是将管子的小端插在另一根管子大端的插套内,然后在连接处的环隙内填入麻绳、水泥或沥青等密封物质。它的优点是安装比较方便,允许两个管段的中心线有少许偏差,缺点是难以拆卸,耐压不高,主要用于埋在地下的给排水管道中。铸铁管、混凝土管、缸瓦管、塑料管等常用承插连接,承插接口根据使用的材料不同分为铅接口、石棉水泥接口、沥青水泥接口、膨胀性填料接口,水泥砂浆接口,柔性胶圈接口等。

四、焊接连接

焊接连接是比较经济方便、比较严密的一种连接方式。煤气管和各种压力管路(蒸汽、压缩空气、真空)以及输送物料的管路都应当尽量采用焊接,但它只能用在不需拆卸的场合。为了检修的方便,决不能把全部管路都采用焊接。同时,在易燃易爆的车间,也不宜用焊接方式连接管路。

任务四　管路的布置和安装

管路在布置和安装时,要从安装、检修、操作方便,安全、费用、设备布置、物料性质、建筑结构、美观等诸多方面进行综合考虑。因此,管路的布置和安装应遵守一定的原则。

一、管子及管件的选择

前已述及,化工管路已经标准化,压力标准和直径标准是制定其他标准的依据,也是选择管子、管件和阀门等附件的依据,已由国家标准详细规定,使用时可查阅有关手册。管子、管件和阀门等应尽量采用标准件,以便于安装和维修。

二、管路布置和安装原则

1. 管路的安装

管路的安装应保证横平竖直,其偏差不大于 $15\text{mm}/10\text{m}$,但其全长偏差不大于 50mm,垂直管偏差不能大于 10mm。

各种管线应平行铺设,便于共用管架;要尽量走直线,少拐弯,少交叉,以节约管材,减少阻力,同时力求做到整齐美观。但平行管路的排列应考虑到管路之间的相互影响,一般要求热管路在上,冷管路在下;无腐蚀的管路在上,有腐蚀的管路在下;输气的管路在上,输液的管路在下;不经常检修的管路在上,经常检修的管路在下;高压管路在上,低压管路在下;保温的管路在上,不保温的管路在下;金属管路在上,非金属管路在下;在水平方向上,通常使常温管路、大管路、振动大的管路及不经常检修的管路靠近墙或柱子。

为了减少基建费用,便于安装与检修,以及确保操作上的安全,除下水道、上水总管和煤气总管外,管路铺设应尽可能采用明线。上下水管及废水管埋地铺设时,埋地安装深度应当在当地冰冻线以下。

2.管件与阀门的排列

为了便于安装与检修,并列管道上的管件和阀门应互相错开。所有管线,特别是输送腐蚀性流体的管道,在穿越通道时,不得装设各种管件、阀门等可拆卸的附件,以防因滴漏而造成对人体的伤害。

3.管与墙的安装距离

在车间内,管路应尽可能沿厂房墙壁安装,管与管之间、管与墙之间的距离要以能容纳活接管或法兰,并便于维修为宜,具体数据见表1-5。

表1-5　管与墙的安装距离

公称直径/(mm)	25	40	50	80	100	125	150
管中心与墙的距离/(mm)	120	150	170	170	190	210	230

4.管路的安装高度

管路距地面的高度以便于检修为准,但管路通过人行道时高度不得低于2m,通过公路时不得小于4.5m,通过铁轨不得小于6m,通过工厂主要交通干线一般不小于5m。

5.管路的跨度

管路之间应有适当的距离,以便于安装、操作、巡查与检修。不同管径的跨度(两支座之间的距离)应不同。两管路的最突出部分间距净空,中压保持40～60mm,高压保持70～90mm,并排管路上安装手轮操作阀门时,手轮间距约100mm。

6.管路防静电措施

静电是一种常见的带电现象,输送易燃易爆物料时,由于在物料流动时常有静电产生而使管路成为带电体。为了防止静电积聚,必须将管路可靠接地。对蒸汽输送管路,每隔一段距离,应安装凝液排放装置。

7.管路的热补偿

当管路工作温度与安装时的温度相差较大时,由于热胀冷缩的作用,可能使管路变形、弯曲,甚至破裂。通常管路在335K以上工作时,应当考虑安装伸缩器以解决冷热变形的问题。管路的热补偿方法主要有两种,一种是依靠弯管的自然补偿,二是利用补偿器进行补偿,常用的补偿器有回折管式补偿器、波形补偿器、填料式补偿器等,如图1-42所示。

8.管路的保温与涂色

为了维持生产所需要的高温或低温条件,节约能源,保证劳动条件,必须减少管路与环境的热量交换,即管路的保温。保温的方法是在管道外包上一层或多层保温材料,参见有关文献。

工厂中的管路很多,为了方便操作者区别各种类型的管道,常在管外(保护层外或保温层外)涂上不同的颜色,称为"管路的涂色"。具体颜色可查阅有关文献。

9. 管路的防腐

管道的防腐可采用防腐涂料措施,也可采用在金属管表面镀锌、镀铬以及在金属管内加耐腐蚀衬里(如橡胶、塑料、铅、玻璃)等措施。

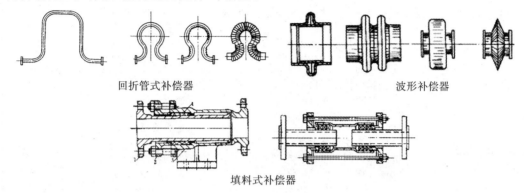

回折管式补偿器　　　　　　　　　　　　波形补偿器

填料式补偿器

图 1-42 热补偿器

10. 管路的水压试验

管路在投入运行之前,必须保证其强度和严密性符合要求,因此,管路安装完毕后,应作强度和严密性试验,验证是否有漏气或漏液现象。未经试验合格,焊缝和连接处不得涂漆和保温,管路在第一次使用时需用压缩空气或惰性气体吹扫。

11. 特殊管路的安装

对于各种非金属管路及特殊介质的管路的布置和安装,还应考虑某些特殊问题,如聚氯乙烯管应避开热的管路,氧气管路在安装前应脱油等。

三、管路、阀门常见故障与处理

管路常见故障及其处理方法见表 1-6。

表 1-6 管路常见故障及其处理方法

常见故障	原因	处理方法
管泄漏	裂纹、空洞(管内外腐蚀、磨损)、焊接不良	装旋塞、缠带、打补丁、箱式堵漏、更换
管堵塞	不能关闭、杂质堵塞	阀或管段热接旁通,设法清除杂质
管振动	流体脉动、机械振动	用管支撑固定或撤掉管支撑件,但必须保证强度
管弯曲	管支撑不良	用管支撑固定或撤掉管支撑件,但必须保证强度
法兰泄漏	螺栓松动、密封垫片损坏	箱式堵漏,紧固螺栓;更换密封垫片、法兰
阀泄漏	压盖填料不良,杂质附着在其表面	紧固填料函,更换压盖填料;更换阀部件或阀

阀门异常现象及其处理方法见表 1-7。

表 1-7　阀门异常现象与处理方法

异常现象	原因	处理方法
填料函泄漏	①压盖松 ②填料装得不严 ③阀杆磨损或腐蚀 ④填料老化失效或填料规格不对	①均匀压紧填料，拧紧螺母 ②采用单圈、错口顺序填装 ③更换新阀杆 ④更换新填料
密封面泄漏	①密封面之间有脏物粘贴 ②密封面锈蚀磨伤 ③阀杆弯曲使密封面错开	①反复微开、微闭冲走或冲洗干净 ②研磨锈蚀处或更新 ③调直后调整
阀杆转动不灵活	①填料压得过紧 ②阀杆螺纹部分太脏 ③阀体内部积存结疤 ④阀杆弯曲或螺纹损坏	①适当放松压盖 ②清洗擦净脏物 ③清理积存物 ④调直修理
安全阀灵敏度不高	①弹簧疲劳 ②弹簧级别不对 ③阀体内水垢结疤严重	①更换新弹簧 ②按压力等级选用弹簧 ③彻底清理
减压阀压力自调失灵	①调节弹簧或膜片失效 ②控制通路堵塞 ③活塞或阀芯被锈斑卡住	①更换新件 ②清理干净 ③清洗干净，打磨光滑
机电机构动作不协调	①行程控制器失灵 ②行程开关触点接触不良 ③离合器未啮合	①检查调节控制装置 ②修理接触片 ③拆卸修理

项目 **6**
流体输送机械

学习目标

- 掌握离心泵的结构、工作原理和特征
- 理解离心泵性能扬程、有效功率、轴功率的意义,理解离心泵特性曲线的意义
- 掌握离心泵产生气缚、汽蚀现象的原因,掌握离心泵正常开、停车技术
- 掌握管路特性曲线的意义,能合理选用离心泵
- 了解气体输送设备
- 了解化工泵的正常操作及注意事项

在化工生产中,常常需要将流体从低处输送到高处,或从低压送至高压,或沿管道送至较远的地方。为达到此目的,必须对流体加入外功,以克服流体阻力及补充输送流体时所不足的能量。为液体提供能量的机械称为"液体输送机械"。为气体提供能量的机械称为"气体输送机械"。如果说管路是设备与设备之间、车间与车间之间、工厂与工厂之间联系的通道的话,则流体输送机械是这种联系的动力所在。

任务一 离心泵

离心泵是依靠高速旋转的叶轮所产生的离心力对液体做功的流体输送机械。由于它具有结构简单、操作方便、性能适应范围广、体积小、流量均匀、故障少、寿命长等优点,在化工生产中应用十分广泛,有统计表明,化工生产所使用的泵大约有 80% 为离心泵。离心泵作为通用机械,在其他工业及日常生活中也有广泛应用。

一、离心泵的工作原理与结构

1.工作原理

离心泵的结构如图 1-43 所示,在蜗牛形泵壳内,装有一个叶轮,叶轮与泵轴连在一起,可以与轴一起旋转,泵壳上有两个接口,一个在轴向,接吸入管,一个在切向,接排出管。通常在吸入管口装有一个单向底阀,在排出管口装有一调节阀,用来调节流量。

在离心泵工作前,先灌满被输送液体,当离心泵启动后,泵轴带动叶轮高速旋转,受叶轮上叶片的约束,泵内流体与叶轮一起旋转,在离心力的作用下,液体从叶轮中心向叶轮外缘运动,叶轮中心(吸入口)处因液体空出而呈负压状态,这样,在吸入管的两端就形成了一定的压差,即吸入液面压力与泵吸入口压力之差,只要这一压差足够大,液体就会被吸入泵体

内,这就是离心泵的吸液原理;另一方面,被叶轮甩出的液体,在从中心向外缘运动的过程中,动能与静压能均增加了,流体进入泵壳后,由于泵壳内蜗形通道的面积是逐渐增大的,液体的动能将减少,静压能将增加,达到泵出口处时压力达到最大,于是液体被压出离心泵,这就是离心泵的排液原理。

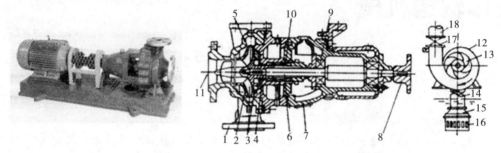

1-泵体;2-叶轮;3-密封环;4-轴套;5-泵盖;6-泵轴;

7-托架;8-联轴器;9-轴承;10-轴封装置;11-吸入口;12-蜗形泵壳;

13-叶片;14-吸放管;15-底阀;16-滤网;17-调节阀;18-排出管

图1-43 离心泵的结构

如果在启动离心泵前,泵体内没有充满液体,由于气体密度比液体的密度小得多,产生的离心力就很小,从而不能在吸入口形成必要的真空度,在吸入管两端不能形成足够大的压差,于是就不能完成离心泵的吸液。这种因为泵体内充满气体(通常为空气)而造成离心泵不能吸液(空转)的现象称为"气缚现象"。因此,离心泵是一种没有自吸能力的泵,在启动离心泵前必须灌泵。

2.离心泵的结构

离心泵的主要构件有叶轮、泵壳和轴封,有些还有导轮,下面分别简要介绍。

①叶轮 叶轮是离心泵的核心构件,是在一圆盘上设置4~12个叶片构成的。其主要功能是将原动机械的机械能传给液体,使液体的动能与静压能均有所增加。

根据叶轮是否有盖板可以将叶轮分为三种形式,即开式、半开(闭)式和闭式,如图1-44所示,其中(a)为闭式叶轮,(b)为半开式叶轮,(c)为开式叶轮。通常,闭式叶轮的效率要比开式高,而半开式叶轮的效率介于两者之间,因此应尽量选用闭式叶轮,但由于闭式叶轮在输送含有固体杂质的液体时,容易发生堵塞,故在输送含有固体的液体时,多使用开式或半开式叶轮。对于闭式与半闭式叶轮,在输送液体时,由于叶轮的吸入口一侧是负压,而在另一侧则是高压,因此在叶轮两侧存在着压力差,从而存在对叶轮的轴向推力,将叶轮沿轴向吸入口窜动,造成叶轮与泵壳的接触磨损,严重时还会造成泵的振动,为了避免这种现象,常

(a)闭式   (b)半开式   (c)开式

图1-44 离心泵的叶轮

常在叶轮的盖板上开若干个小孔,即平衡孔。但平衡孔的存在降低了泵的效率。其他消除轴向推力的方法是安装止推轴承或将单吸改为双吸。

根据叶轮的吸液方式可以将叶轮分为两种,即单吸叶轮与双吸叶轮,如图1-45所示,图中(a)是单吸式叶轮,(b)是双吸式叶轮,显然,双吸叶轮完全消除了轴向推力,而且具有相对较大的吸液能力。

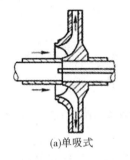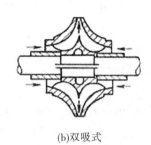

　　　　(a)单吸式　　　　　　　　　　　　　　(b)双吸式

图1-45　离心泵的吸液方式

叶轮上的叶片是多种多样的,有前弯叶片、径向叶片和后变叶片三种。但工业生产中主要为后弯叶片,因为后弯叶片相对于另外两种叶片的效率高,更有利于动能向静压能的转换。由于两叶片间的流动通道是逐渐扩大的,因此能使液体的部分动能转化为静压能。叶片是一种转能装置。

②泵壳　由于泵壳的形状像蜗牛,因此又称为"蜗壳"。这种特殊的结构,使叶轮与泵壳之间的流动通道沿着叶轮旋转的方向逐渐增大并将液体导向排出管。因此,泵壳的作用就是汇集被叶轮甩出的液体,并在将液体导向排出口的过程中实现部分动能向静压能的转换。泵壳是一种转能装置。为了减少液体离开叶轮时直接冲击泵壳而造成的能量损失,常常在叶轮与泵壳之间安装一个固定不动的导轮,如图1-46所示,导轮带有前弯叶片,叶片间逐渐扩大的通道,使进入泵壳的液体的流动方向逐渐改变,从而减少了能量损失,使动能向静压能的转换更加有效。导轮也是一个转能装置。通常,多级离心泵均安装导轮。

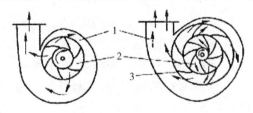

1-泵壳;2-叶轮;3-导轮

图1-46　泵壳与导轮

③轴封装置　由于泵壳固定而泵轴是转动的,因此在泵轴与泵壳之间存在一定的空隙,为了防止泵内液体沿空隙漏出泵外或空气沿相反方向进入泵内,需要对空隙进行密封处理。用来实现泵轴与泵壳间密封的装置称为"轴封装置"。常用的密封方式有两种,即填料函密封与机械密封。

填料函密封是用浸油或涂有石墨的石棉绳(或其他软填料),填入泵轴与泵壳间的空隙来实现密封目的的;机械密封是通过一个安装在泵轴上的动环与另一个安装在泵壳上的静环来实现密封目的的。工作时,借助弹力使两环密切接触达到密封目的。两种方式相比较,前者结构简单,价格低,但密封效果差,后者结构复杂,精密,造价高,但密封效果好。因此,机械密封主要用在一些密封要求较高的场合,如输送酸、碱、易燃、易爆、有毒、有害等液体。

近年来,随着磁防漏技术的日益成熟,借助加在泵内的磁性液体来达到密封与润滑作用的技术正在越来越引起人们的关注。

二、离心泵的主要性能参数和特性曲线

离心泵的主要性能参数有送液能力、扬程、功率和效率等,这些性能与它们之间的关系在泵出厂时会标注在铭牌或产品说明书上,供使用者参考。

1.主要性能参数

(1)送液能力 指单位时间内从泵内排出的液体体积,用 q_v 表示(或 Q),单位 m³/s,也称"生产能力"或"流量"。离心泵的流量与离心泵的结构、尺寸和转速有关。离心泵的流量在操作中可以变化,其大小可以由实验测定。离心泵铭牌上的流量是离心泵在最高效率下的流量,称为"设计流量"或"额定流量"。

(2)扬程 是指单位重量液体流经泵后所获得的能量,用 H 表示,单位 m,也叫"压头"。离心泵的扬程与离心泵的结构、尺寸、转速和流量有关。通常,流量越大,扬程越小,两者的关系由实验测定。离心泵铭牌上的扬程是离心泵在额定流量下的扬程。

(3)功率 离心泵在单位时间内对流体所做的功称为"离心泵的有效功率",用 P_e 表示,单位 W,有效功率由下式计算,即 $P_e = Hq_v\rho g$

离心泵从原动机械那里所获得的能量称为"离心泵的轴功率",用 P 表示,单位 W,由实验测定,是选取电动机的依据。离心泵铭牌上的轴功率是离心泵在额定状态下的轴功率。

(4)效率 是反映离心泵利用能量情况的参数。由于机械摩擦、流体阻力和泄漏等原因,离心泵的轴功率总是大于其有效功率的,两者的差别用效率来表示,用 η 表示,其定义式为

$$\eta = \frac{P_e}{P} \tag{1-51}$$

离心泵效率的高低既与泵的类型、尺寸及加工精度有关,又与流量及流体的性质有关,一般地,小型泵的效率为 $50\% \sim 70\%$,大型泵的效率要高些,有的可达 90%。

【例 1-20】 用如图系统核定某离心泵的扬程,实验条件为:介质为清水;温度 20℃;压力 98.1kPa;转速 2900r/min。实验测得的数据为:流量计的读数 45m³/h;泵排出口处压力表的读数 255kPa;泵吸入口处真空表读数 27kPa;两侧压口间的垂直距离为 0.4m。若吸入管路与排出管路的直径相同,试求该泵的扬程。

解:在压力表及真空表所在截面 1—1 和 2—2 间应用柏努利方程,得

$$z_1 + \frac{p_1}{g\rho} + \frac{u_1^2}{2g} + H = z_2 + \frac{p_2}{g\rho} + \frac{u_2^2}{2g} + H_{f,1-2}$$

式中   令 $z_1 = 0$,则 $z_2 = 0.4\text{m}$;

而 $p_1 = -27\text{kPa}$(表压);$p_2 = 255\text{kPa}$(表压);$u_1 = u_2$(吸入管与排出管管径相同);

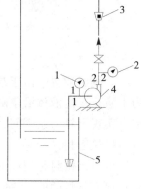

例 1-20 图

$H_{f.1-2}=0$（两截面间距很短,故忽略阻力）;

又查得 20℃清水的密度为 1000kg/m³,

所以该泵的扬程为:

$$H=0.4+\frac{255\times1000+27\times1000}{1000\times9.807}=29.2\text{m}$$

【例 1-21】 某离心泵采用直联方式与电动机相联,功率表测得电动机的功率为6.2kW,若电动机的效率为 0.94,试求离心泵的轴功率。

解:泵的轴功率为泵从原动机械(此例是电动机)那里接受的功率,功率表测得的功率为电动机的输入功率。

电动机的输出功率＝输入功率×效率＝6.2×0.94＝5.83kW

泵的轴功率＝电动机的输出功率×传动效率

因为采用直联方式联接,所以传动效率可以取 1,所以该离心泵的轴功率等于电动机的输出功率,即 5.83kW。

2.特性曲线

实验表明,离心泵的扬程、功率及效率等主要性能均与流量有关。把它们与流量之间的关系用图表示出来,就构成了离心泵的特性曲线,如图 1-47 所示为 IS100-80-125 型离心泵特性曲线,不同型号的离心泵的特性曲线的总体规律是相似的。

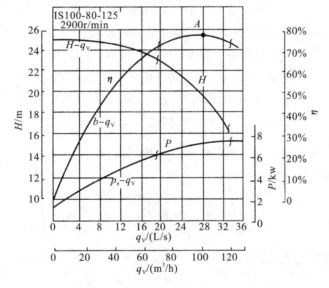

图 1-47　IS 100-80-125 型离心泵特性曲线

(1)扬程－流量曲线　扬程随流量的增加而减少。少数泵在流量很小时会略有增加,然后再减少。

(2)轴功率－流量曲线　轴功率随流量的增加而增加,也就是说当离心泵处在零流量时消耗的功率最小。因此,离心泵开车和停车时,都要关闭出口阀,以达到降低功率,保护电机的目的。

(3)效率－流量曲线　离心泵在流量为零时,效率为零,随着流量的增加,效率也增加,当流量增加到某一数值后,再增加,效率反而下降。通常,把最高效率点称为泵的设计点,或额定状态,对应的性能参数称为最佳工况参数,铭牌上标出的参数就是最佳工况参数。显然,泵在最高效率下运行最为经济,但在实际操作中做到始终在最高效率下操作是不可能的。规定效率不低于最高效率的 92% 的区域为高效区,性能曲线上常用波浪号将高效区标出,如图 1-47 所示,在实际操作中,应维持离心泵在高效区内操作。

离心泵在指定转速下的特性曲线由泵的生产厂家提供,标在铭牌或产品手册上。需要指出的是,性能曲线是在 293K 和 98.1kPa 下以清水作为介质测定的,因此,当被输送液体的性质与水相差很大时,必须校正。

3. 影响离心泵性能的因素

离心泵样本中提供的性能是以水作为介质,在一定的条件下测定的。当被输送液体的种类、转速和叶轮直径改变时,离心泵的性能将随之改变。

(1)密度　密度对流量、扬程和效率没有影响,但对轴功率有影响,轴功率可以用下式校正

$$\frac{P_1}{P_2} = \frac{q_v H \rho_1 g / \eta}{q_v H \rho_2 g / \eta} = \frac{\rho_1}{\rho_2} \qquad (1-52)$$

(2)黏度　当液体的黏度增加时,液体在泵内运动时的能量损失增加,从而导致泵的流量、扬程和效率均下降,但轴功率增加。因此黏度的改变会引起泵的特性曲线的变化。当液体的运动黏度大于 $2.0 \times 10^{-6} \mathrm{m^2/s}$ 时,离心泵的性能必须校正

$$q_{v1} = c_q q_v \qquad H_1 = c_H H \qquad \eta_1 = c_\eta \eta \qquad (1-53)$$

式中　q_{v1}、H_1、η_1——分别为操作状态下的流量、扬程、效率。

　　　　q_v、H、η——分别为实验状态下的流量、扬程、效率。

　　　　c_q、c_H、c_η——分别为流量、扬程、效率的校正系数,可从手册上查取。

(3)转速　当效率变化不大时,转速变化引起流量、扬程和功率的变化符合比例定律,即

$$\frac{q_{v1}}{q_{v2}} = \frac{n_1}{n_2} \qquad \frac{H_1}{H_2} = \left(\frac{n_1}{n_2}\right)^2 \qquad \frac{P_1}{P_2} = \left(\frac{n_1}{n_2}\right)^3 \qquad (1-54)$$

(4)叶轮直径　在转速相同时,如果叶轮切削率不大于 20%,则叶轮直径变化引起流量、扬程和功率的变化符合切割定律,即

$$\frac{q_{v1}}{q_{v2}} = \frac{D_1}{D_2} \qquad \frac{H_1}{H_2} = \left(\frac{D_1}{D_2}\right)^2 \qquad \frac{P_1}{P_2} = \left(\frac{D_1}{D_2}\right)^3 \qquad (1-55)$$

三、离心泵的型号与选用

1. 离心泵的型号

离心泵的种类很多,分类方法也很多。比如,按吸液方式分为单吸泵与双吸泵;按叶轮数目分为单级泵与多级泵;按特定使用条件分为液下泵、管道泵、高温泵、低温泵和高温高压泵等;按被输送液体性质分为清水泵、油泵、耐腐蚀泵和杂质泵等;按安装形式分为卧式泵和立式泵;80年代设计生产的磁力泵也在科研与生产中应用越来越广。这些泵均已经按其结构特点不同,自成系列并标准化,有关数据可在泵的样本手册中查取,下面介绍几种形式的离心泵。

①清水泵。清水泵是化工生产中普遍使用的一种泵,适用于输送水及性质与水相似的

液体。包括 IS 型、D 型和 S 型。

IS 型泵代表单级单吸离心泵,即原 B 型水泵。但 IS 型泵是按国际标准(ISO2858)规定的尺寸与性能设计的,其性能与原 B 型泵相比较,效率平均提高了 3.76%,特点是泵体与泵盖为后开结构,检修时不需拆卸泵体上的管路与电机。其结构图如图 1-48 所示。

IS 型水泵是应用最广的离心泵,用于输送温度不高于 80℃ 的清水及与水相似的液体,其设计点的流量为 6.3~400m³/h,扬程为 5~125m,进口直径 50~200mm,转速为 2900r/min 或 1450r/min。其型号由符号及数字表示,举例说明如下:型号为 IS100-65-200,则 IS 表示单级单吸离心水泵,100 表示吸入口直径为 100mm,65 表示排出口直径为 65mm,200 表示叶轮的名义直径是 200mm。

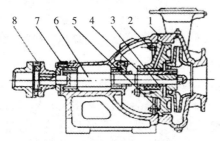

1-泵体;2-叶轮;3-密封圈;4-护轴套;
5-后盖;6-轴;7-托架;8-联轴器部件

图 1-48　IS 型水泵的结构图

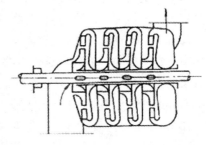

图 1-49　D 型泵的结构示意图

D 型泵是国产多级离心泵的代号,其结构示意图如图 1-49 所示,是将多个叶轮安装在同一个泵轴构成的,工作时液体从吸入口吸入,并依次通过每个叶轮,多次接受离心力的作用,从而获得更高的能量。因此,D 型泵主要用在流量不很大但扬程相对较大的场合。

D 型泵的级数通常为 2~9 级,最多可达 12 级,全系列流量范围为 10.8~850m³/h。

D 型泵的型号与原 B 型相似,比如 100D45×4,其中,100 表示吸入口的直径为 100mm,45 表示每一级的扬程为 45m,4 为泵的级数。

S 型泵是双吸离心泵的代号,即原 SH 型泵,有两个吸入口,从而能吸入更多的液体量。因此,S 型泵主要用在流量相对较大但扬程相对不大的场合。其结构图如图 1-50 所示。

S 型泵的全系列流量范围为 120~12500m³/h,扬程为 9~140m。

S 型泵的型号如 100S90A 所示,其中,100 表示吸入口的直径为 100mm,90 表示设计点的扬程为 90m,A 指泵的叶轮经过一次切割。

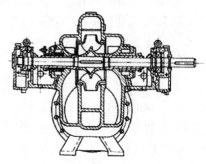

图 1-50　S 型泵的结构图

②耐腐蚀泵。耐腐蚀泵是用来输送酸、碱等腐蚀性液体的泵的总称,系列号用 F 表示。F 型泵中,所有与液体接触的部件均用防腐蚀材料制造,其轴封装置多采用机械密封。

F 型泵的全系列流量范围为 2~400m³/h,扬程为 15~105m。

F 型泵的型号中在 F 之后加上材料代号,如 80FS24 所示,其中,80 表示吸入口的直径为 80mm,S 为材料聚三氟氯乙烯塑料的代号,24 表示设计点的扬程为 24m。如果将 S 换为

H,则表示灰口铸铁材料,其他材料代号可查有关手册。

注意:用玻璃、陶瓷和橡胶等材料制造的小型耐腐蚀泵,不在 F 泵的系列之中。

③油泵。油泵是用来输送油类及石油产品的泵,由于这些液体多数易燃易爆,因此必须有良好的密封,而且当温度超过 473K 时还要通过冷却夹套冷却。国产油泵的系列代号为Y,如果是双吸油泵,则用 YS 表示。

Y 型泵全系列流量范围为 5~1270m³/h,扬程为 5~670m,输送温度在 228~673K。

Y 型泵的型号,比如 80Y-100×2A,其中,80 表示吸入口的直径为 80mm,100 表示每一级的设计点扬程为 100m,2 为泵的级数,A 指泵的叶轮经过一次切割。

④磁力泵。磁力泵是一种高效节能的特种离心泵,通过一对永久磁性联轴器将电机力矩透过隔板和气隙传递给一个密封容器,带动叶轮旋转。其特点是没有轴封、不泄漏、转动时无摩擦,因此安全节能。特别适合输送不含固体颗粒的酸、碱、盐溶液;易燃、易爆液体;挥发性液体和有毒液体等。但被输送介质的温度不宜大于 363K。

磁力泵的系列代号为 C,C 泵全系列流量范围为 0.1~100m³/h,扬程为 1.2~100m。

除以上介绍的这些泵外,还有用于输送含有杂质的液体的杂质泵(P 型泵)、用于汲取地下水的深井泵、用于输送液化气体的低温泵、用于输送易燃、易爆、剧毒及具有放射性液体的屏蔽泵、安装在液体中的液下泵,等等,使用时可参阅有关书籍。

2.离心泵的选用

离心泵的类型很多,必须根据生产任务进行合理选用,选用步骤如下:

①根据被输送液体的性质及操作条件,确定泵的类型。要了解液体的密度、黏度、腐蚀性、蒸汽压、毒性、固含量等;要明确泵在什么温度、压力、流量等条件下操作;还要了解泵在管路中的安装条件与安装方式,等等。比如含有杂质就应该选杂质泵,输送水就应该选清水泵,输送液化气需用低温泵,等等。

②确定流量。如果输送任务是变化的,应以最大的流量作为选择基准。

③确定完成输送任务需要的扬程。

④通过流量与扬程在相应类型的系列中选取合适的型号。选用时要使所选泵的流量与扬程比任务要求的要稍大一些,通常扬程以大于 20m 为宜。如果用性能曲线来选,要使(Q,H)点落在泵的 Q~H 线以下,并处在高效区。

必须指出,符合条件的泵通常会有多个,应选取效率最高的那个。

⑤校核轴功率。当液体密度大于水的密度时,必须校核轴功率。

⑥列出泵在设计点处的性能。

【例 1-22】 现有一送水任务,流量为 100m³/h,需要压头为 76m。现有一台型号为IS125-100-250 的离心泵,其铭牌上的流量为 120m³/h,扬程为 87m。问此泵能否用来完成这一任务。

解: IS 型泵是单级单吸水泵,主要用来输送水及与水性质相似的液体,本任务是输送水,因此可以作为备选泵。

又因为此离心泵的流量与扬程分别大于任务需要的流量与杨程,因此可以完成输送任务。

使用时,可以根据铭牌上的功率选用电机,因为介质为水,不须校核轴功率。

四、离心泵的气蚀现象与安装高度

离心泵的扬程可以达到几百甚至千米以上,但离心泵的安装高度却会受到一定的限制。如果安装过高,将发生气蚀现象,轻则导致流量、压头迅速下降,重则导致不能吸液或损害叶轮。

1. 气蚀现象

如前所述,离心泵的吸液是靠吸入液面与吸入口间的压差完成的。当吸入液面压力一定时,泵的安装高度越大,则吸入口处的压力将越小。当吸入口处压力小于操作条件下被输送液体的饱和蒸汽压时,液体将会气化产生气泡,含有气泡的液体进入泵体后,在离心力的作用下,进入高压区,气泡在高压的作用下,又液化为液体,由于原气泡位置的空出造成局部真空,周围液体在高压的作用下迅速填补原气泡所占空间。这种高速冲击频率很高,可以达到每秒几千次,冲击压强可以达到数百个大气压甚至更高,这种高强度高频率的冲击,轻的能造成叶轮的疲劳,重的则可以将叶轮与泵壳破坏,甚至能把叶轮打成蜂窝状。这种因为被输送液体在泵体内气化再液化并造成离心泵不能正常工作的现象叫"离心泵的气蚀现象"。

气蚀现象发生时,会产生噪音和引起振动,流量、扬程及效率均会迅速下降,严重时不能吸液。在工程上,当扬程下降3％时就认为进入了气蚀状态。避免气蚀现象的方法是限制泵的安装高度。避免离心泵气蚀现象的最大安装高度,称为"离心泵的允许安装高度",也叫"允许吸上高度"。

2. 允许安装(吸上)高度

离心泵的允许安装高度可以通过在图 1-51 中的 0—0′截面和 1—1′截面间列柏努利方程求得,即

$$H_g = \frac{p_0 - p_1}{\rho g} - \frac{u_1^2}{2g} - \sum H_{f,0-1} \qquad (1\text{-}56)$$

式中　H_g ——允许安装高度,m。

　　　p_0 ——吸入液面压力,Pa。

　　　p_1 ——吸入口允许的最低压力,Pa。

　　　u_1 ——吸入口处的流速,m/s。

　　　ρ ——液体的密度,kg/m³。

　　　$\sum H_{f,0-1}$ ——流体流经吸入管的阻力,m。

从式(1-56)可以看出,允许安装高度与吸入液面上方的压力 p_0、吸入口最低压力 p_1、液体密度 ρ、吸入管内的动能及阻力有关。因此,增加吸入液面的压力,减小液体的密度、降低液体温度(通过降低液体的饱和蒸汽压来降低 p_1)、增加吸入管直径(从而使流速降低)和减

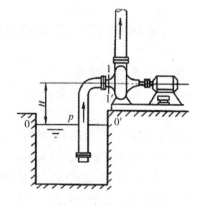

图 1-51　求离心泵的安装高度示意图

少吸入管内流体阻力均有利于允许安装高度的提高,在其他条件都确定的情况下,如果流量增加,将造成动能及阻力的增加,安装高度会减少,发生气蚀现象的可能性增加。

离心泵的允许安装高度可以由允许吸上真空高度法或允许气蚀余量法计算。近年来,

前者已经很少使用,故只介绍后一种方法。

离心泵的抗气蚀性能参数可用允许气蚀余量来表示,其定义为泵吸入口处动能与静压能之和比被输送液体的饱和蒸汽压头高出的最低数值,即

$$\Delta h = \frac{p_1}{\rho g} + \frac{u_1^2}{2g} - \frac{p_v}{\rho g} \tag{1-57}$$

将上式代入(1-56)得

$$H_g = \frac{p_0}{\rho g} - \frac{p_v}{\rho g} - \Delta h - \sum H_{f,0-1} \tag{1-58}$$

式中　Δh —— 允许气蚀余量,m,可查取。

　　　p_v —— 操作温度下液体的饱和蒸汽压,Pa。

其他符号同前。

同样,泵的生产厂家提供的允许气蚀余量是在 98.1kPa 和 293K 下以水为介质测得的,当输送条件不同时,应该对其校正,校正方法参见有关书籍。

【例 1-23】 拟用 IS65-40-200 离心水泵输送温度为 323K 的水。已知泵的铭牌上标明的转速为 2900r/min,流量为 25m³/h,扬程为 50m,允许气蚀余量为 2.0m;液体在吸入管的全部阻力损失为 2m;当场大气压力为 100kPa。求泵的允许安装高度。

解: 泵的允许安装高度

$$H_g = \frac{p_0}{\rho g} - \frac{p_v}{\rho g} - \Delta h - \sum H_{f,0-1}$$

式中　$p_0 = 100$kPa,$\Delta h = 2.0$m,$\sum H_{f,0-1} = 2$m。

又查附录得,水在 323K 下的密度为 988.1kg/m³,饱和蒸汽压为 12.34kPa,

所以　$H_g = \dfrac{100 \times 1000 - 12.34 \times 1000}{988.1 \times 9.81} - 2.0 - 2 = 5.04$m

因此,泵的安装高度不应高于 5.04m。

五、离心泵的工作点与流量调节

1. 离心泵的工作点

如前所述,离心泵的流量与压头之间存在一定的关系,这是由泵特性曲线决定的,而对于给定的管路其输送任务(流量)与完成任务所需要的压头之间也存在一定的关系,这可由柏努利方程决定,类似的,把这种关系称为"管路特性"。显然,当泵安装在指定管路时,流量与压头之间的关系既要满足泵的特性,也要满足管路的特性。如果这两种关系均用方程来表示,则流量与压头要同时满足这两个方程,在性能曲线图上,应为泵的特性曲线和管路特性曲线的交点。这个交点称为"离心泵在指定管路上的工作点",显然,交点只有一个,也就是说,泵只能在工作点下工作。

2. 离心泵的调节

当工作点的流量及压头与输送任务的要求不一致时,或生产任务改变时,必须进行适当地调节,调节的实质就是改变离心泵的工作点。主要方法有:

①改变阀门开度。主要是改变泵出口阀门的开度。因为即使吸入管路上有阀门,也不

能进行调节,在工作中,吸入管路上的阀门应保持全开,否则易引起气蚀现象。由于用阀门调节简单方便,因此工业生产中主要采用此方法。

②改变转速。通过前面对离心泵性能的分析可知,当转速改变时,离心泵的性能也会跟着改变,工作点也随之改变。由于改变转速需要变速装置,使设备投入增加,故生产中很少采用。

③改变叶轮直径。通过车削的办法改变叶轮的直径,来改变泵的性能,从而达到改变工作点的目的。由于车削叶轮不方便,需要车床,而且一旦车削便不能复原,因此工业上很少采用。

六、离心泵的安装与操作

离心泵出厂时,说明书对泵的安装与使用均做了详细说明,在安装使用前必须认真阅读。下面仅对离心泵的安装使用要点作简要说明。

1.安装要点

①应尽量将泵安装在靠近水源,干燥明亮的场所,以便于检修。

②应有坚实的地基,以避免振动。通常用混凝土地基,地脚螺栓连接。

③泵轴与电机转轴应严格保持水平,以确保运转正常,提高寿命。

④安装高度要严格控制,以免发生气蚀现象。

⑤在吸入管径大于泵的吸入口径时,变径联接处要避免存气,以免发生气缚现象。如图1-52所示,图中(a)不正确,(b)正确。

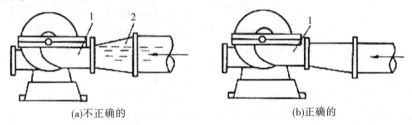

(a)不正确的   (b)正确的

1-吸入口;2-空气囊

图1-52 吸入口变径连接法

2.操作要点

①灌泵。启动前,使泵体内充满被输送液体的操作,用来避免气缚现象。

②预热。对输送高温液体的热心油泵或高温水泵,在启动与备用时均需预热。因为泵是设计在操作温度下工作的,如果在低温工作,各构件间的间隙因为热胀冷缩的原因会发生变化,造成泵的磨损与破坏。预热时应使泵各部分均匀受热,并一边预热一边盘车。

③盘车。用手使泵轴绕运转方向转动的操作,每次以180°为宜,并不得反转。其目的是检查润滑情况,密封情况,是否有卡轴现象,是否有堵塞或冻结现象等。备用泵也要经常盘车。

④关闭出口阀,启动电机。为了防止启动电流过大,要在最小流量,即在最小功率下启动,以免烧坏电机。但对耐腐蚀泵,为了减少腐蚀,常采用先打开出口阀的办法启动。但要注意,关闭出口阀运转的时间应尽可能短,以免泵内液体因摩擦而发热,发生气蚀现象。

⑤调节流量。缓慢打开出口阀,调节到指定流量。

⑥检查。要经常检查泵的运转情况,比如轴承温度、润滑情况、压力表及真空表读数等,发现问题应及时处理。在任何情况下都要避免泵内无液体的干转现象,以避免干摩擦,造成零部件损坏。

⑦停车时,要先关闭出口阀,再关电机,以免高压液体倒灌,造成叶轮反转,引起事故。在寒冷地区,短时停车要采取保温措施,长期停车必须排净泵内及冷却系统内的液体,以免冻结胀坏系统。

任务二　其他类型泵

一、往复泵

往复泵是一种容积式泵,是通过容积的改变对液体做功。通过活塞或柱塞的往复运动对液体做功的机械统称为"往复泵",包括活塞泵、柱塞泵、隔膜泵、计量泵等。

1.往复泵的结构与工作原理

往复泵的主要构件有泵缸、活塞(或柱塞)、活塞杆及若干个单向阀等,如图1-53所示。泵缸、活塞及阀门间的空间称为工作室。当活塞从左向右移动时,工作室容积增加而压力下降,吸入阀在内外压差的作用下打开,液体被吸入泵内,而排出阀则因内外压力的作用而紧紧关闭;当活塞从右向左移动时,工作室容积减小而压力增加,排出阀在内外压差的作用下打开,液体被排到泵外,而吸入阀则因内外压力的作用而紧紧关闭。如此周而复始,实现泵的吸液与排液。

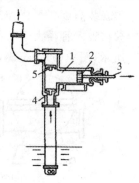

活塞在泵内左右移动的端点叫"死点",两"死点"间的距离为活塞从左向右运动的最大距离,称为冲程。在活塞往复运动的一个周期里,如果泵只吸液一次,排液一次,称为单动往复泵;如果各两次,称为双动往复泵;人们还设计了三联泵,三联泵的实质是三台单动泵的组合,只是排液周期相差了三分之一。图1-54是三种泵的流量曲线图。

1-泵缸;2-活塞;3-活塞杆;
4-吸入阀;5-排出阀

图1-53　往复泵结构简图

(a)单动往复泵

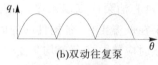
(b)双动往复泵

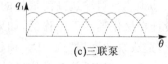
(c)三联泵

图1-54　往复泵流量曲线图

2.主要性能

与离心泵一样,往复泵的主要性能参数也包括流量、压头、功率与效率等。

①流量　往复泵的流量是不均匀的,如图1-54所示。但双动泵要比单动泵均匀,而三联泵又比双动泵均匀。由于其流量的这一特点限制了往复泵的使用。工程上,有时通过设

置空气室使流量更均匀。

从工作原理不难看出,往复泵的理论流量只与活塞在单位时间内扫过的体积有关,因此往复泵的理论流量只与泵缸的截面积、活塞的冲程、活塞的往复频率及每一周期内的吸排液次数等有关。因此,从理论上看,其流量是定值,但是,由于密封不严造成泄漏、阀启闭不及时等原因,实际流量要比理论值小。如图1-55所示。

②压头 往复泵的压头与泵的几何尺寸及流量均无关系。只要泵的机械强度和原动机械的功率允许,系统需要多大的压头,往复泵就能提供多大的压头,如图1-55所示。

③功率与效率 往复泵功率与效率的计算与离心泵相同,但效率比离心泵高,通常在0.72~0.93之间,蒸汽往复泵的效率可达到0.83~0.88。

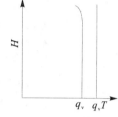

图1-55 往复泵的性能曲线

3.往复泵的使用与维护

以上分析可以看出,同离心泵相比较,往复泵具有流量固定而不均匀、压头高、效率高等特点。因此,化工生产中主要用来输送黏度大,温度高的液体,特别适应于小流量和高压头的液体输送任务。另外,由于原理的不同,离心泵没有自吸作用,但往复泵有自吸作用,因此不需要灌泵;由于往复泵是靠压差来吸入液体的,因此安装高度受到限制;由于其流量是固定的,绝不允许像离心泵那样直接用出口阀调节流量,否则会造成泵的损坏。生产中常采用旁路调节法来调节往复泵的流量(注:所有位移特性的泵均用此法调节。所谓正位移性,是指流量与管路无关,压头与流量无关的特性),如图1-56所示。

往复泵的操作要点是:①检查压力表读数及润滑等情况是否正常;②盘车检查是否有异常;③先打开放空阀、进口阀、出口阀及旁路阀等,再启动电机,关放空阀;④通过调节旁路阀使流量符合任务要求;⑤做好运行中的检查,确保压力、阀门、润滑、温度、声音等均处在正常状态,发现问题及时处理。严禁在超压、超转速及排空状态下运转。

另外,生产中还有两种特殊的往复泵,计量泵和隔膜泵。计量泵是一种可以通过调节冲程大小来精确输

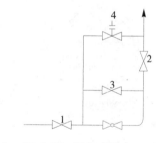

1-入口阀;2-出口阀;3-旁路阀;4-安全阀
图1-56 旁路调节流量示意图

送一定量液体的往复泵;隔膜泵则是通过弹性薄膜将被输送液体与活塞(柱)隔开,使活塞与泵缸得到保护的一种往复泵,用于输送腐蚀性液体或含有悬浮物的液体;而隔膜式计量泵则用于定量输送剧毒、易燃、易爆或腐蚀性液体;比例泵则是用一台原动机械带动几个计量泵,将几种液体按比例输送的泵。

二、旋涡泵

旋涡泵也是依靠离心力对液体做功的泵,但其壳体是圆形而不是蜗牛形,因此易于加工,叶片很多,而且是径向的,吸入口与排出口在同侧并由隔舌隔开,如图1-57所示。工作时,液体在叶片间反复运动,多次接受原动机械的能量,因此能形成比离心泵更大的压头,但是流量小,而且由于在叶片间的反复运动,造成大量能量的损失,因此效率低,在15%~

40％。因此,旋涡泵适用于输送流量小而压头高的液体。比如送精馏塔顶的回流液。其性能曲线除功率—流量线与离心泵相反外,其他与离心泵相似,所以旋涡泵也采用旁路调节。

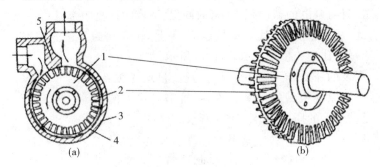

1-叶轮;2-叶片;3-泵壳;4-引液道;5-隔舌

图 1-57　旋涡泵结构图

三、旋转泵

旋转泵又称"齿轮泵",是依靠转子转动造成工作室容积改变来对液体做功的机械,具有正位移特性。其特点是流量不随扬程而变,有自吸能力,不须灌泵,采用旁路调节,流量小且比往复泵均匀,扬程高,但受转动部件严密性限制,扬程不如往复泵高。常用的旋转泵有齿轮泵和螺杆泵两种,见图 1-58 和图 1-59。

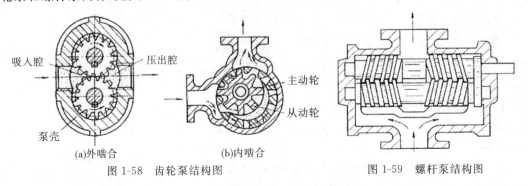

(a)外啮合　　　　　(b)内啮合

图 1-58　齿轮泵结构图

图 1-59　螺杆泵结构图

齿轮泵是通过两个相互啮合的齿轮的转动对液体做功的,一个为主动轮,一个为从动轮。齿轮将泵壳与齿轮间的空隙分为两个工作室,其中一个因为齿轮的打开而呈负压与吸入管相连,完成吸液;另一个则因为齿轮啮合而呈正压与排出口相连,完成排液。近年来,内啮合形式正逐渐替代外啮合形式,因为其工作更平稳,但制造复杂。

齿轮泵的流量小,扬程高,流量比往复泵均匀。适应于输送高黏度及膏状液体,比如润滑油,但不宜输送含有固体杂质的悬浮液。

螺杆泵是由一根或多根螺杆构成的,以双螺杆泵为例,是通过两个相互啮合的螺杆来对液体做功的,其原理、性能均与齿轮泵相似,不再赘述。具有流量小、扬程高、效率高、运转平稳、噪音低等特点。适应于高黏度液体的输送,在合成纤维、合成橡胶工业中应用较多。

化工生产中使用的泵还有很多类型,不再一一介绍,可根据需要查阅相关手册。

四、化工常用泵的性能比较与选用

泵的类型很多,在接受生产任务时,要根据任务需要与特点,做出合理选择,以节约能量,提高经济效益。

在众多类型泵中,由于离心泵具有结构简单,操作方便,对基础要求不高,流量均匀,可以用耐腐蚀材料制作,适应范围广等特点而应用最为广泛。但离心泵的扬程不太高,效率不太高,又没有自吸能力。

往复泵流量固定,扬程高,效率也高,有自吸能力,但结构复杂、笨重、需要传动部件,调节不方便。所以近年来除计量泵外,往复泵正逐渐被其他类型的泵所代替。旋转泵具有流量小,扬程高的特点,因此适于输送高黏度的液体。

流体动力作用泵能在一些场合代替耐腐蚀泵和液下泵使用,适于输送酸、碱等腐蚀性液体。各类泵的适用范围如图 1-60 所示,供选泵时参考。

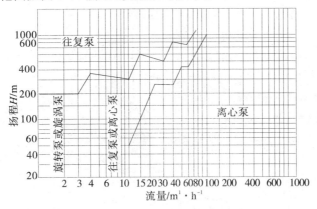

图 1-60 各种泵的适用范围

任务三 气体输送机械

气体输送机械的基本结构和工作原理与液体输送机械大同小异,它们的作用都是对流体做功以提高其机械能。气体输送机械主要用于气体输送、产生高压气体和产生真空三个方面。

气体输送机械一般有如下几个特点:

①动力消耗大。对一定的质量流量,由于气体的密度小,其体积流量很大。因此气体输送管中的流速比液体要大得多,前者经济流速(15~25m/s)约为后者(1~3m/s)的 10 倍。这样,以各自的经济流速输送同样的质量流量,经相同的管长后气体的阻力损失约为液体的 10 倍。因而气体输送机械的动力消耗往往很大。

②气体输送机械体积一般都很庞大,对出口压力高的机械更是如此。

③由于气体的可压缩性,故在输送机械内部气体压力变化的同时,体积和温度也将随之发生变化,这些变化对气体输送机械的结构、形状有很大影响。因此,气体输送机械需要根据出口压力来加以分类。

气体输送机械也可以按工作原理分为离心式、旋转式、往复式以及喷射式等。通常,按终压或压缩比(出口压力与进口压力之比)可以将气体输送机械分为四类,见表1-8。

表1-8 气体输送机械的分类

类 型	终压/kPa(表压)	压缩比	备注
通风机	<15	1～1.15	用于换气通风
鼓风机	15～300	1.15～4	用于送气
压缩机	>300	>4	造成高压
真空泵	当地大气压	很大	取决于所造成的真空度

一、离心式通风机

通常按离心式通风机产生的风压大小可分为:低压通风机(终压低于1kPa)、中压通风机(终压为1～3kPa)、高压通风机(终压为3～15kPa)。

图1-61是低压离心式通风机的示意图。离心式通风机是由蜗形机壳和多叶片的叶轮组成。其结构有叶轮直径大、叶片数目多、气体流道成方形或圆形的特点。叶片有平直、前弯和后弯状。若通风机要求风量大,可选用前弯片,但效率低。高效通风机的叶片通常是后弯片。

离心式通风机的工作原理与离心泵相同。都是在叶轮中心区产生低压而吸入气体,气体质点在叶片上获得动能并转化成静压能而被排出。

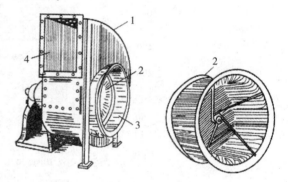

1-机壳;2-叶轮;3-吸入口;4-排出口
图1-61 低压离心式通风机

二、鼓风机

(1)罗茨鼓风机 在化工生产中,应用较广的是罗茨鼓风机。其工作原理与齿轮泵相似,它主要由一个椭圆形机壳和一对转向相反的8字形转子所组成。如图1-62所示。转子之间以及转子与机壳之间的缝隙很小,两个转子转动时,在机壳内形成一个低压区和高压区,气体从低压区吸入,从高压区排出。如果改变转子的旋转方向,则吸入口和排出口互换,所以在开车前要检查转子转动的方向。罗茨鼓风机结构简单,转子齿合间隙较大,工作腔无油润滑,强制性输气风量风压比较稳定,对输送带液气体和含尘气体不敏感,排气量大。其缺点是转速低、噪声大、热效率低。通常罗茨鼓风机作为输送气体和抽真空使用。

(2)离心式鼓风机 离心式鼓风机又称"涡轮鼓风机"或

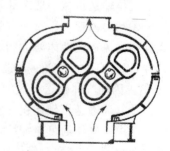

图1-62 罗茨鼓风机

"透平鼓风机",其结构一般由 3～5 个叶轮串联组成,各级叶轮直径基本相同,结构与多级离心泵相似,其工作原理与离心通风机相似,如图 1-63 所示。其工作过程是:气体由吸入口进入后经过第二级的叶轮和导轮,被送入第二级的叶轮入口,如此类推下去,最后由排出口排出。

离心式鼓风机的压缩比不高,产生的热量不大,故设计时不设计冷却装置。由于离心式鼓风机的性能特点适合于送风,故在化工生产中,常用于空调系统的送风设备。

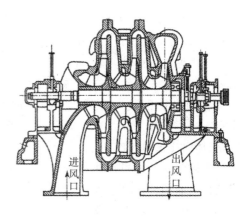

图 1-63 离心式鼓风机示意图

三、压缩机

(1)往复式压缩机　往复式压缩机的基本结构、工作原理与往复泵比较相似,它依靠活塞的往复运动将气体吸入和压出。其主要部件有汽缸、活塞,吸气阀和排气阀。

往复式压缩机的工作过程与往复泵不同。其过程是由膨胀、吸入、压缩、压出四个阶段构成。当活塞从汽缸口的死点往上运行时,气体被压缩,体积缩小,压力增大,吸入阀关闭;当活塞运行到一定位置时,汽缸内压力等于或大于排气管路压力、排气阀打开,开始排气;当活塞运行到顶端死点时,排气结束;活塞由顶端往下运行时,汽缸内压力降低,余隙里的气体体积膨胀,排出阀关闭。当活塞运行到一定位置时,缸内形成一定程度的真空,吸气阀打开,开始吸气;当活塞运行到底部死点时,吸气结束,完成了一个循环周期。

在设计时,因往复式压缩机处理的是可压缩气体,压缩后气体的压强增高,体积缩小而温度升高,因此在汽缸壁上设计有散热翅片用以冷却缸内气体。同时为了防止活塞撞到汽缸底部,特别设计了活塞运行时死点,使活塞与汽缸底部之间有微小的空隙存在,这个空隙称为"余隙"。由于有余隙的存在,往复式压缩机不能全部利用汽缸空间,因而在吸气之前有气体的膨胀过程。

由于往复式压缩机的汽缸壁与活塞是用油润滑,送出的气体中含有润滑油成分,同时,往复式压缩机的噪声大,所以一般不能用作洁净车间空调系统的送风设备。

(2)离心式压缩机　离心式压缩机是一种叶片旋转式压缩机,又称"透平压缩机"。主要结构和工作原理与离心鼓风机相类似。离心压缩机的叶轮级数多于离心鼓风机,转速高于离心鼓风机,可达 3500～8000r/min,能产生 0.4～10MPa 的压力。由于压缩比比较高,气体体积缩小,温度升高,因而叶轮的直径和宽度逐渐缩小,并将压缩机分为几个工作段,而且每一个工作段又分为若干级,在段与段之间设计安装了冷却器,以免气体温度升得过高以至于损坏压缩机。

四、真空泵

从设备或系统中抽出气体,使其中的绝对压强低于大气压强,所用的抽气设备称为"真空泵"。真空泵本质上是气体压送机,只是它的进口压强低,出口为常压。

(1)水循环真空泵　水循环真空泵如图1-64所示,它的外壳内偏心地装有叶轮,叶轮上有辐射状叶片,泵壳内约充有一半容积的水,当叶轮旋转时,形成环形水幕。水幕具有密封作用,使叶片间的空隙形成大小不同的密封小室。当小室增大时,气体从吸入口吸入;当小室变小时,气体由压出口排出。

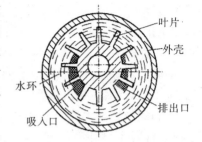

图1-64　水循环真空泵结构示意图

水循环真空泵可产生的最大真空度为83kPa左右,当被抽吸的气体不宜与水接触时,泵内可充以其他的液体,故又称为"液环真空泵"。

水循环真空泵的特点是结构简单、紧凑,易于制造和维修,使用寿命长、操作可靠。它适用于抽吸含有液体的气体。其缺点是效率低,所产生的真空度受泵内水温高低的控制。

(2)喷射泵　喷射泵是由吸入口、喷嘴、喉管、扩散管组成,在制药生产中,喷射泵常用于抽真空,故它又称为"喷射真空泵"。其工作过程是:工作蒸汽以很高的速度从喷嘴喷出,在喷射过程中,蒸汽的静压能转变为动能,产生低压,而将气体吸入。吸入的气体与蒸汽在喉管混合后进入扩散管,使部分动能转变为静压能,而后从压出口排出。在喷射泵的抽送过程中,由于被吸液体与工作流体混合得非常均匀,故可用于液体物质的混合,如发酵工程中常用来混合输送培养基。单级蒸汽喷射泵抽真空能力可达到90%的真空度,若要获得更高的真空度,可以采用多级蒸汽喷射。

(3)往复式真空泵　往复式真空泵是一种干式真空泵,属于获得低真空的设备之一,其构造和工作原理与往复式压缩机基本相同,但吸气阀和排气阀更加轻巧灵敏。往复式真空泵的压缩比大于空气压缩机。W系列往复式真空泵的极限压力一般在1330~2660Pa,抽速范围是50~200L/S,适用于石油、化工、医药、食品、轻工、冶金、电气等行业中的真空浸渍、钢水真空处理、真空蒸馏、真空蒸发、真空浓缩、真空结晶、真空干燥、真空过滤及混凝土的真空作业等方面的抽除气体。W系列往复式真空泵不适用于抽除含氧过高的、有爆炸性的、对金属有腐蚀性的、与泵油会起化学反应的以及含有颗粒尘埃的气体,也不适用于把气体从一个容器输送到另一个容器,作输送泵用。W系列往复式真空泵具有体积小、维修简单、阀片寿命较长等优点,适宜于在较高压强范围内使用。

任务四　化工泵的正常操作及注意事项

一、离心泵的操作及注意事项

1.离心泵的运行

(1)运行前的准备工作

要详细了解被输送物料的物理、化学性质,如有无腐蚀性、有无悬浮物、黏度大小、凝固点、气化温度及饱和蒸汽压等。

详细了解被输送物料的工况,如输送温度、压力、流量、输送高度、吸入高度、负荷变化范围等。

将所有的阀打开(除压力表阀、真空阀外),用压缩空气吹洗整个管路系统。

检查各部分螺栓、连接件是否有松动。有松动的要加以紧固。在紧固地脚螺栓时要重新对中找正。

盘车。用手盘动联轴器使泵转子转动数圈,看机组转动是否灵活,是否有响声或轻重不匀的感觉,以判断泵内有无异物或轴是否弯曲、密封件安装正不正、软填料是否压得太紧等。

检查机组转向。在检查转向时,最好使联轴器脱开,看启动电动机与泵的工作叶轮是否转向一致。但不能开动电动机带动泵空转,以免泵零件之间干磨造成损坏。

检查润滑油、封轴、冷却水系统,应无堵塞,无泄漏。

(2)启动

关闭压力表阀、真空表阀。

关闭出口阀,进行灌泵。待离心泵泵体上部放气旋塞冒出的全是液体而无气泡时,即泵已灌满,关闭放气阀。

多级离心泵灌泵时,泵体上部的所有放气考克都应逐个放气。

高压离心泵的排气阀在启动前不必关严,可稍许开一些。自吸离心泵和具有水上底阀的离心泵,也不能将出口阀关闭,否则就无法自吸。

开冷却水、密封部件冲洗液等。

关闭泵的出口阀门,启动电动机,打开压力表、真空表阀,过 2～3min 后慢慢打开出口阀。关阀运转的时间一般不要超过 3～5min,因为此时流量为零,泵运转消耗的功率变为热能被泵内液体吸收,容易使泵发热。

观察压力表和真空表的读数,达到要求数值后,要检查轴承温度。一般滑动轴承温度不大于 65℃;滚动轴承温度不大于 70℃。运转要平稳,无杂音。流量和扬程均要达到标牌上的要求。

泵正常工作后,检查密封情况。机械密封漏损量不超过 10 滴/min,软填料密封不超过 20 滴/min。

(3)停车

与接料岗位取得联系后,应先关闭压力表阀和真空表阀。再慢慢关闭离心泵的出口阀。泵轻载,又能防止液体倒灌。

按电动机按钮,停止电动机运转。

关闭离心泵的进口阀及密封液阀、冷却水等。

(4)运行中切换

在运转泵与备用泵切换使用时,应先按离心泵的启动程序做好所有准备工作,然后开动备用泵。待备用泵运转平稳后,缓慢打开备用泵排出阀,同时逐步关闭运转泵的出口阀,以保证工艺所需流量的稳定,不致产生较大的波动。在原运转泵出口阀全部关死后,即可停止原动机。

2.操作中的注意事项

(1)灌泵

如前所述,离心泵启动之前必须使泵内充满被输送的液体,排出空气或其他气体,泵启动时叶轮才能产生足够大的离心力,使泵吸入口产生较大的真空度而不断吸入液体,泵壳内有气体就可能达不到所要求的真空度,甚至使泵吸不进液体。

（2）暖泵

对输送高温液体的离心泵，在启动前要使泵预热到工作状态。因为这种泵都是根据操作温度设计的。在低于操作温度时，由于金属材料热胀冷缩的原因，各零部件的尺寸及它们之间的间隙都要发生变化，所以不预热就启动离心泵必然会造成损坏。

预热时速度要缓慢、均匀，使各零部件的膨胀尽可能一致。预热速度一般为每小时升温50℃以内（金属制泵），在温度很高时，不能突然通入大量的冷却液，以防局部应力过大而使泵开裂。

由于泵体内各零件尺寸大小、厚薄不一样，加热太快，小而薄的零部件温度升高很快，先膨胀，会造成各零件配合不均产生歪斜、抱轴、轴弯曲变形等后果。所以，要采取慢速均匀预热的方法，为了使泵内零件对称而均匀地加热，应一边预热一边盘车。热态泵在预热时，要每隔10min盘车半转，当温度高于150℃，应每隔5min就盘车一次，以防泵轴产生变形。热态泵停车时，也应每隔20～30min盘车半转，使之均匀冷却，以免泵轴弯曲。

（3）盘车

泵启动前要进行盘车。其目的不仅是为了各零件均匀加热，而且要检查泵是否正常（如轴承的润滑情况，是否有卡轴现象，泵是否有堵塞或冻结，密封是否泄漏等）。因为轴上叶轮自重的影响，轴中间产生一定的扰度。特别是多级泵，轴长、叶轮多、自重大、轴的扰度大，所以对备用泵也要经常盘车，每次转180°（半转）为好。

（4）空转

切忌离心泵空转。因为在泵内没有液体空转时，必然会使机件干摩擦，造成密封环、轴封、平衡盘等很快磨损，同时温度也急剧升高，烧坏摩擦釜，或者引起抱轴。泵在运行过程中如果发现因液体抽空或吸入管漏气而空转时，应立即停车。

二、往复泵的操作及注意事项

1.往复泵的运行

（1）运行前的准备

严格检查往复泵的进、出口管线及阀门、盲板等，如有异物堵塞管路的情况，一定要予以清除。

机体内加入清洁润滑油至指示刻度。油杯内加入清洁润滑油，并微微开启针形阀，使往复泵保持润滑。

排除汽缸内的冷凝水，打开油缸内的排气阀，之后给少许蒸汽暖缸。

检查盘根的松动、磨损情况。

疏水阀和放空阀是否打开，润滑油孔是否畅通。

（2）启动

盘车2～3转，检查有无受阻情况，发现问题及时处理。

第一次使用要引入液体灌泵，以排除泵内存留的空气，缩短启动过程，避免干摩擦。引入液体后看泵体的温升变化情况。

打开压力表阀、安全阀的前手阀。

启动泵，观察流量、压力、泄漏情况。

（3）停车

做好停泵前的联系、准备工作。

停泵。

关闭泵的出、入口阀门。

关压力表阀、安全阀。

放掉油缸内压力。

打开汽缸放水阀，排缸内存水。

做好防冻工作，搞好卫生。

2. 运行中的维护

每日检查机体内及油杯内润滑油液面，如需加油即应补足。

出口压力在满足生产任务情况下不得超压。

看泄漏情况和盘根磨损情况。

看运行是否正常，是否有抽空或振动情况。

看地脚螺钉等是否有松动情况。

润滑油的牌号要符合要求，每天加一次润滑油，保持良好的润滑状态。坚持润滑油的三级过滤。

三、齿轮泵的操作及注意事项

油液必须清洁，因输送液体清洁度对泵的使用寿命及正常运行有很大影响，所以油泵入口端应加装过滤器，过滤器网孔不低于 $50\mu m$。

电动机接线后，注意泵的旋转方向是否相符，进出口位置不得接错。

启动油泵前应用手转动联轴器，检查泵内齿轮的转动是否灵活，应无阻卡现象。

经常检查泵主动齿轮上的密封情况，若有漏油，可将压盖适当压紧，为避免密封圈的迅速磨损、发热，不宜压得过紧。

要经常检查油泵各处有无泄漏及发热现象，如有泄漏、发热过高及异常声响时，应立即停泵进行检查修理。

四、隔膜泵的操作及注意事项

1. 隔膜泵的运行

（1）运行前的准备工作

检查各连接处的螺栓连接是否拧紧，不允许有任何松动。

新泵在加热前应洗净泵内防腐油脂或泵上的污垢，洗时应用煤油擦洗，不可以用刀刮。

根据环境温度的高低，在传动箱内注入适量的合成润滑油至油标的油位线。

隔膜泵缸体油腔内必须注满变压器油，应将油腔内的气排尽，可适量加入消泡剂。

盘动联轴器，使柱塞前后移动数次，应运转灵活，不得有任何卡涩的现象。如有异常现象，应及时排除故障后，才能开车。

检查电源电压情况和电动机线路，应使泵按照规定的方向旋转。

启动电动机,泵在空载下投入运行,然后将泵的行程零位与调量表零位相对应,以消除运输过程中调量表指针因惯性自行转动产生的漂移。

输送易凝固介质的高温柱塞计量隔膜泵,应先通保温介质 1～2h,使泵头温度达到操作要求后再投料运行。

(2)运行

依据工艺流程的需要,参考合格证中提供的流量表定曲线或查对实际工作复式流量表定曲线,得出相应的行程百分数值,把调量表指针转到指定刻度。旋转调量表时,应注意不得过快或过猛,应按照从小流量往大流量方向的调节,若需从大流量向小流量调节时,应把调量表旋过数格,再向大流量方向旋转至所需要的刻度。调节完毕后必须将调节转盘锁紧,以防松动。

打开进口管道阀门,启动泵。观察运行情况,不得有异常的噪声。

检查柱塞填料密封处的泄漏损失和运动副温升,当泄漏损失量超过 15 滴/min 时,应适量旋紧填料螺母。当温度迅速升高时应紧急停车,并松开填料压盖,检查原因,消除后再投入运行。

(3)停车

切断电源,电动机停止转动。

关闭进口管道阀门。

2. 隔膜泵的维护

传动箱、隔膜缸体油腔釉泵的托架处油池及安全阀组内,应定期观察指定的油位量,不得过多或过少,润滑油应干净无杂质,并注意适时换油。

填料密封处的泄漏量应不超过 15 滴/min,若泄漏超过时,应适当旋紧填料螺母,但是不得使填料处温度升得过高,从而造成抱轴或烧坏柱塞和填料密封。

泵在运行中主要部位温度规定如下:电动机容许最高温度为 70℃。

新泵运转 5000h 以后,应拆机检查和清洗内部零件,对连杆套等易磨件视其磨损情况进行更换,以消除间隙过大产生的撞击声。

泵若长期停用时,应将泵缸内介质排放干净。并把内表面清洗干净,最好将柱塞从填料箱内取出,避免表面局部被腐蚀。外露的加工表面涂防锈油,存放时泵应置于通风干燥处,并加罩遮盖。

五、屏蔽泵的操作及注意事项

开泵时打开进口阀门、循环管路阀门,直到储蓄液体充满泵体为止。

启动后观察电压、电流、振动和噪声是否正常,正常时方可调节泵出口阀门至工况开度。不允许用进口阀门调节泵,以免产生汽蚀。

屏蔽泵平时一般不需要做保养,但应经常检查电流、电动机温度、出口压力是否正常,运行是否平稳、无噪声等。

六、磁力泵的操作及注意事项

1.磁力泵的操作

开泵前除自吸式的磁力泵以外,其他的必须先灌泵,同时必须关闭排出阀。

运转时可以短时间关闭排出阀运转,待出口压力起来后再打开出口阀。

调节磁力泵的流量。在通常情况下,调节排出阀、旁路阀,特殊情况下也可以调节泵的转速。

应注意泵的流量、扬程、振动、噪声、温度等相关的参数,若有异常应及时处理。

2.磁力泵操作的注意事项

磁力泵在正常操作条件下,不存在随时间推移而老化退磁的现象。但当泵过载、堵转或操作温度高于磁钢许用温度时就会发生退磁。因此磁力泵必须在正常操作条件下运行。

磁力泵禁忌空运转,以避免滑动轴承和隔离套烧坏。磁力泵输送的介质不允许含有铁磁性杂质与硬质杂质,磁力泵不允许在小于30％额定流量下工作。

磁力泵不需要任何保养,但应经常检查电流、温升和出口压力是否正常,是否渗漏,运行是否平稳,振动和噪声是否正常。一般情况下建议2~3个月检查一次。必要时进行随时检查,发现异常情况及时处理。

习题一

1.在车间测得某溶液的相对密度为1.84,求10kg该溶液的密度及体积。(答:$\rho=1840kg/m^3$;$V=5.43\times10^{-3}m^3$)

2.用普通U形管压差计测量原油通过孔板时的压降,批示液为汞,原油的密度为$860kg/m^3$,压差计上的读数为18.7cm。计算原油通过孔板时的压力降,以kPa表示。已知汞的密度为$13600kg/m^3$。(答:23.4kPa)

3.某异径串联管路,小管内径为50mm,大管内径为100mm。水由小管流向大管,其体积流量为$15m^3/h$。试分别求出水在小管和大管中的:(1)质量流量,kg/h;(2)平均流速,m/s;(3)质量流速,$kg/(m^2 \cdot s)$。(答:小管中,15000kg/h,2.12m/s,$2122kg/(m^2 \cdot s)$;大管中,15000kg/h,0.53m/s,$530.5kg/(m^2 \cdot s)$)

4.某离心泵安装在水井水面上4.5m,泵流量为$20m^3/h$,吸水管为$\phi108\times4mm$钢管,吸水管中损失能量为24.5J/kg,求泵入口处的压力,当地的大气压强为100kPa。(答:31.1kPa(绝压))

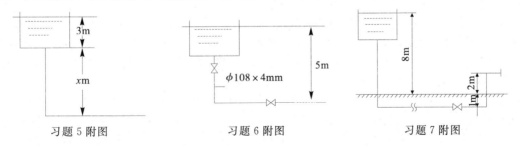

习题5附图　　　　　　　　习题6附图　　　　　　　　习题7附图

5.某水塔塔内水的深度保持3m,塔底有内径为100mm的钢管连接,今欲使流量为$90m^3/h$,塔底与管出口的垂直距离应为多少?设能量损失为196.2J/kg。(答:17.52m)

6.如附图所示,高位槽水面保持稳定,水面距水管出口为5m,所用管路为$\phi108\times4mm$钢管,若管路损失压头为4.5m水柱,求该系统每小时的送水量。(答:$88.56m^3/h$)

7.有一输水系统,高位槽水面高于地面8m,输水管为普通管$\phi108\times4mm$,埋于地面以下1m处,出口管管口高出地面2m。已知水流动时的阻力损失可用下式计算:$h_{损}=45\left(\dfrac{u^2}{2}\right)$,式中 u 为管内流速。试求:(1)输水管中水的流量,m^3/h;(2)欲使水量增加10%,应将高位槽液面增高多少米?(设在两种情况下高位槽液面均恒定)(答:;46.24m^3/h,1.58m)

8.20℃的水在 $\phi76\times3mm$ 的无缝钢管中流动,流量为30m^3/h。试判断其流动类型;如要保证管内流体做层流流动,则管内最大的平均流速应为多少 m/s?(答:Re=1.51×10^5,为湍流;0.0288m/s)

9.套管换热器由无缝钢管 $\phi25\times2.5mm$ 和 $\phi76\times3mm$ 组成,今有50℃,流量为2000kg/h的水在套管环隙中流过,试判断水的流动类型。(答:Re=1.35×10^4,为湍流)

10.水以 $2.7\times10^{-3}m^3/s$ 的流量流过内径为50mm的铸铁管。操作条件下水的黏度为1.09mPa·s,密度为1000kg/m^3,求水通过75m水平管段的阻力损失,J/kg。(答:65.7J/kg)

11.10℃的水在内径为25mm的钢管中流动,流速为1m/s。试计算在100m长的直管中的损失压头。(答:6.12m)

12.有一列管换热器,外壳内径为800mm,内有长度4m的 $\phi38\times2.5mm$ 的钢管211根。冷油在这些管内同时流过而被加热,流量为300m^3/h。冷油的平均黏度为8mPa·s,相对密度为0.8,求油通过管子的损失压头。(答:0.071m)

13.密度为1200kg/m^3,黏度为1.7mPa·s的盐水,在内径为75mm钢管中的流量为25m^3/h。最初液面与最终液面的高度差为24m,管子直管长为112m,管上有2个全开的截止阀和5个90°标准弯头。求泵的有效功率。(答:2.49kW)

14.如附图所示,水从液位恒定的敞口高位槽中流出并排入大气。高位槽中水面距地面8m,出水管为 $\phi89\times4mm$,管出口距地面为2m。阀门全开时,管路的全部压头损失为5.7m(不包括出口压头损失)。(1)试求管路的输水量,m^3/h;(2)分析阀门从关闭到全开,管路中任意截面 $A-A'$ 处压力的变化。(答:(1)45m^3/h;(2)略。)

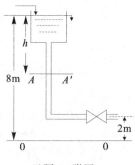

习题14附图

15.在用水测定离心泵性能的实验中,当流量为26m^3/h 时,泵出口处压力表和入口处真空表读数分别为152kPa和24.7kPa,轴功率为2.45kW,转速为2900r/min。若真空表和压力表两侧压口间的垂直距离为0.4m,泵的进、出口管径相同,两侧压口间管路流动阻力可忽略不计。试计算该泵的效率,并列出该效率下泵的性能。(答:H_e=18.41m;η=0.53;其余略)

16.密度为1200kg/m^3 的盐水,以25m^3/h 的流量流过内径为75mm的无缝钢管,两液面间的垂直距离为30m,钢管总长为120m,管件、阀门等的局部阻力为钢管阻力的25%。试求泵的轴功率。假设:(1)摩擦系数 λ=0.03;(2)泵的效率 η=0.6。(答:5.11kW)

17.用某离心泵以40m^3/h 的流量将储水池中65℃的热水输送到凉水塔顶,并经喷头喷出而落入凉水池中,以达到冷却的目的。已知水在进入喷头之前需要维持49kPa的表压强,喷头入口较储水池水面高8m。吸入管路和排出管路中压头损失分别为1m和5m,管路中的动压头可以忽略不计。试选用合适的离心泵,并确定泵的安装高度。当地大气压按101.33kPa计。(答:H_e=19.09m;P_e=2.0kW;H_g≈3m)

18.某工艺装置的部分流程如下图所示。已知各段管路均为 $\phi57\times3.5mm$ 的无缝钢管,AB 段和 BD 段的总长度(包括直管与局部阻力当量长度)均为200m,BC段总长度为120m。管中流体密度为800kg/m^3,管内流动状况均处于阻力平方区,且 λ=0.025,其他条件如附图所示,试计算泵的流量和扬程。(答:H=34.0m,q_v=16.8m^3/h)

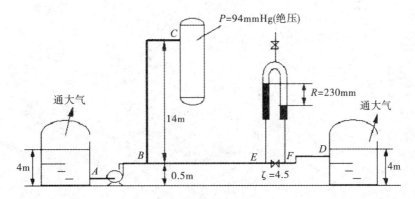

习题18附图

19.常压储槽内盛有石油产品,其密度为 760kg/m³,黏度小于 20cSt,在储存条件下饱和蒸汽压为 80kPa,现拟用 65Y-60B 型油泵将此油品以 15m³/h 的流量送往表压强 177kPa 的设备内。储槽液面恒定,设备的油品入口比储槽液面高 5m,吸入管路和排出管路的全部压头损失分别为 1m 和 4m。试核算该泵是否合用。(答:略)

若油泵位于储槽液面以下 1.2m 处,问此泵能否正常操作?当地大气压按101.33kPa计。

20.已知空气的最大输送量为 14500kg/h,在最大风量下输送系统所需的风压为 1.28×10⁶Pa(以风机进口状态计)。由于工艺条件的要求,风机进口与温度为 40℃、真空度为 196Pa 的设备连接。试选择合适的离心通风机。当地大气压强为 93.3kPa。(答:略)

本模块主要符号说明

英文

A——流通截面积,m²;

d——管道的内径,m;

D_N——公称直径,m;

h_f——直管阻力,J/kg;

h'_f——局部阻力,J/kg;

$\sum h_f$——总能量损失,J/kg;

g——重力场强度,m/s²;

H——外加压头,m;

$\sum H_f$——总损失压头,m;

H_f——损失压头,m;

l——直管的长度,m;

l_e——是局部元件的当量长度,m;

m——流体的质量,kg;

M——流体的摩尔质量,kg/kmol;

M_m——流体的平均摩尔质量,kg/kmol;

n——转速,r/min;

P,P_e——输送机械的有效功率与轴功率,W;

p——流体的压力,kPa;

p_N,p_s——公称压力、试验压力,Pa;

q_v——体积流量或输送能力,m³/s;

q_m——质量流量,kg/s;

G——质量流速,kg/(m²·s)

R——U 型压力计的读数,m;

R——通用气体常数,8.314kJ/kmol·K;

T——流体的温度,K;

u——流速,m/s;

V——流体的体积,m³;

W——外加功,J/kg。

希文

ρ——流体的密度,kg/m³;

ρ_i——构成混合物的各纯组分的密度,kg/m³;

W_i——混合物中各组分的质量分数;

υ——运动黏度,m²/s;

μ——动力黏度,Pa·s;

ξ——局部阻力系数,无因次;

λ——摩擦系数,也称摩擦因数,无因次;

η——效率。

模块二

传　热

项目 **1**
传热基础知识

学习目标

- 了解传热在化工生产中的应用、间壁式换热器传热的基本过程
- 熟悉传热的三种基本方式、导热系数的意义和单位
- 掌握平壁和圆筒壁的定态热传导的计算方法
- 掌握对流给热系数的计算方法

任务一 化工生产中的传热

一、传热在化工生产中的应用

依据热力学第二定律,凡是有温差的地方就有热的传递,传热是自然界和工程技术领域中极为普遍的一种能量传递过程,化学工业与传热的关系尤为密切。

化工生产中的化学反应通常是在一定的温度下进行的,为此需向反应物加热到适当的温度;而反应后的产物常需冷却以移去热量。在其他单元操作中,如蒸馏、吸收、干燥等,物料都有一定的温度要求,需要加入或输出热量。此外,高温或低温下操作的设备和管道都要求保温,以便减少它们和外界的传热。近十多年来,随着能源价格的不断上升和对环保要求的增加,热量的合理利用和废热的回收越来越得到人们的重视。

在化工生产中进行传热计算的目的是解决各种传热设备的设计计算、操作分析和强化;在完成过程工艺要求,使物料达到指定的适宜温度的条件下,充分利用能源,减少热损失,降低投资和操作成本。

化工对传热过程有两方面的要求:

(1)强化传热过程:在传热设备中加热或冷却物料,希望以高传热速率来进行热量传递,使物料达到指定温度或回收热量,同时使传热设备紧凑,节省设备费用。

(2)削弱传热过程:如对高低温设备或管道进行保温,以减少热损失。

一般来说,传热设备在化工企业的设备投资中可占到 40% 左右,传热是化工生产过程中重要的单元操作之一,了解和掌握传热的基本规律,在化学工程中具有很重要的意义。

二、传热的三种基本方式

任何热量的传递只能以热传导、热对流、热辐射三种方式进行。

1. 热传导

由于物体本身分子或电子的微观运动使热量从物体内温度较高的部分传递到温度较低的部分，或传递到与之接触的另一物体上的过程称为"热传导"，又称"导热"。

在固体中，热传导是由相邻分子的振动与碰撞所致；在流体中，特别是在气体中，除上述原因外，热传导还是随机的分子热运动的结果；而在金属中，热传导是由于自由电子运动的结果。

特点：在纯的热传导过程中，物体各部分之间不发生相对位移，即没有物质的宏观位移。在真空中不能进行。

2. 对流传热

当流体发生对流传热时，除分子热运动外流体质点发生相对位移而引起的热量传递过程称为"热对流"（又称"给热"）；对流只能发生在流体中。

由于引起质点发生相对位移的原因不同，对流可分为自然对流和强制对流。自然对流是指流体内部由于温度不同而引起密度的差异，造成流体内部轻者上浮、重者下沉运动而发生的对流；强制对流是指流体在某种外力（如泵、风机、搅拌器等）的强制作用下运动而发生的对流。化工生产过程中遇到的大多是流体在流过温度不同的壁面时与该壁面间所发生的热量传递，这种热量传递也同时伴有流体分子运动所引起的热传导，合称为"对流给热"。

特点：对流只能发生在流体中，流体部分质点发生位移。

3. 热辐射

辐射是一种以电磁波传播能量的现象。物体会因各种原因发射出辐射能，其中物体因热的原因发出辐射能的过程称为"热辐射"。物体放热时，热能变为辐射能，以电磁波的形式在空间传播，当遇到另一物体，则部分或全部被吸收，重新又转变为热能。因而热辐射不仅是能量的转移，而且伴有能量形式的转化。此外，辐射能可以在真空中传播，不需要任何物质作媒介，这是热辐射不同于其他传热方式的又一特点。

应予指出，只有物体温度较高时，热辐射才能成为主要的传热方式。实际上，传热过程往往不是以一种传热方式单独出现，而是以两种或三种传热方式的组合方式进行的。比如生产中较普遍使用的间壁式换热器，传热过程主要是以热对流和热传导相结合的方式进行的。

三、间壁式换热器的传热过程简述

在间壁式换热器中，热流体和冷流体之间由固体间壁隔开，热量由热流体通过间壁传递给冷流体。间壁换热器的类型很多，最简单的是如图 2-1 所示的套管式换热器，它是由两根不同直径的管子套在一起组成的，热冷流体分别通过内管和环隙，热量由热流体传给冷流体，热流体的温度从 T_1 降至 T_2，冷流体的温度从 t_1 上升至 t_2。这种热量传递过程包括三个步骤：①热流体以对流传热方式把热量传递给管壁内侧；②热量从管壁内侧以热传导方式传递给管壁的外侧；③管壁外侧以对流传热方式把热量传递给冷流体。

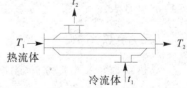

图 2-1　套管式换热器中的换热

在换热器中，热量传递的快慢可用两个指标来表示：

(1)传热速率 Q：又称"热流量"，单位时间内通过传热面传递的热量，J/s 或 W。它表征了换热器的生产能力。

(2)热通量 q：单位时间内通过单位传热面积所传递的热量，J/(s·m²)或 W/m²。

$$q = \frac{Q}{A} \tag{2-1}$$

式中　A——总传热面积，m²。

Q 值越大，所需要的传热面积越小，因此，热通量是反映传热强度的指标，又称为"热流强度"。

连续工业生产多涉及定态传热过程，换热器中各点温度、传热速率、热通量仅随位置改变，不随时间而变。本教材重点讨论间壁式换热器的定态传热过程的计算。

任务二　热传导

热传导是起因于物体内部分子微观运动的一种传热方式，虽然其微观机理非常复杂，但热传导的宏观规律可用傅立叶定律来描述。由于只有固体中有纯导热，本节讨论的对象仅为各向同性、质地均匀的固体物质的热传导。

一、热传导的基本定律

(一)热传导的基本定律

傅立叶定律：某一微元的热传导速率（单位时间内传导的热量）与该微元等温面的法向温度梯度及该微元的导热面积成正比。

$$dQ = -\lambda \cdot dA \frac{dt}{dx} \tag{2-2}$$

式中　dQ——热传导速率，W 或 J/s。

dA——导热面积，m²。

dt/dx——温度梯度，℃/m 或 K/m。

λ——导热系数，W/(m·℃)或 W/(m·K)。

用热通量来表示：$q = \dfrac{dQ}{dA} = -\lambda \dfrac{dt}{dx}$ $\tag{2-2a}$

式中的负号表示导热方向与温度梯度方向相反。

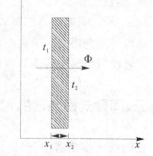

图 2-2　单层平壁的稳态热传导

(二)导热系数

导热系数定义由傅立叶定律给出：

$$\lambda = -\frac{q}{dt/dx} \tag{2-2b}$$

物理意义：温度梯度为 1 时，单位时间内通过单位传热面积的热通量。导热系数在数值上等于单位温度梯度下的热通量，导热系数是表征材料导热性能的物性参数，λ 越大，导热性能越好。从强化传热来看，选用 λ 大的材料；相反若要削弱传热，则选用 λ 小的材料。

与 μ 相似，λ 是分子微观运动的宏观表现，与分子运动和分子间相互作用力有关，数值大小取决于物质的结构及组成、温度和压力等因素。各种物质的导热系数可用实验测定。常见物质的导热系数可查有关手册。

不同材料的导热系数的大小依次为：

$$\lambda_{金属} > \lambda_{一般固体非金属} > \lambda_{液体} > \lambda_{固体绝缘材料} > \lambda_{气体}$$

λ 的大概范围：$\lambda_{金属固体}$（$10^1 \sim 10^2\,W/(m \cdot K)$）、$\lambda_{建筑材料}$（$10^{-1} \sim 10^0\,W/(m \cdot K)$）、$\lambda_{绝缘材料}$（$10^{-2} \sim 10^{-1}\,W/(m \cdot K)$）、$\lambda_{液体}$（$10^{-1}\,W/(m \cdot K)$）、$\lambda_{气体}$（$10^{-2} \sim 10^{-1}\,W/(m \cdot K)$）。

1. 固体的导热系数

表 2-1 为常用固体材料在一定温度下的导热系数。

固体材料的导热系数随温度而变，绝大多数质地均匀的固体，导热系数与温度呈线性关系，可用下式表示：

$$\lambda = \lambda_0(1 + at) \tag{2-3}$$

式中　λ——$t\,℃$时固体的导热系数，$W/(m \cdot ℃)$或 $W/(m \cdot K)$。

λ_0——$0\,℃$时固体的导热系数，$W/(m \cdot ℃)$或 $W/(m \cdot K)$。

a——温度系数，$1/℃$。

对大多数金属材料（汞除外）λ 为负值（$a < 0$），温度升高，导热系数降低；对大多数非金属材料 λ 为正值（$a > 0$），温度升高，导热系数增大。若金属材料的纯度不纯，会使 λ 降低。

在热传导过程中，物体内不同位置的温度各不相同，因而导热系数也随之变化。在工程计算中，导热系数可取固体两侧温度下 λ 的算术平均值，或取两侧面温度的算术平均值下的 λ 值。

表 2-1　常用固体材料的导热系数

固体	温度℃	导热系数 λ		固体	温度℃	导热系数 λ	
		W/(m・℃)	千卡/(m・℃)			W/(m・℃)	千卡/(m・℃)
铝	300	230	198	石棉	100	0.19	0.163
镉	18	94	81	石棉	200	0.21	0.18
铜	100	377	324	高铝砖	430	3.1	2.66
熟铁	18	61	52.5	建筑砖	20	0.69	0.593
铸铁	53	48	41.3	镁砂	200	3.8	3.27
铅	100	33	28.4	棉毛	30	0.050	0.043
镍	100	57	49	玻璃	30	1.09	0.937
银	100	412	354	云母	50	0.43	0.37
钢（1%C）	18	45	38.7	硬橡皮	0	0.15	0.129
船舶用金属	30	113	97.2	85%氧化镁	—	0.070	0.060
青铜	—	189	160	锯屑	20	0.052	0.0447
不锈钢	20	16	13.75	软木	30	0.043	0.037
石棉板	50	0.17	0.146	玻璃毛	—	0.041	0.0352
石棉	0	0.16	0.1375	石墨	0	151	130

2. 液体的导热系数

液体分金属液体和非金属液体两类，前者导热系数较高，后者较小。在非金属液体中，水的导热系数最高，除水和甘油外，绝大多数液体的导热系数均随温度的升高而略有减小。一般说来，溶液的导热系数低于纯液体的导热系数。液体的导热系数基本上与压力无关。

3.气体的导热系数

与液体和固体相比,气体的导热系数很小,对导热不利,但对保温有利。在工程上可利用气体的这一特点进行保温和绝热,工业上所使用的隔热材料,如玻璃棉等,就是因为其空隙中有大量空气,使其导热系数很小,适用于保温隔热。但只有在严格限制了空气运动(限制对流传热)的情况下,空气才能用于隔热。

理论和实验都已证明,气体的导热系数随温度的升高而增大,而在相当大的压力范围内,气体的导热系数随压力的变化很小,可以忽略不计,只有当压力很高(大于200MPa)或很低(小于2.7kPa)时,才应考虑压力的影响,此时导热系数随压力升高而增大。

常压下气体混合物的导热系数可用下式估算:

$$\lambda_m = \frac{\sum \lambda_i y_i M_i^{1/3}}{\sum y_i M_i^{1/3}}$$

式中 λ_m——气体混合物的导热系数,$W/(m \cdot K)$。

λ_i——气体混合物中 i 组分的导热系数,$W/(m \cdot K)$。

y_i——气体混合物中 i 组分的摩尔分数。

M_i——气体混合物中 i 组分的摩尔质量,$kg/kmol$。

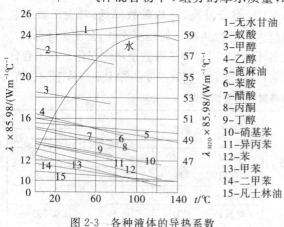

图 2-3 各种液体的导热系数

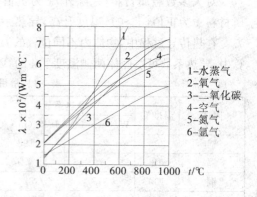

图 2-4 几种气体的导热系数

二、通过平壁的稳定热传导

(一)通过单层平壁的稳定热传导

假设有一高度和宽度均远大于厚度的平壁,如图 2-5 所示,厚度为 δ,平壁材质和两侧表面温度保持均匀,温度分别为 t_1、t_2,且 $t_1 > t_2$。若 t_1、t_2 不随时间而变,则壁内传热系定态一维热传导(即平壁内温度只沿 x 方向变化,y 和 z 方向上无温度变化),傅立叶定律可写为:

$$Q = -\lambda A \frac{dt}{dx}$$

由于在热流方向上 Q、A、λ 均为常量,分离变量后积分得:

$$\int_0^\delta Q dx = -\int_{t_1}^{t_2} \lambda A dt$$

设 λ 不随 t 而变,所以 λ 和 Q 均可提到积分号外,得:

$$Q = \frac{\lambda}{\delta} A(t_1 - t_2) = \frac{t_1 - t_2}{\frac{\delta}{\lambda A}} \qquad (2\text{-}4)$$

或

$$Q = \frac{(t_1 - t_2)}{\delta / \lambda A} = \frac{\Delta t}{R} = \frac{传热推动力}{热阻} \qquad (2\text{-}4a)$$

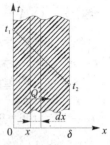

图 2-5 平壁的热传导

从上式可知,当 λ 不随 t 变化,$t \sim x$ 呈直线关系;若 λ 随 t 变化则关系为:$\lambda = \lambda_0(1 + at)$,$t \sim x$ 呈抛物线关系。

【例 2-1】 某平壁厚 0.40m,内、外表面温度分别为 1500℃和 300℃,壁材料的导热系数 $\lambda = 0.815 + 0.00076t \mathrm{W/(m \cdot ℃)}$,试求每平方米壁面的导热速率。

解: 已知 $t_1 = 1500℃$、$t_2 = 300℃$

壁的平均温度 $\quad t = \dfrac{t_1 + t_2}{2} = \dfrac{1500 + 300}{2} = 900℃$

壁的平均导热系数 $\quad \lambda = 0.815 + 0.00076 \times 900 = 1.50 \mathrm{W/(m \cdot ℃)}$

故 $\quad q = \dfrac{Q}{A} = \dfrac{t_1 - t_2}{\delta / \lambda} = \dfrac{1500 - 300}{0.40 / 1.50} = 4500 \mathrm{W/m^2}$

(二)通过多层平壁的稳定热传导

如图 2-6 所示,为一个三层平壁。各层壁厚分别为 δ_1、δ_2、δ_3,各层材质均匀,其导热系数分别为 λ_1、λ_2、λ_3,表面温度分别为 t_1、t_2、t_3,平壁的面积为 A。假设层与层之间接触良好,相互接触处温度相等,各层材质均匀且导热系数可视为常数,对于一维定常热传导,热量在平壁内没有积累,因而在热流方向上传热速率保持相同;整个传热过程可看成一个典型的串联热传递过程。根据傅立叶定律,参照单层平壁导热速率方程式,多层平壁的导热速率方程式分别为:

$$Q = \frac{t_1 - t_2}{\frac{\delta_1}{\lambda_1 A}} = \frac{t_2 - t_3}{\frac{\delta_2}{\lambda_2 A}} = \frac{t_3 - t_4}{\frac{\delta_3}{\lambda_3 A}} \qquad (2\text{-}5)$$

图 2-6 多层平壁热传导

$$Q = \frac{\sum \Delta t_i}{\sum \frac{\delta_i}{\lambda_i A}} = \frac{t_1 - t_4}{\sum\limits_{i=1}^{3} \frac{\delta_i}{\lambda_i A}} = \frac{t_1 - t_4}{\sum R_i} = \frac{总推动力}{总热阻} \qquad (2\text{-}5a)$$

推广至 n 层:$Q = \dfrac{t_1 - t_{n+1}}{\sum\limits_{i=1}^{n} \dfrac{\delta_i}{\lambda_i A}} = \dfrac{t_1 - t_{n+1}}{\sum\limits_{i=1}^{n} R_i} \qquad (2\text{-}5b)$

上式说明,在稳定多层平壁导热过程中,哪层热阻大,哪层温差就大;反之,哪层温差大,哪层热阻一定大。当总温差一定时,传热速率的大小取决于总热阻的大小。

【例 2-2】 某炉壁由内向外依次为耐火砖、保温砖和普通建筑砖组成,它们的导热系数分别为 1.4W/(m・K)、0.15W/(m・K)和 0.8W/(m・K),厚度分别是 220mm、120mm 和 230mm。已知炉内壁温为 900℃,外壁温度为 60℃,设各层砖间接触良好,求单位面积的热损失和各层间接触面的温度。

解： $q = Q/A = (t_1 - t_4)/\sum(\delta_i/\lambda_i)$
$$= (900 - 60)/[(0.22/1.4) + (0.12/0.15) + (0.23/0.8)]$$
$$= 675 \text{ W/m}^2$$

$t_1 - t_2 = q\dfrac{\delta_1}{\lambda_1} = 675 \times \dfrac{0.22}{1.4} = 106℃$ 　　　　 $t_2 - t_3 = q\dfrac{\delta_2}{\lambda_2} = 675 \times \dfrac{0.12}{0.15} = 540℃$

$t_2 = t_1 - 106 = 900 - 106 = 794℃$ 　　　　　 $t_3 = t_2 - 540 = 794 - 540 = 254℃$

三、通过圆筒壁的稳定热传导

(一)通过单层圆筒壁的稳定热传导

工程上更多的情况是圆筒壁的导热,设有内、外半径分别为 r_1、r_2 的圆筒,内、外表面维持恒定的温度 t_1、t_2,管长 l 足够大,则圆筒壁内的传热可以看作一维热传导。由傅立叶定律得

$$q = -\lambda\frac{\mathrm{d}t}{\mathrm{d}r}$$

$$q = \frac{Q}{A} = \frac{Q}{2\pi rl} \tag{2-6}$$

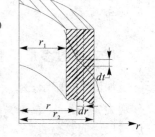

假设:(1)各点温度不随时间而变,即稳定温度场。

(2)各点温度只沿径向变化,即一维温度场。

此时的傅立叶定律可写为:

$$Q = -\lambda A\frac{\mathrm{d}t}{\mathrm{d}r}$$

在稳定温度场中,各传热面的传热速率相同,不随 x 而变,统一用 Q 来表示,代入上面的傅立叶公式中:

图 2-7　圆筒壁热传导

$$Q = -\lambda A\frac{\mathrm{d}t}{\mathrm{d}r} = -\lambda\cdot 2\pi rl\frac{\mathrm{d}t}{\mathrm{d}r}$$

边界条件为:$r = r_1$ 时,$t = t_1$;$r = r_2$ 时,$t = t_2$。

积分式为:

$$\int_{r_1}^{r_2}Q\mathrm{d}r = -\int_{t_1}^{t_2}\lambda\cdot 2\pi\cdot rl\mathrm{d}t$$

设 λ 不随 t 而变,所以 λ 和 Q 均可提到积分号外,积分得:

$$Q = \frac{2\pi\cdot\lambda\cdot l(t_1 - t_2)}{\ln\dfrac{r_2}{r_1}} = \frac{2\pi\cdot l(t_1 - t_2)}{\dfrac{1}{\lambda}\ln\dfrac{r_2}{r_1}} \tag{2-7}$$

式中　Q——热流量,即单位时间通过圆筒壁的热量,W 或 J/s。

λ——圆筒壁的导热系数,W/(m·℃)或 W/(m·K)。

t_1、t_2——圆筒壁两侧的温度,℃。

r_1、r_2——圆筒壁内外半径,m。

(1)上式可以变为:

$$Q = \frac{2\pi\cdot\lambda\cdot l(t_1 - t_2)(r_2 - r_1)}{(r_2 - r_1)\ln\dfrac{r_2}{r_1}} = \frac{\lambda\cdot(t_1 - t_2)(A_2 - A_1)}{\delta\ln\dfrac{A_2}{A_1}}$$

$$= \frac{(t_1 - t_2)}{\frac{\delta}{\lambda A_m}} = \frac{\Delta t}{R} = \frac{推动力}{热阻} \tag{2-7a}$$

其中 $A_m = \dfrac{A_2 - A_1}{\ln A_2 / A_1}$ 为对数平均面积。

（2）对于 $\dfrac{r_2}{r_1} < 2$ 的圆筒壁，以算术平均值代替对数平均值导致的误差 $< 4\%$。作为工程计算，这一误差可以接受，所以此时 $A_m = \dfrac{A_1 + A_2}{2}$。

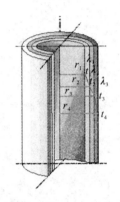

从上式可知，$t \sim r$ 成对数曲线变化（假设 λ 不随 t 变化）。

（3）通过平壁的热传导，各处的 Q 和 q 均相等；而在圆筒壁的热传导中，圆筒的内外表面积不同，各层圆筒的传热面积不相同，所以在各层圆筒的不同半径 r 处传热速率 Q 相等，但各处热通量 q 却不等。

图 2-8　多层圆筒壁热传导

（二）通过多层圆筒壁的稳定热传导

对于 n 层圆筒壁：

$$Q = \frac{t_1 - t_{n+1}}{\displaystyle\sum_{i=1}^{n} \frac{\delta_i}{\lambda_i A_{mi}}} = \frac{t_1 - t_{n+1}}{\displaystyle\sum_{i=1}^{n} R_i} = \frac{2\pi L(t_1 - t_{n+1})}{\displaystyle\sum_{i=1}^{n} \frac{1}{\lambda_i} \ln \frac{r_{i+1}}{r_i}} \tag{2-8}$$

多层圆筒壁导热的总推动力也为总温度差，总热阻也为各层热阻之和，但是计算时与多层平壁不同的是其各层热阻所用的传热面积不相等，所以应采用各层各自的平均面积 A_{mi}。

由于各层圆筒的内外表面积均不相同，所以在稳定传热时，单位时间通过各层的传热量 Q 虽然相同，但单位时间通过各层内外壁单位面积的热通量 q 却不相同，其相互的关系为：

$$Q = 2\pi \cdot r_1 l q_1 = 2\pi \cdot r_2 l q_2 = 2\pi \cdot r_3 l q_3$$

或

$$r_1 q_1 = r_2 q_2 = r_3 q_3$$

式中：q_1, q_2, q_3 分别为半径 r_1, r_2, r_3 处的热通量。

【例 2-3】 $\phi 38 \times 2.5\text{mm}$ 钢管用作蒸汽管。为了减少热损失，在管外保温。第一层是 50mm 厚的氧化镁粉（平均导热系数为 $0.07\text{W}/(\text{m} \cdot \text{℃})$；第二层是 10mm 厚的石棉层，平均导热系数为 $0.15\text{W}/\text{m} \cdot \text{℃}$）。若管内壁温度为 160℃，石棉层外表面温度为 30℃。试求每米管长的热损失及两保温层界面处的温度。

解法一：$\dfrac{Q}{l} = \dfrac{2\pi(t_1 - t_4)}{\dfrac{1}{\lambda_1}\ln\dfrac{r_2}{r_1} + \dfrac{1}{\lambda_2}\ln\dfrac{r_3}{r_2} + \dfrac{1}{\lambda_3}\ln\dfrac{r_4}{r_3}}$

$t_1 = 160℃, t_4 = 30℃, r_1 = 16.5\text{mm}, r_2 = 19\text{mm}$

由题给条件知 $r_3 = 19 + 50 = 69\text{mm}, r_4 = 69 + 10 = 79\text{mm}$，

$\lambda_2 = 0.07\text{W}/(\text{m} \cdot \text{℃}), \lambda_3 = 0.15\text{W}/(\text{m} \cdot \text{℃})$，

查钢管的导热系数 $\lambda_1 = 45\text{W}/(\text{m} \cdot \text{℃})$

$\therefore \dfrac{Q}{l} = \dfrac{2\pi(160 - 30)}{\dfrac{1}{45}\ln\dfrac{19}{16.5} + \dfrac{1}{0.07}\ln\dfrac{69}{19} + \dfrac{1}{0.15}\ln\dfrac{79}{69}} = \dfrac{160 - 30}{4.99 \times 10^{-4} + 2.93 + 0.144} = 42.3\text{W/m}$

$$\Delta t_3 = t_3 - t_4 = QR_3 = \frac{Q}{l} \times \frac{\ln \frac{r_4}{r_3}}{2\pi\lambda_3} = 42.3 \times 0.144 = 6.07℃$$

$$t_3 = t_4 + 6.07 = 30 + 6.07 = 36.07℃$$

解法二： $\dfrac{Q}{l} = \dfrac{t_1 - t_4}{\dfrac{r_2 - r_1}{\lambda_1 \cdot 2\pi r_{m1}} + \dfrac{r_3 - r_2}{\lambda_2 \cdot 2\pi r_{m2}} + \dfrac{r_4 - r_3}{\lambda_3 \cdot 2\pi r_{m3}}}$

$$\because \frac{r_2}{r_1} = \frac{19}{16.5} < 2, \therefore r_{m1} = \frac{r_2 + r_1}{2} = \frac{19 + 16.5}{2} = 17.75\text{mm}$$

$$r_{m2} = \frac{r_3 - r_2}{\ln \dfrac{r_3}{r_2}} = \frac{69 - 19}{\ln \dfrac{69}{19}} = 38.77\text{mm}$$

$$\because \frac{r_4}{r_3} = \frac{79}{69} < 2, \therefore r_{m3} = \frac{r_3 + r_4}{2} = \frac{69 + 79}{2} = 74\text{mm}$$

$$\frac{Q}{l} = \frac{160 - 30}{\dfrac{0.0025}{45 \times 2\pi \times 0.01775} + \dfrac{50}{0.07 \times 2\pi \times 38.77} + \dfrac{10}{0.15 \times 2\pi \times 74}} = 42.3\text{W/m}$$

任务三 对流传热

对流传热是指流体中质点发生相对位移而引起的热交换。对流传热仅发生在流体中，与流体的流动状况密切相关。实质上对流传热是流体的对流与热传导共同作用的结果。

一、对流传热过程分析

流体在平壁上流过时，流体和壁面间将进行换热，引起壁面法向方向上温度分布的变化，形成一定的温度梯度。近壁处，流体温度发生显著变化的区域，称为"热边界层"或"温度边界层"。

由于对流是依靠流体内部质点发生位移来进行热量传递，因此对流传热的快慢与流体流动的状况有关。在流体流动一章中曾讲了流体流动类型有层流和湍流。层流流动时，由于流体质点只在流动方向上做一维运动，在传热方向上无质点运动，此时主要依靠热传导方式来进行热量传递；流体在换热器内的流动大多情况下为湍流，湍流流动时，从靠近壁面处流体流动分别为层流底层、过渡层（缓冲层）、湍流主体。

层流底层： 流体质点只沿流动方向上做一维运动，在传热方向上无质点的混合，温度变化大，传热主要以热传导的方式进行。由于大多数流体的导热系数较小，故对流给热的热阻主要集中在该层中，温度降也主要集中在这里。

过渡区域： 在层流底层与湍流主体之间有一过渡区，过渡区内的热量传递是热传导和对流共同作用。温度分布不像湍流主体那么均匀，也不像层流底层变化明显，温度变化平缓。

湍流主体： 在远离壁面的湍流中心，由于存在大大小小的旋涡，流体微团作随机的剧烈运动，导致流体主体各部分动量和热量的充分交换，流体质点充分混合，温度趋于一致（热阻小），分子热传导退居非常次要的地位，传热主要以对流方式进行。

若冷、热流体分别沿间壁两侧平行流动，则传热方向垂直于流动方向，在流动方向任一

截面 A—A 上(图 2-9 所示)从热流体到冷流体必存在一个
温度分布。热流体从其湍流主体温度经过渡区、层流底层降
至该侧壁面温度 T_w,传热壁对侧温度为 t_w,又经冷流体侧
的层流底层、过渡区降至冷流体湍流主体温度。

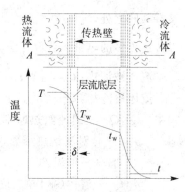

图 2-9 对流传热温度分布

由图可知:

(1)从间壁换热任一侧流体的流动截面上的温度分布情
况来看,温度变化主要集中于层流底层内,即对流传热的大
部分热阻集中在此层内。

(2)若设流体与间壁的导热系数不随温度变化,由于层流
底层和间壁的传热都是通过热传导的方式进行的,所以,这部
分的温度为直线分布。间壁的 λ 比流体高,热阻小,温度变化也小。

(3)依据傅立叶定律,流体侧对壁面的传热推动力应该是湍流主体与壁面之间的温度
差。但由于各流动截面上湍流主体温度不易确定,在工程计算上常以该流动截面上流体的
平均温度来计算温度差,于是,图上热流体侧的温度差为 $T-T_w$,冷流体侧的温度差为
$t-t_w$,T、t 分别代表 A—A 截面上热、冷流体的平均温度,可由热量衡算直接算出。

根据在热传导中的分析,温差大热阻就大。所以,流体作湍流流动时,热阻主要集中在
层流底层中。如果要强化传热,必须采取措施来减少层流底层的厚度。

二、对流传热速率方程

对流传热大多是指流体与固体壁面之间的传热,其传热速率与流体性质及边界层的状
况密切相关。如图 2-9 所示,在靠近壁面处引起温度的变化形成温度边界层。由于影响对
流给热的因素很多,求解对流给热传热速率非常困难,工程计算时,假设流体侧的温度差和
热阻都完全集中在壁面附近一层厚度为 δ_t 的虚拟膜层内,在这层虚拟膜层内仅以热传导方
式传递热量,温度差主要集中在层流底层中,在有效膜之外无热阻存在。该膜既不是热边界
层,也非流体流动边界层,而是一个集中了全部传热温差并以导热方式传热的虚拟膜。

由此假定,建立膜模型:

$$\delta_t = \delta_e + \delta$$

式中　δ_t——总有效膜厚度。

δ_e——湍流区虚拟膜厚度。

δ——层流底层膜厚度。

使用傅立叶定律表示在虚拟膜内的传热速率:

流体被加热:$Q = \dfrac{\lambda}{\delta_t} A(t_w - t)$ (2-9)

流体被冷却:$Q = \dfrac{\lambda}{\delta_t} A(T - T_w)$ (2-10)

这里,再一次使用了流体流动中的当量化和折合的思路,即将实际的对流给热过程折合
为一个通过虚拟膜厚为 δ_t 的单纯的导热过程。注意:层流底层(层流内层)与虚拟膜层是两
个不同的概念,层流底层是实际存在的,虚拟膜层是为了考虑问题方便人为引入的。但两者

又有共同之处,流体主体的湍动程度越大,虚拟膜和层流底层都会变薄,在相同的温差下可以传递更多的热量。若取 $\alpha = \dfrac{\lambda}{\delta_t}$,对流传热速率方程可用牛顿冷却定律来描述:

流体被加热:$Q = \alpha A(t_w - t)$ (2-11)

流体被冷却:$Q' = \alpha' A(T - T_w)$ (2-12)

式中　Q',Q——对流给热速率,W。

　　　α',α——对流给热系数,W/(m² · ℃)。

　　　T_w,t_w——壁温,℃。

　　　T,t——流体(平均)温度,℃。

　　　A——对流传热面积,m²。

牛顿冷却定律并非从理论上推导的结果,而只是一种推论,是一个实验定律。

$$Q = \alpha A \Delta t = \frac{\Delta t}{\dfrac{1}{\alpha A}} = \frac{\Delta t}{R} = \frac{\text{推动力}}{\text{热阻}} \qquad (2-13)$$

对流传热是一个非常复杂的物理过程,实际上由于有效膜厚度难以测定,牛顿冷却定律只是给出了计算传热速率简单的数学表达式,并未简化问题本身,只是把诸多影响过程的因素都归结到了 α 当中——即复杂问题简单化表示。α 的物理意义是,当流体截面平均温度与壁面温度的差值为1℃时,单位时间通过单位传热面积的热量。与导热系数 λ 不同,对流给热系数 α 的值不仅与流体的性质有关,还与流动状态以及传热壁面的形状、结构等有关,此外,同流体在传热过程中是否发生相变化也有关系。α 的大小反映了该侧流体对流给热过程的强度,因此,如何确定不同条件下的 α 值,是对流给热的中心问题。还应指出,在不同的流动截面上,如果流体温度和流动状态发生变化,α 值也将发生变化。

三、影响对流给热系数的因素

对流给热是流体在具有一定形状及尺寸的设备中流动时,发生的热流体到壁面或壁面到冷流体的热量传递过程,实验表明,影响对流给热系数的因素有:

1.流体的物性

当流体种类确定后,根据温度、压力(气体)查对应的物性,影响 α 较大的物性有密度 ρ、黏度 μ、导热系数 λ 和比热容 c_p。λ 的影响:$\lambda\uparrow$,$\alpha\uparrow$;ρ 的影响:$\rho\uparrow$,$Re\uparrow$,$\alpha\uparrow$;c_p 的影响:$c_p\uparrow$,单位体积流体的热容量大,则 α 较大;μ 的影响:$\mu\uparrow$,$Re\downarrow$,$\alpha\downarrow$。

2.引起流动的原因

自然对流:由于流体内部存在温差引起的密度差形成的浮升力,造成流体内部质点的上升和下降运动,一般流速较小,α 也较小。

强制对流:在外力作用下引起的流动运动,一般 u 较大,故 α 较大,即:$\alpha_{强} > \alpha_{自}$。

3.流动类型

层流:热流主要依靠热传导的方式传递。由于流体的导热系数比金属的导热系数小得多,所以热阻大。

湍流:质点充分混合且层流底层变薄,α 较大,$\alpha_{湍} > \alpha_{层}$。

4. 传热面的形状、大小和位置

不同的壁面形状和尺寸影响流型，会造成边界层分离，产生旋涡，增加湍动，使 α 增大。圆管、套管环隙、翅片管、平板等不同传热面形状、管径或管长的大小、管束的排列方式、传热面的水平放置以及管内流动或管外流动等，都影响对流给热系数。通常，传热面的形状特征是通过一个或几个特性尺寸来表示的，在后面会具体说明。

5. 是否发生相变

主要有蒸汽冷凝和液体沸腾。发生相变时，由于汽化或冷凝的潜热远大于温度变化的显热（r 远大于 c_p）。一般情况下，有相变化时对流传热系数较大，$\alpha_{相变} > \alpha_{无相变}$。

四、对流传热系数经验关联式的建立

由于对流给热本身是一个非常复杂的物理问题，牛顿冷却定律把复杂问题简单化表示，即转到计算对流给热系数 α 上面。但是，对流给热系数大小的确定成是一个复杂问题，其影响因素非常多。目前还不能对对流传热系数从理论上来推导它的计算式，只能通过实验得到其经验关联式。

因次分析：流体无相变时影响对流给热系数的因素：流速 u、传热面的特征尺寸 l、流体的密度 ρ、黏度 μ、导热系数 λ、比热容 c_p 以及升力 $\rho g \beta \Delta t$，其函数表达式为

$$\alpha = f(u, l, \mu, \lambda, c_p, \rho, \rho g \beta \Delta t)$$

当采用幂函数形式表达时，上式可写成

$$\alpha = A u^a l^b \mu^c \lambda^d \rho^e c_p^f (\rho g \beta \Delta t)^h$$

经因次分析，上式所得关联式中共有 4 个无因次数群，整理得：

$$\frac{\alpha l}{\lambda} = C \left(\frac{du\rho}{\mu} \right)^a \left(\frac{c_p\mu}{\lambda} \right)^k \left(\frac{\beta g \Delta t l^3 \rho^2}{\mu^2} \right)^g \tag{2-14}$$

各准数的符号和意义如表 2-2 所示。

准数关联式的使用：式（2-14）用各准数符号可表示为

$$\mathrm{Nu} = C\,\mathrm{Re}^a\,\mathrm{Pr}^k\,\mathrm{Gr}^g \tag{2-15}$$

式中系数 C 和指数 a、k、g 需经实验确定。因而不同实验条件下获得的具体准数关系式是一种半经验公式，使用时要注意下列问题：

表 2-2　准数的符号和意义

准数名称	符号	涵义
努塞尔准数（Nusselt）	$\mathrm{Nu} = \dfrac{\alpha l}{\lambda}$	被决定准数，包含待定的对流给热系数
雷诺准数（Reynolds）	$\mathrm{Re} = \dfrac{du\rho}{\mu}$	反映流体的流动类型和湍动程度
普兰特准数（Prandtl）	$\mathrm{Pr} = \dfrac{c_p\mu}{\lambda}$	反映与传热有关的流体物性
格拉斯霍夫准数（Grashof）	$\mathrm{Gr} = \dfrac{\beta g \Delta t l^3 \rho^2}{\mu^2}$	反映由于温度差而引起的自然对流强度

1. 特征尺寸

参与对流给热过程的换热面几何尺寸往往不止一个。而关联式中所用特征尺寸 l 一般是反映传热面的几何特征，并对给热过程产生直接影响的主要几何尺寸。如管内强制对流

给热时,圆管的特征尺寸取管径 d;如为非圆形管道,通常取当量直径 d_e。因加热面高度对自然对流的范围和运动速度有直接的影响,所以对大空间自然对流,取加热(或冷却)表面垂直高度为特征尺寸。

2.定性温度

流体在对流给热过程中温度是变化的,确定准数中流体的特性参数所依据的温度即为定性温度。不同的人得出的关联式中确定定性温度的方法往往不同,故在使用这些经验公式时,必须与原作者实际关联时所选用的定性温度一致。

定性温度的通常取法:①流体进出口温度的平均值 $t_m = (t_2 + t_1)/2$。
②膜温 $t = (t_m + t_w)/2$。

3.适用范围

关联式中 Re、Pr、Gr 等的数值应在实验所进行的数值范围内,不宜外推使用。

五、流体无相变时的对流给热系数

式(2-15)是流体无相变对流给热系数的一般关联式,公式的实际形式会有简化或修正。

(一)流体在管内的强制对流

1.圆形直管内强制湍流的给热系数

对于强制湍流,自然对流的影响可忽略不计,式(2-15)中 Gr 可以忽略。对低黏度流体(小于2倍常温水的黏度)在光滑圆管中湍流给热进行的大量实验证实:

$$Nu = 0.023\ Re^{0.8}\ Pr^k \tag{2-16}$$

或
$$\alpha = 0.023\ \frac{\lambda}{d}\left(\frac{du\rho}{\mu}\right)^{0.8}\left(\frac{c_p\mu}{\lambda}\right)^n \tag{2-16a}$$

式中 n——Pr 准数的指数,当流体被加热时,$n=0.4$;当流体被冷却时,$n=0.3$。

使用范围:$Re>10000$,$0.7<Pr<120$,管长与管径之比 $l/d>60$,低黏度流体,光滑管。

注意事项:(1)定性温度取流体进、出温度的算术平均值。

(2)特征尺寸为管内径 d_i。

上述 n 取不同值的原因主要是温度对近壁层流底层中流体黏度的影响。当管内流体被加热时,靠近管壁处层流底层的温度高于流体主体温度;而流体被冷却时,情况正好相反。对于液体,其黏度随温度升高而降低,液体被加热时层流底层减薄,大多数液体的导热系数随温度升高也有所减少,但不明显,总的结果是使对流给热系数增大。液体被加热时的对流给热系数必大于冷却时的对流给热系数。大多数液体的 $Pr>1$,即 $Pr^{0.4}>Pr^{0.3}$。因此,液体被加热时,n 取 0.4;冷却时,n 取 0.3。对于气体,其黏度随温度升高而增大,气体被加热时层流底层增厚,气体的导热系数随温度升高也略有升高,总的结果使对流给热系数减少。气体被加热时的对流给热系数必小于冷却时的对流给热系数。由于大多数气体的 $Pr<1$,即 $Pr^{0.4}<Pr^{0.3}$,故同液体一样,气体被加热时 n 取 0.4,冷却时 n 取 0.3。

通过以上分析可知,温度对近处层流底层内流黏度的影响,会引起近壁流层内速度分布的变化,故整个截面上的速度分布也将产生相应的变化。

如果上述条件不能满足,由式(2-16)计算所得结果应进行修正。

a.高黏度流体

流体黏度越大,壁面与液体主体间由于温差而引起的黏度差别也越大。单纯利用改变指数 n 的方法已得不到满意的结果,所以可按下式计算

$$\alpha = 0.027 \frac{\lambda}{d} \left(\frac{du\rho}{\mu}\right)^{0.8} \left(\frac{c_p\mu}{\lambda}\right)^{0.33} \left(\frac{\mu}{\mu_w}\right)^{0.14} \tag{2-17}$$

上式考虑到壁面温度变化引起黏度变化对 α 的影响(μ 是在 t_m 时的黏度;而 μ_w 是在壁温 t_w 时的黏度)。在实际中,由于壁温难以测得,工程上近似处理为:对于液体,加热时 $\left(\frac{\mu}{\mu_w}\right)^{0.14} = 1.05$,冷却时 $\left(\frac{\mu}{\mu_w}\right)^{0.14} = 0.95$。

其他物理量和特征尺寸与式(2-16)相同。

b.过渡流

$2300 < Re < 10000$ 时,因流体湍动不充分,层流底层变厚,热阻大而 α 小。应先按湍流计算 α,然后乘以校正系数

$$f = 1.0 - \frac{6 \times 10^5}{Re^{0.8}} < 1 \tag{2-18}$$

c.流体在弯管中的对流给热系数

由于弯管处受离心力的作用,存在二次环流,湍动加剧,α 增大。

先按直管计算,然后乘以校正系数 f。

$$f = \left(1 + 1.77 \frac{d}{R}\right) \tag{2-19}$$

式中　d——管径。

　　　R——弯管的曲率半径。

d.非圆形直管内强制对流

作为近似计算,对非圆形管道仍可采用上述各类关联式,但需将各式中的特征尺寸 d 改用当量直径 d_e 代替。

$$\alpha = 0.023 \frac{\lambda}{d_e} \left(\frac{d_e u\rho}{\mu}\right)^{0.8} \left(\frac{c_p\mu}{\lambda}\right)^n \tag{2-20}$$

式中　$d_e = \dfrac{4 \times 流动截面积}{润湿周边} = \dfrac{4A}{\Pi}$

这种方法比较简便但准确性较差。另一种方法是选用直接由非圆形管道内的实验数据得出的对流给热系数关联式(可查阅有关手册)。

e.当 $l/d < 60$ 时则为短管,由于管入口扰动增大,α 较大,乘上校正系数 f。

$$f = 1 + \left(\frac{d}{l}\right)^{0.7} > 1 \tag{2-21}$$

2.圆形直管内强制层流的给热系数

这种情况下,应考虑自然对流及热流方向对给热系数 α 的影响。导致速度分布受热流方向影响。在管径较小和温差不大的情况下,即 $Gr < 25000$ 时,自然对流影响小可忽略,α 可用下式计算:

$$Nu = 1.86 \left(RePr \frac{d}{l}\right)^{1/3} \left(\frac{\mu}{\mu_w}\right)^{0.14} \tag{2-22}$$

式(2-22)的适用范围：$Re<2300$，$\left(RePr\dfrac{d}{l}\right)>10$，$0.6<Pr<6700$。

定性温度、特征尺寸取法与前面相同。

当 $Gr>25000$ 时，自然对流的影响不能忽略，上式需乘以校正系数 f。

$$f = 0.8(1+0.015Gr^{1/3}) \tag{2-23}$$

在换热器设计中，应尽量避免在强制层流条件下进行传热，因为此时对流传热系数小，从而使总传热系数也很小。

【例 2-4】 有一列管换热器，由 38 根 $\phi25\times2.5mm$ 无缝钢管组成，通过该换热器用饱和蒸汽加热管内流动的苯，苯由 20℃被加热至 80℃，苯的流量为 10.2kg/s。求：

(1)苯在管内的对流给热系数。

(2)如苯流量加大一倍，对流传热系数如何变化(假设物性不发生变化)。

解：已知苯的物性 $t = \dfrac{t_1+t_2}{2} = \dfrac{20+80}{2} = 5℃$

可查得物性为：

$\rho=850kg/m^3$，$c_p=1.80kJ/(kg\cdot℃)$，$\mu=0.45mPa\cdot s$，$\lambda=0.14W/(m\cdot℃)$

(1) $u = \dfrac{Vs}{0.785d^2\times n} = \dfrac{10.2/850}{0.785\times0.02^2\times38} = 1.0m/s$

$Re = \dfrac{du\rho}{\mu} = \dfrac{0.02\times1.0\times850}{0.45\times10^{-3}} = 3.78\times10^4$

$Pr = \dfrac{c_p\mu}{\lambda} = \dfrac{1.8\times10^3\times0.45\times10^{-3}}{0.14} = 5.79$

$\alpha = 0.023\dfrac{\lambda}{d_e}\times Re^{0.8}Pr^{0.4} = 0.023\times\dfrac{0.14}{0.02}\times(3.78\times10^4)^{0.8}\times5.79^{0.4} = 1492W/(m^2\cdot℃)$

(2)若忽略定性温度的变化，当苯的流量提高一倍时，管内流速为原来的 2 倍。Re 增加 $2^{0.8}$ 倍，所以 $\alpha' = 2^{0.8}\alpha = 2^{0.8}\times1492 = 2598W/(m^2\cdot℃)$

【例 2-5】 冷冻盐水(25％的 $CaCl_2$)从 $\phi25\times2.5mm$，长度为 3m 的管内流过，流速为0.3 m/s，温度自-5℃升至 15℃。假设管壁平均温度为 20℃，试计算管壁与流体之间的平均对流给热系数。

解： $t = \dfrac{t_1+t_2}{2} = \dfrac{-5+15}{2} = 5℃$ 查得相关物性如下：

$\rho=1230kg/m^3$，$c_p=2.85kJ/(kg\cdot℃)$，$\mu=4mPa\cdot s$，$\lambda=0.57W/(m\cdot℃)$

$Re = \dfrac{du\rho}{\mu} = \dfrac{0.02\times0.3\times1230}{4\times10^{-3}} = 1845$ $Pr = \dfrac{c_p\mu}{\lambda} = \dfrac{2.85\times10^3\times4\times10^{-3}}{0.57} = 20$

$Re\cdot Pr\cdot\dfrac{d}{l} = 1845\times20\times\dfrac{0.02}{3} = 246 > 10$

由于 $t_w=20℃$，查得 $\mu_w=2.5mPa\cdot s$；故

$\alpha = 1.86\times\dfrac{\lambda}{d}\left(Re\cdot Pr\cdot\dfrac{d}{l}\right)^{\frac{1}{3}}\left(\dfrac{\mu}{\mu_w}\right)^{0.14}$

$= 1.86\times\dfrac{0.57}{0.02}\times246^{\frac{1}{3}}\times\left(\dfrac{4\times10^{-3}}{2.5\times10^{-3}}\right)^{0.14} = 354.7W/m^2\cdot℃$

（二）流体在管外的强制对流

流体在单根圆管外垂直流过时，在管子前半周与平壁类似，其边界层不断增厚，在后半周由于边界层分离而产生旋涡，使沿圆周各点上的局部对流给热系数各不相同。当流体垂直流过由多根平行管组成的管束时，湍动增强，故各排的对流给热系数也不尽相同。在工业换热计算中，要用到的是平均对流给热系数。

1.流体垂直流过管束

流体垂直流过管束时，管束的排列情况可以有直列和错列两种，如图 2-10 所示。显然错列时湍动程度较高，给热系数要高一些。各排管 α 的变化规律：第一排管，直列和错列基本相同；第二排管，直列和错列相差较大；第三排管以后（直列第二排管以后），基本恒定。

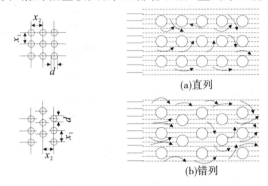

(a)直列

(b)错列

图 2-10　管束的排列

流体在管束外垂直流过时的对流给热系数可用下式计算：

$$\mathrm{Nu} = C\varepsilon \mathrm{Re}^n \mathrm{Pr}^{0.4} \tag{2-24}$$

式中的 C、ε 和 n 取决于排列方式和管排数见表 2-3 所示，由实验测定。其适用范围：$5000<\mathrm{Re}<70000$，$x_1/d=1.2\sim5$，$x_2/d=1.2\sim5$。

（1）特性尺寸取管外径 d_o，定性温度取法与前相同 t_m。

（2）流速 u 取每列管子中最窄流道处的流速，即最大流速。

（3）对某一排列方式，由于各列的 α 不同，应按下式求平均的对流传热系数。

表 2-3　液体垂直于管束流动时的 C、ε 和 n 值

排数	直列		错列		C
	n	ε	n	ε	
1	0.6	0.171	0.6	0.171	$x_1/d=1.2\sim3$ 时，$C=1+0.1$
2	0.65	0.157	0.6	0.228	x_1/d；
3	0.65	0.157	0.6	0.290	$x_1/d>3$ 时，$C=1.3$
4	0.65	0.157	0.6	0.290	

$$\alpha_m = \frac{\alpha_1 A_1 + \alpha_2 A_2 + \alpha_3 A_3 + \cdots}{A_1 + A_2 + A_3 + \cdots} = \frac{\sum \alpha_i A_i}{\sum A_i}$$

式中　α_i——各列的对流传热系数。

　　　A_i——各列传热管的外表面积。

2.流体在列管式换热器管壳间流动

一般在列管换热器的壳程加折流挡板,折流挡板分为圆盘形和圆缺形两种。板直径近似壳内径,圆缺形折流挡板每块上均切去一部分形成弓形流通截面,交替排列。折流挡板使流体在管外流动时,既有沿管束的流动,又有垂直于管束的流动,流向和流速也不断发生变化,因而在较小的 Re 下(Re>100)即可达到湍流。这时管外给热系数的计算,要视具体情况选用不同的公式。

对于割去 25% 直径的圆缺形折流挡板,α 的计算式为:

$$Nu = 0.36\,Re^{0.55}\,Pr^{\frac{1}{3}}\left(\frac{\mu}{\mu_w}\right)^{0.14} \tag{2-25}$$

或

$$\alpha = 0.36\,\frac{\lambda}{d_e}\left(\frac{d_e u\rho}{\mu}\right)^{0.55}\left(\frac{c_p\mu}{\lambda}\right)^{\frac{1}{3}}\left(\frac{\mu}{\mu_w}\right)^{0.14} \tag{2-25a}$$

适用范围:$Re = 2\times(10^3 \sim 10^6)$。

定性温度:进、出口温度平均值;t_w 为壁温下流体的黏度 μ_w。特征尺寸取当量直径 d_e。

注意:(1)这里当量直径的定义为

$$d_e = \frac{4\times 流体流动截面积}{传热周边} \tag{2-26}$$

管子正方形排列时(如图 2-11a 所示):

$$d_e = \frac{4(t^2 - 0.785d_o^2)}{\pi d_o} \tag{2-26a}$$

管子正三角形排列时(如图 2-11b 所示):

$$d_e = \frac{4\left(\frac{\sqrt{3}}{2}t^2 - 0.785d_o^2\right)}{\pi d_o} \tag{2-26b}$$

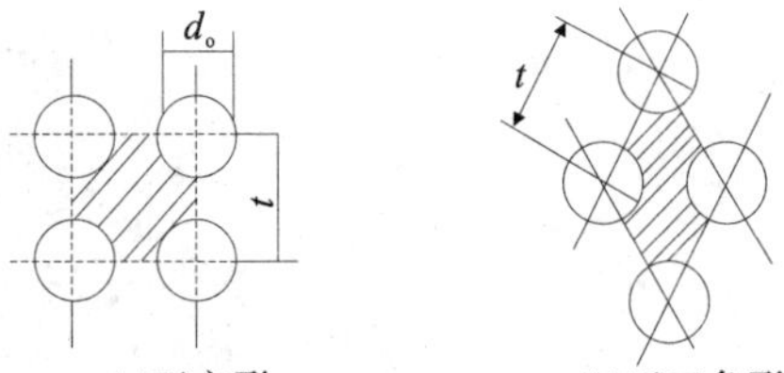

(a)正方形　　(b)正三角形

图 2-11　管子的排列

(2)流速 u_o 根据流体流过的最大截面积 S_{max} 计算

$$S_{max} = hD\left(1 - \frac{d_o}{t}\right) \tag{2-27}$$

式中　h——相邻挡板间的距离。

　　　D——换热器壳体的内径。

六、流体有相变时的对流给热系数

(一)蒸汽冷凝

饱和蒸汽冷凝是化工生产中常见的过程。根据相律,纯物质的饱和蒸汽在恒压下冷凝时,由于汽、液两相共存,其温度不变且为某一定值。当饱和蒸汽与低于其温度的冷壁面接触时,将发生冷凝过程,释放出的热量等于其冷凝焓变(或冷凝潜热)。在连续定态的冷凝过程中,压强可视为恒定,故汽相中不存在温差,也就没有热阻。由此可知,纯饱和蒸汽冷凝的特点是热阻集中在壁面上的冷凝液内,故有较大的给热系数,而且壁面冷凝液的存在型态对给热系数有很大的影响。

1. 壁面冷凝液的存在类型

（1）膜状冷凝　若冷凝液能完全润湿壁面,将形成一层完整的冷凝液膜在重力作用下沿壁面向下流动。膜状冷凝时,液膜越往下越厚,故壁面越高或水平放置的管径越大,整个壁面的平均对流给热系数也就越小。

（2）滴状冷凝　冷凝液不能很好地润湿壁面,仅在其上凝结成小液滴,此后长大或合并成较大的液滴而脱落。例如饱和水蒸气冷凝到沾有油类物质的壁面时,在表面张力的作用下,冷凝液将在壁面上形成许多液滴,落下时又露出新的冷凝面。由于相当部分壁面直接暴露于蒸汽中,因此滴状冷凝的热阻要小的多。

凝液润湿壁面的能力取决于其表面张力和对壁面的附着力大小。若附着力大于表面张力则会形成膜状冷凝,反之,则形成滴状冷凝。通常滴状冷凝时蒸汽不必通过液膜传热,可直接在传热面上冷凝,其对流传热系数比膜状冷凝的对流传热系数大 5～10 倍。但滴状冷凝难于控制,工业上大多是膜状冷凝。

2. 膜状冷凝的给热系数

（1）蒸汽在水平管外冷凝

$$\alpha = 0.725 \left(\frac{r\rho^2 g\lambda^3}{n^{2/3} \mu d_o \Delta t} \right)^{1/4} \tag{2-28}$$

式中　n——水平管束在垂直列上的管子数;$n=1$ 表示单根水平圆管。

r——比汽化焓(t_s 下),kJ/kg。

ρ——冷凝液的密度,kg/m³。

λ——冷凝液的导热系数,W/(m·K)。

μ——冷凝液的黏度,Pa·s。

特性尺寸取管外径 d_o。

定性温度取膜温 $t = \frac{t_s + t_w}{2}$,用膜温查冷凝液的物性 ρ、λ 和 μ。此时认为主体无热阻,热阻集中在液膜中。

3. 在竖直板或竖直管外的冷凝

当蒸汽在垂直管或板上冷凝时(如图 2-12 所示),冷凝液沿壁面向下流动,同时由于蒸汽不断在液膜表面冷凝,新的冷凝液不断加入,形成一个流量逐渐增加的液膜流,相应于液膜厚度加大,上部分为层流,当板或管足够高时,下部分可能发展为湍流。此时,局部的对流给热系数反而会有所增大。和强制对流一样,可用雷诺准数判别层流和湍流,公式为：

$$\text{Re} = \frac{\rho u d_e}{\mu} = \frac{\rho u \left(\frac{4S}{b}\right)}{\mu} = \frac{\left(\frac{4S}{b}\right)\left(\frac{G}{S}\right)}{\mu} = \frac{4M}{\mu} \tag{2-29}$$

式中　S——冷凝液流过的截面积,m²。

b——润湿周边,m。

G——冷凝液的质量流量,kg/s。

M——单位长度润湿周边上冷凝液的质量流量,kg/s·m。$M = G/b$,$\rho u = G/S$

（1）层流时 α 的计算式

$$\alpha = 1.13 \left(\frac{r\rho^2 g\lambda^3}{\mu l \Delta t} \right)^{1/4} \tag{2-30}$$

适用范围：Re＜2100

定性温度：膜温

特征尺寸 l：垂直管长或板高

（2）湍流时 α 的计算式

$$\alpha = 0.0077 \left(\frac{\rho^2 g \lambda^3}{\mu^2} \right)^{1/3} Re^{0.4} \qquad (2\text{-}31)$$

适用范围：Re＞2100

定性温度：膜温

特征尺寸 l：垂直管长或板高

注：Re 是指板或管最低处的值（此时 Re 为最大）。

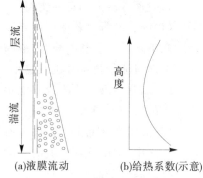

图 2-12　蒸汽在垂直壁面上的冷凝

4.冷凝传热的影响因素和强化措施

从前面的讲述中可知，对于纯的饱和蒸汽冷凝时，热阻主要集中在冷凝液膜内，液膜的厚度及其流动状况是影响冷凝传热的关键。所以，影响液膜状况的所有因素都将影响到冷凝传热。

（1）不凝气体的影响

上面的讨论都是对纯蒸汽而言的，在实际的工业冷凝器中，由于蒸汽中常含有微量的不凝性气体，如空气。当蒸汽冷凝时，不凝气体会逐渐积累并在液膜表面形成一层导热系数很低的气膜，从而使热阻增大，给热系数降低。实验可证明：当蒸汽中含不凝气体量达 1％时，给热系数将下降 60％左右。因此，在换热器的蒸汽冷凝侧，必须设有排放口，定期排放不凝气体。减少不凝气体对 α 的影响。

（2）蒸汽流速与流向的影响

前面介绍的公式只适用于蒸汽静止或流速不大的情况。蒸汽的流速对 α 有较大的影响，蒸汽流速较小 $u<10\text{m/s}$ 时，可不考虑其对 α 的影响。当蒸汽流速 $u>10\text{m/s}$ 时，还要要考虑蒸汽与液膜之间的摩擦作用力。此时，若蒸汽与液膜流向相同时，蒸汽会加速液膜流动，使液膜变薄，α 增大；若蒸汽与液膜流向相反时，会阻碍液膜流动，使液膜变厚，α 减小；但若逆流流动的蒸汽速度很大时，能冲散液膜使部分壁面直接暴露于蒸汽中，α 反而会增大。

一般冷凝器设计时，蒸汽入口在其上部，此时蒸汽与液膜流向相同，有利于 α 的增大。

（3）蒸汽过热程度的影响

蒸汽温度高于操作压强下的饱和温度时称为"过热蒸汽"。

过热蒸汽与比其饱和温度高的壁面接触（$t_w > t_s$），壁面无冷凝现象，此时的给热过程为无相变的对流传热过程（气体冷却过程）。过热蒸汽与比其饱和温度低的壁面接触（$t_w < t_s$）时，过热蒸汽先在汽相下冷却至饱和温度，然后在壁面上冷凝；整个过程由两个串联的传热过程组成：冷却和冷凝。

若蒸汽过热程度不高，则给热系数值与饱和蒸汽的相差不大；但如果过热程度较高，将有相当部分壁面用于过热蒸汽的冷却，在蒸汽内部存在温度梯度和热阻，从而大大降低给热系数。因此，工业上一般不采用过热蒸汽作为加热的热源。

（4）强化传热措施

因为冷凝给热过程的阻力集中于液膜，所以设法减少液膜厚度是强化冷凝给热的有效措施。

对于垂直壁面,可在壁面上开若干纵向沟槽使冷凝液沿沟流下,可减薄其余壁面上的液膜厚度,强化冷凝给热过程。

对于水平布置的管束,冷凝液从上部各管排流到下部管排使液膜变厚,因此,如能设法减少垂直方向上管排的数目或将管束改为错列,皆可提高平均给热系数。

此外,设法获得滴状冷凝也是提高给热系数的一个方向。还可在壁面上安装金属丝或翅片,使冷凝液在表面张力的作用下,流向金属丝或翅片附近,从而使壁面上的液膜减薄,使冷凝传热系数得到提高。

(二)液体沸腾时的对流给热系数

对液体加热时,液体内部伴有液相变为气相产生气泡的过程称为"沸腾"。

工业上液体沸腾有两种情况:一种是在管内流动的过程中受热沸腾,称为"管内沸腾"。如蒸发器中管内料液的沸腾;另一种是将加热面浸入大容积的液体中而引发的无强制对流的沸腾现象,称为"池内沸腾"。工业上有再沸器、蒸发器、蒸汽锅炉等都是通过沸腾传热来产生蒸汽。管内沸腾是在一定压差下流体在流动过程中受热沸腾(强制对流),此时液体流速对沸腾过程有影响,而且加热面上气泡不能自由上浮,被迫随流体一起流动,出现了复杂的气液两相的流动结构,其传热机理比大容器沸腾更为复杂。本节仅讨论大容器的沸腾传热过程。

1.池内沸腾现象

液体加热沸腾的主要特征是液体内部沿加热面不断有蒸汽泡产生并上升穿过液层。理论上液体沸腾时汽、液两相应处于平衡状态,即液体的沸点等于液体表面所处压力下对应的饱和温度 t_s。但实验表明,只是液体上方的蒸汽温度等于 t_s,而沸腾液体的平均温度高于相应的饱和温度,即液体处于过热状态。液体的过热是小气泡生成的必要条件。小气泡首先在温度最高、过热度也最高的固体加热表面上产生,但也不是加热面上的任何一点都能产生气泡。实验发现液体沸腾时气泡仅在加热表面的若干粗糙不平的点上产生,这些点称为"汽化核心"。在沸腾过程中,小气泡首先在汽化核心处生成并长大,在浮力作用下脱离壁面。随着气泡的不断形成并上升,周围液体随时填补并冲刷壁面,贴壁液体层发生剧烈扰动,热阻大为降低;在气泡上浮过程中,引起液体主体的扰动和对流,且过热液体在气泡表面进一步蒸发,使气泡进一步长大,过热液体和气泡表面的给热强度也很大。所以,液体沸腾时的对流给热系数比无相变时大得多。

2.沸腾曲线

图 2-13 是常压下水在铂电热丝表面上沸腾时 Δt 与 α 的关系曲线。$\Delta t = t_w - t_s$。

(1)曲线 AB 段,由于温差 Δt 很小,仅在加热面有少量汽化核心形成气泡,长大速度慢,加热面附近液层受到的扰动不大,所以加热面与液体之间主要以自然对流为主。对流给热系数随温差 Δt 的增大而略有增大。此阶段称为"自然对流区"。

(2)BC 段,随着 Δt 增大,汽化核心数增多,气泡长大速度也快,对液体扰动增强,对流给热系数增加,由汽化核心产生的气泡对传热起主导作用,此阶段称为"核状沸腾"。

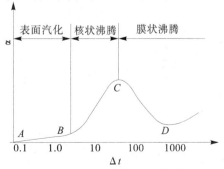

图 2-13 常压下水沸腾时 α 与 Δt 的关系

（3）CD 段，随着 Δt 进一步增大到一定数值，加热面上的汽化核心大大增加，以至气泡产生的速度大于脱离壁面的速度，气泡相连形成气膜，将加热面与液体隔开，由于气体的导热系数 λ 较小，使 α 急剧下降，此阶段称为"膜状沸腾"。D 点以后，气膜稳定，由于加热面 t_W 高，热辐射影响增大，对流给热系数再度增大。

工业上一般维持沸腾装置在核状沸腾下工作，其优点是：此阶段下 α 大，t_W 小。从核状沸腾到膜状沸腾的转折点 C 称为临界点（此后传热恶化），其对应临界值 Δt_c、α_c、q_c。对于常压水在大容器内沸腾时：$\Delta t_c = 25\,℃$、$q_c = 1.25 \times 10^6\ \mathrm{W/m^2}$。

3. 沸腾传热的影响因素和强化措施

（1）流体物性

流体的导热系数、黏度、密度、表面张力等均对沸腾给热有影响；一般情况下，α 随 λ、ρ 的增大而增大，随 μ、σ 的增大而减小。而表面张力 σ 小、润湿能力大的液体，有利于气泡形成和脱离壁面，对沸腾给热有利。故在液体中加入少量添加剂以降低其表面张力，可提高沸腾给热系数。

（2）温差 Δt

从沸腾曲线可知，温差 Δt 是影响和控制沸腾传热过程的重要因素，应尽量控制在核状沸腾阶段进行操作。

（3）操作压力

提高操作压力 P，相当于提高液体的饱和温度 t_s，使液体的 μ 和 σ 下降，有利于气泡形成和脱离壁面，强化了沸腾传热，在同温差下，α 增大。

（4）加热面的状况

加热面越粗糙，提供的汽化核心多，越有利于传热。新的、洁净的、粗糙的加热面，α 大；当壁面被油脂玷污后，会使 α 下降。此外，加热面的布置情况，对沸腾传热也有明显的影响。例如在水平管束外沸腾时，其上升气泡会覆盖上方管的一部分加热面，导致平均 α 下降。

对于沸腾传热，由于过程的复杂性，虽然提出的经验式很多，但不够完善，至今还未总结出普遍适用的公式。有相变时的 α 比无相变时的 α 大得多，热阻主要集中在无相变一侧流体，此时有相变一侧流体的 α 只需近似计算。

项目 2
工业换热器的选型

学习目标

- 了解总传热系数和对数平均温差的推导过程
- 理解列管式换热器的结构、特点和工艺计算方法
- 掌握热量衡算、总传热系数和对数平均温差的计算方法
- 掌握列管式换热器的设备选型原则和方法

任务一 传热计算

在实际生产中，需要冷热两种流体进行热交换，但不允许它们混合，为此需要采用间壁式的换热器。此时，冷、热两流体分别处在间壁两侧，两流体间的热交换包括了固体壁面的导热和流体与固体壁面间的对流传热。关于导热和对流传热在前面已介绍过，本节主要在此基础上进一步讨论间壁式换热器的传热计算。

一、热量衡算与热负荷的确定

1.热量衡算

在没有其他能量变化的情况下，根据能量守恒定律，单位时间内，换热器中热流体放出的热量（或称"热流体的传热量"）等于冷流体吸收的热量（或称"冷流体的传热量"）加上散失到环境中的热量（热量损失，简称"热损"），即

$$Q_h = Q_c + Q_L \tag{2-32}$$

式中 Q_h——热流体放出的热量，kW。

$\quad\quad Q_c$——冷流体吸收的热量，kW。

$\quad\quad Q_L$——热损，kW。

热量衡算用于确定加热剂或冷却剂的用量和一端的流体温度，因此在传热中具有重要地位。

2.热负荷的确定

要求换热器在单位时间内完成的传热量称为换热器的热负荷，取决于生产任务，是换热中的已知量。对于间壁式换热器，热负荷应取管内流体的传热量。

热负荷是由生产工艺条件决定的，是对换热器换热能力的要求；而传热速率是换热器本身在一定操作条件下的换热能力，是换热器本身的特性，二者是不相同的。

当换热器保温性能良好,热损失可以忽略不计时,式(2-32)可变为:

$$Q_h = Q_c \qquad\qquad (2-33)$$

此时,热负荷取 Q_h 或 Q_c 均可。

当换热器的热损失不能忽略时,必定有 $Q_h \neq Q_c$,此时,热负荷取 Q_h 还是 Q_c,需根据具体情况而定。

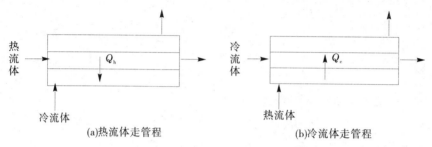

图 2-14　热负荷的确定

以套管换热器为例,当热流体走管程,冷流体走壳程时,从图 2-14(a)可以看出,经过传热面(间壁)传递的热量为热流体放出的热量,因此,热负荷应取 Q_h;当冷流体走管程,热流体走壳程时,从图 2-14(b)可以看出,经过传热面传递的热量为冷流体吸收的热量,因此,热负荷应取 Q_c。

总之,哪种流体走管程,就应取该流体的传热量作为换热器的热负荷。

3.传热量的计算

根据流体在换热过程中温度与相态的变化,可以采用不同的方法计算传热量。

如图 2-15 所示的换热过程,冷、热流体的进、出口温度分别为 t_1、t_2、T_1、T_2,冷、热流体的质量流量为 q_{mc}、q_{mh}。设换热器绝热良好,热损失可以忽略,则两流体流经换热器时,单位时间内热流体放出热等于冷流体吸收热。

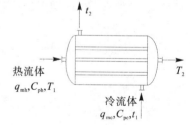

图 2-15　换热器的热量衡算

若流体在换热过程中没有相变化,且流体的比热容变化不大时,可列出的热量衡算式为:

$$Q = q_{mh}C_{ph}(T_1 - T_2) = q_{mc}C_{pc}(t_2 - t_1) \qquad (2-34)$$

或 $$Q = q_{mh}(H_1 - H_2) = q_{mc}(h_2 - h_1) \qquad (2-34a)$$

若换热器中流体发生相变化,应考虑相变化前后焓变的影响。若流体在换热过程中仅仅发生相变化(饱和蒸汽变为饱和液体或反之),而没有温度变化,其传热量可按下式计算:

$$Q_h = q_{mh}r_h \qquad\qquad (2-35)$$
$$Q_c = q_{mc}r_c \qquad\qquad (2-35a)$$

式中　r_h、r_c——热、冷流体的比汽化潜热,kJ/kg,从手册中查取。

若流体在换热过程中既有温度变化又有相态变化,则可把上述两种方法联合起来求其传热量。例如:饱和蒸汽冷凝后,冷凝液出口温度低于饱和温度(或称"冷凝温度")时,其传热量可按下式计算:

$$Q_h = q_{mh}[r_h + c_{ph}(T_s - T_2)] \qquad (2-36)$$

式中　T_s——冷凝液的饱和温度,K。

若热流体有相变化,如饱和蒸汽冷凝,而冷流体无相变化,如下式所示:

$$Q = q_{mh}[r + C_{ph}(T_s - T_2)] = q_{mc}C_{pc}(t_1 - t_2) \tag{2-37}$$

【例 2-6】 在套管换热器内用 0.16MPa 的饱和蒸汽加热空气,饱和蒸汽的消耗量为 10kg/h,冷凝后进一步冷却到 100℃,空气流量为 420kg/h,进、出口温度分别为 30℃ 和 80℃。蒸汽走壳程,空气走管程。试求:(1)热损失;(2)换热器的热负荷。

解:(1)求热损失

根据式(2-32),求热损失须先求出两流体的传热量:

①蒸汽的传热量

对于蒸汽,既有相变,又有温度变化,可用式(2-37)计算。

从附录查得 $p=0.16$MPa 的饱和蒸汽的有关参数:$T_s=113℃$,$r_h=2224.2$kJ/kg。

又已知:$T_2=100℃$,则水的平均温度 $T_m=(113+100)/2=106.5℃$

从附录查得此温度下水的比热容 $c_{ph}=4.23$kJ/(kg·K)。

由式(2-37)有:

$$\begin{aligned} Q_h &= q_{mh}[r_h + c_{ph}(T_s - T_2)] = (10/3600) \times [2224.2 + 4.23 \times (113-100)] \\ &= 6.33\text{kW} \end{aligned}$$

②空气的传热量

空气的进出口平均温度为 $t_m=(30+80)/2=55℃$,从附录中查得此温度下空气的比热容 $c_{pc}=1.005$kJ/(kg·K)。由式(2-34)有

$$Q_c = W_c c_{pc}(t_2 - t_1) = (420/3600) \times 1.005 \times (80-30) = 5.86\text{kW}$$

热损失
$$Q_L = Q_h - Q_c = 6.33 - 5.86 = 0.47\text{kW}$$

(2)求热负荷

因为空气走管程,所以换热器的热负荷应为空气的传热量,即

$$Q = Q_c = 5.86\text{kW}$$

二、总传热速率方程

换热器的热负荷通常是由工艺要求确定的,在一定的热负荷下,需要多大的传热面积才能完成任务呢? 经验表明,在定态传热情况下,换热器的热负荷即传热速率正比于传热面积和两流体间的温度差,并同样可表示为传热推动力和传热热阻之比。

$$Q = KA\Delta t_m = \frac{\Delta t_m}{1/KA} = \frac{总传热推动力}{总热阻} \tag{2-38}$$

式中　K——总传热系数,W/(m²·℃)或 W/(m²·K)。

Q——传热速率,W 或 J/s。

A——总传热面积,m²。

Δt_m——两流体的平均温差,℃ 或 K。

在列管式换热器中,两流体间的传热是通过管壁进行的,故管壁表面积可视作传热面积。

$$A = n\pi dl \tag{2-39}$$

式中　n——管数。

d——管径 m。

l——管长 m。

注意：管径 d 可根据情况选用管内径 d_i、管外径 d_o 或平均直径 $d_m\left(d_m=\dfrac{1}{2}(d_i+d_o)\right)$，则对应的传热面积分别为管内表面积 A_i、管外表面积 A_o 或平均表面积 A_m。对于一定的传热任务，若能由式(2-38)确定传热面积，即可在选定管子规格以后，确定管子的长度或根数，并进而完成换热器的工艺设计或选型工作。但是，要使用传热速率方程，必须首先了解传热系数和传热平均温度差的计算方法。

【例 2-7】　用饱和水蒸气将原料液由 100℃ 加热至 120℃。原料液流量为 100m³/h，密度为 1080kg/m³，比热容为 2.93kJ/(kg·℃)。已知总传热系数为 680W/m²·℃，传热平均温差为 23.3℃，饱和水蒸气的比汽化焓为 2168kJ/(kg)，试求蒸汽用量和所需的传热面积。

解：热负荷计算

$$Q = q_{mc}C_{pc}(t_2-t_1) = \frac{100\times1080}{3600}\times2.93\times10^3\times(120-100) = 1.76\times10^6\,\text{W}$$

$$q_{mh} = \frac{Q}{r_h} = \frac{1.76\times10^6}{2168\times10^3} = 0.812\,\text{kg/s}$$

由传热速率方程可得：

$$A = \frac{Q}{\Delta t_m K} = \frac{1.76\times10^6}{680\times23.3} = 111\,\text{m}^2$$

三、传热平均温差的计算

前已述及，在沿管长方向的不同部分，冷、热流体温度差不同，本节讨论如何计算其平均值 Δt_m，就冷、热流体的相互流动方向而言，可以有不同的流动形式，传热平均温差 Δt_m 的计算方法因流动形式而异。按照参与热交换的冷热流体在沿换热器传热面流动时，各点温度变化情况，可分为恒温差传热和变温差传热。

(一)恒温传热与变温传热

冷、热流体在定态的热交换过程中，温度变化情况可分为两类：

1. 恒温传热

两侧流体均发生相变，且温度不变，则冷热流体温差处处相等，不随换热器位置而变的情况。如间壁的一侧液体保持恒定的沸腾温度 t 下蒸发；而间壁的另一侧，饱和蒸汽在温度 T 下冷凝过程，此时传热面两侧的温度差保持均一不变，称为"恒温传热"。

$$\Delta t = T - t$$

2. 变温传热

变温传热是指传热温度随换热器位置而变的一种热交换。当间壁传热过程中一侧或两侧的流体沿着传热壁面在不同位置点的温度不同时，传热温差也必随换热器位置而变化，该过程可分为单侧变温和双侧变温两种情况。

(1)单侧变温

如用蒸汽加热一冷流体，蒸汽冷凝放出潜热，冷凝温度 T 不变，而冷流体的温度从 t_1 上升到 t_2。或者热流体温度从 T_1 下降到 T_2，放出显热去加热另一较低温度 t 下沸腾的液体，后者温度始终保持在沸点 t。

（2）双侧变温

此时平均温度差 Δt_m 与换热器内冷热流体流动方向有关，流向可分为并流、逆流、错流和折流四类，见图 2-16 所示。

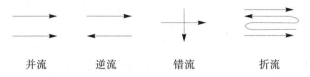

并流 　　逆流 　　错流 　　折流

图 2-16　换热器中流体流向示意图

在换热器中，若两流体的流动方向相同，称为"并流"；若两流体的流动方向相反，称为"逆流"；若两流体的流动方向垂直交叉，称为"错流"；若既有相同流向又有相反流向甚至还有交叉流向，则称为"折流"。图 2-17 为逆流和并流时冷热流体温度变化示意图。通常套管换热器中可实现完全的并流或逆流，列管换热器因结构不同可能呈现各种流动形式。

（二）平均温度差 Δt_m 的计算

在变温传热中，沿传热面的局部温度差（$T-t$）是变化的，在计算传热速率时必须用积分的方法求出整个传热面上的平均温度差 Δt_m。如图 2-17 所示的套管换热器中，由热量衡算和传热基本方程联立可推导得到并、逆流时的平均传热温度差计算式如下：

$$\Delta t_m = \frac{\Delta t_1 - \Delta t_2}{\ln \dfrac{\Delta t_1}{\Delta t_2}} \tag{2-40}$$

式中　Δt_m——对数平均温度差，K。

Δt_1、Δt_2——分别为换热器两端热、冷流体温度差，K。

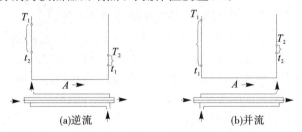

(a)逆流 　　　　　　　(b)并流

图 2-17　变温传热时的温度差变化

讨论：

（1）上式同时适用于逆流和并流操作。

（2）习惯上将较大温差记为 Δt_1，较小温差记为 Δt_2。

（3）当 $\Delta t_1/\Delta t_2 < 2$，则可用算术平均值代替 $\Delta t_m = (\Delta t_1 + \Delta t_2)/2$（误差<4%，工程计算可接受）。

（4）当 $\Delta t_1 = \Delta t_2$，$\Delta t_m = \Delta t_1 = \Delta t_2$；若 $\Delta t_1 = 0$ 或 $\Delta t_2 = 0$，Δt_m 都为零。

【例 2-8】　在套管换热器内，将热流体由 90℃冷却至 70℃，与此同时，冷流体温度由 20℃上升到 60℃。试计算：（1）两流体作逆流和并流时的平均温度差；（2）若操作条件下，换热器的热负荷为 585kW，其传热系数 K 为 300W/(m²·K)，两流体作逆流和并流时的所需的换热器的传热面积。

解:(1)平均传热推动力

逆流时　热流体温度 T　　　90℃ ⟶ 70℃　　 $\Delta t_1 = 50℃$

　　　　冷流体温度 t　　　60℃ ⟵ 20℃　　 $\Delta t_2 = 30℃$

所以　　 $\Delta t_m = \dfrac{\Delta t_1 - \Delta t_2}{\ln \dfrac{\Delta t_1}{\Delta t_2}} = \dfrac{50-30}{\ln \dfrac{50}{30}} = 39.2℃$

由于 $\Delta t_1 / \Delta t_2 = 50/30 < 2$,也可近似取算术平均值法,即:

$$\Delta t_{m逆} = \frac{50+30}{2} = 40$$

并流时　热流体温度 T　　　90℃ ⟶ 70℃　　 $\Delta t_1 = 50℃$

　　　　冷流体温度 t　　　20℃ ⟵ 60℃　　 $\Delta t_2 = 10℃$

所以　　 $\Delta t_{m并} = \dfrac{\Delta t_1 - \Delta t_2}{\ln \dfrac{\Delta t_1}{\Delta t_2}} = \dfrac{70-10}{\ln \dfrac{70}{10}} = 30.8℃$

(2)所需传热面积

逆流时　　 $A_逆 = \dfrac{Q}{K\Delta t_{m逆}} = \dfrac{585 \times 10^3}{300 \times 39.2} = 49.74 \ m^2$

并流时　　 $A_并 = \dfrac{Q}{K\Delta t_{m并}} = \dfrac{585 \times 10^3}{300 \times 30.8} = 63.31 \ m^2$

从此例可以看出,在进出口流体温度完全相同的情况下,并流形成的传热推动力小于逆流时的推动力,在同样换热任务下,逆流需要的换热面积比并流的小。

(三)错流和折流的平均温度差

在大多数的列管换热器中,两流体并非简单的逆流或并流,因为传热的好坏,除考虑温度差的大小外,还要考虑到影响传热系数的多种因素以及换热器的结构是否紧凑合理等。所以实际上两流体的流向,是比较复杂的多程流动,或是相互垂直的交叉流动。

对于这些情况,通常采用 Underwood 和 Bowan 提出的图算法(也可采用理论求解 Δt_m 的计算式,但形式太复杂)。

(1)先按逆流计算对数平均温差 $\Delta t_{m逆}$。

(2)求平均温差校正系数 φ。

$\varphi = f(P,R)$

$\left. \begin{array}{l} P = \dfrac{t_2 - t_1}{T_1 - t_1} = \dfrac{冷流体温升}{两流体最初温差} \\[3mm] R = \dfrac{T_1 - T_2}{t_2 - t_1} = \dfrac{热流体温降}{冷流体温升} \end{array} \right\}$ 查图 $\Rightarrow \varphi$

(3)求平均传热温差 $\Delta t_m = \varphi \Delta t_{m逆}$。

由于平均温差校正系数 φ 恒小于1,故折流时的平均温差总小于逆流。在设计时要注意使 φ 大于0.8,否则经济上不合理,也影响换热器操作的稳定性,因为此时若操作温度稍有变动(p 略增大),将会使 φ 值急剧下降。所以,当计算得出的 φ 小于0.8时,应改变流动方式后重新计算。

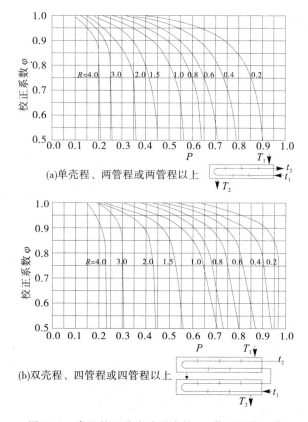

图 2-18 常见的两种流动形式的 Δt_m 修正系数 φ 值

【例 2-9】 现有单壳程、两管程列管换热器,若用其将热油从 $100℃$ 冷却至 $50℃$。假设冷却水走管程,进口温度为 $20℃$,出口温度为 $40℃$。试求换热器的平均传热推动力。

解:流体在换热器中的相对流向为折流,故先按逆流计算,即

逆流的平均传热温差

$$\Delta t_{m逆} = \frac{\Delta t_1 - \Delta t_2}{\ln \frac{\Delta t_1}{\Delta t_2}} = \frac{(100-40)-(50-20)}{\ln \frac{100-40}{50-20}} = 43.3℃$$

再按折流计算,因为

$$P = \frac{t_2 - t_1}{T_1 - t_1} = \frac{40-20}{100-20} = 0.25 \quad R = \frac{T_1 - T_2}{t_2 - t_1} = \frac{100-50}{40-20} = 2.5$$

由图 2-18(a)查得:$\varphi = 0.89$

所以

$$\Delta t_m = \varphi \Delta t_{m逆} = 0.89 \times 43.3 = 38.5℃$$

从提高传热推动力的角度看,应尽量采用逆流,因为在换热器的热负荷和传热系数一定时,若载热体的流量一定,可减小传热面积,从而节省设备投资费用;若传热面积一定,则可减小加热剂(或冷却剂)用量,从而降低操作费用。但由于一些特别的原因,其他流向仍在工业生产中使用,比如,当工艺要求被加热流体的终温不高于某一定值,或被冷却流体的终温不低于某一定值时,常采用并流,因为并流能限制出口温度;加热黏度较大的冷流体也常采用并流,因并流时进口端温差较大,冷流体进入换热器后温度可迅速提高,黏度降低,有利于提高传热效果。错流或折流虽然平均温差比逆流低,但可以有效地降低传热热阻,而降低热

阻往往比提高传热推动力更为有利,此外,错流折流还便于加工和检修,所以工程上错流或折流仍然是多见的。

【例 2-10】 在一传热面积 A 为 $50m^2$ 的列管换热器中,用冷却水将热油从 $110℃$ 冷却至 $80℃$,热油放出的热量为 $400kW$,冷却水的进、出口温度分别为 $30℃$ 和 $50℃$。忽略热损失。(1)计算并流操作时冷却水用量和平均传热温度差;(2)如果采用逆流,仍然维持油的流量和进、出口温度不变,冷却水进口温度不变,试求冷却水的用量和出口温度。(假设两种情况下换热器的传热系数 K 不变)

解:(1)并流操作   从附录中查得 $(30+50)/2=40℃$ 下,水的比热容为 $4.174kJ/(kg \cdot K)$,则冷却水用量为:

$$q_{mc} = \frac{Q}{c_{pc}(t_2 - t_1)} = \frac{400 \times 3600}{4.174 \times (50-30)} = 1.725 \times 10^4 \text{ kg/h}$$

平均传热温度差为:

$$\Delta t_m = \frac{\Delta t_1 - \Delta t_2}{\ln \frac{\Delta t_1}{\Delta t_2}} = \frac{(110-30)-(80-50)}{\ln \frac{110-30}{80-50}} = 51℃$$

(2)逆流操作   根据题意,换热器的传热面积 A、传热系数 K 及热负荷 Q 均与并流时相同,由式(2-38)得知其平均传热温度差也和并流时相同,故有

$$\Delta t_m = 51℃$$

假设此时 $\Delta t_1 / \Delta t_2 \leqslant 2$,则可用算术平均值,即:

$$\Delta t_m = \frac{(110-t_2)+(80-30)}{2} = 51℃$$

解得: $t_2 = 58℃$

此时,$\Delta t_1 = 110-58 = 52℃$,$\Delta t_2 = 80-30 = 50℃$,$\Delta t_1 / \Delta t_2 = 52/50 < 2$,假设正确。因此,冷却水的出口温度 $t_2 = 58℃$。

从附录查得 $(30+58)/2 = 44℃$ 时,水的比热容为 $4.174kJ/(kg \cdot K)$,则逆流时冷却水用量为:

$$q_m = \frac{Q}{C_p(t_2 - t_1)} = \frac{400 \times 3600}{4.174 \times (58-30)} = 1.232 \times 10^4 \text{ kg/h}$$

可见,对于两侧流体温度均发生变化的变温传热,采用逆流换热有可能比采用并流换热节约载热体的用量。必须指出,节约载热体的用量是以牺牲传热推动力为代价的,应综合分析作出选择。

四、总传热系数

传热系数 K 的物理意义是:当传热平均温度差为 $1℃$ 时,在单位时间内通过单位传热面积所传递的热量。K 值是衡量换热器工作效率的重要参数。因此,了解传热系数的影响因素,合理确定 K 值,是传热计算中的一个重要问题。

(一)计算传热系数的基本公式

间壁两侧流体的热交换过程包括如下三个串联的传热过程。流体在换热器中沿管长方

向的温度分布如图 2-19 所示,现截取一段微元来进行研究,其传热面积为 dA,微元壁内、外流体温度分别为 T、t(平均温度),则单位时间通过 dA 冷、热流体交换的热量 dQ 应正比于壁面两侧流体的温差,即

$$dQ = KdA(T - t)$$

前已述及,两流体的热交换过程由三个串联的传热过程组成:

图 2-19　换热器微元面积选取

管外对流:　$dQ_1 = \alpha_o dA_o (T - T_w)$

管壁热传导:$dQ_2 = \dfrac{\lambda}{\delta} dA_m (T_w - t_w)$

管内对流:　$dQ_3 = \alpha_i dA_i (t_w - t)$

对于稳定传热:$dQ = dQ_1 = dQ_2 = dQ_3$

$$dQ = \frac{T - T_w}{\dfrac{1}{\alpha_o dA_o}} = \frac{T_w - t_w}{\dfrac{\delta}{\lambda dA_m}} = \frac{t_w - t}{\dfrac{1}{\alpha_i dA_i}} = \frac{T - t}{\dfrac{1}{\alpha_i dA_i} + \dfrac{\delta}{\lambda dA_m} + \dfrac{1}{\alpha_o dA_o}}$$

与 $dQ = KdA(T - t)$,即 $dQ = \dfrac{T - t}{\dfrac{1}{KdA}}$ 对比,得:

$$\frac{1}{KdA} = \frac{1}{\alpha_i dA_i} + \frac{\delta}{\lambda dA_m} + \frac{1}{\alpha_o dA_o} \tag{2-41}$$

式中　K——总传热系数,$w/m^2 \cdot K$。

讨论:(1)当传热面为平面时,$dA = dA_i = dA_o = dA_m$,则:

$$\frac{1}{K} = \frac{1}{\alpha_i} + \frac{\delta}{\lambda} + \frac{1}{\alpha_o} \tag{2-41a}$$

(2)当传热面为圆筒壁时,两侧的传热面积不等,如以外表面为基准(在换热器系列化标准中常如此规定),即取上式中 $dA = dA_o$,则:

$$\frac{1}{K_o} = \frac{1}{\alpha_o} + \frac{\delta}{\lambda} \frac{dA_o}{dA_m} + \frac{1}{\alpha_i} \frac{dA_o}{dA_i} \tag{2-41b}$$

或

$$\frac{1}{K_o} = \frac{1}{\alpha_o} + \frac{\delta}{\lambda} \frac{d_o}{d_m} + \frac{1}{\alpha_i} \frac{d_o}{d_i} \tag{2-41c}$$

式中　K_o——以换热管的外表面为基准的总传热系数。

d_m——换热管的对数平均直径,$d_m = (d_o - d_i)/\ln \dfrac{d_o}{d_i} = \dfrac{d_o + d_i}{2}$。

以内表面为基准:$\dfrac{1}{K_i} = \dfrac{1}{\alpha_o} \dfrac{d_i}{d_o} + \dfrac{\delta}{\lambda} \dfrac{d_i}{d_m} + \dfrac{1}{\alpha_i}$ 　　　　(2-41d)

在传热计算中,用内表面积或外表面积作为传热面积计算结果相同。但工程上习惯以管外表面积作为传热面积,故以下的传热系数 K 都是相对应于管外表面积的。

从上述推导过程看,这里的 K 是对应于 dA 的局部传热系数。严格地讲,在换热器中,流体的温度不断地沿传热面积而变(流体有相变时除外),因此,流体的物性、对流给热系数及传热系数都会有所变化。但是,工程计算中所使用的对流给热系数是按系统定性温度所确定的物性参数计算得到的,可视为常数,因而用式(2-41)求得的 K 值也可作为全部传热

面积上的平均值而视为常数。

(二)污垢热阻

换热器使用一段时间后,传热速率 Q 会下降,这往往是由于传热表面有污垢积存的缘故,污垢的存在增加了传热热阻。虽然污垢不厚,但由于其导热系数小,热阻大,在计算 K 值时不可忽略。

若管内、外侧流体的污垢热阻用 R_{si}、R_{so} 表示,按串联热阻的概念,传热系数 K 可由下式计算:

$$\frac{1}{K} = \frac{1}{\alpha_o} + R_{so} + \frac{\delta}{\lambda}\frac{d_o}{d_m} + R_{si}\frac{d_o}{d_i} + \frac{1}{\alpha_i}\frac{d_o}{d_i} \tag{2-42}$$

为消除污垢热阻的影响,应定期清洗换热器。

由于污垢的厚度及导热系数难以准确估计,因此通常选用经验值,表 2-4 列出了一些常见换热情况下的污垢热阻的经验值,供使用时查取。

表 2-4　常见流体的污垢热阻 R_s

流体	$R_s/[(m^2 \cdot K)/kW]$	流体	$R_s/[(m^2 \cdot K)/kW]$
水(>50℃)	—	水蒸气	—
蒸馏水	0.09	优质不含油	0.052
海水	0.09	劣质不含油	0.09
清净的河水	0.21	液体	—
未处理的凉水塔用水	0.58	盐水	0.172
已处理的凉水塔用水	0.26	有机物	0.172
已处理的锅炉用水	0.26	熔盐	0.086
硬水、井水	0.58	植物油	0.52
气体	—	燃料油	0.172~0.52
空气	0.26~0.53	重油	0.86
溶剂蒸汽	0.172	焦油	1.72

(三)几点讨论

(1)若传热壁面为平壁或薄管壁时,A_i、A_o、A_m 相等或近似相等,则式(2-42)可简化为:

$$\frac{1}{K} = \frac{1}{\alpha_i} + R_{si} + \frac{\delta}{\lambda} + R_{so} + \frac{1}{\alpha_o} \tag{2-42a}$$

当使用金属薄壁管时,管壁热阻可忽略;若为清洁流体,污垢热阻也可忽略。此时

$$\frac{1}{K} \approx \frac{1}{\alpha_i} + \frac{1}{\alpha_o} \tag{2-42b}$$

式(2-42b)说明传热系数 K 必小于任一侧流体的对流给热系数。

(2)在实际生产中,流体的进出口温度往往受到工艺要求的制约,因此,提高 K 值是强化传热的重要途径之一。欲提高 K 值,必须设法减小起决定作用的热阻。

若 $\alpha_i \gg \alpha_o$,则 $1/K \approx 1/\alpha_o$,此时,欲提高 K 值,关键在于提高管外侧的对流传热系数;若 $\alpha_o \gg \alpha_i$,则 $1/K \approx 1/\alpha_i$,此时,欲提高 K 值,关键在于提高管内侧的对流传热系数。总之,当两个 α 相差很大时,欲提高 K 值,应该采取措施提高 α 小的那一侧的对流传热系数。

若 α_i 与 α_o 较为接近,改变两侧的对流传热系数,对提高 K 值均是有效的。

(3) K 值除上述计算方法外,还可选用生产实际的经验数据或直接测定。

表 2-5　列管换热器中 K 值的大致范围

热流体	冷流体	传热系数 $K/[W/(m^2 \cdot K)]$
水	水	850～1700
轻油	水	340～910
重油	水	60～280
气体	水	17～280
水蒸气冷凝	水	1420～4250
水蒸气冷凝	气体	30～300
低沸点烃类蒸汽冷凝(常压)	水	455～1140
高沸点烃类蒸汽冷凝(减压)	水	60～170
水蒸气冷凝	水沸腾	2000～4250
水蒸气冷凝	轻油沸腾	455～1020
水蒸气冷凝	重油沸腾	140～425

表 2-5 列出了列管换热器对于不同流体在不同情况下的传热系数的大致范围,可供参考选择。选取工艺条件相仿、设备类似而又比较成熟的经验数据,在换热器设计计算中是常见的。

【例 2-11】　列管换热器的换热管为 $\phi25\times2mm$ 无缝钢管($\lambda=46.5W/(m \cdot K)$),水从列管内经过,$\alpha_i=400W/(m^2 \cdot K)$,饱和水蒸气在管外冷凝,$\alpha_o=10000W/(m^2 \cdot K)$,由于换热器刚投入使用,污垢热阻可以忽略。试计算:(1)传热系数 K 及各分热阻所占总热阻的比例;(2)将 α_i 提高 1 倍(其他条件不变)后的 K 值;(3)将 α_o 提高 1 倍(其他条件不变)后的 K 值。

解:(1)由于壁面较薄,可忽略管壁内外表面积的差异。根据题意:$R_{si}=R_{so}=0$,由式(2-41a)得:

$$K=\cfrac{1}{\cfrac{1}{\alpha_i}+\cfrac{\delta}{\lambda}+\cfrac{1}{\alpha_o}}=\cfrac{1}{\cfrac{1}{400}+\cfrac{0.002}{46.5}+\cfrac{1}{10000}}=378.4W/(m^2 \cdot K)$$

各分热阻及所占比例的计算直观而简单,故省略计算过程,直接将计算结果列于下表。

热阻名称	热阻值 $\times 10^3/[(m^2 \cdot K)/W]$	比例/(%)
总热阻 $1/K$	2.64	100
管内对流热阻 $1/\alpha_i$	2.5	94.7
管外对流热阻 $1/\alpha_o$	0.1	3.8
壁面导热热阻 δ/λ	0.04	1.5

管内对流热阻占主导地位,因此,提高 K 值的有效途径应该是减小管内对流热阻,即设法提高 α_i 值。

(2)将 α_i 提高 1 倍(其他条件不变),即 $\alpha_i'=800W/(m^2 \cdot K)$

$$K'=\cfrac{1}{\cfrac{1}{800}+\cfrac{0.002}{46.5}+\cfrac{1}{10000}}=717.9W/(m^2.K)$$

增幅为：　　　　　　　$\dfrac{717.9-378.4}{378.4}\times 100\%=89.7\%$

（3）将 α_o 提高 1 倍（其他条件不变），即 $\alpha_o'=20000\text{W}/(\text{m}^2 \cdot \text{K})$

$$K''=\dfrac{1}{\dfrac{1}{400}+\dfrac{0.002}{46.5}+\dfrac{1}{20000}}=385.7\text{W}/(\text{m}^2.\text{K})$$

增幅为：　　　　　　　$\dfrac{385.7-378.4}{378.4}\times 100\%=1.9\%$

显然，提高较小对流传热系数才是更有效的强化传热的手段。

【例 2-12】 例 2-11 中，当换热器使用一段时间后，形成了垢层，试计算此时的传热系数 K 值。

解：根据表 2-4 所列数据，取水的污垢热阻 $R_{si}=0.58(\text{m}^2 \cdot \text{K})/\text{kW}$，水蒸气的 $R_{so}=0.09(\text{m}^2 \cdot \text{K})/\text{kW}$。则由式（2-42a）有

$$K'''=\dfrac{1}{\dfrac{1}{\alpha_i}+R_{si}+\dfrac{\delta}{\lambda}+R_{so}+\dfrac{1}{\alpha_o}}$$

$$=\dfrac{1}{\dfrac{1}{400}+0.00058+\dfrac{0.002}{46.5}+0.00009+\dfrac{1}{10000}}$$

$$=301.8\text{W}/(\text{m}^2 \cdot \text{K})$$

由于污垢热阻的产生，使传热系数下降了

$$\dfrac{K-K'''}{K}\times 100\%=\dfrac{378.4-301.8}{378.4}\times 100\%=20.2\%$$

本例说明，垢层的存在，大大降低了传热速率。因此在实际生产中，应该尽量减缓垢层的形成并及时清除污垢。

五、传热计算示例与分析

（一）换热器的设计型计算

在模块一中我们学过，管路计算包括设计型和操作型两类，同样换热器计算也包括设计型和操作型两类。

1.设计型计算的命题方式

设计任务：将一定流量 q_{mh} 的热流体自给定温度 T_1 冷却至指定温度 T_2；或将一定流量 q_{mc} 的冷流体自给定温度 t_1 加热至指定温度 t_2。

设计条件：可供使用的冷却介质即冷流体的进口温度 t_1；或可供使用的加热介质即热流体的进口温度 T_1。

计算目的：确定经济上合理的传热面积及换热器其他有关尺寸。

2.设计型问题的计算方法

设计计算的大致步骤如下：

①首先由传热任务用热量衡算式计算换热器的热负荷 Q。

②作出适当的选择并计算平均推动力 Δt_m。

③计算冷、热流体与管壁的对流传热系数 α_o、α_i 及总传热系数 K。

④由总传热速率方程计算传热面积 A 或管长 l。

3.设计型计算中参数的选择

由总传热速率方程式 $Q=KA\Delta t_m$ 可知,为确定所需的传热面积,必须知道平均推动力 Δt_m 和总传热系数 K。

为计算对数平均温差,设计者首先要选择以下两项:①选择流体的流向,即决定采用逆流、并流还是其他复杂流动方式;②选择冷却介质的出口温度 t_2 或加热介质的出口温度 T_2。

为求得传热系数 K,须计算两侧的给热系数 α,故设计者必须决定:①冷、热流体各走管内还是管外;②选择适当的流速。

同时,还必须选定适当的污垢热阻。

由上所述,设计型计算必涉及设计参数的选择。各种选择决定之后,所需的传热面积及管长等换热器尺寸就不难确定了。不同的选择有不同的计算结果,设计者必须作出恰当的选择才能得到经济上合理、技术上可行的设计,或者通过多方案计算,从中选出最优方案。近年来,利用计算机进行换热器优化设计日益得到广泛的应用。本节后面的例题仅讨论根据题给条件即可进行设计计算,不涉及设计参数的选择问题。

4.设计型计算的例题

【例 2-13】 有一套管换热器,由 $\phi57\times3.5mm$ 与 $\phi89\times4.5mm$ 的钢管组成。甲醇在内管流动,流量为 5000kg/h,由 60℃冷却到 30℃,甲醇侧的对流传热系数 $\alpha_i=1512W/(m^2\cdot K)$。冷却水在环隙中流动,其入口温度为 20℃,出口温度拟定为 35℃。忽略热损失、管壁及污垢热阻,且已知甲醇的平均比热为 2.6kJ/(kg・℃),在定性温度下水的黏度为 0.84cP,导热系数为 0.61 W/(m²・℃)、比热为 4.174kJ/(kg・℃)。试求:(1)冷却水的用量;(2)所需套管长度;(3)若将套管换热器的内管改为 $\phi48\times3mm$ 的钢管,其他条件不变,求此时所需的套管长度。

解:(1)冷却水的用量 q_{mc} 可由热量衡算式求得,由题给的 c_{pc} 与 c_{ph} 单位相同,不必换算,q_{mh} 的单位必须由 kg/h 换算成 kg/s,故有:

$$q_{mc}=\frac{q_{mh}C_{ph}(T_1-T_2)}{C_{pc}(t_2-t_1)}=\frac{(5000/3600)\times2.6\times(60-30)}{4.174\times(35-20)}=1.73kg/s$$

(2)题目没有指明用什么面积为基准,在这种情况下均当作是以传热管的外表面积为基准(以后的例题都按这个约定,不另行说明),对套管换热器而言就是以内管外表面积为基准,

即

$$A=\pi d_o l$$

$$Q=q_{mh}(T_1-T_2)=K\pi d_o l\Delta t_m$$

解得:

$$l=\frac{Q}{K\pi d_o\Delta t_m}=\frac{q_{mh}C_{ph}(T_1-T_2)}{K\pi d_o\Delta t_m}$$

建议读者分别先求出 Q、K、Δt_m 的值后再代入上式求 l 不易错。Q 的 SI 制单位为 W,必须将 q_{mh} 的单位化为 kg/s、c_{ph} 的单位化为 J/(kg・℃)再求 Q,即

$$Q=q_{mh}C_{ph}(T_1-T_2)=\frac{5000}{3600}\times2.6\times10^3\times(60-30)=1.083\times10^5W$$

求 Δt_m 必须先确定是逆流还是并流,题目没有明确说明流向,但由已知条件可知 $t_2=35℃>T_2=30℃$,只有逆流才可能出现这种情况,故可断定本题必为逆流,于是

$$\Delta t_{\mathrm{m}} = \frac{(T_1 - t_2) - (T_2 - t_1)}{\ln \dfrac{T_1 - t_2}{T_2 - t_1}} = \frac{(60-35) - (30-20)}{\ln \dfrac{60-35}{30-20}} = 16.4 \, \text{℃}$$

由于管壁及污垢热阻可略去,以传热管外表面积为基准的 K 为

$$K = \left(\frac{1}{\alpha_{\mathrm{o}}} + \frac{1}{\alpha_{\mathrm{i}}} \frac{d_{\mathrm{o}}}{d_{\mathrm{i}}} \right)^{-1}$$

式中甲醇在内管侧的 α_{i} 已知,冷却水在环隙侧的 α_{o} 未知。求 α_{o} 必须先求冷却水在环隙流动的 Re,求 Re 要先求冷却水的流速 u。

环隙当量直径 $d_{\mathrm{e}} = D - d_{\mathrm{o}} = (0.089 - 2 \times 0.0045) - 0.057 = 0.023 \, \text{m}$

冷却水在环隙的流速

$$u = \frac{q_{\mathrm{v}}}{0.785(D^2 - d_{\mathrm{o}}^2)} = \frac{q_{\mathrm{mc}}/\rho_{\mathrm{H_2O}}}{0.785 \times (0.08^2 - 0.057^2)} = 0.699 \, \text{m/s}$$

$$\mathrm{Re} = \frac{d_{\mathrm{e}} u \rho}{\mu} = \frac{0.023 \times 0.699 \times 1000}{0.84 \times 10^{-3}} = 1.91 \times 10^4 > 10^4 \text{ 为湍流}$$

$$\mathrm{Pr} = \frac{c_{\mathrm{P}} \mu}{\lambda} = \frac{4.187 \times 10^3 \times 0.84 \times 10^{-3}}{0.61} = 5.77$$

注意:求 Re 及 Pr 时必须将 μ、c_{p}、λ 等物性数据化为 SI 制方可代入运算,提醒读者在解题时要特别注意物理量的单位问题。则冷却水在环隙流动的对流传热系数 α_{o} 为

$$\alpha_{\mathrm{o}} = 0.023 \frac{\lambda}{d_{\mathrm{e}}} R_{\mathrm{e}}^{0.8} P_{\mathrm{r}}^{0.4} = 0.023 \times \frac{0.61}{0.023} \times (1.91 \times 10^4)^{0.8} \times 5.77^{0.4} = 3271 \, \text{W/(m}^2 \cdot \text{℃)}$$

$$K = \left(\frac{1}{\alpha_{\mathrm{o}}} + \frac{1}{\alpha_{\mathrm{i}}} \frac{d_{\mathrm{o}}}{d_{\mathrm{i}}} \right)^{-1} = \left(\frac{1}{3271} + \frac{1}{1512} \times \frac{57}{50} \right)^{-1} = 944 \, \text{W/(m}^2 \cdot \text{℃)}$$

$$l = \frac{Q}{K \pi d_{\mathrm{o}} \Delta t_{\mathrm{m}}} = \frac{1.083 \times 10^5}{944 \times 3.14 \times 0.057 \times 16.4} = 39.1 \, \text{m}$$

一般将多段套管换热器串联安装,使管长为 39.1m 或略长一点,以满足传热要求。

(3)当内管改为 $\phi 48 \times 3 \text{mm}$ 后,管内及环隙的流通截面积均发生变化,引起 α_{o}、α_{i} 均发生变化。应设法先求出变化后的 α 及 K 值,然后再求 l。

对管内的流体甲醇,根据

$$\mathrm{Re} = \frac{d_{\mathrm{i}} u \rho}{\mu} = \frac{d_{\mathrm{i}} \rho}{\mu} \times \frac{q_{\mathrm{vh}}}{0.785 d_{\mathrm{i}}^2} \propto \frac{1}{d_{\mathrm{i}}}$$

可知内管改小后,d_{i} 减小,其他条件不变则 Re 增大,原来甲醇为湍流,现在肯定仍为湍流,由

$$\alpha_{\mathrm{i}} = 0.023 \frac{\lambda}{d_{\mathrm{i}}} \mathrm{Re}^{0.8} \mathrm{Pr}^{0.3} \propto \frac{1}{d_{\mathrm{i}}^{1.8}}$$

得 $$\frac{\alpha_{\mathrm{i}}'}{\alpha_{\mathrm{i}}} = \left(\frac{d_{\mathrm{i}}}{d_{\mathrm{i}}'} \right)^{1.8} = \left(\frac{50}{42} \right)^{1.8} = 1.369$$

所以 $$\alpha_{\mathrm{i}}' = 1.369 \alpha_{\mathrm{i}} = 1.369 \times 1512 = 2070 \, \text{W/(m}^2 \cdot \text{℃)}$$

对环隙的流体冷却水,根据 $d_{\mathrm{e}} = D - d_{\mathrm{o}}$ 及 $u = \dfrac{q_{\mathrm{vo}}}{0.785(D^2 - d_{\mathrm{o}}^2)}$,有:

$$\mathrm{Re_o} = \frac{d_{\mathrm{e}} u \rho}{\mu} \propto \frac{D - d_{\mathrm{o}}}{D^2 - d_{\mathrm{o}}^2} \propto \frac{1}{D + d_{\mathrm{o}}}$$

从上式可知,d_{o} 减小其他条件不变将使环隙 $\mathrm{Re_o}$ 增大,原来冷却水为湍流,现在肯定仍为

湍流,由

$$\alpha_i = 0.023 \frac{\lambda}{d_e} Re^{0.8} Pr^{0.4}$$

$$\frac{\alpha_o'}{\alpha} = \frac{d_e}{d_e'} \times \left(\frac{D+d_o}{D+d_o'}\right)^{0.8} = \frac{D-d_o}{D-d_o'} \times \left(\frac{D+d_o}{D+d_o'}\right)^{0.8} = \frac{80-57}{80-48} \times \left(\frac{80+57}{80+48}\right)^{0.8} = 0.759$$

所以　　　　　$\alpha_o' = 0.759\alpha_o = 0.759 \times 3271 = 2483 W/(m^2 \cdot ℃)$

$$K' = \left(\frac{1}{\alpha_o'} + \frac{1}{\alpha_i'}\frac{d_o'}{d_i'}\right)^{-1} = \left(\frac{1}{2483} + \frac{1}{2070} \times \frac{48}{42}\right)^{-1} = 1047 W/(m^2 \cdot ℃)$$

$$l' = \frac{Q}{K'\pi d_o' \Delta t_m} = \frac{1.083 \times 10^5}{1047 \times 3.14 \times 0.048 \times 16.4} = 41.8 m$$

【例 2-14】　将流量为 2200kg/h 的空气在列管式预热器内从 20℃ 加热到 80℃。空气在管内作湍流流动,116℃ 的饱和蒸汽在管外冷凝。现因工况变动需将空气的流量增加 20%,而空气的进、出口温度不变。问采用什么方法(可以重新设计一台换热器,也可仍在原预热器中操作)能够完成新的生产任务?请作出定量计算(设管壁及污垢的热阻可略去不计)。

分析:空气流量 q_{mc} 增加 20% 而其进、出口温度不变,根据热量衡算式 $Q = q_{mc}c_{pc}(t_2 - t_1)$ 可知 Q 增加 20%。由总传热速率方程 $Q = KA\Delta t_m$ 可知增大 K、A、Δt_m 均可增大 Q 完成新的传热任务。而管径 d、管数 n 的改变均可影响 K 和 A,管长 l 的改变会影响 A,加热蒸汽饱和温度的改变会影响 Δt_m。故解题时先设法找出 d、n、l 及 Δt_m 对 Q 影响的关系式。

解:本题为一侧饱和蒸汽冷凝加热另一侧冷流体的传热问题。蒸汽走传热管外侧其 α_o 的数量级为 10^4 左右,而空气(走管内)的 α_i 数量级仅 10^1,因而有 $\alpha_o \gg \alpha_i$。以后碰到饱和蒸汽冷凝加热气体的情况,均要懂得利用 $\alpha_o \gg \alpha_i$ 这一结论。

原工况:$Q = W_c c_{pc}(t_2 - t_1)$　　　(Q 不必求出)

$$\Delta t_m = \frac{t_2 - t_1}{\ln\dfrac{T_s - t_1}{T_s - t_2}} = \frac{80-20}{\ln\dfrac{116-20}{116-80}} = 61.2℃$$

因为管壁及污垢的热阻可略去,并根据 $\alpha_o \gg \alpha_i$,有

$$K = \left(\frac{1}{\alpha_o} + \frac{1}{\alpha_i}\frac{d_o}{d_i}\right)^{-1} \approx \alpha_i \frac{d_i}{d_o}$$

$$Q = KA\Delta t_m \approx \alpha_i \frac{d_i}{d_o} n\pi d_o l \Delta t_m = \alpha_i \pi d_i l \Delta t_m \qquad (例 2-14-1)$$

由于空气在管内作湍流流动,故有

$$\alpha_i = 0.023 \frac{\lambda}{d_i} Re^{0.8} Pr^{0.4}$$

$$Re = \frac{d_i u\rho}{\mu} = \frac{d_i}{\mu} \times \frac{q_{mc}}{0.785 d_i^2 n} = \frac{q_{mc}}{0.785 d_i n\mu}$$

所以　　　　$\alpha_i = 0.023 \frac{\lambda}{d_i} \times \left(\frac{q_{mc}}{0.785 d_i n\mu}\right)^{0.8} Pr^{0.4} = \frac{C}{n^{0.8} d_i^{1.8}}$

式中 C 在题给条件下为常数,将上式代入式例(2-14-1)得

$$Q = \frac{C}{n^{0.8}d_i^{1.8}} n\pi d_i l \Delta t_m = c\pi \frac{n^{0.2} l \Delta t_m}{d_i^{0.8}}$$

新工况:

$$Q' = q'_{mc} C_{pc}(t_2 - t_1) = 1.2 q_{mc} C_{pc}(t_2 - t_1) = 1.2Q \qquad \text{(例 2-14-2)}$$

$$\alpha'_i = 0.023 \frac{\lambda}{d'_i} \times \left(\frac{1.2 m_{s2}}{0.785 d'_i n' \mu} \right)^{0.8} P_r^{0.4} = \frac{1.2^{0.8} C}{n'^{0.8} d'^{1.8}_i}$$

$$Q' = \alpha'_i n' \pi d'_i l' \Delta t'_m = \frac{1.2^{0.8} C}{n'^{0.8} d'^{1.8}_i} n' \pi d'_i l' \Delta t'_m = 1.2^{0.8} C\pi \frac{n'^{0.2} l' \Delta t'_m}{d'^{1.8}_i} \qquad \text{(例 2-14-3)}$$

式例(2-14-3)÷式(例 2-14-1)并利用式(例 2-14-2)的结果可得

$$\frac{Q'}{Q} = 1.2^{0.8} \times \left(\frac{n'}{n} \right)^{0.2} \times \frac{l}{l} \times \left(\frac{d_i}{d'_i} \right)^{0.8} \times \frac{\Delta t'_m}{\Delta t_m} = 1.2 \qquad \text{(例 2-14-4)}$$

根据式(例 2-14-4),分以下几种情况计算

1.重新设计一台预热器。

(1)管数 n、管长 l、Δt_m 不变,改变管径 d。由式(例 2-14-4)得

$$\frac{Q'}{Q} = 1.2^{0.8} \times \left(\frac{d_i}{d'_i} \right)^{0.8} = 1.2$$

解得 $d'_i = 0.955 d_i$

即可采用缩小管径 4.5% 的方法完成新的传热任务。

(2)管径 d、管长 l、Δt_m 不变,改变管数 n。由式(例 2-14-4)得

$$\frac{Q'}{Q} = 1.2^{0.8} \times \left(\frac{n'}{n} \right)^{0.2} = 1.2$$

解得 $n' = 1.2n$

即可采用增加管数 20% 的方法完成新的传热任务。

(3)管数 n、管径 d、Δt_m 不变,改变管长 l。由式(例 2-14-4)得

$$\frac{Q'}{Q} = 1.2^{0.8} \times \frac{l'}{l} = 1.2$$

解得 $l' = 1.037l$

即可采用增加管长 3.7% 的方法完成新的传热任务。

2.仍在原换热器中操作。此时 n、d、l 均不变,只能改变饱和蒸汽温度 T_S 即改变 Δt_m。由式(例 2-14-4)得

$$\frac{Q'}{Q} = 1.2^{0.8} \times \frac{\Delta t'_m}{\Delta t_m} = 1.2$$

解之,并将前面得出原工况 $\Delta t_m = 61.2℃$ 代入,有

$$\Delta t'_m = 1.037 \Delta t_m = 1.037 \times 61.2 = 63.5 ℃$$

即

$$\frac{t_2 - t_1}{\ln \dfrac{T'_s - t_1}{T'_s - t_2}} = \frac{80 - 20}{\ln \dfrac{T'_s - 20}{T'_s - 80}} = 63.5$$

$$\frac{T'_s - 20}{T'_s - 80} = \exp(60/63.5) = 2.573$$

$$T'_s = \frac{80 \times 2.573 - 20}{2.573 - 1} = 118.1 ℃$$

即把饱和蒸汽温度升至 118.1℃,相当于用压强为 200kPa 的饱和蒸汽加热即可完成新的传热任务。

(二)换热器的操作型计算

在实际工作中,换热器的操作型计算问题是经常碰到的。例如,判断一个现有换热器对指定的生产任务是否适用,或者预测某些参数的变化对换热器传热能力的影响等都属于操作型问题。

1.操作型计算的命题方式

(1)第一类命题

给定条件:换热器的传热面积以及有关尺寸,冷、热流体的物理性质,冷、热流体的流量和进口温度以及流体的流动方式。

计算目的:求某些参数改变后冷、热流体的出口温度及换热器的传热能力。

(2)第二类命题

给定条件:换热器的传热面积以及有关尺寸,冷、热流体的物理性质,热流体(或冷流体)的流量和进、出口温度,冷流体(或热流体)的进口温度以及流动方式。

计算目的:求某些参数改变后所需冷流体(或热流体)的流量及出口温度。

(3)换热器校核计算

给定条件:换热器的传热面积及有关尺寸,传热任务。

计算目的:判断现有换热器对指定的传热任务是否适用。

2.操作型问题的计算方法

在换热器内所传递的热流量,可由总传热速率方程式计算。同时还应满足热量衡算式,即(对逆流)

$$Q = W_{h}c_{ph}(T_1 - T_2) = KA\,\frac{(T_1 - t_2) - (T_2 - t_1)}{\ln\dfrac{T_1 - t_2}{T_2 - t_1}}$$

$$Q = W_{h}c_{ph}(T_1 - T_2) = W_{c}c_{pc}(t_2 - t_1) \Rightarrow t_2 - t_1 = \frac{W_{h}c_{ph}}{W_{c}c_{pc}}(T_1 - T_2)$$

联立以上两式,可得

$$\ln\frac{T_1 - t_2}{T_2 - t_1} = \frac{KA}{W_{h}c_{ph}}\left(1 - \frac{W_{h}c_{ph}}{W_{c}c_{pc}}\right)$$

3.换热器的校核计算

换热器的校核计算问题是操作型问题中最简单的一种,后面将通过例题说明。

4.传热过程的调节

传热过程的调节问题本质上也是操作型问题的求解过程,下面以热流体的冷却为例加以说明。

在换热器中,若热流体的流量 m_{s1} 或进口温度 T_1 发生变化,而要求其出口温度 T_2 保持原来数值不变,可通过调节冷却介质流量来达到目的。但是,这种调节作用不能单纯地从热量衡算的观点理解为冷流体的流量大带走的热量多,流量小带走的热量少。根据传热基本方程式,正确的理解是,冷却介质流量的调节,改变了换热器内传热过程的速率。传热速率的改变,可能来自 Δt_{m} 的变化,也可能来自 K 的变化,而多数是由两者共同引起的。

任务二 换热器的结构和选型

换热器是化工、石油、动力等许多工业部门的通用设备,在化工生产中可用作加热器、冷却器、冷凝器、蒸发器和再沸器等。根据冷、热流体热量交换的方式可以分为三大类:间壁式换热器、直接接触式换热器、蓄热式换热器。

间壁式换热器:这类换热器的特点是在冷、热两种流体之间用一金属壁(或石墨等导热性能好的非金属壁)隔开,使两种流体在不相混合的情况下进行热量传递。

直接接触式换热器:冷、热流体在传热设备中通过直接混合的方式进行热量交换,又称为"混合式传热";如热气体的直接水冷或热水的直接空气冷却。这种接触方式,传热面积大,设备结构较简单。但由于冷、热流体直接接触,传热中往往伴有传质,过程机理和单纯传热有所不同,应用也受到工艺要求的限制。

蓄热式换热器:这种传热方式是冷、热两种流体交替通过同一蓄热室时,通过填料将热流体的热量传递给冷流体,以达到换热的目的。蓄热器结构简单,可耐高温,常用于高温气体热量的利用或冷却。其缺点是设备体积较大,过程是非定态的交替操作,且不能完全避免两种流体的掺杂。所以这类设备化工上用得不多。

在多数情况下,化工工艺上不允许冷热流体直接接触,故直接接触式传热和蓄热式传热在工业上并不很多,工业上应用最多的是间壁式传热过程。

一、间壁式换热器的类型

从传热面的基本特征分类,间壁式换热器可分为管式和板式。

(一)夹套式换热器

如图 2-20 所示,它由一个装在容器外部的夹套构成,容器内的物料和夹套内的加热剂或冷却剂隔着器壁进行换热,换热器的传热面是器壁。其优点是结构简单、容易制造、可与反应器或容器构成一个整体。其缺点是传热面积小、器内流体处于自然对流状态、传热效率低、夹套内部清洗困难。夹套内的加热剂和冷却剂一般只能使用不易结垢的水蒸气、冷却水和氨等。夹套内通蒸汽时,应从上部进入,冷凝水从底部排出;夹套内通液体载热体时,应从底部进入,从上部流出。生产中多数釜式反应器都是带夹套的,釜内通常设置搅拌以提高釜内给热系数,并使釜内液体受热均匀。

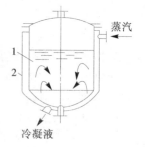

1-釜;2-夹套
图 2-20 夹套换热器

(二)沉浸式蛇管换热器

如图 2-21 所示,这种换热器是将金属管绕成各种与容器相适应的形状,并沉浸在容器内的液体中;冷、热流体在管内外进行换热。其优点是结构简单、制造方便、管内能承受高压并可选择不同材料以利防腐,管外便于清洗。缺点是传热面积不大,蛇管外容器内流体的流动情况较差,对流给热系数小,平均温差也较低。适用于反应器内的传热、高压下的传热以及强腐蚀性介质的传热。为了强化传热,容器内加装搅拌装置。

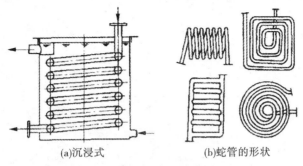

(a)沉浸式   (b)蛇管的形状

图 2-21 蛇管式换热器

(三)喷淋式换热器

如图 2-22 所示,这种换热器主要作为冷却设备,是将换热器成排地固定在钢架上,热流体在管内流动,冷却水从最上面的管子的喷淋装置中淋下来,沿管表面流下来,被冷却的流体从最下面的管子流入,从最上面的管子流出,与外面的冷却水进行逆流换热。在下流过程中,冷却水可收集再进行重新分配。这种换热器多放在空气流通好的地方,冷却水的蒸发也带走一部分的热量,故比沉浸式蛇管换热器传热效果好。其结构简单、造价便宜,便于检修、清洗,特别适用于高压液体的冷却,传热效果好。缺点是冷却水耗用量较大、喷淋不易均匀而影响传热效果,占地面积大且只能安装在室外。

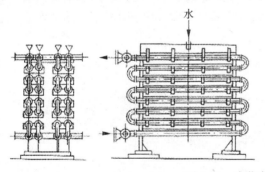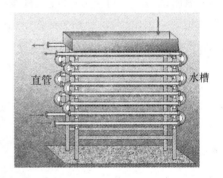

图 2-22 喷淋式冷却器

(四)套管式换热器

如图 2-23 所示,套管换热器由两根不同直径的同心圆管构成,可根据换热要求,将若干套管用 U 形弯头连接在一起,其每一段套管称为"一程"。这种换热器中的管内流体和环隙流体皆可有较高的流速,故传热系数较大,并且两流体可安排为纯逆流,平均温差大。优点是结构简单,加工方便,能耐高压,传热面积可根据需要增减。缺点是单位传热面积的金属耗量大,管子接头多、不够紧凑,检修清洗不方便。

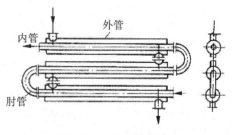

图 2-23 套管式换热器

广泛用于超高压生产过程,可用于所需流量和传热面积不大的场合。

(五)列管式换热器(管壳式换热器)

列管式换热器又称为"管壳式换热器",是最典型的间壁式换热器,历史悠久,占据主导作用。主要由壳体、管束、管板、折流挡板和封头等组成。一种流体在管内流动,其行程称为"管程";另一种流体在管外流动,其行程称为"壳程"。管束的壁面即为传热面。

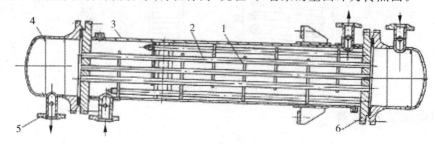

1-折流挡板;2-管束;3-壳体;4-封头;5-接管;6-管板

图 2-24　固定管板式换热器

图 2-24 所示的是单壳程单管程换热器,为了调节管程和壳程流速,可采用多管程和多壳程。如在两端封头内设置适当的挡板,使全部管子分成若干组,流体依次通过每组管子往返多次。管程数增多虽可提高管内流速和管内对流给热系数,但流体流动阻力和机械能损失增大,传热平均推动力也会减小,故管程数不宜太多,以 2、4、6 程较为常见。同样,在壳程内安装纵向隔板使流体多次通过壳体空间,可提高管外流速。图 2-25 所示的是两壳程两管程的换热器。但由于在壳体内安装纵向隔板较困难,需要时可采用多个相同的小直径换热器串联来代替多壳程。

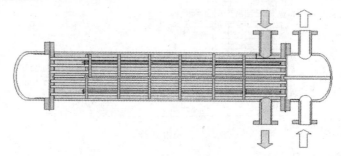

图 2-25　两壳程两管程的固定管板式换热器

列管式换热器的优点是单位体积设备所能提供的传热面积大,传热效果好,结构坚固,可选用的结构材料范围宽广,操作弹性大,大型装置中普遍采用。为提高壳程流体流速,往往在壳体内安装一定数目与管束相互垂直的折流挡板。折流挡板不仅可防止流体短路、增加流体流速,还迫使流体按规定路径多次错流通过管束,使湍动程度大为增加。

常用的折流挡板有圆缺形和圆盘形两种,前者更为常用。

壳体内装有管束,管束两端固定在管板上。由于冷热流体温度不同,壳体和管束受热不同,其膨胀程度也不同,如两者温差较大,管子会扭弯,从管板上脱落,甚至毁坏换热器。所以,列管式换热器必须从结构上考虑热膨胀的影响,采取各种补偿的办法,消除或减小热应力。

根据所采取的温差补偿措施,列管式换热器可分为以下几个形式。

（1）固定管板式

如图 2-26 所示,此种换热器的结构特点是两块管板分别焊壳体的两端,管束两端固定在两管板上。适用于冷、热流体温差不大(小于 50℃)的场合。其优点是结构简单、紧凑,管内便于清洗。其缺点是壳程不能进行机械清洗,要求壳程流体清洁且不结垢;当壳体与换热管的温差较大(大于 50℃)时,产生的温差应力(又叫"热应力")具有破坏性,需在壳体上设置膨胀节,受膨胀节强度限制壳程压力不能太高。

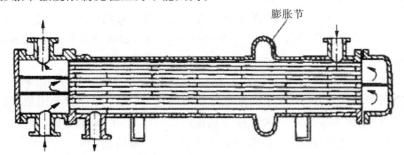

图 2-26　带有膨胀节的单壳程四管程固定管板式换热器

（2）浮头式

如图 2-27 所示。其结构特点是两端管板之一不与壳体固定连接,可以在壳体内沿轴向自由伸缩,该端称为"浮头"。此种换热器的优点是当换热管与壳体有温差存在,壳体或换热管膨胀时,互不约束,不会产生温差应力;管束可以从管内抽出,便于管内和管间的清洗。其缺点是结构复杂,用材量大,造价高。浮头式换热器适用于壳体与管束温差较大或壳程流体容易结垢的场合。

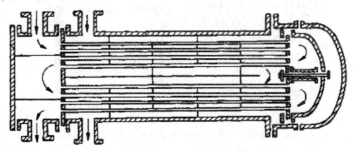

图 2-27　两壳程四管程的浮头式换热器

（3）U 型管式换热器

如图 2-28 所示。其结构特点是只有一个管板,管子成 U 形,管子两端固定在同一管板

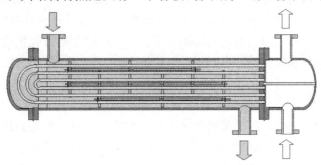

图 2-28　U 型管式换热器

上。管束可以自由伸缩,当壳体与管子有温差时,不会产生温差应力。U型管式换热器的优点是结构简单,只有一个管板,密封面少,运行可靠,造价低;管间清洗较方便。其缺点是管内清洗较困难;可排管子数目较少;管束最内层管间距大,壳程易短路。U型管式换热器适用于管、壳程温差较大或壳程介质易结垢而管程介质不易结垢的场合。

(4)其他高效换热器

以上各种传统的间壁换热器普遍存在的问题是结构不够紧凑,金属耗量大,换热器的单位体积所能提供的传热面积较小。随着工业技术的发展,涌现出各种新型的高效换热器。基本革新思路是:(1)在有限的体积内增加传热面积;(2)增加间壁两侧流体的湍动程度以提高给热系数。

①螺旋板式换热器 螺旋板式换热器的结构如图2-29所示。它是由焊在中心隔板上的两块金属薄板卷制而成,两薄板之间形成螺旋形通道,两板之间焊有一定数量的定距撑以维持通道间距,两端用盖板焊死。两流体分别在两通道内流动,隔着薄板进行换热。其中一种流体由外层的一个通道流入,顺着螺旋通道流向中心,最后由中心的接管流出;另一种流体则由中心的另一个通道流入,沿螺旋通道反方向向外流动,最后由外层接管流出。两流体在换热器内作逆流流动。

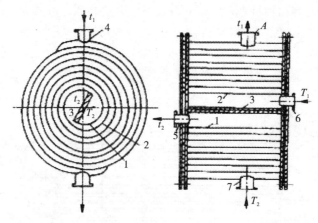

1,2-金属片;3-隔板;4,5-冷流体连接管;6,7-热流体连接管

图2-29 螺旋板式换热器

螺旋板式换热器的优点是结构紧凑;单位体积设备提供的传热面积大,约为列管换热器的3倍;流体在换热器内作严格的逆流流动,可在较小的温差下操作,能充分利用低温能源;由于流向不断改变,且允许选用较高流速,故传热系数大,为列管换热器的1～2倍;又由于流速较高,同时有惯性离心力的作用,污垢不易沉积。其缺点是制造和检修都比较困难;流动阻力大,在同样物料和流速下,其流动阻力为直管的3～4倍;操作压强和温度不能太高,通常压强在2MPa以下,温度小于400℃。

②平板式换热器 平板式换热器简称"板式换热器",其结构如图2-30所示。它是由若干块长方形薄金属板叠加排列,夹紧组装于支架上构成。两相邻板的边缘衬有垫片,压紧后板间形成流体通道。每块板的四个角上各开一个孔,借助于垫片的配合,使两个对角方向的孔与板面一侧的流道相通,另两个孔则与板面另一侧的流道相通,这样,使两流体分别在同一块板的两侧流过,通过板面进行换热。除了两端的两个板面外,每一块板面都是传热面,

可根据所需传热面积的变化,增减板的数量。板片是板式换热器的核心部件。为使流体均匀流动,增大传热面积,促使流体湍动,常将板面冲压成各种凹凸的波纹状,常见的波纹形状有水平波纹、人字形波纹和圆弧形波纹等,如图 2-30 所示。

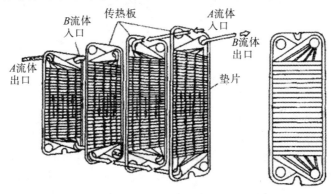

图 2-30 平板式换热器

板式换热器的优点是结构紧凑,单位体积设备提供的传热面积大;组装灵活,可随时增减板数;板面波纹使流体湍动程度增强,从而具有较高的传热效率;装拆方便,有利于清洗和维修。其缺点是处理量小;受垫片材料性能的限制,操作压力和温度不能过高。此类换热器适用于需要经常清洗、工作环境要求十分紧凑,操作压力在 2.5MPa 以下,温度在 $-35 \sim$ 200℃的场合。

③翅片管换热器 翅片管换热器又称"管翅式换热器",其结构特点是在换热管的外表面或内表面,也可同时装有许多翅片,常用翅片有纵向和横向两类,如图 2-31 所示。

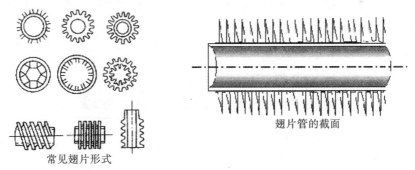

翅片管的截面

常见翅片形式

图 2-31 翅片管

在加热或冷却气体时,因气体的对流传热系数较小,传热热阻常常集中在气体一侧。此时,在气体一侧设置翅片,既可增大传热面积,又可增加气体的湍动程度,有利于提高气体侧的传热速率。通常,当两侧对流传热系数之比超过 3∶1 时,宜采用翅片换热器。工业上常用翅片换热器作为空气冷却器,用空气代替水,不仅可在缺水地区使用,即使在水源充足的地方也较经济。冰箱空调系统中的散热器就是典型的翅片式空冷器。

④板翅式换热器 板翅式换热器为单元体叠加结构,其基本单元体由翅片、隔板及封条组成,如图 2-32a 所示。翅片上下放置隔板,两侧边缘由封条密封,并用钎焊焊牢,即构成一个翅片单元体。将一定数量的单元体组合起来,并进行适当排列,然后焊在带有进出口的集流箱上,便可构成具有逆流、错流或错逆流等多种形式的换热器,如图 2-32b、c、d 所示。

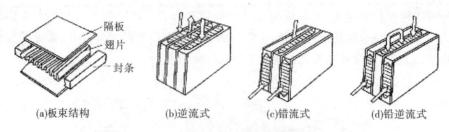

(a)板束结构 (b)逆流式 (c)错流式 (d)铝逆流式

图 2-32 板翅式换热器

板翅式换热器的优点是结构紧凑,单位体积设备具有的传热面积大;一般用铝合金制造,轻巧牢固;翅片促进流体湍动,其传热系数很高;铝合金材料在低温和超低温下仍具有较好的导热性和抗拉强度,故可在−273～200℃范围内使用;同时因翅片对隔板有支撑作用,其允许操作压力也较高,可达 5MPa。其缺点是易堵塞,流动阻力大;清洗检修困难。故要求介质洁净,同时对铝不腐蚀。

板翅式换热器因其轻巧、传热效率高等许多优点,其应用领域已从航空、航天、电子等少数部门逐渐发展到石油化工、天然气液化、气体分离等更多的工业部门。

⑤热管换热器 热管换热器是用一种称为热管的新型换热元件组合而成的换热装置。热管的种类很多,但其基本结构和工作原理基本相同。以吸液芯热管为例,如图 2-33 所示,在一根密闭的金属管内充以适量的工作液,紧靠管子内壁处装有金属丝网或纤维等多孔物质,称为"吸液芯"。全管沿轴向分成三段:蒸发段(又称"热端")、绝热段(又称"蒸汽输送段")和冷凝段(又称"冷端")。当热流体从管外流过时,热量通过管壁传给工作液,使其汽化,蒸汽沿管子的轴向流动,在冷端向冷流体放出潜热而凝结,冷凝液在吸液芯内流回热端,再从热流体处吸收热量而汽化。如此反复循环,热量便不断地从热流体传给冷流体。

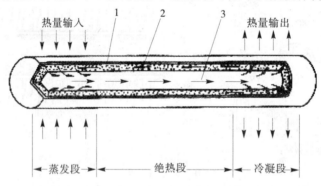

1-壳体;2-吸液芯;3-工作介质蒸汽

图 2-33 热管结构示意图

热管按冷凝液循环方式分为吸液芯热管、重力热管和离心热管三种。吸液芯热管的冷凝液依靠毛细管力回到热端;重力热管的冷凝液是靠重力流回热端;离心热管的冷凝液则依靠离心力流回热端。

热管按工作液的工作温度范围分为四种:深冷热管,在 200K 以下工作,工作液有氮、氢、氖、氧、甲烷、乙烷等;低温热管,在 200～550K 范围内工作,工作液有氟里昂、氨、丙酮、乙醇、水等;中温热管,在 550～750K 范围内工作,工作液有导热姆 A、银、铯、水、钾钠混合液等;高温热管,在 750K 以上范围内工作,工作液有钾、钠、锂、银等。

目前使用的热管换热器多为箱式结构,如图 2-34 所示。把一组热管组合成一个箱形,中间用隔板分为热、冷两个流体通道,一般,热管外壁上装有翅片,以加强传热效果。

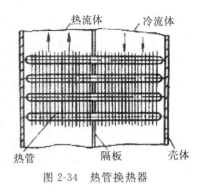

图 2-34 热管换热器

热管换热器的传热特点是热量传递按汽化、蒸汽流动和冷凝三步进行,由于汽化和冷凝的对流强度都很大,蒸汽的流动阻力又较小,因此热管的传热热阻很小,即使在两端温度差很小的情况下,也能传递很大的热流量。因此,它特别适用于低温差传热的场合。热管换热器具有传热能力大、结构简单、工作可靠等优点,展现出很广阔的应用前景。

二、列管式换热器的设计和选用

(一)列管式换热器的设计和选用原则

1.冷、热流体通道的选择

综合各种因素,确定冷、热流体经过管程还是壳程,可由下列经验性原则确定。

①不洁净或易结垢的流体走方便清洗的一侧。例如,对固定管板式换热器应走管程,而对 U 型管式换热器应走壳程。

②腐蚀性流体走管程,以免管子和壳体同时被腐蚀,且管子便于维修和更换。

③压力高的流体走管程,以免壳体受压,可节省壳体金属消耗量。

④被冷却的流体走壳程,便于散热,增强冷却效果。

⑤饱和蒸汽走壳程,便于及时排除冷凝水,且蒸汽较洁净,一般不需清洗。

⑥有毒流体走管程,以减少泄漏量。

⑦黏度大的液体或流量小的流体走壳程,因流体在有折流挡板的壳程中流动,流速与流向不断改变,在低 $Re(Re>100)$ 的情况下即可达到湍流,以提高传热效果。

⑧若两流体温差较大,对流传热系数较大的流体走壳程,以减小管子与壳体的温差,从而减小温差应力。

上述各点往往不能同时兼顾,应视具体情况抓住主要矛盾。一般首先考虑操作压强、防腐及清洗等方面的要求。

2.流动方式的选择

一般情况下,应尽量采用逆流换热。但在某些对流体出口温度有严格限制的特殊情况下,例如热敏性物料的加热过程,为了避免物料出口温度过高而影响产品质量,可采用并流操作。

除逆流和并流之外,冷、热流体还可作多管程或多壳程的复杂折流流动。当流量一定时,管程或壳程越多,流速增大,给热系数越大,其不利的影响是流体流动阻力增大,平均温差也降低。要通过计算权衡其综合效果。

3.流速的选择

流体在换热器内的流速对传热系数、流动阻力以及换热器的结构等方面均有一定影响。

增大流速,将增大对流传热系数,减小污垢形成的机会,使总传热系数增加;但同时使流动阻力增大,动力消耗增加;随着流速的增大,管子数目将减小,对一定传热面积,要么增加管长,要么增加程数,但管子太长不利于清洗,单程变多程不仅使结构变得复杂,而且使平均温度差下降。因此,流速的选择,既要考虑传热速率,又要考虑经济性,还要考虑结构、操作、清洗等其他方面的要求,通常根据经验选取适宜流速。由于湍流比层流传热效果好,所以尽可能不选择层流换热。表 2-6 至表 2-8 列举了换热器内常用流速范围,供设计时参考。

表 2-6 列管换热器中常用的流速范围

流体的种类		一般流体	易结垢液体	气体
流速/(m/s)	管程	0.5～3	>1	5～30
	壳程	0.2～1.5	>0.5	3～15

表 2-7 列管换热器中不同黏度液体的常用流速

液体黏度/(mPa.s)	<1	1～35	35～100	100～500	500～1500	>1500
最大流速/(m/s)	2.4	1.8	1.5	1.1	0.75	0.6

表 2-8 换热器中易燃、易爆液体的安全允许流速

液体名称	乙醚、二硫化碳、苯	甲醇、乙醇、汽油	丙酮
安全允许流速/(m/s)	<1	2～3	<10

4. 冷却剂(或加热剂)终温的选择

通常,待加热或冷却的流体进出换热器的温度由工艺条件决定,加热剂或冷却剂一旦选定,其进口温度也就确定,而出口温度则由设计者确定。例如,用冷却水冷却某种热流体,冷却水的进口温度可根据当地的气候条件作出估计,而其出口温度则要通过经济核算来确定。冷却水的出口温度取高些,可使用水量减小,动力消耗降低,但传热面积增加;反之,出口温度取低些,可使传热面积减小,但会使用水量增加。一般来说,冷却水的进出口温度差可取 5～10℃。缺水地区可选用较大温差,水源丰富地区可取较小温差。若使用软水冷却,则可以取更高的温度差。若用加热剂加热冷流体,可按同样的原则确定加热剂的出口温度。

5. 管子的规格与管间距的选择

管子的规格包括管径和管长。列管换热器标准系列中只采用 φ25×2.5mm(或 φ25×2mm)、φ19×2mm 两种规格的管子。对于洁净的流体,可选择小管径,对于不洁净或易结垢的流体,可选择大管径。管长的选择是以清洗方便及合理用材为原则。长管不便于清洗,且易弯曲。市售标准钢管长度为 6m,标准系列中换热器管长为 1.5m、2m、3m 和 6m,其中以 3m 和 6m 更为常用。此外管长和壳径的比例一般应在 4～6 之间。

管子在管板上常用的排列方式为正三角形、正方形直列和正方形错列三种。与正方形相比,正三角形排列比较紧凑,管外流体湍动程度较高,给热系数较大。正方形排列比较松散,给热效果较差,但管外清洗比较方便,适宜易结垢液体。如将正方形直列的管束斜转 45° 安装成正方形错列,传热效果会有所改善。

管间距是指相邻两根管子的中心距,用 a 表示。管间距小,有利于提高传热系数,且设备紧凑。但受制造上的限制,一般要求相邻两管外壁的距离不小于 6mm。对于不同的管子

和管板的连接方法,管间距不同,比如采用焊接法,取 $\alpha=1.25d_{\circ}$;采用胀接法,取 $\alpha=(1.3\sim1.5)d_{\circ}$。

6.管程数与壳程数的确定

当换热器的换热面积较大而管子又不能很长时,就得排列较多的管子,为了提高流体在管内的流速,需要将管束分程。但是程数过多,会使管程流动阻力加大,动力消耗增加,同时多程会使平均温度差下降,设计时应权衡考虑。采用多程时,通常应使各程的管子数相等。

管程数 N_{p} 可按下式计算,即:

$$N_{\mathrm{p}} = \frac{u}{u'} \tag{2-43}$$

式中　u——管程内流体的适宜流速,m/s。

　　　u'——单管程时流体的实际流速,m/s。

当流向校正系数 $\varphi<0.8$ 时,应采用多壳程。但如前面所述,壳体内设置纵向隔板在制造、安装和检修上均有困难,故通常是将几个换热器串联,以代替多壳程。例如,当需要采用二壳程时,可将总管数等分为两部分,分别装在两个外壳中,然后将这两个换热器串联使用。

7.折流挡板的选用

挡板的形状和间距对流体的流动和传热有着重要影响。弓形挡板的弓形缺口过大或过小都不利于传热,往往还会增加流动阻力,如图 2-35 所示。通常切去的弓形高度为壳体内径的 $10\%\sim40\%$,常用的为 20% 和 25% 两种。挡板应按等间距布置,其最小间距应不小于壳体内径的 $1/5$,且不小于 50mm;最大间距应不大于壳体内径。间距过小,会使流动阻力增大;间距过大,会使传热系数下降。在标准系列中,固定管板式的间距有 150m、300m、600mm 三种;浮头式换热器有 150m、200m、300m、480m、600mm 五种。必须注意,当壳程流体发生相变时,不宜设置折流挡板。

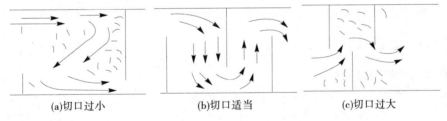

(a)切口过小　　　　(b)切口适当　　　　(c)切口过大

图 2-35　挡板切口对流动的影响

(二)流体通过换热器的流动阻力

1.管程流动阻力的计算

流体通过管程的阻力包括各程的直管阻力、回弯阻力以及换热器进、出口阻力等。通常,进、出口阻力较小,可以忽略不计。管程阻力可按下式进行计算

$$\sum \Delta p_{\mathrm{i}} = (\Delta p_1 + \Delta p_2)F_{\mathrm{t}}N_{\mathrm{s}}N_{\mathrm{p}} \tag{2-44}$$

式中　Δp_1——因直管阻力引起的压降,Pa。

　　　Δp_2——因回弯阻力引起的压降,Pa。

　　　F_{t}——结垢校正系数,对 $\phi 25\times2.5$mm 管子,$F_{\mathrm{t}}=1.4$;对 $\phi 19\times2$mm 管子,$F_{\mathrm{t}}=1.5$。

　　　N_{s}——串联的壳程数。

N_p——管程数。

式(2-44)中的 Δp_1 可按直管阻力计算式进行计算；Δp_2 由下面经验式估算，即

$$\Delta p_2 = 3(\frac{\rho u_i^2}{2}) \tag{2-45}$$

2.壳程阻力的计算

壳程流体的流动状况较管程更为复杂，计算壳程阻力的公式很多，不同公式计算的结果差别较大。下面介绍较为通用的埃索公式，即：

$$\sum \Delta p_o = (\Delta p'_1 + \Delta p'_2) F_s N_s \tag{2-46}$$

其中

$$\Delta p'_1 = F f_o n_c (N_B + 1) \frac{\rho u_o^2}{2} \tag{2-47}$$

$$\Delta p'_2 = N_B (3.5 - \frac{2h}{D}) \frac{\rho u_o^2}{2} \tag{2-48}$$

式中　$\Delta p'_1$——流体横过管束的压降，Pa。

$\Delta p'_2$——流体流过折流挡板缺口的压降，Pa。

F_s——壳程结垢校正系数，对液体 $F_s = 1.15$；对气体或蒸汽 $F_s = 1$。

F——管子排列方式对压强降的校正系数，对正三角形排列 $F = 0.5$；对正方形斜转 $45°$ 排列 $F = 0.4$；对正方形直列 $F = 0.3$。

f_o——流体的摩擦系数，当 $Re_o > 500$ 时，$f_o = 5.0 Re_o^{-0.228}$，其中 $Re_o = d_o u_o \rho / \mu$。

N_B——折流挡板数。

h——折流挡板间距，m。

n_c——通过管束中心线上的管子数。

u_o——按壳程最大流通面积 A_o 计算的流速，m/s，$A_o = h(D - n_c d_o)$。

（三）系列标准换热器的选用步骤

1.列管换热器的系列标准

在我国，列管换热器已经系列化和标准化，介绍如下。

(1)基本参数　列管换热器的基本参数主要有：①公称换热面积 S_N；②公称直径 D_N；③公称压力 P_N；④换热管规格；⑤换热管长度 l；⑥管子数量 n；⑦管程数 N_p 等。

(2)型号表示方法　列管换热器的型号由五部分组成，即

$$\underset{1}{\underline{X}} \; \underset{2}{\underline{XXXX}} \; \underset{3}{\underline{X}} - \underset{4}{\underline{XX}} - \underset{5}{\underline{XXX}}$$

1——换热器代号，如 G 表示固定管板式，F 表示浮头式等。

2——公称直径 D_N，mm。

3——管程数 N_p，常见有 Ⅰ、Ⅱ、Ⅳ 和 Ⅵ 程。

4——公称压力 P_N，MPa。

5——公称换热面积 S_N，m²。

例如，规格为 G600Ⅱ-1.6-55 的列管换热器表示的涵义是：该换热器为固定管板式双管程换热器，其公称直径为 600mm、公称压力为 1.6MPa、公称换热面积为 55m²。

通常,工业生产中需要用列管换热器换热时,只需大系列标准中选型即可,只在一些特殊情况下才自行设计。

2. 选型(设计)的一般步骤

(1)确定基本数据

需要确定或查取的基本数据包括两流体的流量、进出口温度、定性温度下的有关物性、操作压强等。

(2)确定流体在换热器内的流动途径。

(3)确定并计算热负荷。

(4)先按单壳程偶数管程计算平均温度差,根据温度差校正系数不小于0.8的原则,确定壳程数或调整冷却剂(或加热剂)的出口温度。

(5)根据两流体的温度差和设计要求,确定换热器的形式。

(6)选取总传热系数,根据传热基本方程初算传热面积,以此选定换热器的型号或确定换热器的基本尺寸,并确定其实际换热面积 S_p,计算在 S_p 下所需的传热系数 K_p。

(7)计算压降

根据初定设备的情况,检查计算结果是否合理或满足工艺要求。若压降不符合要求,则需要重新调整管程数和折流板间距,或选择其他型号的换热器,直至压降满足要求。

(8)核算总传热系数

计算管、壳程的对流传热系数,确定污垢热阻,再计算总传热系数 K,由传热基本方程求出所需传热面积 S,再与换热器的实际换热面积 S_p 比较,若 S_p/S 在 1.1~1.25 之间(也可用 K/K_p),则认为合理,否则需另选 K,重复上述计算步骤,直至符合要求。

(四)传热过程的强化措施

传热速率方程: $Q = KA\Delta t_m$

为了增强传热效率,可采取 $\Delta t_m \uparrow$、$A/V \uparrow$、$K \uparrow$ 的方法。

1. 增大传热平均温度差 Δt_m

(1)两侧变温情况下,尽量采用逆流流动。

(2)提高加热剂 T_1 的温度(如用蒸汽加热,可提高蒸汽的压力来达到提高其饱和温度的目的);降低冷却剂 t_1 的温度。

利用 $\Delta t_m \uparrow$ 来强化传热是有限的。

2. 增大总传热系数 K

$$\frac{1}{K} = \left(\frac{1}{\alpha_o} + R_{so}\right) + \frac{\delta}{\lambda}\frac{A_o}{A_m} + \left(\frac{1}{\alpha_i} + R_{si}\right)\frac{A_o}{A_i}$$

(1)尽可能利用有相变的热载体(α 大)。

(2)用 λ 大的热载体,如液体金属 Na 等。

(3)减小金属壁、污垢及两侧流体热阻中较大者的热阻。

(4)提高 α 较小一侧有效。

无相变传热提高 α 的方法:①增大流速;②管内加装扰流元件;③改变传热面形状和增加粗糙度。

3.增大单位体积的传热面积 A/V

(1)直接接触传热:可增大 A 和湍动程度,使 $Q\uparrow$ 。

(2)采用高效新型换热器。

在传统的间壁式换热器中,除夹套式外,其他都为管式换热器。管式的共同缺点是结构不紧凑,单位换热面积所提供的传热面小,金属消耗量大。随工业的发展,陆续出现了不少高效紧凑的换热器并逐渐趋于完善。这些换热器基本可分为两类,一类是在管式换热器的基础上加以改进,另一类是采用各种板状换热表面。

项目 3
辐射传热（选学内容）

辐射传热是物体间相互发射电磁波并相互吸收的过程，是自然界中最广泛的传热现象之一，但是只有温差较大时才考虑。近年来，辐射传热在化工、食品等工业中应用越来越广，比如，红外加热、微波干燥等。

一、物体的辐射能力

物体可同时发射波长从 $0\sim\infty$ 的各种电磁波。但是，在工业上所遇到的温度范围内，有实际意义的热辐射波长位于 $0.38\sim1000\mu m$ 之间，而且大部分集中在红外线区段的 $0.76\sim20\mu m$ 范围内。

热辐射投射到物体表面时，会发生吸收、反射和穿透现象，如图 2-36 所示，假设外界投射到物体表面的总能量为 Q，其中一部分 Q_A 物体被吸收，一部分 Q_R 被物体反射，其余部分 Q_D 穿透物体。根据能量守恒定律

$$Q = Q_A + Q_R + Q_D \qquad (2\text{-}49)$$

或
$$\frac{Q_A}{Q} + \frac{Q_R}{Q} + \frac{Q_D}{Q} = 1 \qquad (2\text{-}49a)$$

式中各比值依次称为该物体对投入辐射的"吸收率"、"反射率"和"穿透率"，并分别用符号 A、R、D 表示。上式可写成

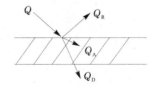

图 2-36　辐射能的吸收、反射和透过

$$A + R + D = 1 \qquad (2\text{-}50)$$

$A=1$ 的物体称为"黑体"；$R=1$ 的物体称为"白体"或"镜体"；$D=1$ 的物体称为"透热体"。

固体和液体不允许热辐射透过，$D=0$，则 $A+R=1$；而气体对热辐射基本没有反射能力，即 $R=0$，所以，$A+D=1$。

黑体是能够将外来热辐射全部吸收（$A=1$）的物体，是一种理想化物体，没有绝对的黑体。但引入黑体的概念，能为研究其他物体的热辐射建立一个标准。黑体并非光学上的黑色物体。实际物体只能在一定程度上接近黑体。例如，没有光泽的黑漆表面，其吸收率可达 $0.96\sim0.98$。白体（$R=1$）是能将到达其表面的辐射能全部反射的物体。实际上白体也是不存在的，实际物体也只能一定程度上接近白体，如表面磨光的铜，其反射率为 0.97。透热体（$D=1$）是能透过全部辐射能的物体，一般来说，单原子和对称双原子气体（如 He、N_2、O_2、H_2 等）可视为透热体。而不对称的双原子气体或多原子气体则能有选择的吸收和反射某些波段范围的辐射能。

1. 黑体的辐射能力

物体的辐射能力是指一定温度下,单位时间单位物体表面向外界发射的全部波长的总能量。黑体的辐射能力可用下式计算。

$$E_{\mathrm{b}} = C_0 \left(\frac{T}{100} \right)^4 \tag{2-51}$$

式中 E_{b}——黑体的辐射能力,$\mathrm{W/m^2}$。

       C_0——黑体辐射系数,其值为 $5.67\mathrm{W/(m^2 \cdot K^4)}$。

       T——黑体表面的温度,K。

2. 实际物体的辐射能力与吸收能力

理论研究和实验表明,相同温度下,实际物体的辐射能力恒小于黑体的辐射能力。实际物体的辐射能力和同温下黑体的辐射能力的比值称为该物体的"黑度",用 ε 表示

$$\varepsilon = \frac{E}{E_{\mathrm{b}}}$$

所以,实际物体的辐射能力为

$$E = \varepsilon E_{\mathrm{b}} = \varepsilon C_0 \left(\frac{T}{100} \right)^4 \tag{2-52}$$

黑度表明了物体接近黑体的程度,反映了物体辐射能力的大小,黑度越大,物体的辐射能力也越大,黑体的黑度等于1,实际物体的黑度恒小于1。实验表明,黑度与物体的种类、表面状况以及表面温度等因素有关,是物体自身的一种性质,与外界无关。物体的黑度可由实验测得。常用材料的黑度可查阅有关书籍。

黑体能够全部吸收投入其上的辐射能,其吸收率 $A=1$。实际物体只能部分地吸收投入其上的辐射能,且物体的吸收率与辐射能的波长有关。实验表明,对于波长在 $0.76 \sim 20 \mu \mathrm{m}$ 范围内的辐射能,即工业上应用最多的热辐射,可以认为物体的吸收率为常数,并且等于其黑度,即 $A = \varepsilon$。

由此可知,物体的辐射能力越大,其吸收能力也越大。

二、辐射传热速率

两固体之间的辐射传热速率可以用式(2-53)计算

$$Q = C_{1-2} A \phi \left[\left(\frac{T_1}{100} \right)^4 - \left(\frac{T_2}{100} \right)^4 \right] \tag{2-53}$$

式中 T_1、T_2——高温和低温物体的表面温度,K。

       C_{1-2}——总辐射系数。

       A——有效辐射面积,$\mathrm{m^2}$。

       ϕ——修正系数,称为"角系数",表示一物体向外辐射的能量能够到达另一物体的分数。几种情况下角系数与总辐射系数的计算式见表2-9。

表 2-9　工业上几种常见情况下的辐射系数的计算式

序号	物体间的相对位置	计算面积 S	角系数 ϕ	总辐射系数 C_{1-2}
1	很大物体包住另一物体 $S_1/S_2 \approx 0$	S_1	1	$\varepsilon_1 C_0$
2	物体恰好包住另一物体 $S_1/S_2 \approx 1$	S_1	1	$\dfrac{C_0}{\dfrac{1}{\varepsilon_1} + \dfrac{1}{\varepsilon_2} - 1}$
3	在 1,2 两种情况之间	S_1	1	$\dfrac{C_0}{\dfrac{1}{\varepsilon_1} + \dfrac{S_1}{S_2}\left(\dfrac{1}{\varepsilon_2} - 1\right)}$
4	相等面积的平行面	S_1	<1	$\varepsilon_1 \varepsilon_2 C_0$

注:下标 1 表示内物体,下标 2 表示外物体。

三、影响辐射传热的主要因素

(1)温度的影响　由式 2-53 可知,辐射传热速率正比于温度的 4 次方之差,而不是正比于温度差。因此,相同温差下,高温时的传热速率将远大于低温时的传热速率。例如,$T_1 = 800K$,$T_2 = 780K$ 与 $T_1 = 300K$,$T_2 = 280K$ 两者温差相等,但在其他条件相同时,其辐射传热速率相差几乎 20 倍。因此,在低温传热时,辐射的影响总是可以忽略;在高温传热时,热辐射不但不能忽略,有时甚至占主导地位。

(2)几何位置的影响　同样由式 2-53 可知,辐射传热速率与角系数 ϕ 成正比。角系数的大小决定于两物体之间的方位与距离。一般来说,距离越远,角系数越小,但对两个无限大的平壁或一物体包住另一物体,距离的变化不会影响角系数,其值总是等于 1。

(3)黑度的影响　由表 2-9 可知,总辐射系数 C_{1-2} 与物体的表面黑度有关。工程上,可以通过改变物体表面黑度的方法来强化或削弱辐射传热,例如,为增加电气设备的散热能力,可在其表面涂上黑度很大的油漆;而为了减少辐射传热,可在物体表面镀以黑度很小的银、铝等。

(4)物体之间介质的影响　以上讨论没有考虑物体间的介质,当其间存在物质时,辐射传热被减弱或隔断。由于气体也具有发射和吸收辐射能的能力,因此,气体的存在对物体间的辐射传热也有减弱作用。工业上为了阻挡辐射传热,常在两物体之间插入反射能力强的薄板(称为"遮热板")。

四、对流-辐射联合传热

在化工生产中,当管道及设备温度异于周围环境温度时,系统与环境之间就会发生热量传递,传递方式则是对流和辐射两种。工程上,仿照牛顿冷却定律将对流-辐射合并处理,联合传热速率计算式为

$$Q = \alpha_{\mathrm{T}} A_{\mathrm{w}} (t_{\mathrm{w}} - t) \tag{2-54}$$

式中　α_{T}——对流-辐射联合传热系数,$W/(m^2 \cdot K)$。

A_{w}——设备或管道的外壁面积,m^2。

t_{w}、t——设备或管道的外壁温度和周围环境温度,K。

对流－辐射联合系数 α_T 可用如下经验式估算

（1）室内（$t_w < 150\text{℃}$，自然对流）

对圆筒壁（$D < 1\text{m}$） $\alpha_T = 9.42 + 0.052(t_w - t)$ (2-55)

对平壁（或 $D \geqslant 1\text{m}$ 的圆筒壁） $\alpha_T = 9.77 + 0.07(t_w - t)$ (2-56)

（2）室外 $\alpha_T = \alpha_0 + 7\sqrt{u}$ (2-57)

对于保温壁面，一般取 $\alpha_0 = 11.63\text{W/(m}^2 \cdot \text{K)}$；对于保冷壁面，一般取 $\alpha_T = 7 \sim 8\text{W/(m}^2 \cdot \text{K)}$；$u$ 为风速，m/s。

【例 2-15】 有一室外蒸汽管道，敷上保温层后外径为 0.4m，已知其外壁温度为 33℃，周围空气的温度为 25℃，平均风速为 2m/s。试求每米管道的热损失。

解：由式 2-57 可知联合传热系数为：

$$\alpha_T = \alpha_0 + 7\sqrt{u} = 11.63 + 7\sqrt{2} = 21.53\text{W/(m}^2 \cdot \text{K)}$$

由式 2-54 有：$Q = \alpha_T A_w(t_w - t) = \alpha_T \pi d L(t_w - t)$

即 $Q/l = \alpha_T \pi d(t_w - t) = 21.53\pi \times 0.4 \times (33 - 25) = 216.44\text{W/m}$

项目 4
换热器的操作与维护

正确操作和维护换热器是保证换热器长久正常运转,提高其生产效率的关键。

一、换热器的基本操作

1.换热器的正确使用

①投产前应检查压力表、温度计、液位计以及有关阀门是否齐全好用。

②输进蒸汽前先打开冷凝水排放阀门,排除积水和污垢;打开放空阀,排除空气和其他不凝性气体。

③换热器投产时,要先通入冷流体,缓慢或数次通入热流体,做到先预热后加热,切忌骤冷骤热,以免换热器受到损坏,影响其使用寿命。

④进入换热器的冷热流体如果含有大颗粒固体杂质和纤维质,一定要提前过滤和清除(特别是对板式换热器),防止堵塞通道。

⑤经常检查两种流体的进出口温度和压力,发现温度、压力超出正常范围或有超出正常范围的趋势时,要立即查出原因,采取措施,使之恢复正常。

⑥定期分析流体的成分,以确定有无内漏,以便及时采取措施:对列管换热器,进行堵管或换管;对板式换热器,修补或更换板片。

⑦定期检查换热器有无渗漏、外壳有无变形以及有无振动,若有应及时处理。

⑧定期排放不凝性气体和冷凝液,定期进行清洗。

2.具体操作要点

由于载热体不同,换热目的不同,换热器的操作要点也有所不同,下面分别予以介绍。

①蒸汽加热必须不断排除冷凝水和不凝性气体,否则冷凝水积于换热器中,部分或全部占据传热面,变成了实质的热水加热,传热速率下降;不凝性气体的存在使蒸汽冷凝的给热系数大大降低。

②热水加热也须定期排放不凝性气体,才能保证正常操作。相对而言,热水加热,一般温度不高,加热速度慢,操作稳定。

③烟道气的温度较高,且温度不易调节,一般用于生产蒸汽或汽化液体,在操作过程中,必须时时注意被加热物料的液位、流量和蒸汽产量,还必须做到定期排污。

④导热油加热中,导热油黏度较大、热稳定性差、易燃、温度调节困难,但加热温度高(可达 400℃)。操作时必须严格控制进出口温度,定期检查进出管口及介质流道是否结垢,做到定期排污,定期放空,过滤或更换导热油。

⑤水和空气冷却,操作时注意根据季节变化调节水和空气的用量,用水冷却时,还要注意定期清洗,操作时要考虑到自然条件的变化对操作的影响。

⑥冷冻盐水冷却,其特点是温度低、腐蚀性较大,在操作时应严格控制进出口温度,防止结晶堵塞介质通道,要定期放空和排污。

⑦冷凝操作需要注意的是,定期排放蒸汽侧的不凝性气体,特别是减压条件下不凝性气体的排放。

二、换热器的维护和保养

不同类型换热器的维护保养是不同的,下面以列管式和板式为例说明。

1.列管换热器的维护和保养

①保持设备外部整洁、保温层和油漆完好。

②保持压力表、温度计、安全阀和液位计等仪表以及附件的齐全、灵敏和准确。

③发现阀门和法兰连接处渗漏时,应及时处理。

④开停换热器时,不要将阀门启闭得太快,否则容易造成管子和壳体受到冲击,以及局部骤然胀缩,产生热应力,使局部焊缝开裂或管子连接口松弛。

⑤尽可能减少换热器的开停次数,停止使用时,应将换热器内的液体清洗放净,防止冻裂和腐蚀。

⑥定期测量换热器的壳体厚度,一般两年一次。

⑦出现故障及时处理,列管换热器的常见故障及其处理方法见表 2-10,这些故障 50% 以上是由于管子引起的,主要措施是更换管子、堵塞管子和对管子进行补胀(或补焊)。

当管子出现渗漏时,就必须更换管子。对胀接管,需先钻孔,除掉胀管头,拔出坏管,然后换上新管进行胀接,最好对周围不需更换的管子也能稍稍胀一下,注意换下坏管时,

表 2-10　列管换热器的常见故障与处理方法

故障	原因	处理方法
传热效率下降	列管结垢	清洗管子
	壳体内不凝气或冷凝液增多	排放不凝气和冷凝液
	列管、管路或阀门堵塞	检查清理
振　动	壳程介质流动过快	调节流量
	管路振动所致	加固管路
	管束与折流板的结构不合理	改进设计
	机座刚度不够	加固机座
管板与壳体连接处开裂	焊接质量不好	清除补焊
	外壳歪斜,连接管线拉力或推力过大	重新调整找正
	腐蚀严重,外壳壁厚减薄	鉴定后修补
管束、胀口渗漏	管子被折流板磨破	堵管或换管
	壳体和管束温差过大	补胀或焊接
	管口腐蚀或胀(焊)接质量差	换管或补胀(焊)

不能碰伤管板的管孔,同时在胀接新管时,要清除管孔的残留异物,否则可能产生渗漏;对焊接管,须用专用工具将焊缝进行清除,拔出坏管,换上新管进行焊接。

更换管子的工作是比较麻烦的,因此当只有个别管子损坏时,可用管堵将管子两端堵

死,管堵材料的硬度不能高于管子的硬度,堵死的管子的数量不能超过换热器该管程总管数的 10%。

管子胀口或焊口处发生渗漏时,有时不需换管,只需进行补胀或补焊,补胀时,应考虑到胀管应力对周围管子的影响,所以对周围管子也要轻轻胀一下;补焊时,一般须先清除焊缝再重新焊接,需要应急时,也可直接对渗漏处进行补焊,但只适用于低压设备。

2.板式换热器的维护和保养

①保持设备整洁、油漆完好,紧固螺栓的螺纹部分应吐防锈油并加外罩,防止生锈和黏结灰尘。

②保持压力表、温度计灵敏、准确,阀门和法兰无渗漏。

③定期清理和切换过滤器,预防换热器堵塞。

④组装板式换热器时,螺栓的拧紧要对称进行,松紧适宜。

板式换热器的主要故障和处理方法见表 2-11。

3.换热器的清洗

随着换热器运行时间的延长,传热面上产生的污垢会越积越多,从而使传热系数大大降低而影响传热效率,必须定期对换热器进行清洗,而且,由于垢层越厚清洗越困难,所以清洗间隔时间不宜过长。

清洗方法分为化学清洗、机械清洗和高压水清洗 3 种方法,使用哪种方法主要看换热器类型和污垢的类型。化学清洗主要用于结构较复杂的场合,如列管换热器管间、U 形管内的清洗。由于清洗剂一般呈酸性,对设备多少会有一些腐蚀。机械清洗常用于坚硬的垢层、结焦或其他沉积物,但只能清洗工具能够到达之处,如列管换热器的管内(卸下封头),喷淋式蛇管换热器的外壁、板式换热器(拆开后),常用的清洗工具有刮刀、竹板、钢丝刷、尼龙刷等。高压水用于清洗垢层不牢的情况。

表 2-11 板式换热器常见故障和处理方法

故障	原因	处理方法
密封处渗漏	胶垫未放正或扭曲	重新组装
	螺栓紧固力不均匀或紧固不够	调整螺栓紧固度
	胶垫老化或有损伤	更换新垫
内部介质渗漏	板片有裂缝	检查更新
	进出口胶垫不严密	检查修理
	侧面压板腐蚀	补焊、加工
传热效率下降	板片结垢严重	解体清理
	过滤器或管路堵塞	清理

①化学清洗(酸洗法) 酸洗法常用盐酸配制酸洗溶液,由于酸能腐蚀钢铁基体,因此在酸洗溶液中须加入一定数量的缓蚀剂,以抑制对基体的腐蚀(酸洗溶液的配制方法参阅有关资料)。

清洗方法分重力法和强制循环法,前者借助于重力,将酸洗溶液缓慢注入设备,直至灌满,具有简单、耗能少,但效果差、时间长的特点。后者依靠酸泵使酸洗溶液通过换热器并不断循环,具有清洗效果好、时间短,但需要酸泵、较复杂的特点。

　　进行酸洗时,要控制好酸洗溶液的成分和酸洗的时间,原则上既要保证清洗效果又尽量减少对设备的腐蚀;不允许有渗漏点,如果有,应采取措施消除;在配制酸洗溶液和酸洗过程中,要注意安全,须穿戴口罩、防护服、橡胶手套,并防止酸液溅入眼中。

　　②机械清洗　对列管换热器管内的清洗,通常用钢丝刷,具体做法是用一根圆棒或圆管,一端焊上与列管内径相同的圆形钢丝刷,清洗时,一边旋转一边推进,通常,用圆管比用圆棒要好,因为圆管向前推进时,清洗下来的污垢可以从圆管中退出。注意,对不锈钢管不能用钢丝刷而要用尼龙刷,对板式换热器也只能用竹板或尼龙刷,切忌用刮刀和钢丝刷。

　　③高压水清洗　采用高压泵喷出高压水进行清洗,既能清洗机械清洗不能到达的地方,又避免了化学清洗带来的腐蚀,因此,也不失为一种好的清洗方法,这种方法适用于清洗列管换热器的管间,也可用于清洗板式换热器。冲洗板式换热器中的板片时,注意将板片垫平,以防变形。

习题二

　　1.已知某炉壁由单层均质材料组成,$\lambda=0.57$W/(m.℃)。用热电偶测得炉外壁温度为 50℃,距外壁 1/3 厚度处的温度为 250℃,求炉内壁温度是多少?(答:$t_1=650$℃)

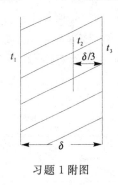

习题 1 附图

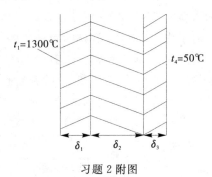

习题 2 附图

　　2.某工业炉壁由下列三层依次组成(图 2-38),耐火砖的导热系数 $\lambda_1=1.05$W/(m.℃),厚度为 0.23m;绝热层导热系数 $\lambda_2=0.144$W/(m.℃);红砖导热系数 $\lambda_3=0.94$W/(m.℃),厚度为 0.23m。已知耐火砖内侧温度 $t_1=1300$℃,红砖外侧温度为 50℃,单位面积的热损失为 607W/m²。试求:①绝热层的厚度;②耐火砖与绝热层接触处的温度。(答:$\delta_2=0.23$m,$t_2=1167$℃)

　　3.某蒸汽管外径为 159mm,管外保温材料的导热系数 $\lambda=0.11+0.0002tW$/(m.℃),蒸汽管外壁温度为 150℃。要求保温层外壁温度不超过 50℃,每米管长的热损失不超过 200W/m,问保温层厚度应为多少?(答:$\delta_2=40.1$mm)

　　4.$\phi76\times3$mm 的钢管外包一层厚 30mm 的软木后,又包一层厚 30mm 的石棉。软木和石棉的导热系数分别为 0.04W/(m.℃)和 0.16W/(m.℃)。已知管内壁温度为 -110℃,最外侧温度为 10℃求每米管道所损失的冷量。(答:$Q/l=-44.8$W/m)

　　5.规格为 $\phi325\times8$mm 的蒸汽管道,其内壁温度为 100℃;未保温时,外壁温度仅比内壁温度低 1℃,当管壁上敷以厚 50mm、导热系数为 0.06W/(m·K)的保温层后,其保温层外壁温度为 30℃,试比较保温前后每米管道的热量损失。(答:保温前的热损为 5784.4W/m;保温后的热损 98.3W/m)

　　6.常压空气在内径为 20mm 的管内由 20℃加热至 100℃,空气的平均流速为 12m/s,试求水与空气侧

的对流给热系数。(答:$\alpha=55.0$W/(m²·℃))

7. 水以 1.0m/s 的流速在长 3m 的 φ25×2.5mm 的管内由 20℃ 加热至 40℃,试求水与管壁之间的对流给热系数? 若水流量增大 50%,对流给热系数为多少? (答:$\alpha=4.58\times10^3$ W/(m²·℃);$\alpha'=6.34\times10^3$ W/(m²·℃))

8. 在常压下用套管换热器将空气由 20℃ 加热至 100℃,空气以 60kg/h 的流量流过套管环隙,已知内管 φ57×3.5mm,外管 φ83×3.5mm,求空气的对流给热系数? (答:$\alpha=37.6$W/(m²·℃))

9. 某种黏稠液体以 0.3m/s 的流速在内径为 50mm,长 4m 的管内流过,若管外用蒸汽加热,试求管壁对流体的给热系数。已知液体的物性数据为:$\rho=900$kg/m³,$C_p=1.89$kJ/kg·℃,$\lambda=0.128$W/m·℃,$\mu=0.01$Pa·s。(答:$\alpha=61.3$W/(m²·℃))

10. 流体的质量流量为 1000kg/h,试计算以下各过程中流体放出或得到的热量。

① 煤油自 130℃ 降至 40℃,取煤油比热容为 2.09kJ/kg·℃。

② 比热容为 3.77kJ/kg·℃ 的 NaOH 溶液,从 30℃ 加热至 100℃。

③ 常压下将 30℃ 的空气加热至 140℃。

④ 常压下 100℃ 的水汽化为同温度的饱和水蒸气。

⑤ 100℃ 的饱和水蒸气冷凝,冷却为 50℃ 的水。

(答:①$Q=5.24\times10^4$W;②$Q=7.33\times10^4$W;③$Q=3.1\times10^4$W;④$Q=6.27\times10^5$W;⑤$Q=6.85\times10^5$W)

11. 在一套管换热器中,内管是 φ57×3.5 的钢管,流量为 2500kg/h,平均比热容为 2.0kJ/kg·℃ 的热液体在内管中从 90℃ 冷却到 50℃,环隙中冷水从 20℃ 被加热至 40℃,已知总传热系数为 200W/m²·℃,试求:①冷却水用量,kg/h;②并流流动时的平均温度差及所需的套管长度,m;③逆流流动时平均温度差及所需的套管长度,m。(答:①$q_{mc}=2390$kg/h;②$\Delta t_m=30.83$℃,$l=50.4$m;③$\Delta t_m=40$℃,$l=38.8$m)

12. 一列管式换热器,管子直径为 φ25×2.5mm,管内流体的对流给热系数为 W/m²·K,管外流体的给热系数为 2000W/m²·K,已知两流体均为湍流换热,取钢管导热系数 $\lambda=45$W/m²·K,管内外两侧污垢热阻为 0.00118 m²·K/W。试问:①传热系数 K 及各部分热阻的分配;②若管内流体流量提高 1 倍,传热系数有何变化?③若管外流体流量提高 1 倍,传热系数有何变化?

(答:①$K=63.6$W/(m²·K);②$K'=1.51K$;③$K''=1.01K$)

13. 一传热面积为 15m² 的列管换热器,壳程用 110℃ 的饱和水蒸气将管程某溶液由 20℃ 加热至 80℃,溶液的处理量为 2.5×10⁴ kg/h,比热容为 4kJ/kg·℃,试求此操作条件下的传热系数?

(答:$K=2038.7$W/(m²·K))

14. 某换热器的传热面积为 30m²,用 100℃ 的饱和水蒸气加热物料,物料的进口温度为 30℃,流量为 2kg/s,平均比热容为 4kJ/kg·℃,换热器的传热系数为 125W/m²·℃,求:①物料出口温度,②水蒸气的冷凝量,kg/h。(答:①56.2℃;②334kg/h)

15. 流量为 30kg/s 的某油品在列管换热器壳程流过,从 150℃ 降至 100℃,将管程的原油从 25℃ 加热至 60℃。现有一列管换热器的规格为:壳径 600mm,壳方单程,管方四程,共有 368 根直径为 φ19×2mm,长 6m 的钢管,管心距为 25mm,正三角形排列,壳程装有缺口(直径方向)为 25% 的弓形挡板,挡板间距为 200mm。试核算此换热器能否满足换热要求?已知定性温度下两流体的物性如下表:

流体名称	比热容 C_P,kJ/(kg·℃)	黏度 μ,Pa·s	导热系数 λ,W/(m·℃)	污垢热阻 m²·℃/W
原油	1.986	0.0029	0.136	0.001
油品	2.20	0.0052	0.119	0.0005

(答:$A_{计}=114$m²;$A_{实}=131.7$m²;可用)

本模块主要符号说明

英文

A——传热面积，m^2；

B——厚度，m；

c_p——定压比热容，$kJ/(kg \cdot K)$；

d——管径，m；

D——换热器壳径，m；

f——摩擦因数；

h——挡板间距，m；

K——总传热系数，$W/(m^2 \cdot K)$；

l——特征尺寸，m；

n——指数；

n——管数；

N——程数；

p——压强，Pa；

P——因数；

q——热通量，W/m^2；

Q——传热速率，W；

q_m——质量流量，kg/s。

r——半径，m；

r——比汽化潜热，kJ/kg；

R——热阻，$m^2 \cdot K/W$；

S——流通面积，m^2；

t——冷流体温度，K；

t——管间距，m；

T——热流体温度，K；

u——流速，m/s。

希文

α——对流传热系数，$W/(m^2 \cdot K)$；

λ——导热系数，$W/(m \cdot K)$；

Δ——差值；

μ——黏度，$Pa \cdot s$；

φ——校正系数；

ϕ——角系数。

下标

c——冷流体的；

e——当量的；

h——热流体的；

i——管内的；

o——管外的；

s——污垢的；

w——壁面的。

模块三

气体吸收

项目 1
吸收基础知识及其工业应用

学习目标

- 掌握吸收的含义
- 了解吸收在化学工业中的作用
- 了解吸收剂选择的基本原则
- 掌握亨利定律几种表达式及其应用
- 理解 E、m、H 三者之间的换算关系

任务一　吸收概述

一、什么是吸收?

在合成氨工厂,合成氨的原料气中含有 $30\%CO_2$,如何将 CO_2 从原料气中分离?

在焦化厂,焦炉气中含有多种气体,如 CO,H_2,NH_3,苯类等,如何将 NH_3 从焦炉气中分离出来?

在硫酸厂,硫铁矿经焙烧氧化,可以得到 SO_3,如何由 SO_3 制造硫酸?

为了解决上述问题,化学工程师提出了一种化工单元操作——吸收。

使混合气体与适当的液体接触,气体中的一个或几个组分便溶解于该液体内而形成溶液,不能被溶解的组分则保留在气相之中,于是原混合气体的组分得以分离。这种利用混合气体各组分在溶剂中溶解度不同,来分离气体混合物的操作,称为"吸收操作"。

在吸收操作中:所使用的液体称为"溶剂"(吸收剂),以 S 表示。

被溶解的气体称为"溶质"(吸收质),以 A 表示。

不溶解的气体称为"惰性组分"(载体),以 B 表示。

吸收液:它是吸收操作后得到的溶液,主要成分为溶剂 S 和溶质 A。

吸收尾气:它是吸收后排出的气体,主要成分为惰性气体 B 和少量的溶质 A。

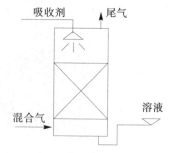

图 3-1　吸收操作示意图

现以煤气脱苯为例介绍工业吸收操作流程,流程简图见图 3-2。在炼焦制取城市煤气的生产过程中,焦炉煤气中含有少量的苯、甲苯类低碳氢化合物的蒸汽,含量约为 $35g/m^3$,现采用如

图 3-2 的流程对焦炉煤气进行净化,以回收苯系物质。该流程利用生产过程中的副产物,即煤焦炉的精制品(又称"洗油"),作为吸收剂来吸收苯系物质。该流程包括吸收和解吸两部分,含苯煤气在常温下由塔底进入吸收塔,洗油从塔顶喷淋而下,与煤气逆流接触,在接触过程中煤气中的苯蒸汽溶解于洗油,从塔顶出去的煤气中苯的含量便降到某一允许值,而溶入大量苯系溶质的洗油(称为"富油")由吸收塔底排

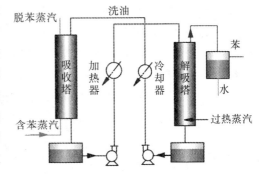

图 3-2　用洗油吸收苯系物质的吸收与解吸流程

出。为获取富油中的苯系物质并回收洗油而循环使用,可将其在解吸塔中进行与吸收相反的过程——解吸。在解吸过程中,富油应预热至一定温度再由解吸塔顶喷淋而下,与塔底通入上升的过热水蒸气逆流接触。富油中的苯在高温下逸出,并被水蒸气带走,经冷凝分层后除去水,进而得到粗苯。脱除溶质的洗油(称为"贫油")经冷却后再次送入吸收塔循环使用。

二、吸收在工业中的应用

1.原料气的净化
原料气的净化即除去原料气中的杂质,其衡量标准是净化率。净化率也称"吸收率"。

2.有用组分的回收
有用组分的回收即从某些废气中回收有用组分,如从合成氨厂的放空气体中用水回收氨。

3.某些产品的制取
某些产品的制取即将气体中特定的成分以特定的溶剂吸收出来,成为液态的产品或半成品,如盐酸、硝酸、硫酸的制取。

4.废气治理
废气治理即用特定的溶剂吸收气体中的有害成分,从而减少对环境的污染。

三、吸收的分类

1.物理吸收
溶质溶解在溶剂中不伴有明显的化学反应,如 H_2O 吸收 CO_2。

2.化学吸收
溶质与溶剂有明显的化学反应,如用 1％ NaOH 吸收 CO_2。

3.单组分吸收
只有一种组分可溶解于溶剂中,其他组分的溶解度可忽略不计,如:碱液吸收空气中的 CO_2,则 N_2、H_2、O_2 不被吸收。

4.多组分吸收
如图 3-3 所示,液态烃吸收气态烃,裂解石油中含:H_2、

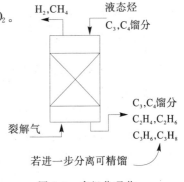

图 3-3　多组分吸收

CH_4、C_2H_4、C_2H_6、C_3H_8等。

5.等温吸收

在吸收过程中,无溶解热产生,或溶剂量大,所产生的溶解热对整个溶液的温度无影响。

6.非等温吸收

有溶解热或反应热大量产生,使整个溶液体系的温度发生明显变化。

本模块主要讨论:单组分低浓度、物理、等温吸收操作过程。

四、吸收剂的选择

吸收过程是溶质在气液两相之间的传质过程,是靠气体溶质在吸收剂中的溶解来实现的。因此,吸收剂性能往往是决定吸收效果的关键。在选择吸收剂时,应从以下几方面考虑:

1.溶解度

吸收剂对混合气中被分离组分(下称"溶质")应有较大的溶解度,即在一定的温度和浓度下,溶质的平衡分压要低,这样可以提高吸收速率并减小吸收剂的耗用量,气体中溶质的极限残余浓度亦可降低。当吸收剂与溶质发生化学反应时,溶解度可大大提高。但要使吸收剂循环使用,则化学反应必须是可逆的。

2.选择性

吸收剂对混合气体中的溶质要有良好的吸收能力,而对其他组分则应不吸收或吸收甚微,否则不能直接实现有效的分离。

3.溶解度对操作条件的敏感性

溶质在吸收剂中的溶解度对操作条件(温度、压力)要敏感,即如果操作条件变化,溶解度要显著变化,这样被吸收的气体组分容易解吸,吸收剂再生方便。

4.挥发度

操作温度下吸收剂的蒸汽压要低,因为离开吸收设备的气体往往被吸收剂所饱和,吸收剂的挥发度愈大,则在吸收和再生过程中吸收剂损失愈大。

5.黏性

吸收剂黏度要低,且在吸收过程中不易产生泡沫,以实现吸收塔内良好的气液接触和塔顶的气液分离。必要时,可在溶剂中加入少量消泡剂。

6.化学稳定性

吸收剂化学稳定性好的话可避免因吸收过程中条件变化而引起的吸收剂变质。

7.腐蚀性

吸收剂腐蚀性应尽可能小,以减少设备费和维修费。

8.其他

所选用吸收剂应尽可能满足价廉、易得、易再生、无毒、无害、不易燃烧、不易爆等要求。

实际上,能够满足上述所有要求的理想溶剂往往很难找到。因此,应对可供选用的吸收剂进行全面评价后做出经济、合理、恰当的选择。

任务二　气液相平衡关系

气液两相的相平衡关系，即在当时条件下吸收质（气相）在溶液中（液相）的溶解度。它决定着吸收的极限，也就是决定着系统的吸收率和所得溶液的浓度。

吸收质和吸收剂达到平衡时，溶液中溶解吸收质的数量与当时的温度、吸收质在气相中的分压或浓度、吸收质和吸收剂的性质有关。

一、相组成表示方法

对于均相混合物系，混合物中各组分的气、液相组成常采用以下几种不同方法表示：

1.质量分数与摩尔分数

质量分数：质量分数是指在混合物中某组分的质量占混合物总质量的分数。对于混合物中的 A 组分有

$$w_A = m_A/m \tag{3-1}$$

式中　w_A——组分 A 的质量分数。

　　m_A——混合物中组分 A 的质量，kg。

　　m——混合物总质量，kg。

摩尔分数：摩尔分数是指在混合物中某组分的物质的量（mol）占混合物总物质的量（mol）的分数。

对于液相混合物中的 A 组分有

$$x_A = n_A/n \tag{3-2}$$

对于气相混合物中的 A 组分有

$$y_A = n_A/n \tag{3-2a}$$

式中　y_A、x_A——分别为组分 A 在气相和液相中的摩尔分数。

　　n_A——气相或液相中组分 A 的物质的量（mol）。

　　n——气相或液相的总物质的量（mol）。

假设混合物中只有 A、B 两种组分，则 A 组分的质量分数和摩尔分数的关系为

$$x_A = \frac{w_A/M_A}{w_A/M_A + w_B/M_B} \tag{3-3}$$

式中，M_A、M_B 分别为组分 A、B 的摩尔质量。

2.比质量分数与比摩尔分数

在吸收操作时，气体的总量和液体的总量总在时刻变化，但惰性气体和吸收剂的量始终保持不变。因此以某一组分为基准来表示混合物中其他组分的组成，会使计算变得简单。

比质量分数是指混合物中某组分 A 的质量与惰性组分 B（不参加传质的组分）的质量之比

$$W_A = m_A/m_B \tag{3-4}$$

比摩尔分数是指混合物中某组分 A 的物质的量（mol）与惰性组分 B（不参加传质的组分）的物质的量（mol）之比

$$X_A = n_A/n_B \tag{3-5}$$

$$Y_A = n_A / n_B \tag{3-6}$$

式中，X_A、Y_A 分别为组分 A 在液相和气相中的比摩尔分数。

$$w = \frac{W}{1+W} \tag{3-7}$$

$$W = \frac{w}{1-w} \tag{3-8}$$

摩尔分数与比摩尔分数的关系为

$$x = \frac{X}{1+X} \tag{3-9}$$

$$X = \frac{x}{1-x} \tag{3-10}$$

$$y = \frac{Y}{1+Y} \tag{3-11}$$

$$Y = \frac{y}{1-y} \tag{3-12}$$

3. 质量浓度与物质的量浓度

质量浓度定义为单位体积混合物中某组分的质量

$$G_A = m_A / V \tag{3-13}$$

式中　G_A——组分 A 的质量浓度，kg/m^3。

　　　V——混合物的体积，m^3。

　　　m_A——混合物中组分 A 的质量，kg。

物质的量浓度是指单位体积混合物中某组分的物质的量（mol）：

$$c_A = n_A / V \tag{3-14}$$

式中　c_A——组分 A 的物质的量浓度，$kmol/m^3$。

　　　n_A——混合物中组分 A 的物质的量（mol），$kmol$。

4. 气体的总压与理想气体混合物中组分的分压

对于气体混合物，总浓度常用气体的总压 p 表示。压力不太高（通常小于 $500kPa$），温度不太低时，混合气体可作为理想气体处理，其中的 A 组分常用分压 p_A 表示。总压与分压之间的关系为

$$p_A = p y_A \tag{3-15}$$

比摩尔分数与分压之间的关系为

$$Y_A = \frac{p_A}{p - p_A}$$

当压力不太高，温度不太低时，气体可视为理想气体，则气体物质的量浓度可表示为：

$$c_A = \frac{n_A}{V} = \frac{p_A}{RT} \tag{3-16}$$

【例 3-1】　氨水中氨的质量分数为 0.25，求氨水中氨的比质量分数、摩尔分数和比摩尔分数。

解：已知氨的质量分数 $w = 0.25$

比质量分数：$W = \dfrac{w}{1-w} = \dfrac{0.25}{1-0.25} = 0.333$

摩尔分数为:氨的相对分子质量 $M_A = 17$,水的相对分子质量 $M_B = 18$,由式(3-3)得

$$x_A = \frac{M_A}{w_A/M_A + w_B/M_B} = \frac{0.25/17}{25/17 + 0.75/18} = 0.261$$

比摩尔分数

$$X = \frac{x}{1-x} = \frac{0.261}{1-0.261} = 0.353$$

二、气体在液体中的溶解度

1. 溶解度曲线

在一定压力和温度条件下,一定量的吸收剂与混合气体经长期充分接触后,气液两相达到平衡,此状态为平衡状态。平衡状态下,溶质在液相中的浓度称为"平衡浓度"或"饱和浓度",气相中溶质的分压为平衡分压或饱和分压。平衡时溶质组分在气液两相中的浓度存在一定的关系,即相平衡关系。该相平衡关系可用函数、列表或图线表示,其中用二维坐标绘成的气液相平衡关系曲线称为"溶解度曲线"(solubility curve)。气体在液体中的溶解度表明在一定的条件下吸收过程可能达到的极限程度。图 3-4、图 3-5 和图 3-6 分别为总压不很高时氨、二氧化硫和氧在水中的溶解度曲线。对其分析可知:

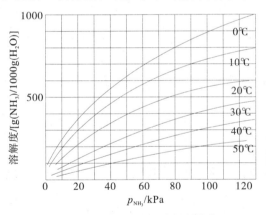

图 3-4　NH₃ 在水中的溶解度曲线

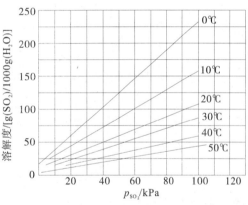

图 3-5　SO₂ 在水中的溶解度曲线

①在同一溶剂中,相同的温度和溶质分压下,不同气体的溶解度差别很大,其中氨在水中的溶解度最大,氧在水中的溶解度最小。这表明氨易溶于水,氧难溶于水,而二氧化硫则居中。

②对同一溶质,在相同的气相分压下,溶解度随温度的升高而减小。

③对同一溶质,在相同的温度下,溶解度随气相分压的升高而增大。

一般来说,气体溶质在一定液体中的溶解度与整个物系的温度、压强及该溶质在气相中

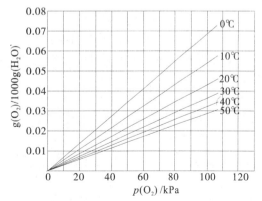

图 3-6　O₂ 在水中的溶解度曲线

的浓度密切相关。一般情况下,气体的溶解度随温度的升高而减小。加压和降温可以提高气体的溶解度,故加压和降温有利于吸收操作。反之,升温和减压则有利于解吸操作。从上述规律得知,加压和降温可以提高气体溶质在溶剂中的溶解度,所以加压和降温有利于吸收操作过程,而减压和升温有利于解吸操作过程。

2. 亨利定律

1803 年亨利(Henry)经过大量的研究发现:总压不高(一般约小于 500kPa)时,在一定温度下,稀溶液上方气相中溶质的平衡分压与液相中溶质的摩尔分数成正比,即

$$p_A^* = Ex \qquad (3-17)$$

式中　p_A^*——溶质在气相中的平衡分压,kPa。

　　　E——亨利系数,kPa。

　　　x——溶质在液相中的摩尔分数。

可以看出,亨利系数 E 为此直线方程的斜率。亨利系数 E 的值随物系而变化,易溶气体的 E 值很小,难溶气体的 E 值很大,溶解度居中的气体 E 值介于两者之间。一般当物系一定时,E 值随温度升高而增大。它体现出气体溶解度随温度升高而减小的变化趋势。亨利系数一般由实验确定,常见物系的亨利系数也可从有关手册中查得。

由于气、液组成表示方法不同,所以亨利定律可有多种表达形式。

①若溶质在气相中的平衡浓度用分压 p_A^*,溶质在液相中的浓度用物质的量浓度 c_A 表示,则亨利定律可写成如下形式:

$$p_A^* = \frac{c_A}{H} \qquad (3-18)$$

式中　c_A——溶质在液相中的物质的量浓度,kmol/m³;

　　　H——溶解度系数,kmol/(m³·kPa)。

　　　p_A^*——溶质在气相中的平衡分压,kPa。

溶解度系数 H 与亨利系数 E 的关系为

$$H = \frac{\rho_s}{EM_s} \qquad (3-19)$$

式中　ρ_s——溶剂的密度,kg/m³。

　　　M_s——溶剂的摩尔质量,kg/kmol。

溶解度系数 H 也是温度、溶质和溶剂的函数,易溶气体的溶解度系数 H 值很大,难溶气体的 H 值很小,H 值一般随温度升高而减小。

②若溶质在液相和气相中的浓度分别用摩尔分数 x、y 表示,则亨利定律写成如下形式:

$$y^* = mx \qquad (3-20)$$

式中　x——液相中溶质的摩尔分数。

　　　y——与液相组成相平衡的气相中溶质的摩尔分数。

　　　m——相平衡常数。

相平衡常数 m 与亨利系数 E 的关系为

$$m = E/p \qquad (3-21)$$

相平衡常数 m 随温度、压力和物系而变化。当物系一定时,温度降低或总压升高,则 m 值变小,液相溶质的浓度 x 增加,有利于吸收操作;当温度、压力一定时,m 值愈大,该气体的

溶解度愈小,故 m 值反映了不同气体溶解度的大小。

③若溶质在气相和液相中的浓度分别用比摩尔分数 Y、X 表示,当溶液浓度很低时,将式(3-9)和式(3-11)代入式(3-20),则亨利定律变为:

$$Y^* = \frac{mX}{1 + (1-m)X} \tag{3-22}$$

式中　X——液相中溶质的摩尔比。

　　　Y——与液相组成 X 相平衡的气相中溶质的摩尔比。

当溶液浓度很低时,式(3-22)可近似地表示为

$$Y^* = mX \tag{3-22a}$$

亨利定律的各种表达式所描述的是互成平衡的气液两相组成之间的关系,故亨利定律又可以写成如下形式:

$$x^* = p_A/E$$

$$c_A{}^* = Hp_A$$

$$x^* = y/m$$

$$X^* = Y/m$$

在吸收过程中常假定惰性气体不进入液相,溶剂也没有显著的气化现象。因而在吸收塔的任一截面上惰性气体与溶剂的摩尔流量均不发生变化,故在计算中,常以惰性气体和溶剂的量为基准,故式(3-22)和(3-22a)在吸收的计算中应用最多。

以上各式中的亨利系数 E、溶解度系数 H 和相平衡常数 m 均由实验测得。一般物理化学手册或化工手册中只列出亨利系数 E,其他的常数可由查得的 E 按有关公式换算得到。对于不遵循亨利定律的气体,为满足工程上的需要,通常通过实验测定不同条件下的吸收系数,求得气液平衡数据,将其列表、绘图以备实际应用。

3.相平衡关系与吸收过程的关系

(1)判别过程进行的方向　　未达平衡的两相,在推动力的作用下,组分会从一相往另一相传递,其结果使得系统趋于平衡。不平衡的气、液两相接触后所发生的传质过程,是吸收还是解吸,要视溶质在气相中的分压与其液相的平衡分压之间的关系而定。当气液两相接触时,气相中溶质的组成为 y,与液相中溶质组成 x 成相平衡的气相组成为 y^*;液相中溶质的组成为 x,与气相中溶质组成 y 成相平衡的液相溶质组成为 x^*。

若溶质在气相中的分压大于其液相的平衡分压,如图 3-7 中(a)所示的点 $P(p_A, x_A)$,就会发生吸收过程,气相中的溶质被吸收到液相中,直到达到平衡状态为止。对点 P 而言,

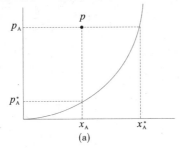
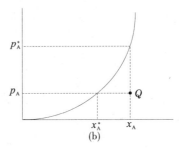

图 3-7　判别过程的方向

$p_A > p_A^*, x_A < x_A^*$。反之,若溶质在气相中的分压小于其液相的平衡分压,溶液中的溶质就会解吸出来,返回气相中,此过程一直进行到气液达到平衡状态为止。如图 3-7(b)中的点 Q 所示,此时 $p_A < p_A^*, x_A > x_A^*$。

简言之,在图中,位于平衡线上方的点会发生吸收,位于平衡线下方的点会发生解吸。

(2)指明过程进行的极限　平衡状态是吸收过程的极限。将溶质摩尔分数为 y_1 混合气体送入某吸收塔的底部,溶剂向塔顶淋入做逆流吸收。即使在塔无限高(即接触时间无限长)情况下,最终吸收液中溶质的极限浓度最大值是与气相进口摩尔分数 y_1 成相平衡的液相组成 x_1^*,即 $x_{1\max} = x_1^* = y_1/m$。同理,混合气体尾气溶质含量 y_2 最小值是与进塔吸收剂的溶质摩尔分数 x_2 成相平衡的气相组成 y_2^*,即 $y_{2\min} = y_2^* = mx_2$。由于离塔的气、液在实际过程中不可能达到相平衡才离开,故 y_2^*、x_1^* 只能分别是理论上离开塔的气、液相中的溶质组成可能达到的最大值。由以上分析可以看出,相平衡关系限制了吸收液离塔时的最高浓度和气体混合物离塔时的最低浓度。简言之,平衡是吸收(解吸)过程的极限。

(3)确定过程的推动力　平衡是吸收(解吸)过程的极限,只有不平衡的两相互相接触才会发生气体的吸收或解吸,实际浓度偏离平衡浓度越远,过程的推动力就越大,过程速率也就越快。在吸收过程中,通常以实际浓度与平衡浓度的偏离程度来表示吸收的推动力。

因过程推动力可用气相分压差表示,也可用浓度差表示,故表示时必须注明。以图 3-7 中(a)的 P 点为例,其推动力可表示为:以气相分压差表示的吸收过程推动力 $p_A - p_A^*$,以液相浓度差表示的吸收过程推动力 $x_A^* - x_A$,以气相浓度差表示的吸收过程推动力 $y_A - y_A^*$。

项目 2

吸收传质过程分析

学习目标

- 了解吸收过程的三个步骤
- 掌握费克定律的应用
- 理解分子扩散与对流扩散的定义及过程
- 理解双膜模型的要点及应用
- 掌握吸收速率方程多种表达式及应用

平衡关系只能回答混合气体中溶质气体能否进入液相这个问题,至于进入液相速率大小,却无法解决,后者属于传质的机理问题。本项目的内容是结合吸收操作来说明传质的基本原理,作为分析吸收操作与设计吸收设备的依据。吸收过程是一个两相间的物质传递过程,其过程包含三个步骤:

① 溶质由气相主体传递到两相界面,即气相内的物质传递。

② 溶质在相界面上的溶解,由气相转入液相,即界面上发生的溶解过程。

③ 溶质自界面被传递到液相主体,即液相内的物质传递。

吸收操作的极限取决于体系的气液平衡。吸收操作的生产强度取决于吸收速率,并且还是吸收设备的选型和设备设计的重要依据。

一、单相内的扩散

吸收质在某一相中的扩散有分子扩散和对流扩散两种。在层流流动中,吸收质在垂直于流体流动方向的扩散靠分子运动完成;在湍流流动中,吸收质主要依靠流体质点不规则运动的涡流实现扩散,而在层流内层仍是分子扩散。

1. 分子扩散与费克定律

(1)分子扩散:流体内某一组分存在浓度差时,则由于分子运动使组分从浓度高处传递至浓度低处,这种现象称为"分子扩散"。

(2)费克定律:单位时间通过物质的扩散量与浓度梯度成正比。

$$N_A = -D \frac{dC_A}{d\delta} \tag{3-23}$$

式中　N_A——组分 A 的扩散速率,$mol/m^2 \cdot s$。

D——扩散系数,m^2/s。

δ——扩散距离,即膜层厚度,m。

C_A——吸收质浓度，mol/m^3。

$dC_A/d\delta$——浓度梯度，负号表示扩散方向（向浓度梯度减小的方向扩散）。

对于气体扩散：

$$N_A = -D\frac{dC_A}{d\delta} \qquad \because C = \frac{n_A}{V} = \frac{p_A}{RT}$$

$$\therefore N_A = -\frac{D}{RT}\frac{dp_A}{d\delta} \Rightarrow N_A\int_0^\delta d\delta = -\frac{D}{RT}\int_{p_A}^{p_i}dp_A \Rightarrow N_A \cdot \delta = \frac{D}{RT}(P_A - P_i)$$

$$\therefore N_A = \frac{D}{RT\delta}(P_A - P_i) \qquad \frac{D}{RT\delta} = k_G$$

k_G 称为"气相传质分系数"，$kmol \cdot s^{-1} \cdot m^{-2} \cdot kPa^{-1}$。

$$\therefore N_A = k_G(P_A - P_i) \tag{3-24}$$

同理，对于液相扩散有：

$$N_A = k_L(C_i - C_A) \tag{3-25}$$

式中　k_L 为液相传质分系数，$m \cdot s^{-1}$。

2. 对流扩散

前面介绍的分子扩散现象，存在于静止流体或层流流体中。在化学工程领域里的传质操作多发生在流体湍流的情况下，此时的对流传质就是湍流主体与相界面之间的涡流扩散和分子扩散两种传质作用的总和。而涡流扩散不能像分子扩散那样能作出理论分析，而主要依靠实验方法来研究或模仿费克定律来表达。用费克定律表示涡流扩散速率。

$$N_A = -D_E\frac{dC_A}{d\delta} \tag{3-26}$$

式中　D_E——涡流扩散系数，$m^2 \cdot S^{-1}$。它不是物质的特性常数，与湍流程度、质点位置等因素有关。

湍流流动时，涡流扩散与分子扩散同时起着传质作用，这时对流扩散速率为：

$$N_A = -(D_E + D)\frac{dC_A}{d\delta} \tag{3-27}$$

二、两相间物质传递过程——双膜模型

传质过程都在两相间进行，吸收过程同样如此。为解决此类传质问题，Lewis－Whitman 将固体溶解理论引入传质过程，20 世纪 20 年代提出了双膜模型，其要点如下：

（1）相间有物质传递时，相界面两侧各有一层极薄的静止膜，传递阻力都集中在这里。如图 3-8 所示，气相侧和液相侧的传质通量分别为：

$$N_{AG} = k_G(p_A - p_i) = \frac{p_A - p_i}{\dfrac{1}{k_G}} \tag{3-28}$$

$$N_{AL} = k_L(C_i - C_A) = \frac{C_i - C_A}{\dfrac{1}{k_L}} \tag{3-29}$$

式中　k_G——以分压差为推动力表示的气相传质分系数，$kmol \cdot S^{-1} \cdot m^{-2} \cdot kPa^{-1}$。

　　　　k_L——以浓度差为推动力表示的液相传质分系数，$m \cdot S^{-1}$。

p_A、p_i——分别为气相湍流主体和气-液界面上的溶质气体分压，kPa。

C_A、C_i——分别为液相湍流主体和气-液界面上的溶质液相浓度，$kmol \cdot m^{-3}$。

2.物质通过双膜的传递过程为稳态过程，没有物质的积累，即 $N_{AG} = N_{AL}$。

$$k_L(C_i - C_A) = k_G(p_A - p_i) \qquad (3\text{-}30)$$

3.假定气-液界面处无传质阻力，且界面处的气-液组成达到平衡，即 p_i 和 C_i 在气-液相平衡线上。

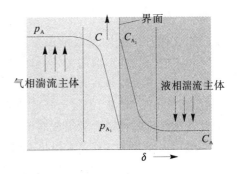

图 3-8　双膜模型示意图

$$p_i = f(C_i) \qquad\qquad\qquad (3\text{-}31)$$

若气-液相平衡关系服从亨利定律，则(3-31)可写成，

$$p_i = \frac{C_i}{H} \quad \text{或者 } y = mx$$

原则上讲，若已知气、液相传质分系数 k_G 和 k_L，我们便可以通过双膜模型导出式子(3-30)和(3-31)，联立求解得到未知的气、液界面组成 C_i 和 p_i，再利用式(3-28)和式(3-29)求得传质通量 N_A。

【例3-2】 用水吸收空气中的甲醇蒸汽，温度为300K时的 $H = 2 kmol \cdot m^{-3} \cdot kPa^{-1}$，气相传质分系数 $k_G = 0.056 kmol \cdot m^{-2} \cdot s^{-1} \cdot kPa^{-1}$，液相传质分系数 $k_L = 0.075 m \cdot s^{-1}$，在吸收设备的某截面上，气相主体分压 $p_A = 2.026 kPa$，液相主体浓度为 $1.2 kmol \cdot m^{-3}$，求此时该截面上的传质通量。

解： $N_A = k_G(p_A - p_i) = k_L(C_i - C_A)$

$$\therefore N_A = \frac{p_A - p_i}{\dfrac{1}{k_G}} = \frac{C_i - C_A}{\dfrac{1}{k_L}} \qquad \text{而 } p_i = \frac{C_i}{H}$$

$$\therefore N_A = \frac{H \cdot p_A - H \cdot p_i}{\dfrac{H}{k_G}} = \frac{H \cdot p_i - C_A}{\dfrac{1}{k_L}}$$

由合比定律得：

$$N_A = \frac{H \cdot p_A - C_A}{\dfrac{H}{k_G} + \dfrac{1}{k_L}} = \frac{2 \times 2.026 - 1.2}{\dfrac{2}{0.056} + \dfrac{1}{0.075}} = 0.1274 kmol \cdot m^{-2} \cdot s^{-1}$$

三、单相对流传质速率方程

(一)气相对流传质速率方程

对流传质现象极为复杂，传质速率一般只能依据实验进行测定关联。仿照对流传热的处理方法，将流体对界面的对流传质折合成有效膜的分子扩散，则流体与相界面之间组分 A 的传质速率 N_A 写成类似于牛顿冷却定律的形式：

$$N_A = k_G(p_A - p_{Ai}) \tag{3-32}$$

由式(3-32)看出,吸收的传质速率等于传质系数乘以吸收的推动力。

由于混合物的组成的表示方法很多,所以吸收的推动力也就有多种不同的表示方法,吸收的传质速率方程也有多种形式。应该指出不同形式的传质速率方程具有相同的意义,可用任意一个进行计算,但每个吸收传质速率方程中传质系数的数值和单位各不相同,传质系数的下标必须与推动力的组成表示法相对应。

气相传质速率方程还有以下几种形式:

$$N_A = k_y(y - y_i) \tag{3-33}$$

$$N_A = k_Y(Y - Y_i) \tag{3-34}$$

式中　N_A——单位时间内组分 A 扩散通过单位面积的物质的量,即传质速率,$kmol/(m^2 \cdot s)$。

k_G——以分压差表示推动力的气相传质系数,$kmol/(s \cdot m^2 \cdot kPa)$。

p_A、p_{Ai}——溶质 A 在气相主体与界面处的分压,kPa。

k_y——以摩尔分数差表示推动力的气相传质系数,$kmol/(m^2 \cdot s)$。

y、y_i——气相主体与界面处的摩尔分数。

k_Y——以气相比摩尔分数差表示推动力的气相传质系数,$kmol/(m^2 \cdot s)$。

Y、Y_i——气相主体与界面处的比摩尔分数。

(二)液相对流传质速率方程

根据膜模型进行同样的处理得到溶质 A 在液相中的对流传质速率为:

$$N_A = k_L(c_i - c) \tag{3-35}$$

$$N_A = k_x(x_i - x) \tag{3-36}$$

$$N_A = k_X(X_i - X) \tag{3-37}$$

式中　k_L——以液相物质的量浓度差表示推动力的液相传质系数,m/s。

c_i、c——溶质 A 在界面与气相主体处的物质的量浓度,$kmol/m^3$。

k_x——以液相摩尔分数差表示推动力的液相传质系数,$kmol/(m^2 \cdot s)$。

x_i、x——液相主体与界面处的摩尔分数。

k_X——以液相比摩尔分数差表示推动力的液相传质系数,$kmol/(m^2 \cdot s)$。

X_i、X——液相主体与界面处的比摩尔分数。

四、相际对流传质速率方程

(一)总对流传质速率方程

上述气相和液相传质速率方程中均涉及相界面上的浓度(p_i、y_i、Y_i、c_i、x_i、X_i),由于相界面不稳定,其上的浓度很难测定,所以直接使用总传热速率方程来进行传热计算,工程上亦常利用相际传质速率方程来表示吸收的速率方程。由于吸收传质过程的推动力可用气相的浓度差表示,也可用液相的浓度差表示,所以总传质速率方程与单相传质速率方程类似,其表达式分两类:

1.用气相组成表示吸收推动力

此时总传质速率方程称为"气相总传质速率方程",具体如下：

$$N_A = K_G(p - p^*) \tag{3-38}$$

$$N_A = K_y(y - y^*) \tag{3-39}$$

$$N_A = K_Y(Y - Y^*) \tag{3-40}$$

式中　K_G——以气相分压差$(p-p^*)$表示推动力的气相总传质系数，$kmol/(s \cdot m^2 \cdot kPa)$。

　　　K_y——以气相摩尔分数差$(y-y^*)$表示推动力的气相总传质系数，$kmol/(m^2 \cdot s)$。

　　　K_Y——以气相比摩尔分数差$(Y-Y^*)$表示推动力的气相总传质素数，$kmol/(m^2 \cdot s)$。

2.用液相组成表示吸收推动力

此时总传质速率方程称为"液相总传质速率方程"，具体如下：

$$N_A = K_L(c^* - c) \tag{3-41}$$

$$N_A = K_x(x^* - x) \tag{3-41a}$$

$$N_A = K_X(X^* - X) \tag{3-41b}$$

式中　K_L——以液相浓度差(c^*-c)表示推动力的液相总传质系数，m/s。

　　　K_x——以液相摩尔分数差(x^*-x)表示推动力的液相总传质系数，$kmol/(m^2 \cdot s)$。

　　　K_X——以液相比摩尔分数差(X^*-X)表示推动力的液相总传质系数，$kmol/(m^2 \cdot s)$。

(二)总传质系数与气膜、液膜传质系数的关系

若吸收过程中物系的气、液相平衡服从亨利定律或平衡关系在计算范围内为直线，采用与对流传热过程相类似的处理方法，气、液相传质系数与总传质系数之间的关系举例推导如下：

$$N_A = \frac{p - p_i}{\frac{1}{k_G}} = \frac{c_i - c_i}{\frac{1}{k_L}} = \frac{\frac{c_i}{H} - \frac{c}{H}}{\frac{1}{k_L H}} = \frac{p_i - p^*}{\frac{1}{k_L H}} = \frac{p - p_i + p_i - p^*}{\frac{1}{k_G} + \frac{1}{k_L H}} = \frac{p - p^*}{\frac{1}{k_G} + \frac{1}{k_L H}}$$

故

$$\frac{1}{K_G} = \frac{1}{k_G} + \frac{1}{Hk_L} \tag{3-42}$$

用类似的方法得到

$$\frac{1}{K_L} = \frac{1}{k_L} + \frac{H}{k_G} \tag{3-43}$$

$$\frac{1}{K_y} = \frac{m}{k_x} + \frac{1}{k_y} \tag{3-44}$$

$$\frac{1}{K_x} = \frac{1}{k_x} + \frac{1}{mk_y} \tag{3-45}$$

$$\frac{1}{K_Y} = \frac{m}{k_X} + \frac{1}{k_Y} \tag{3-46}$$

$$\frac{1}{K_X} = \frac{1}{k_X} + \frac{1}{mk_Y} \tag{3-47}$$

通常传质速率可以用传质系数乘以推动力表达，也可用推动力与传质阻力之比表示。从以上总传质系数与单相传质系数关系式可以看出，气、液两相相际传质总阻力等于分阻力

之和,总推动力等于各层推动力之和。这与两流体间壁换热时总传热热阻等于对流传热所遇到的各项热阻加和相同。要注意总传质阻力和两相传质阻力必须与推动力相对应。

(三)吸收阻力的控制

1.气膜控制

当溶质的溶解度很大,即其 H 值很大,如果 k_G 与 k_L 数量级相近时,有 $1/(Hk_L)$ 远小于 $1/k_G$,由式(3-42)可以看出,以气相分压差 $p-p^*$ 表示推动力的总传质阻力 $1/K_G$ 主要由气相传质阻力 $1/k_G$ 决定。此时传质阻力的绝大部分存在于气膜中,液膜阻力可以忽略,即 $K_G \approx k_G$,这种情况称为"气膜阻力控制"或"气膜控制"。用水吸收氨或氯化氢,用浓硫酸吸收气相中的水蒸气等过程,均可视为气膜控制的吸收过程。

气膜控制时,液相界面浓度近似等于液相主体浓度即 $c_i = c_A$;气膜推动力近似等于气相总推动力;H 值很大时,平衡线斜率 $1/H$ 就很小,此时,较小的气相分压 p_A 能与较大的液相浓度 c_A^* 相平衡。气膜控制时,要提高总传质系数 K_G,应加大气相湍动程度。

2.液膜控制

当溶质的溶解度很小,即其 H 值很小,并且 k_G 与 k_L 数量级相近时,H/k_G 远小于 $1/k_L$,由式(3-43)可以看出,以液相浓度差 $c_A^* - c_A$ 表示推动力的总传质阻力只由液相传质阻力 $1/k_L$ 决定。此时传质阻力的绝大部分存在于液膜中,气膜阻力可以忽略,即 $K_L \approx k_L$,这种情况称为"液膜阻力控制"或"液膜控制"。如用水吸收二氧化碳、氧气、氢气等过程,均可视为液膜控制的吸收过程。液膜控制时,气相界面分压近似等于气相主体分压,即 $p_A = p_i$,液膜推动力近似等于液相总推动力。液膜控制时要提高总传质系数 K_L,应增大液相湍动程度。

对于中等溶解度的溶质,在传质总阻力中气膜阻力与液膜阻力均不可忽视,此时要提高总传质系数,必须同时增大气相和液相的湍动程度。

项目 3

填料吸收塔的计算

学习目标

- 掌握物料衡算与操作线方程及其应用
- 掌握传质单元数及传质单元高度的计算方法

气体吸收常在吸收塔中进行,塔设备主要有板式塔和填料塔。本项目介绍填料塔的工艺计算。主要包括:①吸收剂的用量;②填料层高度;③塔径。

常见的气体吸收为气液逆流接触。逆流操作的优点:

①可以提高溶剂的使用效率(塔底)。进口气体浓度大,溶液还能吸收,使溶液浓度尽量提高。

②可以提高混合气体的分离效率(塔顶)。出口气体浓度低,但和较新鲜的溶剂接触仍能溶解一部分,使出口气体浓度尽量降低。

任务一 物料衡算及操作线方程

1.物料衡算与操作线方程

如图 3-9 所示,对吸收塔作物料衡算。从塔顶至塔中间任一截面间对溶质 A 做物料衡算得:

$$q_{n,L} \cdot X + q_{n,V} \cdot Y_2 = q_{n,L} \cdot X_2 + q_{n,V} \cdot Y$$

$$\therefore Y = \frac{q_{n,L}}{q_{n,V}}X + \left(Y_2 - \frac{q_{n,L}}{q_{n,V}}x_2\right) \tag{3-48}$$

从塔底至塔中间任一截面间对溶质 A 做物料衡算得:

$$q_{n,1} \cdot X + q_{n,V} \cdot Y_1 = q_{n,L} \cdot X_1 + q_{n,V} \cdot Y$$

$$\therefore Y = \frac{q_{n,L}}{q_{n,V}}X + \left(Y_1 - \frac{q_{n,L}}{q_{n,V}}X_1\right) \tag{3-49}$$

在全塔范围内,对溶质 A 做物料衡算得:

$$\frac{q_{n,L}}{q_{n,V}} = \frac{Y_1 - Y_2}{X_1 - X_2} \tag{3-50}$$

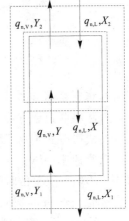

图 3-9 逆流吸收衡算图

式(3-48)~(3-50)中 Y_2, X_2——分别为塔顶的气相与液相组成,比摩尔分数。

Y_1, X_1——分别为塔底的气相与液相组成,比摩尔分数;

Y, X——分别为塔任意一截面的气、液相组成,比摩尔分数;

$q_{n,V}$，$q_{n,L}$——分别为混合气中的惰性气体与纯溶剂的摩尔流量，kmol/s。

为了简化计算，可以认为混合气中的惰性气体流量与纯溶剂的流量不变。

式(3-48)、(3-49)均可看作吸收塔的物料衡算方程，或称为"吸收塔操作线方程"。

2. 最小液气比

在一般的吸收计算中，Y_1，Y_2，X_2，$q_{n,V}$是给定的，分析$\dfrac{q_{n,L}}{q_{n,V}} = \dfrac{Y_1 - Y_2}{X_1 - X_2}$，当$\left(\dfrac{q_{n,L}}{q_{n,V}}\right)$下降至塔底出口浓度$X_1$与塔底进气组成$Y_1$相平衡时，塔底气相不能被吸收时，$\left(\dfrac{q_{n,L}}{q_{n,V}}\right)$不能再下降了，此时的液气比称为"最小液气比"$\left(\dfrac{q_{n,L}}{q_{n,V}}\right)_{min}$，所以可以得到最小液气比的表达式为：

$$\left(\frac{q_{n,L}}{q_{n,V}}\right)_{min} = \frac{Y_1 - Y_2}{X_1^* - X_2},$$

若平衡线是直线，则$X_1^* = y_1/m$，

$$\therefore \left(\frac{q_{n,L}}{q_{n,V}}\right)_{min} = \frac{Y_1 - Y_2}{Y_1/m - X_2}$$

【例3-3】 用清水吸收氨－空气中的氨，混合气NH_3的浓度为0.05（比摩尔分数，下同），要求出塔的氨的浓度下降至0.01，物系的关系$Y^* = 0.788X$，求此种分离要求的最小液气比，若取实际液气比是最小液气比的1.6倍，此时出塔溶液的浓度为多少？

解：$\left(\dfrac{q_{n,L}}{q_{n,V}}\right)_{min} = \dfrac{Y_1 - Y_2}{\dfrac{Y_1}{m} - X_2} = \dfrac{0.05 - 0.01}{\dfrac{0.05}{0.788} - 0} = 0.63$

而$\left(\dfrac{q_{n,L}}{q_{n,V}}\right) = 1.6\left(\dfrac{q_{n,L}}{q_{n,V}}\right)_{min} = \dfrac{Y_1 - Y_2}{X_1 - X_2}$

$\therefore X_1 = \dfrac{Y_1 - Y_2}{1.6\left(\dfrac{q_{n,L}}{q_{n,V}}\right)_{min}} + X_2 = \dfrac{0.05 - 0.01}{1.6 \times 0.63} + 0 = 0.0397$

任务二 填料层高度的计算

1. 填料层高度的基本算式

气相吸收速率方程：$N_A = K_Y A(Y - Y^*)$

写成微分式则为：$dN_A = K_Y(Y - Y^*)dA$ （3-51）

吸收速率：$dN_A = -q_{n,v}dY = -q_{n,l}dX$ （3-52）

式中　dN_A——单位时间内吸收质传递的量，mol/s。

　　$q_{n,v}$——单位时间内通过吸收塔的惰性气体量，mol/s。

　　Y——任一截面吸收质的比摩尔分数，$mol_质/mol_惰$。

　　"－"号——表示含量降低。

综合上述(3-51)、(3-52)式有：

$$-q_{n,v}dY = K_Y(Y - Y^*)dA$$

对上式积分得

$$\frac{-q_{n,v}}{K_Y(Y-Y^*)}\int_{Y_1}^{Y_2}dY = \int_0^A dA$$

$$\frac{q_{n,v}}{K_Y(Y-Y^*)}\int_{Y_2}^{Y_1}dY = A$$

若填料塔的填料层高度为 H,空塔截面积为 A_0,则堆放填料的体积为 HA_0,单位体积填料的有效表面积为 $a\mathrm{m}^2/\mathrm{m}^3$,所以传质的接触面积为:

$$A = aHA_0$$

式中　A——传质面积,m^2。

　　　　H——填料层高度,m。

　　　　A_0——塔截面积,m^2。

　　　　a——有效比表面积,$\mathrm{m}^2/\mathrm{m}^3$,$(\mathrm{m}^{-1})$。

$$\therefore H = \frac{q_{n,v}}{K_Y a A_0}\int_{Y_2}^{Y_1}\frac{dY}{(Y-Y^*)}$$

同理,　　　　　　　　　$H = \frac{q_{n,l}}{K_X a A_0}\int_{X_2}^{X_1}\frac{dX}{(X^*-X)}$

令 $h_{OG} = \dfrac{q_{n,v}}{K_Y a A_0}$,$h_{OL} = \dfrac{q_{n,l}}{K_X a A_0}$ 称为"传质单元高度",单位为 m。

$n_{OG} = \displaystyle\int_{Y_2}^{Y_1}\frac{dY}{(Y-Y^*)}$,$n_{OL} = \displaystyle\int_{X_2}^{X_1}\frac{dX}{(X^*-X)}$ 称为"传质单元数",无因次。

所以,填料层高度＝传质单元高度×传质单元数

即:$H = h_{OG}\cdot n_{OG}$,$H = h_{OL}\cdot n_{OL}$

式中　下标 O 表示"总"传质单元数,下标 G 表示气相,下标 L 表示液相。

　　　　$K_Y a$——以 ΔY 为推动力的气相体积总传质系数。

　　　　$K_X a$——以 ΔX 为推动力的液相体积总传质系数。

2. 传质单元数

解析法(对数平均推动力法)

物料衡算方程为:

$$y = \frac{q_{n,l}}{q_{n,v}}x + \left(y_2 - \frac{q_{n,l}}{q_{n,v}}x_2\right) \tag{3-53}$$

平衡线若为不通过原点的直线,即:

$$y^* = mx + b \tag{3-54}$$

联立(3-53)、(3-54)得:

$$y^* = \frac{m q_{n,v}}{q_{n,l}}(y-y_2) + mx_2 + b$$

即有:$y - y^* = y - \dfrac{m q_{n,v}}{q_{n,l}}(y-y_2) - mx_2 - b$

$$y - y^* = \left(1 - \frac{m q_{n,v}}{q_{n,l}}\right)y + \frac{m q_{n,v}}{q_{n,l}}y_2 - mx_2 - b \tag{3-55}$$

以 $y-y^*$ 为变量,微分得:

$$\frac{d(y-y^*)}{dy} = 1 - \frac{m q_{n,v}}{q_{n,l}} \tag{3-56}$$

如图 3-10 所示，式（3-55）在边界点 1 和边界点 2 处分别得：

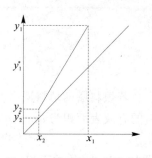

图 3-10　传质推动力示意图

$$y_1 - y_1^* = \left(1 - \frac{mq_{n,v}}{q_{n,l}}\right)y_1 + \frac{mq_{n,v}}{q_{n,l}}y_2 - mx_2 - b \quad (3\text{-}57)$$

$$y_2 - y_2^* = \left(1 - \frac{mq_{n,v}}{q_{n,l}}\right)y_2 + \frac{mq_{n,v}}{q_{n,l}}y_2 - mx_2 - b \quad (3\text{-}58)$$

相减：$(y_1 - y_1^*) - (y_2 - y_2^*) = \left(1 - \frac{mq_{n,v}}{q_{n,l}}\right)(y_1 - y_2)$

$$\frac{(y_1 - y_1^*) - (y_2 - y_2^*)}{(y_1 - y_2)} = 1 - \frac{mq_{n,v}}{q_{n,l}} \quad (3\text{-}59)$$

比较（3-56）、（3-59）式得：

$$\frac{d(y - y^*)}{dy} = \frac{(y_1 - y_1^*) - (y_2 - y_2^*)}{(y_1 - y_2)}$$

$$\Rightarrow dy = \frac{(y_1 - y_2)d(y - y^*)}{(y_1 - y_1^*) - (y_2 - y_2^*)}$$

$$\Rightarrow \int_{y_2}^{y_1} \frac{dy}{y - y^*} = \frac{(y_1 - y_2)}{(y_1 - y_1^*) - (y_2 - y_2^*)} \int_{y_2 - y'_2}^{y_1 - y'_1} \frac{d(y - y^*)}{y - y^*}$$

$$= \frac{(y_1 - y_2)}{(y_1 - y_1^*) - (y_2 - y_2^*)} \ln \frac{y_1 - y_1^*}{y_2 - y_2^*}$$

令 $\Delta y_m = \dfrac{(y_1 - y_1^*) - (y_2 - y_2^*)}{\ln \dfrac{y_1 - y_1^*}{y_2 - y_2^*}}$

$$n_{OG} = \int_{y_2}^{y_1} \frac{dy}{y - y^*} = \frac{y_1 - y_2}{\Delta y_m}$$

任务三　吸收塔塔径的计算

吸收塔塔径的计算可以类似于圆形管路直径的计算公式得：

$$D = \sqrt{\frac{4V_s}{\pi u}} \tag{3-60}$$

式中　D——吸收塔的塔径，m。

　　　V_s——混合气体通过塔的实际流量，m³/s。

　　　u——空塔气速，即按空塔横截面计算的混合气速度，m/s。

应当指出的是在吸收过程中溶质不断进入液相，故实际混合气量因溶质的吸收沿塔高变化，混合气在进塔时气量最大，在离塔时气量最小。计算时气量通常取全塔中气量最大值，即以进塔气量为设计塔径的依据。

计算塔径关键是确定适宜的空塔气速，通常先确定液泛气速，然后考虑一个小于 1 的安全系数，计算出空塔气速。液泛气速的大小由吸收塔内气液比、气液两相物性及填料特性等方面决定，详细的计算过程可查阅相关手册。

按式（3-60）计算出的塔径，还应根据国家压力容器公称直径的标准进行圆整。

任务四　解吸及其计算

1.解吸

工业生产中,常将离开吸收塔的吸收液送到解吸塔,使吸收液中的溶质浓度由 X_1 降至 X_2,这种从吸收液中分离出被吸收溶质的操作,称为"解吸(stripping)过程"。解吸后的液体再送到吸收塔循环使用,同时在解吸过程中得到较纯的溶质,真正实现了原混合气各组分的吸收分离。故吸收—解吸流程才是一个完整的气体分离过程。在实际生产中,解吸过程有两个目的:一是获得所需较纯的气体溶质;二是使溶剂再生返回到吸收塔循环使用,使分离过程经济合理。常用解吸剂有空气、水蒸气及其他惰性气体。

解吸过程是吸收的逆过程,是气体溶质从液相向气相转移的过程。解吸的推动力为 $p_A^* - p_A$ 或 $Y^* - Y$。操作线位于平衡线下方。为了增大解吸过程的推动力,通常使溶液加热升温或在减压条件下操作(升温或减压可使 m 增大)。

2.解吸方法

解吸的操作可通过以下几种方法实现。

(1)汽提解吸

汽提解吸法也称"载气解吸法"。其过程为采用不含溶质的惰性气体或吸收剂蒸汽作为载气,使其与吸收液相接触,将溶质从液相中带出。通常作为汽提载气的气体有空气,氮气、二氧化碳、水蒸气等,根据工艺要求及分离过程的特点,可选用不同的载气。

(2)减压解吸

将加压吸收得到的吸收液进行减压,因总压降低后气相中溶质分压 p_A 也相应降低,创造了 $p_A < p_A^*$ 的条件。解吸的程度取决于解吸操作的压力,如果是常压吸收,解吸只能在真空条件下进行。

(3)加热解吸

当气体溶质的溶解度随温度的升高而显著降低时,可采用加热解吸。

应该指出,工业上很少单独使用一种方法解吸,通常是结合工艺条件和物系特点,联合使用上述解吸方法。如将吸收液通过换热器先加热,再送到低压塔中解吸,其解吸效果比单独使用一种更佳。因解吸过程的能耗较大,所以吸收分离过程的能耗主要用于解吸过程。

3.解吸过程的计算

解吸在计算原则和方法上和吸收是相同的,主要区别有:

①逆流解吸操作塔在塔顶的气液相组成 (X_1, Y_1) 浓度最大,而在塔底的 (X_2, Y_2) 最小。

②解吸的操作线在相平衡线的下方,所以解吸操作推动力的表达式为:

$$\Delta Y = Y^* - Y \quad 或 \quad \Delta X = X - X^*$$

与吸收相反,有关解吸的详细计算可查阅有关手册或相关资料。

【例 3-4】　今有连续逆流操作的填料塔,用清水吸收原料中的甲醇,已知处理气量为 $1000\text{m}^3/\text{h}$(操作状态),原料中含甲醇 $100\text{g}/\text{m}^3$,吸收后水中含甲醇量等于与进料气体中相平衡时浓度的 67%,设在常压、$25℃$ 下操作,吸收的平衡关系取为 $y = 1.15x$,甲醇回收率要求为 98%,$K_Y = 0.5\text{kmol}/\text{m}^2\text{h}$,塔内填料的比表面积为 $a = 200\text{m}^2/\text{m}^3$,塔内气体的空塔气速为 0.5m/s,求:(1)水的用量为多少 kg/h? (2)塔径;(3)传质单元高度;(4)传质单元数;(5)填料层高度。

解： $(1) y_1 = \dfrac{100 \times 10^{-3}/32}{100 \times 10^{-3}/32 + 1/22.4} = 0.0654$

$y_2 = y_1(1 - \varphi) = 0.0654 \times (1 - 0.98) = 0.00131$

$x_1 = 0.67 \times \dfrac{y_1}{m} = 0.67 \times \dfrac{0.0654}{1.15} = 0.0381$

$q_{n,V} = \dfrac{1000}{22.4} \times \dfrac{273}{(273 + 25)} = 40.9 = 40.9\,\text{kmol} \cdot \text{h}^{-1}$

$q_{n,L} = \dfrac{y_1 - y_2}{x_1 - x_2} \times q_{n,V} = \dfrac{0.0654 - 0.00131}{0.0381} \times 40.9 = 68.8\,\text{kmol} \cdot \text{h}^{-1} = 1238\,\text{kg} \cdot \text{h}^{-1}$

$(2) \because q_{V,5} = \dfrac{1000}{3600} \times \text{m}^3 \cdot \text{s}^{-1}, u = 0.5\,\text{m} \cdot \text{m}^{-1}$

$\therefore D = \sqrt{\dfrac{4V_5}{\pi u}} = \sqrt{\dfrac{4 \times 1000}{3600 \times 3.14 \times 0.5}} = 0.84\,\text{m}$

$(3) h_{OG} = \dfrac{q_{n,V}}{K_y \cdot a \cdot \Omega} = \dfrac{40.9}{0.5 \times 200 \times \dfrac{\pi}{4}(0.84)^2} = 0.738\,\text{m}$

$(4) y_1 = 0.0654, y_2 = 0.00131, x_1 = 0.0381, x_2 = 0$

$\therefore y_1^* = 1.15 x_1 = 0.0438, y_2^* = 0$

$\therefore \Delta y_m = \dfrac{(y_1 - y_1^*) - (y_2 - y_2^*)}{\ln \dfrac{y_1 - y_1^*}{y_2 - y_2^*}} = \dfrac{(0.0654 - 0.0438) - 0.00131}{\ln \dfrac{0.0216}{0.00131}} = 0.00724$

$n_{OG} = \dfrac{y_1 - y_2}{\Delta y_m} = \dfrac{0.0654 - 0.00131}{0.00724} = 8.85$

$(5) H = h_{OG} \cdot n_{OG} = 0.738 \times 8.85 = 6.53\,\text{m}$

项目 4
填料塔及吸收操作

学习目标

- 了解填料塔的结构与特点
- 理解填料的类型和性能评价
- 掌握吸收塔工艺操作指标的调节
- 掌握吸收塔的开、停车操作

任务一　填料塔与填料

1.填料塔的作用

建立和不断更新两相接触表面,使之具有尽可能大的接触面积和尽可能好的流体力学条件,以利于提高吸收速率,减少设备的尺寸,同时,气体通过设备的阻力要小,以节省动力消耗。

2.填料塔的结构

填料塔为一直立式圆筒,内有填料乱堆或整砌在靠近筒底部的支撑板上。气体由底部进入,液体在塔顶经分布器淋洒到填料层表面上。液体在填料层中有倾向塔壁流动的趋势,故填料层较高时常将其分成数段,两段之间设液体再分布器。液体在填料表面分散成薄膜,经填料间的缝隙下流,也可能成液滴落下。填料层内气、液两相一般呈逆流接触,两相的组成沿塔高连续改变。

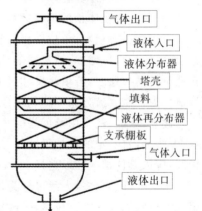

图 3-11　填料塔结构图

3.填料塔的特点

与板式塔相比,填料塔具有以下特点:

(1)结构简单,便于安装,小直径的填料塔造价低。

(2)压力降较小,适合减压操作,且能耗低。

(3)分离效率高,用于难分离的混合物,塔高较低。

(4)适于易起泡物系的分离,因为填料对泡沫有限制和破碎作用。

(5)适用于腐蚀性介质,因为可采用不同材质的耐腐蚀填料。

(6)适用于热敏性物料,因为填料塔持液量低,物料在塔内停留时间短。

(7)操作弹性较小,对液体负荷的变化特别敏感。当液体负荷较小时,填料表面不能很好地润湿,传质效果急剧下降;当液体负荷过大时,则易产生液泛。

（8）不宜处理易聚合或含有固体颗粒地物料。

4.填料的类型及性能评价

填料是填料塔的核心部分,它提供了气液两相接触传质的界面,是决定填料塔性能的主要因素。对操作影响较大的填料特性有:

（1）比表面积 $\sigma(m^2/m^3)$

比表面积指单位体积填料层提供的填料表面积,即

$$\sigma=填料层表面积(m^2)/填料层体积(m^3)。$$

填料的比表面积愈大,所能提供的气液传质面积愈大;而对于同一种类的填料,尺寸愈小,则比表面积愈大,即越有利于传质分离。

（2）空隙率 ε

单位体积填料层的空隙体积称为"空隙率",即

$$\varepsilon=填料层空隙体积(m^3)/填料层体积(m^3)$$

填料的空隙率大,气液通过能力大且气体流动阻力小。

（3）填料因子 φ

填料因子表示填料的流体力学性能,

$$\varphi=\sigma/\varepsilon^3$$

其可分为两种:

①干填料因子:指无液体喷淋时 φ 的大小。

②湿填料因子:当填料被喷淋的液体润湿后,填料表面覆盖了一层液膜,σ 与 ε 均发生相应的变化,此时 φ 称为"湿填料因子",代表实际操作时填料的流体力学特性,故进行填料塔计算时,应采用液体喷淋条件下实测的湿填料因子。

φ 值小,表明流动阻力小,液泛速度可以提高。

（4）单位堆积体积的填料数目

对于同一种填料,单位堆积体积内所含填料的个数是由填料尺寸决定的。填料尺寸减小,填料数目可以增加,填料层的比表面积也增大,而空隙率减小,气体阻力亦相应增加,填料造价提高。反之,若填料尺寸过大,在靠近塔壁处,填料层空隙很大,将有大量气体由此路流过。为控制气流分布不均匀现象,填料尺寸不应大于塔径 D 的 $1/10\sim1/8$。

此外,从经济、实用及可靠的角度考虑,填料还应具有质量轻、造价低,坚固耐用,不易堵塞,耐腐蚀,有一定的机械强度等特性。各种填料往往不能完全具备上述各种条件,实际应用时,应依具体情况加以选择。

填料的种类很多,大致可分为散装填料和整砌填料两大类。散装填料是一粒粒具有一定几何形状和尺寸的颗粒体,一般以散装方式堆积在塔内。根据结构特点的不同,散装填料分为环形填料、鞍形填料、环鞍形填料及球形填料等。整砌填料是一种在塔内整齐的有规则排列的填料,根据其几何结构可以分为格栅填料、波纹填料、脉冲填料等。下面分别介绍几种常见的填料,见表 3-1。

表 3-1　常见的填料

类型	结构	特点及应用
拉西环	外径与高度相等的圆环,如图3-12(a)所示。	拉西环形状简单,制造容易,操作时有严重的沟流和壁流现象,气液分布较差,传质效率低。填料层持液量大,气体通过填料层的阻力大,通量较低。拉西环是使用最早的一种填料,曾得到极为广泛的应用,目前拉西环工业应用日趋减少。
鲍尔环	在拉西环的侧壁上开出两排长方形的窗孔,被切开的环壁一侧仍与壁面相连,另一侧向环内弯曲,形成内伸的舌叶,舌叶的侧边在环中心相搭,如图3-12(b)所示。	鲍尔环填料的比表面积和空隙率与拉西环基本相当,气体流动阻力降低,液体分布比较均匀。同一材质、同种规格的拉西环与鲍尔环填料相比,鲍尔环的气体通量比拉西环增大50%以上,传质效率增加30%左右。鲍尔环填料以其优良的性能得到了广泛的工业应用。
阶梯环	对鲍尔环填料改进,其形状如图3-12(c)所示。阶梯环圆筒部分的高度仅为直径的一半,圆筒一端有向外翻卷的锥形边,其高度为全高的1/5。	是目前环形填料中性能最为良好的一种。填料的空隙率大,填料个体之间呈点接触,使液膜不断更新,压力降小,传质效率高。
鞍形填料	是敞开型填料,包括弧鞍与矩鞍,其形状如图3-12(d)和(e)所示。	弧鞍形填料是两面对称结构,有时在填料层中形成局部叠合或架空现象,且强度较差,容易破碎影响传质效率。矩鞍形填料在塔内不会相互叠合而是处于相互勾联的状态,有较好的稳定性,填充密度及液体分布都较均匀,空隙率也有所提高,阻力较低,不易堵塞,制造比较简单,性能较好。是取代拉西环的理想填料
金属鞍环	如图3-12(f)所示,采用极薄的金属板轧制,既有类似开孔环形填料的圆环、开孔和内伸的叶片,也有类似矩鞍形填料的侧面。	综合了环形填料通量大及鞍形填料的液体再分布性能好的优点而研制和发展起来的一种新型填料,敞开的侧壁有利于气体和液体通过,在填料层内极少产生滞留的死角,阻力减小,通量增大,传质效率提高,有良好的机械强度。金属鞍环填料性能优于目前常用的鲍尔环和矩鞍形填料。
球形填料	一般采用塑料材质注塑而成,其结构有许多种,如图3-12(g)和(h)所示。	球体为空心,可以允许气体、液体从内部通过。填料装填密度均匀,不易产生空穴和架桥,气液分散性能好。球形填料一般适用于某些特定场合,工程上应用较少。
波纹填料	由许多波纹薄板组成的圆盘状填料,波纹与水平方向成45°倾角,相邻两波纹板反向靠叠,使波纹倾斜方向相互垂直。各盘填料垂直叠放于塔内,相邻的两盘填料间交错90°排列。如图3-12(n)、(o)所示。	优点是结构紧凑,比表面积大,传质效率高。填料阻力小,处理能力提高。其缺点是不适于处理黏度大、易聚合或有悬浮物的物料,填料装卸、清理较困难,造价也较高。金属丝网波纹填料特别适用于精密精馏及真空精馏装置,为难分离物系、热敏性物系的精馏提供了有效的手段。金属孔板波纹填料特别适用于大直径蒸馏塔。金属压延孔板波纹填料主要用于分离要求高,物料不易堵塞的场合。
脉冲填料	脉冲填料是由带缩颈的中空棱柱形单体,按一定方式拼装而成的一种整砌填料,如图3-12(p)所示。	流道收缩、扩大的交替重复,实现了"脉冲"传质过程。脉冲填料的特点是处理量大,压降小。是真空蒸馏的理想填料;因其优良的液体分布性能使放大效应减少,特别使用于大塔径的场合。

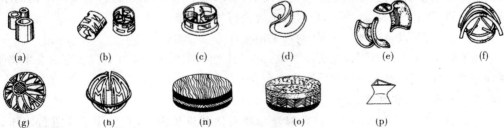

(a)拉西环填料;(b)鲍尔环填料;(c)阶梯环填料;(d)弧鞍填料;(e)矩鞍填料;(f)金属鞍填料;
(g)多面球形填料;(h)TRI球形填料;(n)金属丝网波纹填料(o)金属板波纹填料;(p)脉冲填料

图 3-12　几种常见填料

无论散装填料还是整砌填料的材质均可用陶瓷、金属和塑料制造。陶瓷填料应用最早，其润湿性能好，但因较厚，空隙小，阻力大，气液分布不均匀导致效率较低，而且易破碎，故仅用于高温、强腐蚀的场合。金属填料强度高，壁薄，空隙率和比表面积大，故性能良好。不锈钢较贵，碳钢便宜但耐腐蚀性差，在无腐蚀场合广泛采用。塑料填料价格低廉，不易破碎，质轻耐蚀，加工方便，但润湿性能差。

填料的性能优劣通常根据效率、通量及压降来衡量。在相同的操作条件下，填料塔内气液分布越均匀，表面润湿性能越优良，则传质效率越高；填料的空隙率越大，结构越开放，则通量越大，压降也越低。

任务二　吸收塔的操作

一、开停车

（一）原始开车

1.检查

填料塔系统安装结束后，按照工艺流程图核对各设备、管道、阀门是否安装齐全，各阀门是否灵活好用，仪表是否灵敏正确。

2.吹净和清除

对填料吸收塔系统所属的设备和气体、溶液管道要用压缩空气吹净，清除内部的焊渣、灰尘、泥污、螺钉等杂物，以免在开车时卡坏阀门和堵塞填料。吹净前按气、液流程，依次拆开与设备、阀门连接的法兰，吹除物由此放空。由压缩机送入空气，反复多次，直至吹出气体洁净为止。吹净一部分后装好法兰继续往后吹除，直至全系统吹净为止。放空、排污、分析取样及仪表管线同时吹净。对填料塔，溶液槽等设备进行人工清扫。

3.装填料

系统吹净后即可向塔内装填料。填料在装入之前要清洗干净。对于拉西环、鲍尔环等填料，可采用规则或不规则排列。若采用规则排列，将由人进入塔内进行排列至规定的高度；若采用不规则排列，则装填前应先将塔内灌满水，然后从人孔或塔顶倒入填料。装填瓷质填料时要轻拿轻放，防止破损。至规定高度后，将水面上漂浮的杂物捞出，放净塔内的水，将填料表面扒平，封闭人孔或顶盖，即可对系统进行气密试验。

弧鞍形、矩鞍形以及阶梯环填料，均可采用乱堆方法装填。

装填木格填料时，应自下而上分层装填，每两层之间的隔板夹角为45°，装完后在木格上面压两根工字钢，以免开车时气流将隔板吹翻。

4.系统水压试验和气密试验

（1）水压试验　为了检验吸收设备焊缝的致密性和机械强度，在使用前要进行水压试验。其步骤为关闭气体进口阀和出口阀，开启系统放空阀，向系统加入清水，待放空阀有水溢出时，关闭放空阀，将系统压强控制在操作压强的1.25倍。在此对设备及管道进行全面检查，如发现泄漏，进行泄压处理至无泄漏即为合格。水压试验时升压要缓慢，恒压工作不要反复进行,以免影响设备主管道的强度。试压结束后,将系统内的水排净。

(2)气密试验 为防止在开车时气体由法兰及焊缝处泄漏出去,在开车前要对填料塔进行气密试验。试验方法是用压缩机向系统送入空气,并逐渐将压强提高到操作压强的 1.05 倍,对所有法兰及焊缝涂肥皂水进行查漏,发现泄漏,做好标记,进行泄压处理。无泄漏后保压 30min,压强不下降,即为合格,然后将气体放空。

5.运转设备的试车

为了检查溶液泵和气体输送设备的安装和运转情况,在开车前要进行试车。具体方法是用气体输送设备向填料塔内送入空气,逐渐将压强提高到操作压强,并向溶液槽内加满清水,启动溶液泵,使清水按照正常生产时溶液流程进行循环。观察泵和气体输送设备运转是否正常,流量及压强是否能达到设计要求。开启填料塔的液位自动调节仪表,维持正常液位,观察仪表是否灵活好用,可将所有的溶液泵转换运转,进行倒泵操作检查。

6.设备的清洗及填料的处理

(1)填料塔系统的清洗 在进行运转设备联动试车的同时,对设备用清水进行清洗,以除去固体杂质。在清洗时不断排放系统的污水,并向溶液槽内补加清水,当循环水中的固体杂质含量小于 50mg/kg 时,即为合格,可停止清洗,将系统内的水放净。

生产中,有时在清水洗后还需要用稀碱液洗去设备内的油污和铁锈。此时可向溶液槽内加入含量为 5% 的碳酸钠溶液,启动溶液泵,使碱液在系统内循环,连续碱洗 18~24h 后,将系统内的碱液放掉,再用软水清洗系统至水中碱含量小于 0.01% 时为止。

(2)填料的处理 一般填料与设备一起经清洗即可满足生产要求,但塑料填料和木格填料须经特殊处理后方能使用。

①塑料填料的碱洗 塑料填料在制造过程中,所用的溶液及脱膜剂多为脂肪酸类物质,它们会使一些吸收过程所用的溶液起泡。清洗方法是用温度为 90~100℃、含量为 5% 的碳酸钾溶液清洗 48h,将碱液排掉,用软水清洗 8h,然后再按上述过程清洗 2~3 次。塑料填料的碱洗一般在塔外进行。

②木格填料的脱脂 木格填料中通常含有树脂,若遇吸收剂为碱性溶液,生产中发生反应会产生大量皂沫,使溶液成分下降,气体夹带量增大,甚至造成拦液,破坏正常操作。脱脂方法是清水清洗填料表面后用 10% 左右的碳酸钠溶液在 40~50℃ 下循环洗涤。过程中,应经常向碱液中加入碳酸钠补充脱脂反应所消耗的碱,当循环液中脂含量不再增加、碱浓度不再下降时,即认为合格。将系统内的碱液和泡沫放完,用软水清洗至洗水中的碱含量在 0.01% 以下为止。

7.溶液的制备

在生产中,吸收剂大多为含有一定溶质的溶液,开车前应首先按生产要求制备出合格溶液,制备新鲜溶液时,先向溶液槽内加入所需软水,再按此例计算出各组分的需要量,一并加入软水中,用压缩空气进行搅拌,待各组分充分溶解后,即完成了溶液的制备工作。

8.系统的置换

吸收原料气中若含有氢、一氧化碳、甲烷、氨、硫化氢或水煤气等易燃易爆气体时,与系统内原有的空气混合,容易发生爆炸。因此,在向系统通入原料气之前。应先用惰性气体(如氮气)将系统内的空气置换净。惰性气体由压缩机供给,置换气从系统后部放空。至置换气中氧含量小于 0.5% 为止。置换时,为防形成死角,系统的溶液管线应充满溶液,并使填料塔建立正常液位。

9. 系统开车

在原始开车中,系统置换合格后,即可进行系统开车。系统开车方法与短期停车后的开车相同。

(二)开车

开车分为短期停车后的开车和长期停车后的开车。

1. 短期停车后的开车

可分为充压、启动运转设备和导气三个步骤。其具体操作步骤如下。

①开动风机,用原料气向填料塔内充压至操作压力。

②启动吸收剂循环泵,使循环液按生产流程运转。

③调节塔顶各喷头的喷淋量至生产要求。

④启动填料塔的液面调节器,使塔釜液面保持规定的高度。

⑤系统运转稳定后,即可连续导入原料混合气,并用放空阀调节系统压力。

⑥当塔内的原料气成分符合生产要求时,即可投入正常生产。

2. 长期停车后的开车

一般指检修后的开车。首先检查各设备、管道、阀门、分析取样点、电气及仪表等是否正常完好,然后对系统进行吹净、清洗、气密试验和置换,合格后按短期停车后的开车步骤进行。

(三)停车

停车包括短期停车、紧急停车和长期停车。

1. 短期停车(临时停车)

临时停车后系统仍处于正压状态,其操作步骤如下。

①通告系统前后工序或岗位。

②停止向系统送气,同时关闭系统的出口阀。

③停止向系统送循环液,关闭泵出口阀,停泵后,关闭其出口阀。

④关闭其他设备的进、出口阀门。

2. 紧急停车

如遇停电或发生重大设备事故等情况时,需紧急停车。其操作步骤如下。

①迅速关闭导入原料混合气的阀门。

②迅速关闭系统的出口阀。

③按短期停车方法处理。

3. 长期停车

当系统需要检修或长期停止使用时,需长期停车。其操作步骤如下。

①按短期停车操作停车,然后开启系统放空阀,卸掉系统压力。

②将系统中的溶液排放到溶液储槽或地沟,然后用清水洗净。

③若原料气中含有易燃易爆物,则应用惰性气体对系统进行置换,当置换气中易燃物含量小于 5%,含氧量小于 0.5% 时,即为合格。

④用鼓风机向系统送入空气,进行空气置换,当置换气中含氧量大于20%时为合格。

(四)正常操作要点及维护

吸收系统主要有风机、泵和填料塔组成,如何才能使这些设备发挥最大的效能和延长使用寿命,应做到以下几个方面。

1.正常操作要点

①进塔气体的压力和流速不宜过大,否则会影响气、液两相的接触效率,甚至使操作不稳定。

②进塔吸收剂不能含有杂质,避免杂物堵塞填料缝隙。在保证吸收率的前提下,尽量减少吸收剂的用量。

③控制进气温度,将吸收温度控制在规定范围。

④控制塔底与塔顶压力,防止塔压差过大。压差过大,说明塔内阻力大,气、液接触不良,将使吸收操作过程恶化。

⑤经常调节排放阀,保持吸收塔液面稳定。

⑥经常检查风机、水泵的运转情况,以保证原料气和吸收剂流量的稳定。

⑦按时巡回检查各控制点的变化情况及系统设备与管道的泄漏情况,并根据记录表要求做好记录。

3.正常维护要点

①定期检查、清理或更换喷淋装置或溢流管,保持不堵、不斜、不坏。

②定期检查木板的腐蚀程度,防止因腐蚀而塌落。

③定期检查塔体有无渗漏现象,发现后应及时补修。

④定期排放塔底积存脏物和碎填料。

⑤经常观察塔基是否下沉,塔体是否倾斜。

⑥经常检查运输设备的润滑系统及密封,并定期检修。

⑦保持系统设备的涂层完整,注意清洁卫生。

(五)工艺操作指标的调节

吸收是气液两相之间的传质过程,影响吸收操作的主要因素有操作压力、温度、气体流量、吸收剂入塔浓度和吸收剂用量等。

1.压力

提高操作压力,可以提高混合气体中溶质组分的分压,增大吸收的推动力,有利于气体吸收。但压力过高,操作难度和生产费用会增大,因此,吸收一般在常压下操作。若吸收后气体在高压下加工,则可采用高压吸收操作,既有利于吸收,又有利于增大吸收塔的处理能力。

2.温度

温度对塔的吸收率影响很大。吸收剂的温度降低,气体的溶解度增大,溶解系数增大。对于液膜控制的吸收过程,降低操作温度,吸收过程的阻力 $\frac{1}{K_G} \approx \frac{1}{Hk_L}$ 将减小,结果使吸收效果良好,Y_2 降低,传质推动力增大。对于液膜控制的吸收过程,降低操作温度,$\dfrac{1}{K_G} \approx \dfrac{1}{k_G}$ 基本不变,但传质推动力增大,吸收效果同样变好。总之,吸收剂温度的降低,改变了相平衡常数,对过程阻力及过程推动力都产生影响,使吸收总效果变好,溶质回收率增大。

3.气体流量

在稳定的操作情况下,当气速不大,液体作层流流动,流体阻力小,吸收速率很低;当气速增大为湍流流动时,气膜变薄,气膜阻力减小,吸收速率增大;当气速增大到液泛速度时,液体不能顺畅向下流动,造成雾沫夹带,甚至造成液泛现象。因此。稳定操作流速,是吸收高效、平稳操作的可靠保证。对于易溶气体吸收,传质阻力通常集中在气相一侧,气体流量的大小及其湍动情况对传质阻力影响很大。对于难溶气体,传质阻力通常集中在液相一侧。此时气体流量的大小及湍动情况虽可改变气相一侧阻力,但对总阻力影响很小。

4.吸收剂入塔浓度

吸收剂入塔浓度升高,使塔内的吸收推动力减小,气体出口浓度 Y_2 升高。吸收剂的再循环会使吸收剂入塔浓度提高,对吸收过程不利。但有时采用吸收剂再循环可能有利,例如当新鲜吸收剂量过小以致不能满足良好润湿填料的要求时,采用吸收剂再循环,推动力的降低可由有效比表面积 a 和体积传质系数 K_{Ya} 的增大得到补偿,吸收效果好;某些有显著热效应的吸收过程,吸收剂经塔外冷却后再循环可降低吸收剂的温度,相平衡常数减小,全塔吸收推动力有所提高,吸收效果好。

5.吸收剂用量

改变吸收剂用量是吸收过程最常用的方法。当气体流量一定时,增大吸收剂流量,吸收速率增大,溶质吸收量增加,气体的出口浓度减小,回收率增大。当液相阻力较小时,增大液体的流量,传质总系数变化较小或基本不变,溶质吸收量的增大主要是由于传质推动力的增加而引起,此时吸收过程的调节主要靠传质推动力的变化。当液相阻力较大时,增大吸收剂流量,传质系数大幅增加,传质速率增大,溶质吸收量增大。

二、解吸塔操作

气体吸收中采用吸收与解吸相结合的流程十分普遍。吸收率的高低除受吸收塔操作的影响外,还与解吸塔操作有关。主要是因为:吸收塔入塔的吸收剂是来自解吸塔的再生液,解吸不好,必然会引起入塔吸收剂浓度增大,从而降低吸收率;不但吸收剂入塔浓度与解吸塔操作有关,而且与吸收剂入塔温度及解吸塔操作有关,如再生液未能很好冷却,将直接影响吸收剂入塔的温度,从而影响整个吸收塔的操作。所以应根据再生液浓度及温度的要求,控制解吸塔的操作条件,如吸收剂入塔温度升高则应加大再生液冷却器的冷却水量等。

习题三

1.二氧化碳的体积分数为 30% 的某种混合气体与水充分接触,系统温度为 30℃,总压为 101.33kPa。试求液相中二氧化碳的平衡组成,分别以摩尔分数和物质的量浓度表示。在操作范围内亨利定律可使用。(答:1.617×10^{-4},8.98×10^{-3} kmol/m³)

2. 在总压为 101.33kPa 和温度为 20℃下,测得氨在水中的溶解度数据为:溶液上方氨平衡分压为 0.8kPa 时,气体在液体中的溶解度为 $1g(NH_3)/100g(H_2O)$。试求亨利系数 E、溶解度系数 H 和平衡常数 m。假设该溶液遵守亨利定律。(答:$E=76.3kPa$,$H=0.728kmol/m^3 \cdot kPa$)

3. 在常压 101.33kPa、温度 25℃下,溶质组成为 0.05(摩尔分数)的 CO_2 —空气混合物与浓度为 $1.1 \times 10^{-3}kmol/m^3$ 的 25℃水溶液接触,试判断传质过程方向。已知常压、25℃下 CO_2 在水中的亨利系数 E 为 $1.660 \times 10^5 kPa$。(答:过程为吸收)

4. 在压强为 101.33kPa 下,用清水吸收含溶质 A 的混合气体,平衡关系服从亨利定律。在吸收塔某截面上,气相主体溶质 A 的分压为 4.0kPa,液中溶质 A 的摩尔分数为 0.01,相平衡常数 m 为 0.84,气膜吸收系数 $K_y=2.776 \times 10^{-5} kmol/m^2 \cdot s$;液膜吸收系数 K_x 为 $3.86 \times 10^{-3} kmol/(m^2 \cdot s)$,试求:

(1)气相总吸收系数 K_Y,并分析该吸收过程控制因素。

(2)吸收塔截面上的吸收速率 N_A。(答:$K_Y=2.756 \times 10^{-5} kmol/m^2 \cdot s$,该吸收过程为气膜阻力控制,$N_A=N_A=K_Y(Y-Y^*)=2.756 \times 10^{-5} \times (0.0411-0.00848)=0.899 \times 10^{-6} kmol/(m^2 \cdot s)$)

5. 在常压逆流操作的吸收塔中,用清水吸收混合气中溶质组成 A。已知操作温度为 27℃,混合气体处理量为 1100m^3/h,清水用量为 2160kg/h。若进塔气体中组分 A 的体积分数为 0.05,吸收率为 90%,试求塔底吸收液的组成,以摩尔比表示。(答:$X_1=0.0168$)

6. 在逆流吸收塔中,用清水吸收混合气体溶质组分 A,吸收内操作压强为 106kPa,温度为 30℃,混合气流量为 1300m^3/h,组成为 0.03(摩尔分数),吸收率为 95%。若吸收剂用量为最小用量的 1.5 倍,试求进入塔顶的清水用量 L 及吸收液的组成。操作条件下平衡关系为 $Y=0.65X$。(答:$L=49.2kmol/h$,$X_1=0.0317$)

7. 在常压逆流吸收塔中,用纯吸收剂吸收混合气中的溶质组分。进塔气体组成为 4.5%(体积),吸收率为 90%,出塔液相组成为 0.02(摩尔分数),操作条件下相平衡关系为 $Y=1.5X(Y、X$ 为摩尔比)。试求塔顶、塔底及全塔平均推动力,以摩尔比表示。(答:$Y_1=0.047$,$Y_2=0.0047$,$X_1=0.0204$,$X_2=0$,$\Delta Y_m=0.0094$)

8. 在逆流操作的填料吸收塔中,用清水吸收混合气中溶质组分 A。进塔气体组成为 0.03(摩尔比),吸收率为 99%,出塔液相组成为 0.013(摩尔比)。操作压强为 101.33kPa/$(m^2 \cdot h)$,气相体积吸收总系数为 0.95 $kmol/(m^3 \cdot h \cdot kPa)$,试求所需的填料层高度。(答:$Z=11.7m$)

9. 填料吸收塔某截面上气、液相组成分别为 $Y=0.05$,$X=0.01$(皆为摩尔比),气液平衡关系为 $Y=2.0X$,若气膜吸收系数 K_y 为 0.03$kmol/(m^3 \cdot S)$,液膜吸收系数 K_x 为 0.02$kmol/(m^3 \cdot S)$,试求两相间吸收总推动力、总阻力、吸收速率。(答:$\Delta Y=0.03$,$\Delta X=0.015$,$1/K_Y=133.3(m^2 \cdot s)/kmol$,$N_A=2.25 \times 10^4$ $kmol/(m^2 \cdot s)$)

10. 在逆流操作的填料吸收塔中,用循环溶剂吸收混合气中的溶质。进塔气相组成为 0.091(摩尔分数),入塔液相组成为 21.74g 溶质/kg 溶液。操作条件下气液平衡关系为 $y^*=0.86x(y、x$ 为摩尔分数)。若液气比 L/V 为 0.9,试求最大吸收率和吸收液的组成。已知溶质摩尔质量为 40kg/mol,溶剂摩尔质量为 18kg/kmol。(答:$\eta_{max}=91.4\%$,$X_1=0.112$)

11. 在逆流操作的填料塔中,用清水吸收焦炉气中氨,氨的浓度为 8g/标准 m^3,混合气处理量为 4500 标准 m^3/h。氨的回收率为 95%,吸收剂用量为最小用量的 1.5 倍。操作压强为 101.33kPa,温度为 30℃,气液平衡关系可表示为 $y^*=1.2X(Y、X$ 为摩尔比)。气相总体积吸收系数 K_{Ya} 为 0.06$kmol/(m^3 \cdot h)$,空塔气速为 1.2m/s,试求:(1)用水量 L,kg/h。(2)塔径和塔高,m。(答:$L=6120kg/h$,$D=1.21m$,$Z=5.07m$)

12. 某吸收塔的操作压强为 110kPa,温度为 25℃,处理焦炉气 1800m^3/h。焦炉气中含苯 156kg/h,其他为惰性组分。试求焦炉气中苯的摩尔分数和摩尔比。(答:$y_A=0.025$,$Y_A=0.0256$)

13. 在 293K 和 101.3kPa 下,用清水分离氨和空气的混合物,混合物中氨的分压为 15.2kPa,处理后分压降至 0.0056kPa,混合气处理量为 1500kmol/h,已知,$y^*=0.5X$。试计算:(1)最小吸收剂耗用量;(2)若适宜吸收剂用量为最小用量的 3 倍,求实际耗用量;(3)若塔径为 1.2m,气相体积总传质系数为 $K_{Ya}=0.1$ kmol/(m³ · s),求所需填料层高度?(答:$Z=36m$)

本模块主要符号说明

英文

A——吸收因数,气液接触面积,m²;

a——单位体积填料的相际传质面积,m²/m³;

c——物质的量浓度,kmol/m³;

D——分子扩散系数,m²/s;

E——亨利系数,kPa;

G——气体流率,kmol/(m² · s);

H——溶解度系数,kPa · m³/kmol;

h_{OG}——气相总传质单元高度,m;

h_{OL}——液相总传质单元高度,m;

J——扩散速率,kmol/(m² · s);

k_G——气相传质分系数,kmol/(m² · s · kPa);

k_L——液相传质分系数,m/s;

K_G——气相总传质系数,kmol/(m² · s · kPa);

K_L——液相总传质系数,m/s;

m——相平衡常数;

N——传质速率,kmol/(m² · s);

n_{OG}——气相总传质单元数;

n_{OL}——液相总传质单元数;

n——物质的量数,kmol;

L——溶剂流率,kmol/s;

P——总压,kPa;

P_A——溶质 A 分压,kPa;

V——混合物的体积,m³;

K_{Ya}——以 ΔY 为推动力的气相总传质系数;

K_{Xa}——以 ΔX 为推动力的液相总传质系数;

X——溶液中溶质与溶剂的摩尔比;

Y——混合气体中溶质与惰性气体的摩尔比;

x、y——分别为液相、气相的摩尔分数;

ΔY_m——溶质的对数平均推动力;

Z——填料层高度或扩散距离,m。

希文

η——溶质的回收率;

ρ——流体的密度,kg/m³;

μ——流体的黏度,Pa · s;

φ——液体密度校正系数;

ϕ——填料因子,1/m;

ε——空隙率。

下标

1——塔底的;

2——塔顶的;

A——溶质;

B——惰性组分;

G——气相;

L——液相;

I——界面;

s——溶剂。

模块四

液体精馏

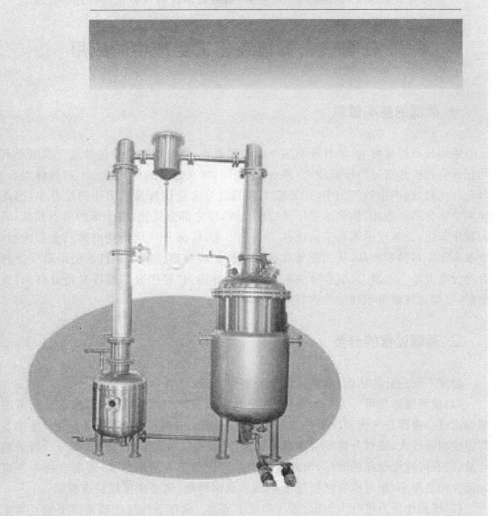

项目 **1**
蒸馏基本知识

学习目标

- 了解蒸馏的基本含义、蒸馏过程的分类
- 了解蒸馏在化工生产中的应用与发展
- 了解相组成的表示方法
- 掌握双组分体系的气液相平衡关系、相图表示及相对挥发度的计算方法

任务一 蒸馏在化工生产中的应用

一、蒸馏的基本概念

液体是有挥发性的,如打开酒瓶可以闻到酒香,就是这种特性的体现。蒸馏是利用液体均相混合物中各组分的挥发能力(沸点)的差别,将其分离的单元操作。将液体混合物加热,部分气化时,所产生的气相中,挥发能力大的组分含量比挥发能力小的组分多,据此可将液体混合物分离。例如,加热苯和甲苯的混合液,使之部分气化,由于苯的沸点较低,其挥发能力较甲苯强,故苯较甲苯易于从液相中气化出来,将部分气化得到的蒸汽全部冷凝,可得到含量高于原料的苯产品,从而使苯和甲苯得以初步分离。蒸馏是目前使用最广泛的液体混合物分离方法。习惯上,混合液中的易挥发组分称为"轻组分",难挥发组分称为"重组分"。显然,蒸馏是气液两相间的传热与传质过程。

二、蒸馏过程的分类

按照不同的分类依据,蒸馏可以分为多种类型。

(1)按蒸馏原理可分为平衡蒸馏(闪蒸)、简单蒸馏、精馏和特殊蒸馏。平衡蒸馏和简单蒸馏通过一次部分气化和冷凝分离均相混合液,因此分离不彻底,常用于混合液中各组分的挥发度相差较大,或对分离要求不高的场合;精馏通过多次部分气化和部分冷凝分离均相混合液,能获得纯度很高的产品,因此是应用最广泛的工业蒸馏方式;若混合物中各组分的挥发能力相差很小(相对挥发度接近于1)或形成恒沸物,则必须采用特殊蒸馏。

(2)按操作压力可分为加压、常压和减压蒸馏。常压下为气态或常压下泡点为室温以下的混合液,常采用加压蒸馏;常压下泡点为室温至150℃左右的混合液,一般采用常压蒸馏;

对于常压下泡点较高(一般高于150℃)或热敏性混合液,宜采用减压蒸馏,以降低操作温度。比如石油的减压蒸馏。

(3)按被分离混合物中组分的数目分为双组分精馏和多组分精馏。被精馏的混合物中组分数目是两个的称为"双组分精馏",多于两个称为"多组分精馏"。工业生产中绝大多数为多组分精馏,但双组分精馏的基本原理、计算方法同样适用于多组分精馏,因此,常以双组分精馏原理为基础进行讨论。

(4)按操作方式分为间歇精馏和连续精馏。间歇精馏主要应用于小规模、多品种或某些有特殊要求的场合,工业上以连续精馏为主。连续精馏的主要特点是操作稳定,生产能力大。

三、蒸馏在化工生产中的应用与发展

对于均相液体混合物,最常用的分离方法是蒸馏。例如,从发酵的醪液中提炼饮料酒,石油的炼制中分离汽油、煤油、柴油,以及空气的液化分离制取氧气、氮气等,都是蒸馏完成的。其应用的广泛性,导致几乎所有的化工厂都能用到蒸馏。由蒸馏原理可知,对于大多数混合液,各组分的沸点相差越大,则用蒸馏方法越容易分离。反之,两组分的挥发能力越接近,则越难用蒸馏分离。必须注意,对于恒沸液,组分沸点的差别并不能说明溶液中组分挥发能力是不一样的,这类溶液不能用普通蒸馏方法分离。

随着科技的发展,作为传统分离方法之一的精馏也向着开发高效节能设备,提高自动化程度,拓宽适用范围等方向发展。如研究改善大直径填料精馏塔的气液均布问题,诸如催化精馏、膜精馏、吸附精馏、反应精馏的进一步开发,各种新型耦合精馏技术得到了长足的发展,并成功地应用于工业生产中。

任务二　双组分物系的气液相平衡

一、相组成表示方法

在物系中,物理和化学性质完全均一的部分称为"相"。相与相之间有明显的相界面,而蒸馏操作主要涉及气相和液相。在蒸馏过程中,两相的组成都会发生变化,通常,相组成有两种表示法,即质量分数与摩尔分数。

在蒸馏操作中,气体混合物通常可视为理想气体,其压力分数=体积分数=摩尔分数。由于气液两相含有的组分是一样的,所以通常用不同的符号表示两相的组成。用 x_w、x 表示液相的质量分数和摩尔分数;用 y_w、y 表示气相的质量分数和摩尔分数。

二、气—液相平衡关系

(1)气—液相平衡状态　密闭容器中装有苯、甲苯混合液,设易挥发组分苯为 A,难挥发组分甲苯为 B,保持一定温度,由于苯、甲苯都在不断挥发,液面上方的蒸汽中也存在苯、甲

苯两种组分；同时，气相中的两种组分分子也不断的凝结，回到液相中。当气化速度和凝结速度相等时，气相和液相中的苯和甲苯分子都不再增加和减少，气、液两相达到了动态平衡，这种状态称为"气－液相平衡状态"，也叫"饱和状态"。这时，液面上方的蒸汽称为"饱和蒸汽"，蒸汽的压力称为"饱和蒸汽压"，溶液称为"饱和液体"，相应的温度称为"饱和温度"。平衡状态下的气－液相之间的组成关系，称为气－液相平衡关系。对于双组分体系，在组成、压力、温度中，只要确定两个，其他参数也随之确定，或者说相平衡关系是唯一的。相平衡关系可以用图、表或公式来表示。

(2)双组分理想溶液的气－液相平衡关系 理想溶液是指溶液中不同组分分子之间的作用力完全相等，而且在形成溶液时既无体积变化也无热效应产生的溶液，它是一种假设的溶液。实验表明，理想溶液的气－液平衡关系遵循拉乌尔定律，即在一定温度条件下，溶液上方蒸汽中某一组分的分压，等于该组分在该温度下的饱和蒸汽压和该组分在溶液中的摩尔分数的乘积，即

$$p_A = P_A^0 \cdot x_A \tag{4-1}$$

式中 p_A——组分 A 在平衡气相中的分压，kPa；

  P_A^0——纯溶剂 A 的饱和蒸汽压，kPa；

  x_A——组分 A 在平衡液相中的摩尔分数。

①泡点与组成图($t-x-y$ 图)反映一定压力下泡点与组成之间关系的曲线，称为"泡点－组成图"。蒸馏操作通常在一定外压下进行，因此，泡点－组成图($t-x-y$ 图)是分析蒸馏过程中组成与温度关系的基础。总压 $P=1$ atm 时，理想溶液的泡点－组成图如图 4-1 所示。

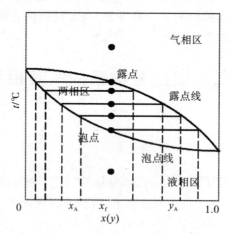

图 4-1 理想溶液的 $t-x-y$ 图

图 4-1 中以 t 为纵坐标，以液相组成 x 及气相组成 y 为横坐标。图中有两条线，上方曲线为 $t-y$ 线，表示平衡时气相组成与温度的关系，此曲线称为"气相线"或"饱和蒸汽线"或"露点线"。下方曲线为 $t-x$ 线，表示平衡时液相组成与温度的关系，此曲线称为"液相线"或"饱和液体线"或"泡点线"。两条曲线将 $t-x-y$ 图分成三个区域。液相线以下的称为"液相区"；气相线以上的称为"过热蒸汽区"；液相线和气相线之间的称为"气液共存区"，在该区内，气液两相互成平衡，其平衡组成由等温线与气相线和液相线的交点来决定，两相之间量的关系则遵守杠杆规则。

气相线位于液相线之上，说明相互平衡的气液两相中，轻组分在气相的含量高于其在液相中的含量。这正是蒸馏分离的理论依据。在两相平衡时，气液两相具有同样的温度，故气液相的状态点（图 4-1 中 x_A 和 y_A）在同一水平线（等温线）上。一定组成的溶液的泡点介于两纯组分的沸点之间。

图 4-1 中，加热组成为 x_f 的混合物，当到达泡点线时，溶液开始沸腾，此时产生气泡，相应的温度称为"泡点温度"，即液体混合物在一定的压力下加热到某一温度时，液体中出现第一个很小的气泡，即刚开始沸腾，则此温度叫该溶液在指定压力下的"泡点温度"，简称"泡点"。处于泡点温度下的液体称为"饱和液体"。因此饱和液体线又称"泡点线"。

同样将过热蒸汽冷却，当达到露点线时，混合物开始冷凝有液滴出现，相应的温度称为"露点温度"，因此饱和蒸汽线又称"露点线"。即把气体混合物在压力不变的条件下，降温冷却，当冷却到某一温度时，产生第一个微小的液滴，此温度叫做该混合物在指定压力下的"露点温度"，简称"露点"。处于露点温度的气体，称为"饱和气体"。从精馏塔顶蒸出来的气体温度，就是处于露点温度下。

需要注意的是，对于纯物质来说，在一定压力下，泡点、露点、沸点均为一个数值。如纯水 760mmHg，泡点、露点、沸点均为 100℃。通常 $t-x-y$ 关系的数据是由实验测得。以苯—甲苯溶液为例，利用实验测得的数据即可绘出苯—甲苯溶液的 $t-x-y$ 图。

【例 4-1】　苯—甲苯的饱和蒸汽压和温度关系数据如附表 4-1 所示。试根据表中数据作 $P=1atm$ 时苯—甲苯混合物的 $t-x-y$ 图。

表 4-1　苯—甲苯在某些温度下的蒸汽压

温度℃	80.1	85	90	95	100	105	110.6
P_A^0/kPa	101.3	116.9	135.5	155.7	179.2	204.2	240.0
P_B^0/kPa	40	46	54.0	63.3	74.3	86.0	101.3

解：　因溶液服从拉乌尔定律，所以：

$$P_A = P_A^0 \times x_A; P_B = P_B^0 \times x_B; P = P_B^0 + (P_A^0 - P_B^0) \cdot x_A$$

解得：
$$x_A = \frac{P - P_A^0}{P_A^0 - P_B^0} \tag{4-2}$$

由分压定律得
$$P_A = P \cdot y_A$$

所以
$$y_A = \frac{P_A^0 \cdot x_A}{P} \tag{4-3}$$

由此可以算出任一温度下的气、液相组成，以 $t=105℃$ 为例，计算如下：

$$x_A = \frac{101.3 - 86.0}{204.2 - 86.0} = 0.130; \qquad y_A = \frac{204.2 \times 0.130}{101.3} = 0.262$$

以此类推，其他温度下的计算结果列于表 4-2 中，根据以上结果，可标绘如图 4-2 所示的图。

表 4-2　苯—甲苯在总压 101.3kPa 下的 $t-x-y$ 关系

温度℃	80.1	85	90	95	100	105	110.6
x	1.000	0.780	0.581	0.411	0.258	0.130	0
y	1.000	0.900	0.777	0.632	0.456	0.262	0

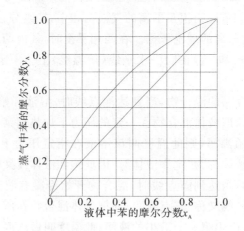

图 4-2 苯—甲苯混合液的 $y-x$ 图

在上述的 $t-x-y$ 图上,找出气液两相在不同的温度时,相应的平衡组成 x、y 标绘在 $y-x$ 坐标图上,并连成光滑的曲线,就得到了 $y-x$ 图。图 4-2 表示了在一定的总压下,气相的组成 y 和与之平衡的液相组成 x 之间的关系。图中对角线为辅助线,供作图时参考用。对于大多数溶液,两相达平衡时,y 总是大于 x,故平衡线位于对角线上方,平衡线离对角线越远,表示该溶液越易分离。

应当指出,总压对平衡曲线($y-x$)的影响不大,若总压变化范围为 $20\% \sim 30\%$,$y-x$ 平衡线的变动不超过 2%。因此在总压变化不大时外压影响可以忽略。故蒸馏操作使用 $y-x$ 图更为方便。

三、相对挥发度

溶液的气、液相平衡关系除了用相图表示外,还可以用相对挥发度来表示。

1.挥发度

挥发度是表示某种液体容易挥发的程度。对于纯组分通常用它的饱和蒸汽压来表示。而溶液中各组分的蒸汽压因组分间的相互影响要比纯态时低。故溶液中各组分的挥发度则用它在一定温度下蒸汽中的分压和与之平衡的液相中该组分的摩尔分数之比来表示,即

$$组分 A 的挥发度 \qquad \upsilon_A = \frac{p_A}{x_A} \qquad\qquad\qquad (4-4)$$

$$组分 B 的挥发度 \qquad \upsilon_B = \frac{p_B}{x_B} \qquad\qquad\qquad (4-4a)$$

式中 υ_A,υ_B——组分 A、B 的挥发度,kPa。

组分挥发度是温度的函数,由实验测定。对于理想溶液,由拉乌尔定律可得

$$\upsilon_A = \frac{P_A}{x_A} = \frac{P_A^0 \cdot x_A}{x_A} = P_A^0,同理:\upsilon_B = \frac{P_B}{x_B} = P_B^0$$

即对于理想溶液,组成的挥发度在数值上等于其同温下纯组分的饱和蒸汽压。

2.相对挥发度

溶液中两组分的挥发度之比称为相对挥发度。用 α 表示,通常为易挥发组分的挥发度与难挥发组分的挥发度之比。

$$\alpha = \frac{\upsilon_A}{\upsilon_B} = \frac{P_A \cdot x_B}{P_B \cdot x_A} \qquad (4-5)$$

当气相服从道尔顿分压定律时，$\alpha = \frac{y_A}{y_B} \cdot \frac{x_B}{x_A}$ \qquad (4-6)

对于二组分的理想溶液，$\alpha = \frac{P_A^0}{P_B^0}$ \qquad (4-7)

变换式(4-6)并略去下标可得

$$y = \frac{\alpha x}{1 + (\alpha - 1)x} \qquad (4-8)$$

式(4-8)称为用相对挥发度表示的"气液相平衡方程"，它表示气液两相达到平衡时，易挥发组分在两相中的摩尔分数与相对挥发度之间的关系。若已知 α，则可通过(4-8)式求得平衡时的气液相组成，并可绘出 $x-y$ 相图。在蒸馏的计算和分析中，(4-8)式的应用更加广泛。

由式(4-8)可知，若 $\alpha > 1$，表示 $y > x$，组分 A 容易挥发，可用普通蒸馏方法分离，而且 α 愈大，分离愈容易。

若 $\alpha = 1$，由式(4-8)可知 $y = x$，气液相的组成相同，此时不能用普通蒸馏方法分离，而需要采用特殊精馏或其他的分离方法分离。

项目 2
精　馏

任务一　精馏原理及流程

一、简单蒸馏的原理和流程

简单蒸馏是使混合物在蒸馏釜中逐次地部分气化,并不断地将生成的蒸汽移到冷凝器中冷凝,可使组分部分地分离,这种方法称为"简单蒸馏",又称"微分蒸馏"。其装置如图 4-3(a)。操作时,将原料液送入密闭的蒸馏釜中加热,使溶液沸腾,将所产生的蒸汽通过颈管及蒸汽引导管引入冷凝器,冷凝后的馏出液送入贮槽内。这种蒸馏方法由于不断地将蒸汽移去,釜中的液相易挥发组分的浓度逐渐降低,馏出液的浓度也逐渐降低,故需分罐贮存不同组成范围的馏出液。当釜中液体浓度下降到规定要求时,便停止蒸馏,将残液排出。

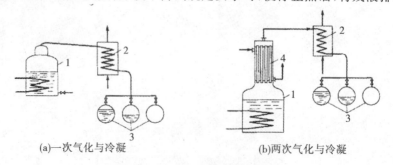

(a)一次气化与冷凝　　　　　　　　(b)两次气化与冷凝

1-蒸馏釜;2-冷凝器;3-贮槽;4-分凝器

图 4-3　简单蒸馏装置示意图

为了使简单蒸馏达到更好的分离效果,可在蒸馏釜顶部加一个分凝器,如图 4-3(b)所示。进行简单蒸馏操作时,蒸馏釜中的混合液经过部分气化所产生的蒸汽再送到分凝器中进行部分冷凝,由于增加了一次部分冷凝,使从分凝器中出来的蒸汽中易挥发组分的含量得到进一步提高,所得的馏出液中易挥发组分的含量较高。简单蒸馏主要用于分离混合物中各组分沸点相差较大、分离要求不高的互溶混合液的粗略分离。

二、精馏原理及精馏流程

精馏是在精馏塔内将原料多次部分气化并多次部分冷凝分离混合物的操作。根据操作方式不同,工业精馏流程可以分为两类,即连续精馏流程和间歇精馏流程。

(1)连续精馏　流程如图4-4所示,液体混合物通过高位槽进入预热器,加热到一定温度后进入精馏塔。在精馏塔内,蒸汽沿塔上升,上升汽相中易挥发组分增加,难挥发组分减少。从塔顶引出的蒸汽进入冷凝器冷凝,冷凝液一部分作为塔顶产物(又称"馏出液"),经塔顶冷凝器和冷却器,通过观察罩进入馏出液贮槽,一部分回流至塔内作为液相回流,称为"回流液"。在精馏塔内,下降液体中难挥发组分增加,易挥发组分减少。塔釜排出来的液体称为"塔底产品"或"釜残液",进入残液贮槽。液体混合物在塔底蒸馏釜加热至沸腾,产生的蒸汽进入精馏塔,蒸汽由下而上在各层塔板(或填料)上与回流液接触,实现热和质的传递。精馏操作一般在塔内完成。

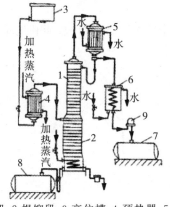

1-精馏段;2-提馏段;3-高位槽;4-预热器;5-冷凝器;
6-冷却器;7-馏出液贮槽;8-残液贮槽;9-观察罩
图4-4　连续精馏流程

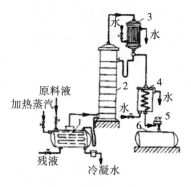

1-蒸馏釜;2-精馏塔;3-冷凝器;
4-冷却器;5-观察罩;6-馏出液贮槽
图4-5　间歇精馏流程

(2)间歇精馏　流程如图4-5所示,液体混合物在蒸馏釜加热至沸腾,产生的蒸汽进入精馏塔,蒸汽由下而上在各层塔板(填料)上与回流液接触。易挥发组分逐板提浓后由塔顶进入冷凝器冷凝,其中一部分作为回流液进入塔内;另一部分经冷却器进一步冷却后流入馏出液贮槽。蒸馏后的残液返回至蒸馏釜,蒸馏到一定程度后排出残液。间歇精馏有两种典型的操作方式。一种是保持回流比恒定的操作方式。采用这种操作方式时,在精馏过程中,塔顶馏出液组成和釜液组成均随时间而下降。另一种是保持馏出液组成恒定。采用这种操作方式时,在精馏过程中,釜液组成随时间而下降,所以为了保持馏出液组成恒定,必须不断增大回流比,精馏终了时,回流比增大到最大。

(3)精馏原理　如图4-6、图4-7所示,将组成为x_F,温度为t_F的混合液加热到t_1使其部分汽化后,气相和液相分开,所得到的气相组成为y_1,液相组成为x_1,由$t-x-y$图可以看出：$y_1 > x_F > x_1$。

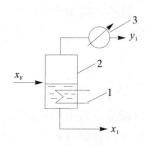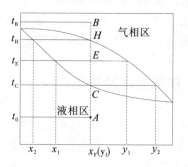

　　1-加热器；2-分离器；3-冷凝器

图 4-6　一次部分汽化示意图　　　　　　图 4-7　一次部分汽化的 $t-x-y$ 示意

　　可见，将液体混合物进行一次部分气化的过程，只能起到部分分离的作用。显然，要使混合物得到完全的分离，必须进行多次部分气化和部分冷凝的过程。图 4-8 所示为一个多级分离过程，若将第一级溶液部分气化所得到的气相产品在冷凝器中加以冷凝，然后再将冷凝液在第二级中部分气化，此时所得到的气相组成为 y_2，且 $y_2 > y_1$，这样部分气化的次数越多，所得到的蒸汽浓度也越高，最后可得到几乎纯态的易挥发组分。同理若将从各分离器所得到的液相产品分别进行多次部分气化和分离，这种次数越多，得到的液相浓度也越低，最后可得到几乎纯态的难挥发组分。

　　应当指出，这种操作存在着如下问题：收率低、中间馏分未加利用、热能利用率不高、消耗了大量的加热蒸汽和冷却水、操作不稳定。

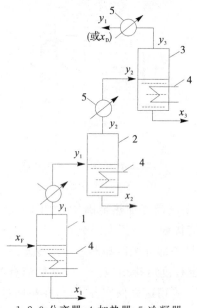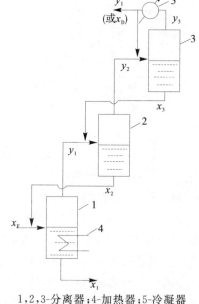

　　1,2,3-分离器；4-加热器；5-冷凝器　　　　　1,2,3-分离器；4-加热器；5-冷凝器

图 4-8　多次部分汽化的分离示意图　　　　图 4-9　无中间产品的部分汽化示意图

　　针对上述流程，将图 4-8 进行改进得出了图 4-9 所示的流程。将每一级的中间产品返回到下一级中去，图示将 y_1 与 x_3 相混合，这样就消除了中间产品，气相（温度为 t_1）与液相混合（温度为 t_3），$t_1 > t_3$ 它们同时进行着热量和质量的传递，使液相中易挥发组分部分气化为蒸

汽,气相中难挥发组分部分冷凝为液相,结果 $y_2 > y_1$,$x_2 > x_3$,且省去了中间加热器和冷凝器,补充了各釜的易挥发组分,使塔板上的液相组成保持稳定,提高了产品收率。对于最上一级而言,将 y_3 冷凝后不是全部作为产品,而将其中的一部分返回作为液相回流。对增浓难挥发组分来说,道理是完全相同的。图 4-9 所示,在进行质量传递和热量传递的同时,液相中难挥发组分的浓度增加,气相中易挥发组分的浓度增加。只要选定适当的釜数,即可从最后一釜的液相得到较纯的难挥发组分。从图 4-10 所示的精馏塔的模型中可以看出,最下面一个釜的蒸汽只能有该釜液体气化得到,气化所需的热量由加热器供给。即精馏是将由挥发度不同的组分所组成的混合液,在精馏塔中同时进行多次地部分气化和部分冷凝操作,使其分离成几乎纯态组分的过程。同时进行部分气化和部分冷凝操作是混合物得以分离的必要条件。

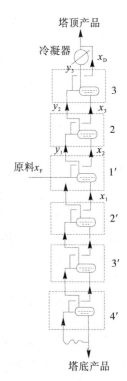

图 4-10　精馏塔模型

　　在工业生产中,精馏是在精馏塔内进行的。如图 4-10 所示,塔顶回流自上而下通过全塔(每一块板或每层填料),塔底蒸汽回流自下而上通过全塔(每一块板或每层填料),当两股回流相遇时,同时发生部分气化和部分冷凝,易挥发组分向气相中转移,难挥发组分向液相中转移,因此,在气体自下而上的过程中,轻组分得到了提浓,至塔顶时最大。同时,在液体自上而下的过程中重组分得到了提浓,至塔底时最大。根据相平衡可知,自上而下温度不断增加,塔顶温度最低,塔釜温度最高。当某一块上的组成与原料液的组成相同或相近时,原料液由此引入,称为“加料板”,加料板以上的塔段称为“精馏段”,以下的部分称为“提馏段”(含加料板)。

　　显然,精馏塔能够正常操作的必要条件是塔顶回流液体和塔釜回流蒸汽。因此,塔顶冷凝器和塔釜再沸器是精馏操作中不可缺少的辅助设备。

　　精馏与蒸馏比较,两者共同之处都是通过将混合液部分气化和冷凝,利用混合液组分挥发能力不同分离混合液,但前者是多次而后者只有一次,而回流则是区别二者的最根本性标志。

任务二　连续精馏的计算

一、计算依据

精馏计算过程较为复杂,为了简化计算,提出以下基本假设:

1. 恒摩尔流假设

恒摩尔流假设包括恒摩尔气化和恒摩尔液流两个假定。

恒摩尔气化指在精馏段内,从每一块塔板上上升的蒸汽的摩尔流量皆相等,提馏段也是如此,但两段的蒸汽流量不一定相等,即

$$V_1 = V_2 = \cdots\cdots = V_n = V \tag{4-9}$$

$$V_1' = V_2' = \cdots\cdots = V_n' = V' \tag{4-9a}$$

式中　　V——精馏段的上升蒸汽量，kmol/h。

　　　　V'——提精馏段的上升蒸汽量，kmol/h。

　　恒摩尔液流指在精馏段内，从每一块塔板上下降的液体的摩尔流量皆相等，提馏段也是如此，但两段的液体流量不一定相等，即

$$L_1 = L_2 = \cdots\cdots = L_n = L \tag{4-10}$$

$$L_1' = L_2' = \cdots\cdots = L_n' = L' \tag{4-10a}$$

式中　　L——精馏段的回流液体量，kmol/h。

　　　　L'——提馏段的回流液体量，kmol/h。

　　显然，此假定成立的前提是各组分的比摩尔气化潜热相等；气液相接触时，因温度不同而交换的显热忽略不计；设备的保温良好，热损失可以忽略。经研究表明，对于大多数物系，特别是接近理想的物系，各组分的比摩尔气化潜热可近似视作相等。其他条件也可以通过采取措施达到。

2.理论板

　　在精馏塔内，塔板是气液两相接触的场所，如果离开某块板时，气液两相互成相平衡，则称此板为"理论板"。实际上，理论板是不存在的，但再沸器和分凝器可视为理论板。理论板假设为确定实际板数提供了简便的途径，这一方法值得读者在工作中借鉴。

3.塔顶的冷凝器为全凝器

　　塔顶引出的蒸汽在冷凝器中被全部冷凝，其冷凝液的一部分作为产品，一部分在泡点温度下回流入塔。此时

$$x_D = y_1 = x_L \tag{4-11}$$

式中　　x_L——回流液中易挥发组分的摩尔分数。

　　　　x_D——塔顶产品（馏出液）中易挥发组分的摩尔分数。

　　　　y_1——塔顶第一块板上升蒸汽中易挥发组分的摩尔分数。

二、物料衡算与操作线

1.全塔的物料衡算

　　对整个精馏塔应用质量守恒定律，分别对轻组分和总物料进行衡算（如图 4-11 所示），得

$$F = D + W \tag{4-12}$$

$$Fx_F = Dx_D + Wx_W \tag{4-13}$$

式中　　F——进塔的原料液流量，kmol/h。

　　　　x_F——料液是易挥发组分的摩尔分数。

　　　　D——塔顶产物（馏出液）的流量，kmol/h。

　　　　x_D——馏出液中易挥发组分的摩尔分数。

　　　　W——塔底产物（残液）的流量，kmol/h。

　　　　x_W——残液中易挥发组分的摩尔分数。

联解可得

$$\frac{D}{F} = \frac{x_F - x_W}{x_D - x_W} \qquad (4-14)$$

$$\frac{W}{F} = \frac{x_D - x_F}{x_D - x_W} \qquad (4-15)$$

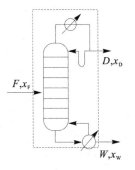

图 4-11　全塔物料衡算图

$\frac{D}{F}$ 称为"馏出液的采出率"；$\frac{W}{F}$ 称为"釜液的采出率"。

当规定塔顶、塔底组成 x_D、x_W 时，采出率，即产品的产率不能任意选择。

当规定塔顶产品的产率和组成 x_D 时，则塔底产品的产率及釜液组成不能再自由规定(当然也可规定塔底产品的产率和组成)。

在精馏生产中，既可以用塔顶、塔底产品的组成作为控制指标，也可以用回收率来作为控制指标，回收率的定义如下。

馏出液中易挥发组分的回收率

$$\eta_A = \frac{D \cdot x_D}{F \cdot x_F} \times 100\% \qquad (4-16)$$

釜液中难挥发组分的回收率

$$\eta_B = \frac{W \cdot (1 - x_W)}{F \cdot (1 - x_F)} \times 100\% \qquad (4-17)$$

【例 4-2】　每小时将 15000kg 含苯 40% 和甲苯 60% 的溶液在连续精馏塔中进行分离，要求将混合液分离为含苯 97% 的馏出液和釜残液中含苯不高于 2%(以上均为质量分数)。操作压力为 101.3kPa。试求馏出液和釜液的流量及组成，以千摩尔流量和摩尔分数表示。

解：　苯的相对分子质量为 78；甲苯的相对分子质量为 92。

进料组成　　　　　$x_F = \dfrac{40/78}{40/78 + 60/92} = 0.44$

釜液组成　　　　　$x_W = \dfrac{2/78}{2/78 + 98/92} = 0.0235$

原料液流量的平均相对分子质量 $M_F = 0.44 \times 78 + 0.56 \times 92 = 85.8$

原料液流量　　　　$F = (15000/85.8)\text{kmol/h} = = 175.0\text{kmol/h}$

全塔物料衡算　　　$D + W = 175$

$$175 \times 0.44 = D \times 0.974 + W \times 0.0235$$

联立得

$$D = 76.7\text{kmol/h}$$

$$W = 98.3\text{kmol/h}$$

2. 精馏段操作线方程

如图 4-12 所示，对精馏段任一塔截面到塔顶做物料衡算，得

$$V = L + D$$

$$V y_{n+1} = L x_n + D x_D$$

$$y_{n+1} = \frac{L}{L + D} x_n + \frac{D}{L + D} x_D \qquad (4-18)$$

通常，定义 $R = \dfrac{L}{D}$ 为回流比，则(4-18)变为

$$y_{n+1} = \frac{R}{R+1}x_n + \frac{1}{R+1}x_D \qquad (4\text{-}18a)$$

式中各符号同前。

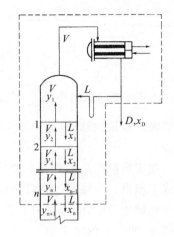

　　式(4-18)和(4-18a)反映了在精馏操作中,精馏段
内,同一截面上相遇的气液两相的组成关系,对于板式
塔,反映的是下一块塔板的上升蒸汽组成与上一块塔
板下降液体的组成之间的关系,通常称为"操作关系"。
当操作稳定时,两式为直线方程,在 $x-y$ 图上是直线
(见图4-14),因此两式被称为"精馏段操作线方程"。
显然,精馏段操作线过点 (x_D, x_D)。精馏段操作线的
画法,在 $x-y$ 相图的对角线上先作出 $a(x_D, x_D)$ 点,在   图 4-12　精馏段操作线方程推导示意图

纵坐标上作出 $b\left(0, \dfrac{x_D}{R+1}\right)$ 点,连接 a、b 即得精馏段操

作线 ab。

3.提馏段操作线方程

　　如图 4-13 所示,对提馏段任一塔截面到塔底做物料衡算,得

$$L' = V' + W$$
$$L'x_m = V'y_{m+1} + Wx_W$$
$$y_{m+1} = \frac{L'}{L'-W}x'_m - \frac{W}{L'-W}x_W \qquad (4\text{-}19)$$

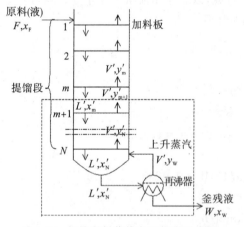

图 4-13　提馏段操作线方程推导示意图

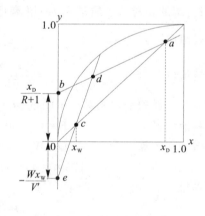

图 4-14　操作线

　　同样,式(4-19)称为"提馏段操作线方程",反映了在精馏操作中,提馏段内,同一截面上
相遇的气液两相的组成关系。对于板式塔,反映的是下一块塔板的上升蒸汽组成与上一块
塔板下降液体的组成之间的关系,即操作关系。当操作稳定时,式(4-19)为直线方程,在 $x-$
y 图上也是直线(见图4-14)。显然,提馏段操作线过点 (x_W, x_W)。提馏段操作线的画法,在
$x-y$ 相图的对角线上先作出 $c(x_W, x_W)$ 点,在纵坐标上作出 $e\left(0, -\dfrac{Wx_W}{V'}\right)$ 点,连接 c、e 即得
提馏段操作线 ce。下面讲述 q 线方程之后,可先作出 q 线,q 线与精馏段操作线相交与 d 点,
连接 d、c 即得提馏段操作线 dc。

应予指出,提馏段的液体流量 L' 不如精馏段的回流液流量 L 那样易于求得,因为 L' 除了与 L 有关外,还受进料量及进料热状况的影响。

【例 4-3】　一连续精馏塔分离二元理想混合溶液,在精馏塔的精馏段内,离开某层塔板上的气液相组成分别为 0.83 和 0.70,相邻上层塔板上的液相组成为 0.77,而相邻下层塔板上的气相组成为 0.78(以上均为轻组分 A 的摩尔分数,下同)。塔顶为泡点回流,进料为饱和液体(此时, $L' = L + F$),其组成为 0.46,若已知塔顶和塔底的产量之比为 2/3。试求精馏段和提馏段的操作线方程?

解:　精馏段操作线方程 $y = \dfrac{R}{R+1}x + \dfrac{x_D}{R+1}$

代入已知,得

$$0.83 = \frac{R}{R+1} \times 0.77 + \frac{x_D}{R+1}$$

$$0.78 = \frac{R}{R+1} \times 0.70 + \frac{x_D}{R+1}$$

解得　　　　　　　　　$R = 2.5$, $x_D = 0.98$

因此,精馏段操作线方程为 $y = \dfrac{R}{R+1}x + \dfrac{x_D}{R+1} = \dfrac{2.5}{3.5} \times x + \dfrac{0.98}{3.5}$

即　　　　　　　$y = 0.714x + 0.280$

已知: $x_F = 0.46, \dfrac{D}{W} = \dfrac{2}{3}$,则 $D = \dfrac{2}{3}W$

物料衡算得　　　　　　$F = D + W$　　　　　　$F = D + W = \dfrac{5}{3}W$

及　　　　　　$Fx_F = Dx_D + Wx_W$　　　　$\dfrac{5}{3}W \times 0.46 = \dfrac{2}{3}W \times 0.98 + Wx_W$

因此　　　　　$x_W = 0.113$

又　　　　　$L' = L + F = R \times D + D + W = \dfrac{10}{3}W$

所以,提馏段操作线方程为

$$y = \frac{L'}{L'-W}x - \frac{W \cdot x_W}{L'-W} = \frac{\dfrac{10}{3} \times W}{\dfrac{10}{3} \times W - W}x - \frac{W}{\dfrac{10}{3} \times W - W} \times 0.113$$

即　　　　　　　　　$y = 1.428x - 0.048$

精馏段操作线方程为 $y = 0.714x + 0.280$,

提馏段操作线方程为 $y = 1.428x - 0.048$。

4.进料操作线方程

在工业精馏中,进料方式有五种不同的状况,即温度低于泡点的冷液体、温度等于泡点的饱和液体、温度介于泡点和露点之间的气液混合物、温度等于露点的饱和蒸汽和温度高于露点的过热蒸汽。下面对塔板进行物料和能量衡算。

设第 m 块板为加料板,对图 4-15 所示的虚线范围进行物料衡算与热量衡算,得

物料衡算

$$F + L + V' = L' + V$$

热量衡算

$$FI_F + LI_L + V'I_{V'} = L'I_{L'} + VI_V$$

考虑到组成接近,温度接近,故可设

$$I_V \approx I_{V'} \qquad I_L \approx I_{L'}$$

于是

$$FI_F + LI_L + V'I_V = L'I_L + VI_V$$

$$\frac{L' - L}{F} = \frac{I_V - I_F}{I_V - I_L}$$

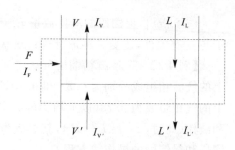

图 4-15   进料板上的物料衡算与热量衡算

定义 $q = \dfrac{I_V - I_F}{I_V - I_L} = \dfrac{饱和蒸汽的焓-料液的焓}{饱和蒸汽的焓-饱和液体的焓} = \dfrac{1kmol\ 原料变为饱和蒸汽所需热量}{1kmol\ 原料的比气化潜热}$

q 称为"进料状态参数"。它反映了进料状态的热状况,通过 q 值可以计算提馏段上升蒸汽及下降液体的摩尔流量。由上面的衡算式可得

$$L' = L + qF \tag{4-20}$$

$$V' = V + (q-1)F \tag{4-21}$$

显然,对于饱和液体、气液混合物以及饱和蒸汽而言,q 值等于进料中液相的分率。

将上述关系代入提馏段操作线方程,可得提馏段操作线方程的另一形式,即

$$y'_{m+1} = \frac{L + qF}{L + qF - W} x'_m - \frac{W}{L + qF - W} x_W \tag{4-22}$$

由于进料板连接精馏段和提馏段,因此两段操作线在此必交于一点,联立求解两段操作线方程得交点轨迹方程如下:

$$y = \frac{q}{q-1} x - \frac{x_F}{q-1} \tag{4-23}$$

式(4-23)称为"进料操作线方程",或"q 线方程"。当操作状态稳定时,进料组成及 q 均不变,方程在 $x-y$ 图上为一直线,并且过点 (x_F, x_F)。进料状态的改变不改变精馏段的操作线方程,只改变提馏段的操作线方程。

不同进料状态下 q 的大小及 q 线的位置见图 4-16。

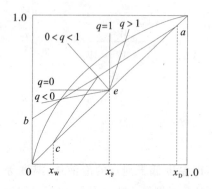

图 4-16   不同加料热状态下的 q 线

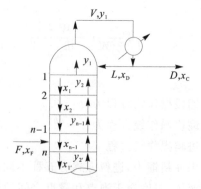

图 4-17   逐板计算示意图

三、塔板数的确定

对于板式塔,完成精馏任务所需要的塔板数是必须确定的。通常的做法是先求完成任务需要的理论塔板数,再通过板效率求取实际板数。确定理论板数的方法主要有逐板计算法、图解法和简捷法。

1.逐板计算法求取理论塔板数

以饱和液体进料为例,如图 4-17 所示,从最上一块塔板上升的蒸汽进入冷凝器中被全部冷凝,因此塔顶馏出液及回流液的组成均与第一块板上的上升蒸汽组成相同。即 $y_1 = x_D$。

离开第一层板的下降液体的组成 x_1 可由相平衡关系 $y_1 = \dfrac{\alpha x_1}{1+(\alpha-1)x_1}$ 求取,离开第二块板的上升蒸汽的组成 y_2 与 x_1 符合精馏段操作线方程,由操作线方程 $y_2 = \dfrac{R}{R+1}x_1 + \dfrac{x_D}{R+1}$,通过 x_1 可求得 y_2,同理由相平衡关系可求得 x_2,如此逐板计算下去,可求得精馏段内每一层塔板的气液相组成,当 $x_n \leqslant x_F$ 时,说明原料应从第 n 层板进入,即第 n 层塔板为加料板。则精馏段所需的理论塔板数为 $n-1$。

同理,在提馏段内,交替运用提馏段操作线方程与相平衡方程也可以求取各块板的组成,从而求取理论塔板数。此时,加料板作为提馏段的第一块塔板,$x_1' = x_n$,先用提馏段操作线方程求取提馏段内第二块板的上升蒸汽的组成,再据此由相平衡方程求取离开第二块板的下降液体的组成,如此重复计算,直至 $x_m' \leqslant x_W$ 为止,由于塔釜相当于一块理论板。则提馏段的理论塔板数为 $m-1$。

全塔总的理论塔板数为 $n+m-2$。逐板法计算结果较准确,并且同时求得每一层板上的气、液相组成,但比较繁,计算量大。计算机技术使该法应用越来越广泛。

2.图解法求理论塔板数

将逐板计算的过程用作图的方法实现,称为"图解法"。塔顶上升蒸汽的组成 y_1 与馏出液的组成 x_D 相同,从而确定了点 $a(x_D, x_D)$,在精馏段的操作线上,由理论板的概念知,第一板上的蒸汽组成 y_1 应与第一块板上的液体组成 x_1 成平衡。由点 a 作水平线与平衡线的交点为 (x_1, y_1),而由 x_1, y_2 所确定的点应在操作线方程上,即过点 (x_1, y_1) 作垂线与操作线相交的点为 (x_1, y_2)。即成了一个三角形梯级。在绘三角形梯级时,使用了一次平衡关系和一次操作线关系,因此每绘一个三角形梯级即代表了一块理论板。依此在精馏段操作线与相平衡线之间作阶梯,直至跨过两操作线的交点后,改为在提馏段操作线与相平衡线间作阶梯,并直至跨过点 (x_W, x_W) 为止。

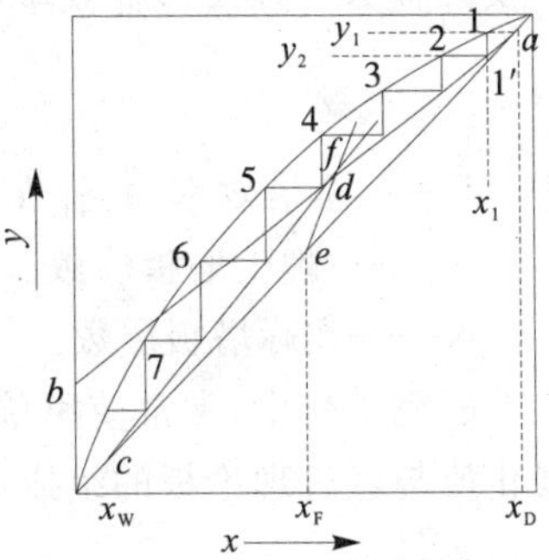

图 4-18　梯级图解法求理论板层数

所绘的三角形梯级数即为所求的理论塔板数(包括塔釜)。

图解法的步骤是:①作相平衡线;②作精馏段操作线;③作 q 线;④作提馏段操作线,连接点 (x_W, x_W) 和 q 线与精馏段操作线交点;⑤自点 (x_D, x_D) 开始按上述原则作阶梯。⑥阶梯数即为理论板数。

3. 适宜的加料位置

在图解法求理论塔板数时,当跨过两操作线交点时,更换操作线。而跨过两操作线交点时的梯级即代表适宜的加料位置。因为如此作图所作的理论塔板数为最小,如图 4-19 所示,而不同的进料状况对理论塔板数有一定的影响。图 4-19(a)为跨过三线交点后继续在精馏段操作线与平衡线之间绘阶梯,图 4-19(b)为未跨过交点过早更换操作线绘阶梯,都将使所需理论板数增加,而图 4-19(c)为最适宜加料位置。当料液为液相进料时,料液直接加到加料板上;当料液为气相进料时,料液应加到加料板的下侧;当料液为气液混合物进料时,理论上应将其中的液相、气相分别加到加料板的上、下两侧。

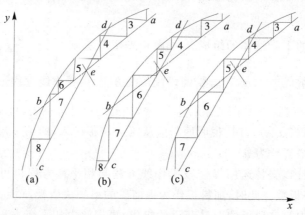

图 4-19   适宜的进料位置

但实际上,为了方便起见,一般是全部由加料板进入塔内。倘若有两种或两种不同组成的原料作为进料时,将它们按其组分分别加到不同的板上,比将它们混合一起加到加料板上的理论塔板数要少。当进料组成及热状态有波动时,应在精馏塔多开几个进料口,以适应不同的变化。

4. 实际塔板数及板效率

实际板数可以通过板效率由理论板数换算得到,即

$$E = \frac{N_T}{N} \tag{4-24}$$

式中 E——全塔效率,其值在 $0.2 \sim 0.8$ 之间,由经验公式计算或实测。

N_T——理论塔板层数。

N——实际塔板层数。

在研究工作中,常常使用单板效率(默弗里效率),其定义为气相或液相经过实际板的组成变化值与经过理论板的组成变化值之比,即

气相组成变化表示的板效率 $$E_{mv} = \frac{y_n - y_{n+1}}{y_n^* - y_{n+1}} \tag{4-25}$$

液相组成变化表示的板效率 $$E_{ml} = \frac{x_{n-1} - x_n}{x_{n-1} - x_n^*} \tag{4-26}$$

任务三 板式精馏塔的操作分析

一、板式塔的结构

板式塔结构如图 4-20 所示,是由塔体及沿塔高装设的若干层塔板构成的,相邻两板有一定的间隔距离,操作时,气体自下而上通过塔。液体则相反,气液两相在塔板上液层中互相接触,进行传热和传质。从结构上分,工业板式塔分为有降液管和无降液管两种,用得最多的是有降液管的板式塔,它主要由塔体、溢流装置和塔板构件等组成。

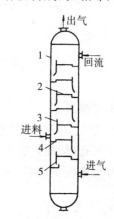

1-塔壳体;2-塔板;3-溢流堰;
4-受液盘;5-降液管

图 4-20 板式塔的结构

1.泡罩塔

泡罩塔是最早工业化的,如图 4-21 所示。每层塔板上装有若干个短管作为上升蒸汽通道,称为"升气管"。由于升气管高出液面,故板上液体不会从中漏下。升气管上覆以泡罩,泡罩周边开有许多齿缝,操作条件下,齿缝浸没于板上液体中,形成液封。上升气体通过齿缝被分散成细小的气泡进入液层。板上的鼓泡液层成为充分的鼓泡沫体,为气液两相提供了大量的传质界面,液体通过降液管流下,并依靠溢流堰以保证塔板上存有一定厚度的液层。

优点:不易发生漏液现象;有较好的操作弹性;当气液负荷有较大波动时,仍能维持几乎恒定的板效率;不易堵塞;对各种物料的适应性强。

缺点:结构复杂;金属消耗量大;造价高;压降大;雾沫夹带现象比较严重;限制了气速的提高,生产能力不大。近年来,此种板已经逐渐退出精馏舞台。

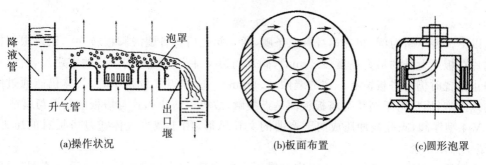

(a)操作状况 (b)板面布置 (c)圆形泡罩

图 4-21 泡罩塔

2.筛板塔(筛板)

最简单的结构应该是筛板。筛板结构如图 4-22 所示,操作时,气体自下而上通过筛板,与塔板上液层进行气液传质,脱离液层后进入上面一块塔板,液体自上而下通过降液管进入下面一块塔板。

筛板几乎与泡罩塔板同时出现,但当时由于设计上的原因,筛板容易漏液且操作弹性小,小孔筛板容易堵塞,不宜处理易结焦、黏度大的物料,因而未被使用。但是它的独特优点是结构简单,造价低廉,经过百余年的不断研究探索,筛板设计方法逐渐成熟,目前已成为应用最为广泛的一种塔板,特别是对大孔(直径 10mm 以上)筛板的研究和应用,近年来有所进展。

(a)筛板操作示意图   (b)筛孔布置图

图 4 22   筛板

3.浮阀塔

20 世纪 50 年代浮阀塔在工业上才广泛应用,如图 4-23 所示,在带有降液管的塔板上开有若干大孔(标准孔径为 39mm),每孔装有一个可以上、下浮动的阀片,由孔上升的气流经过阀片与塔板的间隙,而与板上横流的液体接触,目前常用的型号有 F-1 型、V-4 型和 T 型。

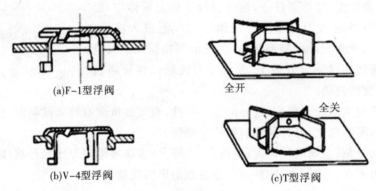

(a)F-1型浮阀   全开

(b)V-4型浮阀   (c)T型浮阀   全关

图 4-23   常见浮阀

以 F-1 型浮阀为例,阀片本身有三条腿,插入阀孔后将各腿底脚扳转 90°,用以限制操作时阀片在板上上升的最大高度(8.5mm),阀片周边又冲出三块略向下弯的定距片,使阀片处于静止位置时仍与塔板留有一定的缝隙(2.5mm)。这样当气量很小时,气体仍能通过缝隙均匀地鼓泡,而且由于阀片与塔板板面是点接触,故可以防止阀片与塔板的黏着与腐蚀。

V-4 型浮阀,阀孔被冲压成向下弯曲的文丘里形,用于减少气体通过塔板时的压力降。(适用于减压系统)

T 型浮阀,结构复杂,借助于固定在塔板上的支架来限制拱形阀片的运动范围(适用于易腐蚀、含颗粒或易聚合的介质)。

浮阀塔的优点是气流从浮阀周边横向吹入液层,气液接触时间延长,且雾沫夹带减少,塔板效率高,生产能力大,操作弹性大,结构较泡罩塔简单,压力降小,造价比较低。缺点是浮阀要求有较好的耐腐蚀性能,一般材料容易被黏结、锈住,必须采用不锈钢制作,增加了造价。

4.喷射型塔板

上述三种塔板进行传质和传热,气体向上穿过液层时,不仅使液体破碎成小液滴,而且还给液滴以相当大的向上初速度,使液滴易被气体带入上面一块塔板,造成"返混"。舌形塔板是为了避免这种现象的发生而设计的。

这种塔板是在塔板上冲出许多舌形孔,舌片与板面的角度一般为 20°左右,按一定规律排布,向塔板的溢流出口侧张开,塔板出口不设溢流堰,如图 4-24 所示。由舌孔喷出的气流方向近于水平,产生的液滴几乎不具有向上的初速度。而且从孔中喷出的气流,通过动量传递,推动液体流动,降低了板上的液层高度和板压降,因此其生产能力和板效率均较高。

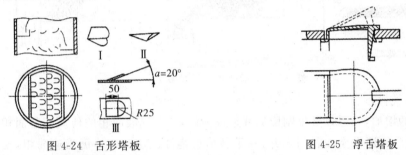

图 4-24　舌形塔板　　　　　　图 4-25　浮舌塔板

为了提高舌形塔板的操作弹性,还可采用浮动的舌片,即舌片可以像"阀片"一样,根据气流量的大小上下运动。此种塔板称为"浮舌塔板",如图 4-25 所示。浮舌塔板生产能力大,操作弹性大,压降小。

由于舌形塔板所有舌孔的开口方向相同,全部气体由一个方向喷出,所以当气速较大时,造成板上液层太薄,板效率显著降低。采用斜孔塔板(即舌孔的开口方向与液流垂直,相邻两排的开孔方向相反)可以避免这种情况发生,如图 4-26 所示。斜孔塔板的生产能力比浮阀塔大 30%左右,结构简单,加工制造方便,是一种性能优良的塔板。

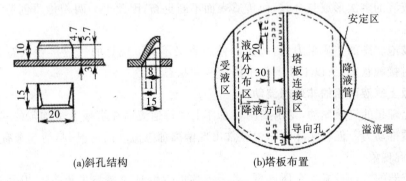

(a)斜孔结构　　　　　　(b)塔板布置

图 4-26　斜孔塔板

二、板式塔的流体力学性能

塔板是气液两相进行传质和传热的场所。塔板能否正常操作,与气液两相在塔板上的流动状态(即流体力学性能)有关。

1.塔板上气液接触状态

以筛板塔为例,气体通过筛孔时的速度不同,气液两相在塔板上的接触状态也不同,通常有三种状态,如图4-27所示。

(1)鼓泡接触状况

当孔中气速很低时,气体以鼓泡形式穿过板上的清液层,由于塔板上的气泡数量较少,因此板上液层清晰可见。两相接触面积为气泡表面,液体为连续相,气体为分散相。由于气泡数量较少,气泡表面的湍动程度较低,因此传质阻力较大,传质的面积较小,传质效果差,一般不宜采用。

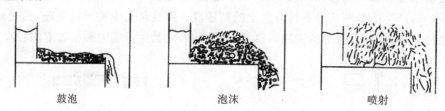

鼓泡   泡沫   喷射

图4-27 塔板上的气液接触状态

(2)泡沫接触状态

随着气速的增加,气泡数量急剧增加并形成泡沫,此时气液两相的传质面是面积很大的液膜,液膜和气泡不断发生破裂与合并,并重新形成泡沫。这时液体仍为连续相,气体为分散相。

由于这种液膜不同于因表面活性剂而形成的稳定泡沫,因此高度湍动并不断合并与破裂,为两相传质创造了良好的流体力学条件。

(3)喷射接触状态

当孔中气速继续增大,动能很大的气体从筛孔喷出并穿过液层,将板上液体破碎成许多大小不等的液滴,并被抛上塔板上方的空间;当液滴回落合并后,再次被破碎成液滴抛出。这时两相传质面积是液滴的外表面,液体为分散相,气体为连续相。

由于液滴的多次形成与合并,使传质表面不断更新,因此也为两相传质创造了良好的流体力学条件。

因为鼓泡状态的传质阻力大,故实际使用意义不大。理想的气液接触状态是泡沫接触状态和喷射接触状态,所以工业上常采用这两种状态。

2..塔板上气液两相的非理想流动

塔板上理想的气液流动,是塔内两相总体上保持逆流而在塔板上呈均匀的错流,以获得最大的传质推动力。但在实际操作中经常出现偏离理想流动的情况,归纳起来有如下几种:

(1)返混现象

与反应器的"返混"概念有所区别,塔板流体的返混现象指与主流方向相反的流动。与液体主体流动方向相反的流动表现为雾(液)沫夹带;与气体主体方向相反的流动表现为气泡夹带。

①雾沫夹带 上升气流穿过塔板上的液层时,将部分液体分散成微小液滴,气体夹带着这些液滴在板间的空间上升,如果液滴来不及沉降分离,则将随着气体进入上一层塔板,这种现象称为"雾沫夹带"。

雾沫夹带造成液相返混,导致板效率严重下降。影响雾沫夹带的因素很多,最主要的是空塔气速和塔板间距,空塔气速减小以及板间距增大,都可以减少液沫夹带量。为维持正常操作,需要将泡沫夹带限制在一定的范围内,一般工业规定每千克上升气体夹带到上层塔板的液体量不应超过 0.1kg。

②气泡夹带 与雾沫夹带相对应,在塔板上与气体充分接触后的液体,在流向降液管时将气泡卷入降液管,若液体在降液管内的停留时间太短,所含的气泡来不及脱离而被夹带到下一层塔板,这种现象称为"气泡夹带"。

气泡夹带产生的气体夹带量占气体总流量的比例很小,因而给传质带来的危害不大,但由于降液管内液体含大量的气泡,使降液管内泡沫层平均密度降低,导致降液管的通过能力降低,严重时还会破坏塔的正常操作。

(2)气体和液体的不均匀分布

①气体沿塔板的不均匀分布。在每一层塔板上气液两相呈错流流动,因此,希望在出塔板上各点的气速都相等,但是由于液面落差的存在,在塔板入口处的液层厚,气体通过的阻力大,因此气量小;而在塔板出口处的液层薄,气体通过的阻力小,因此气量大,从而导致气体流量沿塔板的不均匀分布。不均匀的气流分布对传质是不利的。板上的液体流动距离越长或液体流量越大,液面落差就越大。为了减轻气体流动不均匀分布,应尽量减少液面落差。

②液体沿塔板的不均匀分布。因为塔截面是圆形的,所以,液体横向流过塔板时有多种途径。在塔板中央,液体行程短而平直、阻力小、流速大,而在塔板的边沿部分,行程长而弯曲,又受到塔壁的牵制、阻力大、流速小。由于液体沿塔板的速度分布是不均匀的,因而严重时会在塔板上造成一些液体流动不畅的滞留区,总的结果是使塔板的物质传递量减少,因此对传质不利。

液体分布的不均匀性与液体流量有关,当液体流量低时,该问题尤为突出。此外,由于气体的搅动,液体在塔板上还存在各种小尺度的反向流动,而在塔板边沿处,还可能产生较大尺度的环流。这些与主体流动方向相反的流动,同样属于返混,使传质效率降低。

3. 板式塔的不正常操作

如果板式塔设计不良或操作不当,塔内将会产生使塔不能正常操作的现象,通常指液泛和漏液两种情况。

(1)液泛

在操作过程中,如果塔板上液体下降受阻,并逐渐在塔板上积累,直到充满整个板间,从而破坏了塔的正常操作,这种现象称为"液泛"(也称"淹塔")。液泛是气液两相作逆向流动时的操作极限。发生液泛时,压力降急剧增大,塔板效率急剧降低,塔的正常操作将被破坏,所以在实际操作中要避免它的发生。

根据液泛发生原因不同,可分为两种情况:对一定的液体流量,气速过大,气体穿过板上的液层时,造成雾沫夹带量增加,每层塔板在单位时间内被气体夹带的液体越多,液层就越厚,而液层越厚,雾沫夹带量也就越大,这样必将出现恶性循环,最终导致液体充满全塔,造成液泛,这种由于严重的雾沫夹带引起的液泛称为"夹带液泛"。液体流量和气体流量过大,均会引起降液管液泛。当液体流量过大时,降液管截面不足以使液体通过,管内液面升高;当气体流量过大时,相邻两块塔板的压降增大,使降液管内液体不能顺利下流,管内液体积累使液位不断升高,直至管内液体升高到越过溢流堰顶部,于是,两板间液体相连,最终导致液泛,称之为"降液管液泛"。

开始发生液泛时的气速称之为"泛点气速"。正常操作气速应控制在泛点气速之下。影响液泛的因素除气、液相流量和物性外,还与塔板的结构特别是塔板间距有关。设计中采用较大的板间距,可提高泛点气速。

(2)漏液

气体通过筛孔的速度较小时,通过筛孔的动压不足以阻止板上液体地流下,液体会直接从孔口落下,这种现象称为"漏液"。漏液量随孔速的增大与板上液层高度的降低而减小。漏液会影响气液在塔板上的充分接触,降低传质效果,严重时将使塔板上不能积液而无法操作。当从孔道流下的液体量占液体流量的 10% 以上时,称为"严重漏液"。严重漏液可使塔板不能积液而无法操作,因此为保证塔的正常操作,漏液量应不大于塔内液体流量的 10%。

造成漏液的主要原因是气速太小或由于板面上液面落差所引起的气流分布不均匀,液体在塔板入口侧的液层较厚,此处往往出现漏液,所以常在塔板入口处留出一条不开孔的安定区,以避免塔内严重漏液。

4. 塔板负荷性能图

从前面的分析可以看出,影响板式塔操作情况和分离效果的主要因素为物料性质、塔板结构以及气液负荷。当确定了分离物系和塔板类型后,其操作情况和分离效果仅与气液负荷有关,要维持塔的正常操作和板效率的基本稳定,必须将塔内的气液负荷限制在一定范围内,将此范围标绘在直角坐标系中,以气相负荷 V 为纵坐标,以液相负荷 L 为横坐标,所得图形称为"塔板负荷性能图",如图 4-28 所示。负荷性能图由五条线组成:

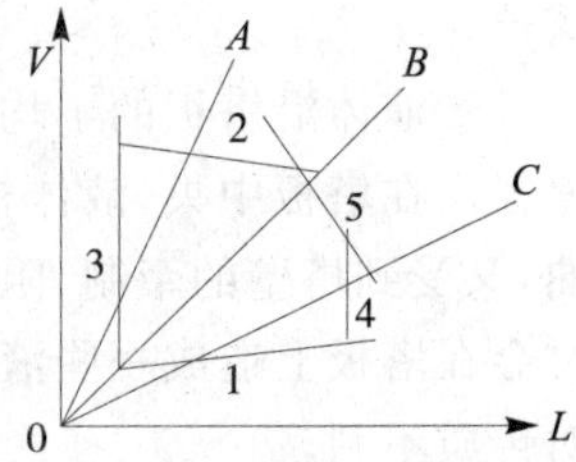

图 4-28 塔板负荷性能图

(1)漏液线 图中 1 线为漏液线,又称"气相负荷下限线"。当操作时气相负荷低于此线,将发生严重的漏液现象,此时的漏液量大于液体流量的 10%。塔板的适宜操作区应在该线以上。

(2)液沫夹带线 图中 2 线为液沫夹带线,又称"气相负荷上限线"。如操作时气相负荷超过此线,表明液沫夹带现象严重,此时液沫夹带量大于 0.1kg(液)/kg(气)。塔板的适宜操作区应在该线以下。

(3)液相负荷下限线 图中 3 线为液相负荷下限线。若操作时液相负荷低于此线,表明液体流量过低,板上液流不能均匀分布,气液接触不良,塔板效率下降。塔板的适宜操作区应在该线以右。

(4)液相负荷上限线 图中 4 线为液相负荷上限线。若操作时液相负荷高于此线,表明液体流量过大,此时液体在降液管内停留时间过短,易发生严重的气泡夹带,使塔板效率下降。塔板的适宜操作区应在该线以左。

(5)液泛线 图中 5 线为液泛线。若操作时气液负荷超过此线,将发生液泛现象,使塔不能正常操作。塔板的适宜操作区在该线以下。

在塔板的负荷性能图中,五条线所包围的区域称为塔板的"适宜操作区"。在此区域内,气液两相负荷的变化对塔板效率影响不太大,故塔应在此范围内进行操作。

操作时的气相负荷 V 与液相负荷 L 在负荷性能图上的坐标点称为"操作点"。在连续精馏塔中,操作的气液比 V/L 为定值,因此,在负荷性能图上气液两相负荷的关系为通过原点、斜率为 V/L 的直线,该直线称为"操作线"。操作线与负荷性能图的两个交点分别表示塔的上下操作极限,两极限的气体流量之比称为"塔板的操作弹性"。设计时,应使操作点尽可能位于适宜操作区的中央,若操作线紧靠某条边界线,则负荷稍有波动,塔即出现不正常操作。

应予指出,当分离物系和分离任务确定后,操作点的位置即固定,但负荷性能图中各条线的相应位置随着塔板的结构尺寸而变。因此,在设计塔板时,根据操作点在负荷性能图的位置,适当调整塔板结构参数,可改进负荷性能图,以满足所需的操作弹性。例如,加大板间距可使液泛线上移、增加降液管的截面积可使液相负荷上限线右移等。

应予指出,图4-28所示为塔板负荷性能图的一般形式。实际上,该图与塔板的类型密切相关。不同的塔板,其负荷性能图的形状有一定的差异,对于同一个塔,各层塔板的负荷性能图也不尽相同。

塔板负荷性能图在板式塔的设计及操作中具有重要的意义。设计时使用负荷性能图可检验设计的合理性,操作时当板式塔操作出现问题,使用负荷性能图可以分析操作状况是否合理,分析出问题所在,为解决问题提供依据。

三、板式精馏塔的操作分析

1. 回流比

回流是保证精馏塔连续稳定操作的必要条件,而回流比的大小对整个精馏操作有很大影响,因而选择和控制适宜的回流比是非常重要的。对精馏段而言,进料状况和馏出液组成一定,即 q 线一定,(x_D, x_D) 也是一定的。随着回流比的增加,精馏段操作线的截距 $\dfrac{x_D}{R+1}$ 越小,则其操作线偏离平衡线越远,或越接近于对角线,那么所需的理论塔板数越少,这就减少了设备费用。反之,回流比 R 减小,理论塔板数增加。但另一方面,回流比的增加,回流量 L 及上升蒸汽量 V 均随之增大,塔顶冷凝器和塔低再沸器的负荷随之增大,这就增加了操作费用。反之,回流比 R 减小,则冷凝器、再沸器、冷却水用量和加热蒸汽消耗量都减少。R 过大和过小,从经济观点来看都是不利的。因此应选择适宜的回流比,使两者之和为最小。回流比有两个极限值,全回流和最小回流比。

(1)全回流 塔顶蒸汽经冷凝后,全部回流至塔内的操作方式,称为"全回流"。此时,塔顶产物为0。通常在这种情况下,既不向塔内进料,也不从塔内取出产品,即 $D=F=W=0$,回流比为无穷大。

此时塔内也无精馏段和提馏段之分,两段的操作线方程合二为一,操作线方程为 $y=x$。操作线与对角线相重合,操作线和平衡线的距离为最远,完成精馏任务所需的理论塔板数为最少,见图4-29。最少理论塔板数可用图解法和芬斯克公式求取。芬斯克公式如下:

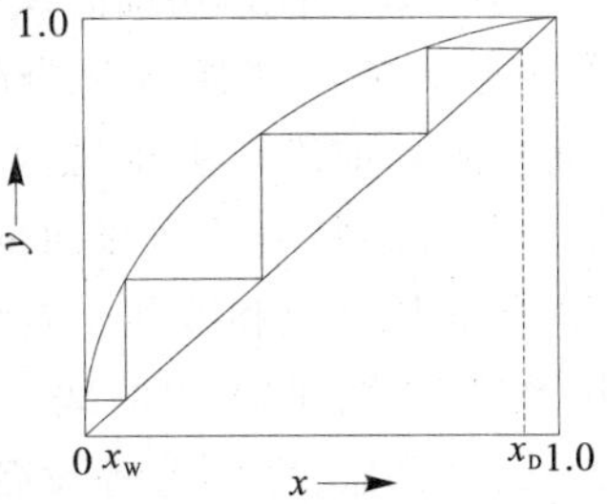

$$N_{\min} = \dfrac{\lg\left[\dfrac{x_D}{1-x_D} \cdot \dfrac{1-x_W}{x_W}\right]}{\lg\alpha} - 1 \qquad (4\text{-}27)$$

图4-29 全回流时理论塔板数

式中　α——相对挥发度,通常取全塔的平均值,即 $\alpha = \sqrt{\alpha_{顶} \cdot \alpha_{底}}$。

全回流因为没有产品,主要用在科研及生产中开车、调稳等方面,是精馏开车必须经历的阶段。

(2)最小回流比　从平衡线和操作线之间可以看出,当回流从全回流逐渐减少时,精馏段操作线的截距 $\dfrac{x_D}{R+1}$ 随之逐渐增大。两操作线的位置逐渐向平衡线靠近,即达到相同分离程度时所需的理论塔板数也逐渐增多。当回流比减少到操作线与平衡线出现第一个公共点(交点或切点)时,此时所需的理论塔板数为无限多,所对应的回流比称为"最小回流比"。几种情况见图4-30。最小回流比是回流的下限,当回流比比最小回流比还要低时,精馏操作虽然可以进行,但不能完成分离任务。因此,实际操作中,回流比必须大于最小回流比。

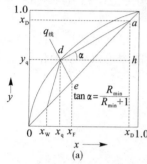 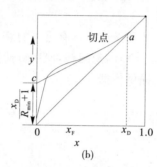 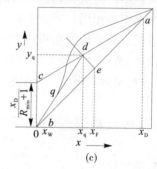

图 4-30　最小回流比确定

对于正常的相平衡线,如图4-30(a)所示,根据操作线斜率的几何意义,有

$$\frac{R_{min}}{R_{min}+1} = \frac{x_D - y_q}{x_D - x_q} \tag{4-28}$$

整理得

$$R_{min} = \frac{x_D - y_q}{y_q - x_q} \tag{4-29}$$

式中　R_{min}——最小回流比。

　　y_q,x_q——q 线与操作线的交点坐标,可以从图上读出,也可用相平衡方程计算。

对于非正常的相平衡线,如图4-30(b)和4-30(c),可以通过作图,然后按照相似的原理求取。

(3)适宜回流比的选择　适宜回流比的确定,一般是以经济衡算来确定。即:操作费用和设备折旧费用之总和为最小。

如图4-31所示,精馏的操作费用,主要取决于再沸器的加热蒸汽消耗量及冷凝器的冷却水的消耗量,而这两个量均取决于塔内上升蒸汽量 V 和 V′。而上升蒸汽量又随着回流比的增加而增加,当回流比 R 增加时,加热和冷却介质消耗量随之增多,操作费用增加,如图4-31中的线2。设备的折旧费是指精馏塔、再沸器、冷凝器等设备的投资乘以折旧率。当 $R = R_{min}$,达到分离要求的理论塔板数为 $N = +\infty$,相应的设备费用也为无限大,当 R 稍稍增大,N 即从

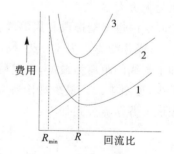

1-设备费用线;2-操作费用线;3-总费用线

图 4-31　费用与回流比

无限大急剧减少,设备费用随之降低,当 R 再增大时,塔板数减少速度缓慢。另一方面,随着 R 的增加,上升蒸汽量也随之增加,从而使塔径、再沸器、冷凝器尺寸相应增加,设备费用反而上升,如图 4-31 中的线 1。两项费用之和见图 4-31 中的线 3,此线有一最低点,显然最低点对应的 R 是最适宜的回流比。但通过这种办法来确定 R 虽然从理论上可以做到,但实际上是难以做到的。工程上,常根据经验取操作回流比为最小回流比的 1.1～2 的倍数,即

$$R = (1.1-2)R_{min} \qquad (4-30)$$

2. 进料状况

如前所述,进料状态不同,q 值不同。如果 q 值减小,即进料液带入的热量增多,这时为保持全塔热量平衡,也可以采取回流比 R 不变,塔釜上升蒸汽量减少;也可以采取回流比增大,塔釜上升蒸汽量不变的措施。采用同样的方法可以得出,当 q 值增大,即进料带入的冷量增多时,如果采用塔釜上升蒸汽量不变、回流比减少的措施,结果会使精馏段和提馏段所需要的理论塔板数增加。又如果采用塔釜上升蒸汽量增加、回流比不变的措施,可以使提馏段所需的理论塔板数减少。但是,热能消耗增多,操作费用将随之增加。

由上述分析可以看出,如果用改变进料状态的 q 值来试图减少塔顶冷凝器或塔釜再沸器的负荷,将会降低分离效果。工业生产中,精馏塔的进料状态往往由前一工序所得物料的热状态所决定,一般情况下以饱和液体居多。有时用气态进料或者预热进行气态清洁或废热利用。

3. 操作压力

精馏塔的压力是最主要的因素之一。稳定塔压力是操作的基础,塔压力稳定,与此相对应的参数调整到位以后,精馏塔就正常了。在正常操作中,如果加料量、釜温以及塔顶冷凝器的冷凝剂量都不变化,则塔压将随采出量的多少而发生变化。采出量少,塔压升高;反之,采出量大,塔压下降。可见,采出量的相对稳定可使塔压稳定。有时釜温、加料量以及塔顶采出量都未变化,塔压却升高,可能是冷凝器的冷凝剂量不足或冷凝剂温度升高所引起的,应尽快使冷凝剂量恢复正常,有时也可加大塔顶采出或降低釜温以保证不超压。此外,塔顶或塔釜温度的波动也会引起塔压的相对波动,如果塔釜温度突然升高,塔内上升蒸汽量增加,必然导致塔压的升高,这时可调节塔顶冷凝器的冷凝剂量或加大采出量,还应注意的是恢复塔的正常温度。如果处理不及时,会造成塔顶产品不合格;若塔釜温度突然降低,情况恰好相反。

4. 操作温度

在一定的压力下,被分离混合物的气化程度决定于温度,而温度由塔釜再沸器的蒸汽量来控制。在釜温波动时,除分析再沸器的蒸汽量和蒸汽的压力的变动以外,还应考虑塔压的升高或降低,也能引起釜温的变化。在正常操作中,有时釜温会随着加料量或回流量的改变而改变。因此,在调节加料量或回流量时,要相应地调节釜温和塔顶采出量,使塔釜温度和操作压力平衡。

5. 采出量

塔顶、塔底产品采出量的变化,也会影响塔的操作效果。

在冷凝器的冷凝负荷不变的情况下,减小塔顶产品采出量,使得回流量增加,塔压差增加,可以提高塔顶产品的纯度,但产品量减少。对一定的进料量,塔底产品量增多,由于操作压力的升高,塔底产品中易挥发组分含量升高,因此易挥发组分的回收率降低。若塔顶采出

量增加,会造成回流量减少,塔压因此下降,结果是难挥发组分被带到塔顶,塔顶产品质量不合格。

在正常操作中,若进料量、塔顶采出量为一定时,塔底采出量应符合塔的总物料衡算式。若采出量太小,会造成塔釜内液位逐渐上升,以至充满整个加热釜的空间,使釜内液体由于没有蒸发空间而难于汽化,同时釜内汽化温度升高,甚至将液体带回塔内,这样将会引起产品质量的下降。若采出量太大,致使釜内液面较低,加热面积不能充分利用,则上升蒸汽量减少,漏液严重,使塔板上传质条件变差,板效率下降,必须及时处理。

任务四　板式塔与填料塔的比较

板式塔与填料塔都可以用于精馏,两者各有特点。简单比较分析如下。

①塔径大小。塔径大小涉及塔的放大性能,制造安装,造价等。板式塔塔径增大,板效率变化不大,一般来说还可以提高,而填料塔则随塔径增大,传质效果下降,等板高度(或传质单元高度)增大。板式塔塔径小,制造安装不便,而小填料塔的制造安装比较方便,所以价格也较低,对于大塔,情况刚好相反。所以,一般大塔径宜用于板式塔。近年来由于新型填料的发展和分布器设计的改进,大型填料塔已开始广泛使用。

②塔高。当分离需用的理论板数较多时需要很高的塔,如用填料则需分好多层,层间需设气、液的再分布器,结构比较复杂,而板式塔增加板数相对而言简单得多。

另一方面采用高效填料,等板高度小。实际选型需从这两方面综合考虑。

③压降。气体通过填料塔的压降小,故适用于要求压降小的场合,如真空精馏宜用填料塔。

④持液量。填料塔中持液量少,因此要处理要求停留时间短的热敏性物料时宜用填料塔。

⑤物料沉积与清除。物料中固体悬浮物和宜聚合物料的聚合物易在填料中沉积,且难清洗,故对于这类物料宜用板式塔。

⑥塔内设置换热构件与气液的加入与引出。在板式塔中塔板上可放置换热管,便于在塔内直接进行加热与冷却。也可将液体引出塔外经换热后重新送入塔内。在板上引出与加热物料都很方便,而这些对填料塔来说都比较困难。因此,当过程中需加热冷却或需要多侧线出料与多路加料的场合,宜用板式塔。

⑦制作材料。填料可用塑料、陶瓷、玻璃等耐腐蚀材料制成,而用耐腐蚀材料制成板式塔则造价很高,所以对于腐蚀性物系用填料塔更合适。

⑧操作弹性。填料塔的操作范围较小,特别是对液体负荷变化更为敏感。当液体负荷小时,填料表面不能润湿,传质效果差,而液体负荷大时,泛点气速低。板式塔对液体负荷的适应范围大。

⑨对起泡物料。填料对泡沫有限制和破碎作用,板式塔则在气体穿过液体时产生大量泡沫,极难分离。

任务五　精馏塔的操作

一、精馏塔的开工准备

在精馏塔的装置安装完成后,需经历一系列投运准备工作后,才能开车投产。精馏塔首次开工或改造后的装置开工,操作前必须做到设备检查、试压,吹(清)扫、冲洗、脱水及电气、仪表、公用工程处于备用状态,盲板拆装无误,然后才能转入化工投料阶段。

1.设备检查

设备检查是依据技术规范、标准要求,检查每台设备的安装部件。设备安装质量好坏,直接影响开工过程和开工后的正常运行。

制造安装完成后的精馏塔如果与设计图纸的尺寸和要求存在某些差异,均可能是潜在的麻烦根源。因此,需按图纸和设计要求进行检查,有些还需要由专业人员进行,如防腐蚀、可能发生的疲劳损坏等,其大部分检查则由工艺和操作人员进行。尽早发现缺陷和差错,尽早进行修复,所花费的时间最短,其费用也能减到最小,所以应提倡边安装边检查。尤其对于那些装好以后难以接近的构件,例如塔底受液盘区,更应这样做。

不少人推荐检查工作由技术部门人员进行,这样一方面能平衡该阶段操作人员和技术部门人员的工作量,易安排;另一方面,也因为技术部门人员一般对塔内的流动情况和传质情况比较了解,熟悉哪些内容应该重点检查。同时,在检查过程中还给技术部门人员提供了宝贵的实践机会,对于改进今后的设计和维持正常运转都有利。

在着手检查工作前应该准备一份检查内容的清单,使检查要求清楚简明,又可防止遗漏。

(1)塔设备　首次运行的塔设备,必须逐层检查所有塔盘,确认安装正确;检查溢流口尺寸、堰高等,是否符合要求。所有阀也要进行检查,确认清洁,如浮阀要活动自如;舌形塔板,舌口要清洁无损坏。所有塔盘紧固件应正确安装,能起到良好的紧固作用。所有分布器安装定位正确,分布孔畅通。每块塔板和降液管清洁无杂物。

所有设备检查工作完成后,马上安装。

(2)机泵、空冷风机　机泵经检修和仔细检查,可以备用;泵,冷却水畅通,润滑油加至规定位置,检查合格;空冷风机,润滑油或润滑脂按规定加好,空冷风叶调节灵活。

(3)换热器　换热器安装到位,试压合格。对于检修换热器,抽芯、清扫、疏通后,达到管束外表面清洁和管束通畅,保证开工后的换热效果,换热器所有盲板拆除。

2.试压

精馏塔设备本身在制造厂做过强度试验,到工厂安装就位后,为了检查设备焊缝的致密性和机械强度,在试用前要进行压力试验。一般使用清洁水做静液压试验。试压一般按设计图上的要求进行,如果设备无要求,则按系统的操作压力进行。若系统的操作压力在 $5 \times 101.3 \mathrm{kPa}$ 以上,则试验压力为操作压力的 1.5 倍;若系统的操作压力在 $5 \times 101.3 \mathrm{kPa}$ 以下,则试验压力为操作压力的 1.25 倍;若操作压力不到 $2 \times 101.3 \mathrm{kPa}$ 以上,则试验压力为 $2 \times 101.3 \mathrm{kPa}$ 即可。一般塔的最高部位和最低部位应各安装一个压力表,塔设备上还应有压力记录仪表,可用于记录试验过程并长期保存。首先需关闭全部放空和排液阀,试压系统与其他部分连接管线上的阀门当然也要关闭。打开高位放空口,向待试验系统注水,直至系统充满水。关闭所有放空和排凝阀,利用试验泵将系统压力升至规定值。关闭试验泵及出口阀,观察系统压力应为1h内保持不变。试压结束后,打开系统排凝阀放水,同时打开高位通气口,防止系统形成真空损坏设备。还应注意检验设备对水压的承受能力。经液压试验以后,开工前还必须用空气、氮气或蒸汽对塔设备进行气体压力试验,以保证法兰等静密封点的气密性,并检查经液压试验以后设备存在的泄漏点。加压完毕后,注意监测系统压力的下降速度,并对各法兰、人孔、焊缝等处,用肥皂水等检查,观察有无鼓泡现象,有泡处即是漏处。注意当检查出渗漏时,小漏大多可通过拧紧螺栓来消除,或对系统进行减压,针对缺陷进行修复。在加压实验时发现问题,修理人员应事先了解试验介质的性质,如氮气对人有窒息作用,需做好相应的防范措施,同时也要注意超压的危险。用水蒸气试压时需倍加注意,应缓慢通入,以防大量冷凝水产生而造成麻烦,尤其应注意防止系统停蒸汽后造成负压而损坏设备。

对于减压精馏系统,一般可先按上述方法加压,因为加压试漏时渗漏点容易出现。随后再对系统抽真空,抽至正常操作真空度后关闭真空发生设备,监控压力的回升速度,判断是否达到要求。在抽真空试验前,应将设备中的积液和残留水排除,否则在真空下气化升压,影响判断。

3. 吹(清)扫

试压合格后,需对新配管及新配件进行吹扫等清洁工作,以免设备内的铁锈、焊渣等杂物对管道、管件、仪表造成堵塞。

管线清扫一般在塔内向外吹扫,首先将各管线与塔相连接处的阀门关闭,将仪表管线拆除,接管处阀门关闭,只保留指示清扫所需的仪表。开始向塔内充以清扫用的空气或氮气,塔作为一个"气柜"。当达到一定压力后停止充气,接着对各连接管路逐个进行清扫。

塔的清扫,一般采用"加压和卸压"的方法,即通过多次重复对设备加压和卸压来实现清扫。开车前的清扫先用水蒸气,再用氮气;在停车清扫时,蒸汽易产生静电有危险,故先吹氮气,再吹水蒸气,清扫排气应通过特设的清扫管。在进行塔的加压和卸压时,要注意控制压力的变化速度。

4. 盲板

盲板是用于管线,设备间相互隔离的一种装置。塔停车期间,为了防止物料经连接管线漏入塔中而造成危险,一般在清扫后于各连接管线上加装盲板。在试运行和开车前,这些加装的盲板又需拆除。有时试运行仅在流程部分范围内进行,为防止试运行物料漏入其余部分,在与试运行部分相连的管线上也需加装盲板,全流程开车之前再拆除。专用的冲洗水蒸气、水等管线,在正常操作时塔中不能有水漏入,或塔中物料漏入这种管线将会出现危险,在塔开车前对这些管线需加装盲板,在清扫或试运行中用到它们时则又需拆除这些盲板。总之,在杜绝连接管线与设备之间的物流流动时,又应拆除盲板。在实际操作时,可以利用醒目的彩色涂料或盲板标记帮助提醒已安装的盲板位置。

正确装拆盲板与确保生产安全和正常运行密切相关,因未装盲板造成人身伤亡、爆炸等事故,以及盲板未及时拆除而延误开工、出现险情等已见报道,而且在装拆盲板时还有潜在的危险。因此,建立有关规范是十分必要的。下面列举几点供参考:

①在十分熟悉生产流程、操作、安全和环保等基础上,分别制定出停车期间、试运行期间和开工正常生产期间,需加装和拆除盲板清单,并用图表表明。

②每次停车、试运行和开工期间,需制定装拆盲板的进度表,并随时记录执行情况。

③盲板需用合适的材料,如防腐、耐温又有足够强度。盲板分别编号,加上明显标签,由专人管理。

④装拆盲板前,需了解可能出现的危情,要查明上游阀门的启闭情况,是否堵塞,物料泄漏到大气中有何后果。

5.塔的水冲洗、水联运

(1)水冲洗

水冲洗主要用来清除塔中污垢、泥浆、腐蚀物等固体物质,也可用于塔的冷却或为入塔检修而冲洗。在塔的停车阶段,往往利用轻组分产物来冲洗,例如催化裂化分馏系统的分馏塔,其进料中含有少量催化剂粉末,随塔底油浆排出塔外。冲洗液大多数情况下使用水,有的需使用专用的清洗液。

装置吹扫试压工作已完成,设备、管道、仪表达到生产要求;装置排水系统通畅,应拆法兰、调节阀、仪表等均已拆除;应加装的盲板均已加装好;与冲洗管道连接的蒸汽、风、瓦斯等与系统有关的阀门关闭。有关放空阀都打开,没有放空阀的系统拆开法兰以便排水。

一般从泵的入口引入新鲜水,经塔顶进入塔内,最高水位为最上抽出口(也可将最上一个入孔打开以限制水位),自上而下逐条管线由塔内向塔外进行冲洗,并在设备进出口、调节阀处及流程末端放水。必须经过的设备如换热器、机泵、容器等,应打开入口放空阀或拆开入口法兰排水冲洗,待水洁净后再引入设备。冲洗应严格按照流程,冲洗干净一段流程或设备,才能进入下一段流程或设备。冲洗过程尽量利用系统建立冲洗循环,以节约用水,在滤网持续12h保持清洁时,可判断冲洗已完成。

(2)水联运

水联运主要是为了暴露工艺、设备缺陷问题,对设备的管道进行水压试验,打通流程,考察机泵、测量仪表和调节仪表的性能。

水冲洗完毕,安装好孔板、调节阀、法兰等,泵入口过滤器清洗干净重新安装好,塔顶放空打开,改好水联运流程,关闭设备安全阀前闸阀,关闭气压机出入口阀及气封阀、排凝阀。从泵入口处引入新鲜水,经塔顶冷回流线进入塔内。试运过程中对塔、管道进行详细检查,无水珠、水雾、水流出为合格;机泵连续运转8h以上,检查轴承温度、振动情况,运行平稳无杂声为合格;仪表尽量投用,调节阀经常活动,有卡住现象及时处理;水联运要达2次以上,每次运行完毕都要打开低点排凝阀把水排净,清理泵入口过滤器,加水再次联运;水联运完毕后,放净存水,拆除泵入口过滤网,用压缩空气吹净存水,还应注意控制好泵出口阀门的开度,防止电流超负荷烧坏电机。严禁水窜入余热锅炉体、加热炉体、冷热催化剂罐、蒸汽、风、瓦斯及反应再生系统。

6.脱水操作(干燥)

对于低温操作的精馏塔,塔中有水会影响产品质量,造成设备腐蚀,低温下水结冰还可造成堵塞,产生固体水合物;高温塔中有水存在会引起压力波动,因此需在开车前进行脱水操作。

(1)液体循环　可分为热循环和冷循环,所用液体可以是系统加工处理的物料,也可以是水。

（2）全回流脱水　应用于与水不互溶的物料，它可以是正式运行的物料，也可以是特选的试验物料，随后再改为正式生产中的物料，最好其沸点比水高。当塔在全回流下运转时，水汽蒸到塔顶经冷凝器冷凝到回流罐，水分分别从装于冷凝器物料侧和回流罐最低位处的排液阀排走。此法脱水耗时较长。

（3）热气体吹扫　用热气体吹扫将管线或设备中某些部位的积水吹走，从排液口排出。

（4）干燥气体吹扫　依靠干燥气体带走塔内汽化的水分。该方法一般用于低温塔的脱水，并在装置中装有产生干燥气体的设备。

（5）吸水性溶剂循环　应用乙二醇、丙醇等一类吸湿性溶剂在塔系统中循环，吸取水分，达到脱水的目的。

7.置换

在工业生产中，被分离的物质大部分为有机物，它们具有易燃、易爆的性质，在工业生产前，如果不驱除设备内的空气，就容易与有机物形成爆炸混合物。因此，先用氮气将系统内的空气置换出去。使系统内的含氧量达到安全规定以下，即对精馏塔及附属设备、管道、管件、仪表凡能连通的都连在一起，再从一处或几处向内部充氮气，充到指定压力，关闭氮气阀，排掉系统内的空气，再重新充气，反复 3～5 次，直到含氧量合格为止。

8.电气、仪表、公用工程

（1）电气动力　新安装或检修后的电机试车完成，电缆绝缘、电机转向、轴承润滑、过流保护，与主机匹配等均要符合要求。新鲜水、蒸汽等引入装置正常运行，蒸汽管线各疏水器正常运行，工业风、仪表风、氮气等引入装置正常运行。

（2）仪表　仪表调试对每个参数都很重要，所有调节阀经过调试，要达到全程动作灵活，动作方向正确。热电偶经过校验检查，测量偏差在规定范围内，流量、压力和液位测量单元检测正常。其中特别要注意塔压力、塔釜温度、回流、塔釜液面等调节阀阀位的核对尤为重要，投料前全部仪表处于备用状态。

（3）公用工程　精馏塔所涉及的公用工程主要是冷却剂、加热剂，冷却剂可以循环使用，加热剂在再沸器调节阀前备用。

所有的消防、灭火器材均配备到位，所有的安全阀处于投运状态，各种安全设备备好待用。

二、精馏塔的开停车

开车是生产中十分重要的环节，目标是缩短开车时间，节省费用，避免可能发生的事故，尽快取得合格产品，停车也是生产中十分重要的环节。当装置运转一定周期后，设备和仪表将发生各种各样的问题，继续维持生产在生产能力和原材料消耗等方面已经达不到经济合理的要求，还蕴含着发生事故的潜在危险，于是需停车进行检修。要实现装置完全停车，尽快转入检修阶段，必须做好停车准备工作，制定合理的停车步骤，预防各种可能出现的问题。

1.精馏塔的开车

精馏塔开车的一般步骤如下：

（1）制定出合理的开车步骤，时间表和必需的预防措施；准备好必要的原材料和水电汽供应、配备好人员编制,并完成相应的培训工作等。

(2)此时,塔的结构必须符合设计要求,塔中整洁,无固体杂物,无堵塞,并清除了一切不应存在的物质,例如塔中含氧量和水分含量必须符合规定,机泵和仪表调试正常;安全措施已调整好。

(3)对塔进行加压和减压,达到正常操作压力。

(4)对塔进行加热和冷却,使其接近操作温度。

(5)向塔中加入原料。

(6)开启塔顶冷凝器、再沸器和各种加热器的热源,各种冷却器的冷源。

(7)对塔的操作条件和参数逐步调整,使塔的负荷和产品质量逐步又尽快地达到正常操作值,转入正常操作。

由于各精馏塔处理的物系性质、操作条件和整个生产装置中所起的作用等千差万别,具体的操作步骤很可能有差异。重要的是必须重视具体塔的特点,审慎地确定开车步骤。

2.精馏塔的停车

精馏塔停车的一般步骤如下:

(1)制定一个降负荷计划,逐步降低塔的负荷。相应地减小加热器和冷却剂用量,直至完全停止。如果塔中有直接蒸汽(如催化裂化装置主分馏塔),为避免塔板漏液,多出合格产品,降量时可适当增加直接蒸汽输量。

(2)停止加料。

(3)排放塔中存液。

(4)实施塔的降压或升压,降温或升温,用惰性气清扫或冲洗等,使塔接近常温或常压,准备打开人孔通大气,为检修做好准备。具体需做哪些准备工作,必须由塔的具体情况而定,因地制宜。

任务六　塔设备常见故障及处理方法

塔设备的故障可分为两大类。一类是操作性故障,一类是机械性故障。

一、塔设备的振动

脉动风力是塔设备产生振动的主要原因。塔体产生振动后,会使塔发生弯曲、倾斜,塔板效率下降,影响塔设备的正常操作,甚至导致塔设备严重破坏,造成重大事故。防止塔体产生共振,通常采用以下三种方法:

(1)提高塔体的固有频率,从根本上消除产生共振的根源。具体的方法有:降低塔体总高度,增加塔体内径(需与工艺设计一并考虑);加大塔体壁厚,或采用密度小、弹性模量大的材料。

(2)增加塔体的阻尼,抑制塔的振动。具体方法有:利用塔盘上液体的阻尼作用;在塔外部装置阻尼器或减振器;在塔壁上悬挂外包橡胶的铁链条;采用复合材料等。

(3)采用扰流装置。合理地布置塔体上的管道、平台、扶梯和其他连接件,以破坏或消除周期性形成的旋涡。在大型钢制塔体周围焊接螺旋条,也有很好的防振作用。

二、塔设备的腐蚀

由于塔设备一般由金属材料制造,所处理的物料大多为各种酸、碱、盐、有机溶剂及腐蚀性气体等介质,故腐蚀现象非常普遍。因此在塔设备使用过程中,应特别重视腐蚀问题。

塔设备腐蚀有化学腐蚀、电化学腐蚀,可能是局部腐蚀,也可能是均匀腐蚀。造成腐蚀的原因与塔设备的选材、介质的特性、操作条件及操作过程等诸多因素有关。如炼油装置中的常压塔,产生腐蚀的原因与类型有:原油中含有的氯化物、硫化物和水对塔体和内件产生的均匀腐蚀,致使塔壁减薄,内件变形;介质腐蚀造成的浮阀点蚀而不能正常工作;在塔体高应力区和焊缝处产生的应力腐蚀,导致裂纹扩展穿孔;在塔顶部因温度过低而产生的露点腐蚀等。

防护措施应针对腐蚀产生的原因、腐蚀类型来制定。一般采用的方法有如下几种:

(1)正确选材 金属材料的耐蚀性能,与所接触的介质有关,因此,应根据介质的特性合理选择。如各种不锈钢在大气和水中或氧化性的硝酸溶液中具有很好的耐蚀性能,但在非氧化性的盐酸、稀硫酸中,耐蚀性能较差;铜及铜合金在稀盐酸、稀硫酸中相当耐蚀,但不耐硝酸溶液的腐蚀。

(2)采用覆盖层 覆盖层的作用是将主体与介质隔绝开来。常用的有金属覆盖层与非金属覆盖层。金属覆盖层是用对某种介质耐蚀性能好的金属材料覆盖在耐蚀性能较差的金属材料上。常用的方法如电镀、喷镀、不锈钢衬里等。非金属保护层常用的方法是在设备内部衬以非金属材料或涂防腐涂料。

(3)采用电化学保护 电化学保护是通过改变金属材料与介质电极电位来达到保护金属免受电化学腐蚀的办法。电化学保护分阴极保护和阳极保护两种。其中阴极保护法应用较多。

(4)添加缓蚀剂 在介质中加入一定量的缓蚀剂,可使设备腐蚀速度降低或停止。但选择缓蚀剂时,要注意对某种介质的针对性,要合理确定缓蚀剂的类型和用量。

三、其他常见故障

(1)介质泄露 介质泄露不仅影响塔设备正常操作,恶化工作环境,甚至可能酿成重大事故。介质泄露一般发生在构件连接处,如塔体连接法兰、管道与设备连接法兰以及人孔等处。泄露的原因有:法兰安装时未达到技术要求;受力过大引起法兰刚度不足而变形;法兰密封件失效,操作压力过大等。采取的措施是保证安装质量;改善法兰受力情况或更换法兰;选择合适的密封件材料或更换密封件;稳定操作条件,不超温、不超压。

(2)壳体减薄 塔设备在工作一段时间后,由于介质的腐蚀和物料的冲刷,壳体壁厚可能减小。对于可能壁厚减薄的塔设备,应对其进行厚度测试,确定是否能继续使用,以确保安全。针对介质腐蚀特性和操作条件合理选择耐蚀、耐磨的材料或采用衬里,以确保其服役期内的正常运转。

(3)局部变形 在塔设备的局部区域,可能由于峰值应力、温差应力、焊接残余应力等原因造成过大的变形。当局部变形过大时,可采用挖补的方法进行修理。

（4）工作表面积垢　塔设备工作表面的积垢通常发生在结构的死角区，如塔盘支持圈与塔壁连接焊缝处，也可能出现在塔壁、塔盘等处。因介质在这些地方流动速度降低，介质中杂质等很容易形成积淀。积垢严重时，将影响塔内件的传质、传热效率。积垢的消除通常有机械除垢法和化学除垢法等方法。

（5）塔内件损坏　易损坏内件有阀片、降液管等，损坏形式大多为松动、移位、变形，严重时甚至会发生构件脱落等。这类情况可以从工艺参数的变化反映出来，例如：负荷下降，板效率下降，产物不合格，工艺参数偏离正常值等。设备安装质量不高、操作不当是主要原因，特别是超负荷、超压差运行很可能造成内件损坏，应尽量避免。处理方法是减小操作负荷或停车检修。

（6）安全阀启跳　安全阀在超压时启跳属于正常动作，未达到规定启跳压力就启跳属于不正常启跳，应该重新设定安全阀。

（7）仪表失灵　某块仪表出现故障可根据相关的其他仪表来遥控操作；如果调节阀出现故障，可用现场手动阀进行操作。设有旁路的，改用旁路阀控制，及时修理或更换调节阀。

四、常见操作性故障

1. 液泛

液泛可导致塔顶产品不合格，塔压差超高，釜液减少，回流罐液面上涨。主要原因是气液负荷过高，进入了液泛区；降液管局部污物堵塞，液体下流不畅；加热过于猛烈，气相负荷过高；塔板及其他流道冻堵等。液泛时应找出原因，对症处理。如果由于操作不当所致，及时采取调整气液负荷、加热等措施就会恢复正常。塔顶凝液的回流不能过大，以免引起恶性循环，可以通过加大采出量来维持液面；如果由于冻堵引起，压差升高时釜温并不高，只有加解冻剂才有效；如果是污物堵塞，只有减负荷运行或停车检修。

2. 加热故障

加热故障主要是加热剂和再沸器两方面的原因。用蒸汽加热时，其故障主要表现在蒸汽压力低、减温减压器故障、不凝性气体存在、凝液排出不扬等。用液体介质加热时，多数故障是因为堵塞、温度控制不当等。再沸器故障主要有泄漏、液面过高或过低、堵塞、虹吸道破坏、强制循环量不够等，需对症处理。

3. 塔压力超高

加热过猛、冷剂中断、压力表失灵、调节阀堵塞、调节阀开度漂移、排气管冻堵等都是塔压超高的原因。一般应首先加大排出气量，同时减少加热剂量，把压力控制住再进一步查找原因，及时调整，有效控制塔压。

如果是塔压差升高，一方面可能是负荷升高，可从进料量判断；如果不是负荷升高，则要分段测压差，找出压差集中部位。若压差集中在精馏段，再看回流量是否正常，正常回流量下压差还高，很可能是冻塔；若各板温度比正常值高，可能是液泛；若处理的是易结垢物料，要考虑堵塞造成的气液流动不畅而增加了阻力，同时观察釜温和灵敏板温度，釜温不高，多是由于堵塞引起的高压差。查清原因后，降负荷运行或停车处理。

习题四

1.苯(A)与甲苯(B)的饱和蒸汽压和温度的关系数据如本题表所示。试利用拉乌尔定律和相对挥发度,分别计算苯－甲苯混合液在总压 p 为101.3kPa下的气液平衡数据,并作出温度－组成图。该溶液可视为理想溶液。

温度/℃	80.1	85	90	95	100	105	110.6
p_A^0/kPa	101.33	116	135.5	155.7	179.2	204.2	240.0
P_B^0/kPa	40.0	46.0	54.0	63.3	74.3	86.0	101.3

2.在101.3kPa下,C_6H_6(A)与 C_6H_5Cl(B)的饱和蒸汽压(kPa)和温度(K)的关系如下:

温度/K	353.17	363.15	373.15	383.15	39315	403.15	404.15
p_A^0/kPa	101.33	134.39	177.99	231.98	297.31	375.97	402.63
P_B^0/kPa	19.31	27.78	39.04	53.68	72.37	95.86	101.33

试计算:

(1)C_6H_6(A)与 C_6H_5Cl(B)的气液平衡相组成,并画出 $t-x-y$ 图;

(2)平均相对挥发度(该溶液可视为理想溶液)。

3.用一常压操作的连续精馏塔,分离含苯为 0.44(摩尔分数,以下同)的苯－甲苯混合液,要求塔顶产品中含苯不低于 0.975,塔底产品中含苯不高于 0.0235。操作回流比为3.5。试用图解法求以下两种进料情况时的理论板层数及加料板位置。

(1)原料液为 20℃的冷液体;

(2)原料为液化率等于 1/3 的气液混合物。(答:略)

4.苯和甲苯在92℃时的饱和蒸汽压分别为143.73kPa 和57.6kPa。试求苯的摩尔分数为 0.4,甲苯的摩尔分数为 0.6的混合液在 92℃各组分的平衡分压、系统压力及平衡蒸汽组成。此溶液可视为理想溶液。(答:$P_A=57.49$kPa;$P_B=34.56$kPa;$P=92.05$kPa;$y_A=0.63$;$y_B=0.38$)

5.要在常压操作的连续精馏塔中把含 0.4 苯及 0.6甲苯的溶液加以分离,以便得到含 0.95 苯的馏出液和 0.04 苯(以上均为摩尔分数)的釜液。回流比为3,泡点进料,进料量为 100kmol/h。求从冷凝器回流入塔顶的回流液的流量及自釜升入塔底的蒸汽的流量。(答:$L=118.68$kmol/h;$V=158.24$kmol/h)

6.某二元混合物含易挥发组分 0.4(摩尔分数,下同),用精馏方法加以分离,所用精馏塔具有 7 块理论板(不包括釜)。塔顶装有全凝器,泡点进料与回流。在操作条件下该物系平均相对挥发度为 2.47,要求塔顶组成为 0.9,轻组分回收率为 90%。试求:

(1)为达到分离要求所需要的回流比为多少?

(2)若料液组成因故障降为 0.3,馏出率 D/F 及回流比 R 与(1)相同。塔顶产品组成及回收率有何变化?

(3)若料液组成降为 0.3,但要求塔顶产品组成及回收率不变,回流比应为多少?(答:$R=3.3$,$x_D=0.72$,$\eta=96\%$,$R=6.4$)

7.某精馏塔用于分离苯－甲苯混合液,泡点进料,进料量30kmol/h,进料中苯的摩尔分数为 0.5,塔顶、底产品中苯的摩尔分数分别为 0.95 和 0.10,采用回流比为最小回流比的1.5倍,操作条件下可取系统的平均相对挥发度。$\alpha=2.40$。

(1)求塔顶、底的产品量;(答:$D=14.12$kmol/h;$W=15.88$kmol/h)

(2)若塔顶设全凝器,各塔板可视为理论板,求离开第二块板的蒸汽和液体组成。(答:$y_2=0.91$;$x_2=0.81$)

8.用一连续精馏塔分离苯—甲苯混合液,原料中含苯0.4,要求塔顶馏出液中含苯0.97,釜液中含苯0.02(以上均为摩尔分数),若原料液温度为25℃,求进料热状态参数q为多少?若原料为气液混合物,气液比为3/4,q值为多少?(答:$q=1.35$;$q=0.57$)

9.将含24%(摩尔分数,下同)易挥发组分的某液体混合物送入一连续精馏塔中。要求馏出含95%易挥发组分,釜液含3%易挥发组分。送至冷凝器的蒸汽摩尔流量为850kmol/h,流入精馏塔的回流液为670kmol/h。试求

(1)每小时能获得多少kmol的馏出液?多少kmol的釜液?(答:$D=180$kmol/h;$W=608.57$kmol/h)

(2)回流比R等于多少?(答:$R=3.72$)

10.某连续精馏塔,泡点加料,已知操作线方程如下:

精馏段 $y=2.8x+0.172$

提馏段 $y=1.3x-0.018$

试求原料液、馏出液、釜液组成及回流比。(答:$x_F=0.38$;$x_D=0.86$;$x_W=0.06$;$R=4$)

11.某液体混合物含易挥发组分0.65(摩尔分数,下同),以饱和蒸汽加入连续精馏塔中,加料量为50kmol/h,残液组成为0.04,塔顶产品的回收率为99%,回流比为3,试求:

(1)塔顶、塔底的产品流量;

(2)精馏段和提馏段内上升蒸汽及下降液体的流量;

(3)写出精馏段和提馏段的操作线方程。

($D=41.875$,$W=8.125$,$V=167.5$,$L=125.625$,$V'=117.5$,$L'=125.625$ 以上单位均为 kmol/h,$y=0.75x+0.1925$,$y=1.07x-0.03$)

12.在连续精馏塔中,精馏段操作线方程 $y=0.75x+0.2075$,q线方程式 $y=-0.5x+1.5x_F$,试求:

(1)回流比R;(答:$R=3$)

(2)馏出液组成 x_D;(答:$x_D=0.83$)

(3)进料液的q值;(答:$q=1/3$)

(4)当进料组成 $x_F=0.44$ 时,精馏段操作线与提馏段操作线交点处 x_q 值为多少?并要求判断进料状态。(答:$x_q=0.36$;汽液混合物进料)

13.用一精馏塔分离二元理想液体混合物,进料量为100kmol/h,易挥发组分 $x_F=0.5$,泡点进料,塔顶产品 $x_D=0.95$,塔底釜液 $x_W=0.05$(以上皆为摩尔分数),操作回流比 $R=1.61$,该物系相对挥发度 $\alpha=2.25$,求:

(1)塔顶和塔底的产品量(kmol/h);(答:$D=W=50$kmol/h)

(2)提馏段上升蒸汽量(kmol/h);(答:$V'=130.5$kmol/h)

(3)写出提馏段操作线数值方程;(答:$y=1.383x-0.383x_W$)

(4)最小回流比。(答:$R_{min}=1.34$)

14.在一常压连续精馏塔内分离苯—甲苯混合物,已知进料液流量为80kmol/h,料液中苯含量40%(摩尔分数,下同),泡点进料,塔顶流出液含苯90%,要求苯回收率不低于90%,塔顶为全凝器,泡点回流,回流比取2,在操作条件下,物系的相对挥发度为2.47。

求用逐板计算法计算所需的理论板数。(答:略)

15.用一常压连续精馏塔分离含苯0.4的苯—甲苯混合液。要求馏出液中含苯0.97,釜液含苯0.02(以上均为质量分数),原料流量为15000kg/h,操作回流比为3.5,进料温度为25℃,加热蒸汽压力为137kPa(表压),全塔效率为50%,塔的热损失可忽略不计,回流液为泡点液体,平衡数据见习题1。求

(1)所需实际板数和加料板位置;

(2)蒸馏釜的热负荷及加热蒸汽用量;

(3)冷却水的进出口温度分别为 27℃ 和 37℃，求冷凝器的热负荷及冷却水用量。（答：略）

本模块主要符号说明

英文

D——塔顶产物（馏出液）的流量，kmol/h；

F——进塔的原料液流量，kmol/h；

L——精馏段的下降液体量，kmol/s；

L'——提馏段的下降液体量，kmol/s；

E——全塔效率；

p_i——分压，Pa 或 kPa；

P——系统压力或总压，Pa 或 kPa；

N_T——理论板层数；

q——进料热状态参数；

R——回流比。

V——精馏段的上升蒸汽量，kmol/s；

V'——提精馏段的上升蒸汽量，kmol/s；

W——塔底产物（残液）的流量，kmol/s；

x、y——分别为液相、气相的摩尔分数；

m——提馏段理论板层数；

N——精馏段理论板层数。

希文

α——相对挥发度；

ρ——密度，kg/m³；

μ——流体的黏度，Pa·s；

υ——挥发度，kPa；

η——回收率。

下标

A——轻组分；

B——重组分；

D——馏出液的；

F——进料的；

W——残液的。

模块五

非均相混合物的分离

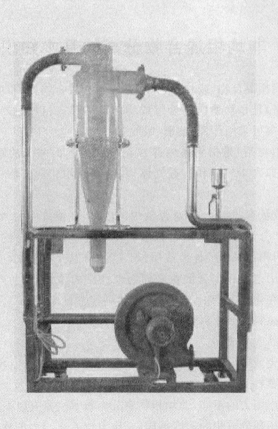

项目 1
基本知识及沉降分离

学习目标

- 理解混合物的分类，非均相混合物和均相混合物的相关概念
- 了解非均相混合物分离技术的分类
- 掌握重力沉降、自由沉降等相关概念
- 掌握重力沉降原理
- 理解重力沉降影响因素
- 了解离心沉降的相关概念
- 掌握离心沉降基本原理
- 掌握典型沉降设备的安装、操作与维护方法

任务一 非均相混合物分离的基本知识

混合物可分为两类，即均相混合物（或均相物系）和非均相混合物（或非均相物系）。

均相混合物（或均相物系）是指物系内各处组成均匀且不存在相界面的混合物，如溶液及混合气体。该类物系的分离可采用蒸发、精馏、吸收等方法。

非均相混合物（或非均相物系）是指物系内存在相界面且界面两侧的物质性质截然不同，包括气态非均相混合物（如含尘气体和含雾气体）和液态非均相混合物（如悬浮液、乳浊液和泡沫液等）。

非均相物系里，处于分散状态的物质，如悬浮液中的固粒、乳浊液中的微滴、泡沫液中的气泡，统称为"分散物质"（或"分散相"）；包围着分散物质而处于连续状态的流体，如气态非均相物系中的气体、液态非均相物系中的连续液体，则称为"分散介质"（或"连续相"）。

非均相物系分离就是利用连续相和分散相之间物理性质的差异，借助外界力的作用使两相产生相对运动而实现。在化工生产中该技术可以达到如下目标：

① 净制参与工艺过程的原料气或原料液。

② 回收母液中的固体成品或半成品。

③ 分离生产中的废气和废液中所含的有害物质。

④ 回收烟道气中的固体燃料及回收反应气中的固体触媒等。

按照分离操作的依据和作用力的不同，非均相物系分离技术主要有以下几种：

① 沉降分离。依据连续相和分散相的密度不同，在重力或者离心力的作用下进行分离。

如重力沉降、离心沉降等。

②过滤分离。依据两相在固体多孔介质透过性的差异,在重力、压力差或离心力的作用下进行分离。如重力过滤、压差过滤、离心过滤等。

③静电分离。依据两相带电性的差异,在电场力的作用下进行分离。如静电除尘等。

④湿法分离。依据两相在增湿剂或洗涤剂中接触阻留情况不同,两相得以分离。如文氏洗涤器、泡沫除尘器等。

本模块主要讨论沉降分离和过滤分离两种机械方法分离非均相混合物的操作,而依据所受外力的不同,沉降又可分为重力沉降和离心沉降。

任务二　重力沉降

沉降是指在某种外力作用下,由于两相物质密度不同而发生相对运动,从而实现两相分离的操作过程。而在重力作用下,分散相颗粒和连续相流体发生相对运动而实现分离的操作过程称为"重力沉降"。重力沉降的实质是借助分散相和连续相有较大密度差异而实现分离的,密度差异越大,分离越易进行,分离也越完全。

一、重力沉降基本概念及原理

1.球形颗粒的自由沉降

自由沉降是指对于单一颗粒在流体中的沉降或者颗粒群充分地分散、颗粒间互不影响,不致引起相互碰撞的沉降过程。

如图 5-1 所示,球形颗粒静置于静止的流体中,在颗粒密度大于流体密度时,颗粒将在流体中沉降,此时颗粒受到三种力的作用,即重力、浮力和阻力。

重力:$F_g = \dfrac{\pi}{6} d_s^3 \rho_s g$

浮力:$F_b = \dfrac{\pi}{6} d_s^3 \rho g$

阻力:$F_d = \xi \dfrac{\pi}{4} d_s^2 \dfrac{\rho u^2}{2}$

式中　d_s——颗粒直径,m。

　　　ρ_s——颗粒的密度,kg/m³。

　　　ρ——流体的密度,kg/m³。

　　　ζ——阻力系数,无因次。

　　　u——颗粒的沉降速度,m/s。

图 5-1　球形颗粒在静止介质中降落时所受的作用力

根据牛顿第二定律,上面三种力的合力等于颗粒的质量与其加速度 a 的乘积,即

$$F = F_g - F_b - F_d = ma$$

代入得:

$$\frac{\pi}{6} d_s^3 (\rho_s - \rho) g - \zeta \frac{\pi}{4} d_s^2 \rho \left(\frac{u^2}{2} \right) = \frac{\pi}{6} d^3 \rho_s a \tag{5-1}$$

如上所述,达到匀速运动后合力为零,即

$$F = F_g - F_b - F_d = 0$$

代入得：

$$\frac{\pi}{6}d_s^3(\rho_s - \rho)g - \zeta\frac{\pi}{4}d_s^2\rho\left(\frac{u^2}{2}\right) = 0 \tag{5-2}$$

因此，静止流体中颗粒的沉降过程可分为两个阶段，即加速段和等速段。由于工业中处理的非均相混合物中，颗粒大多很小，因此经历加速段的时间很短，在整个沉降过程中往往可以忽略不计。

等速段中颗粒相对于流体的运动速度 $u = u_t$，u_t 称为"沉降速度"。

整理方程式(5-2)可得：

$$u_t = \sqrt{\frac{4d_s g(\rho_s - \rho)}{3\rho\zeta}} \tag{5-3}$$

式(5-3)为球形颗粒在重力作用下沉降速度的计算公式。

2. 阻力系数 ζ

式(5-3)中 ζ 是颗粒沉降时的阻力系数。ζ 是颗粒对流体做相对运动时的雷诺数 Re_t 的函数

$$\zeta = f(Re_t) = f\left(\frac{du_t\rho}{\mu}\right) \tag{5-4}$$

式中　d ——固体颗粒的直径，m。

　　　ρ ——流体的密度，kg/m^3。

　　　μ ——流体的黏度，Pa·s。

ζ 与 Re_t 的关系可由实验测定，如图 5-2 所示。图中将球形颗粒的曲线分为三个区域，即

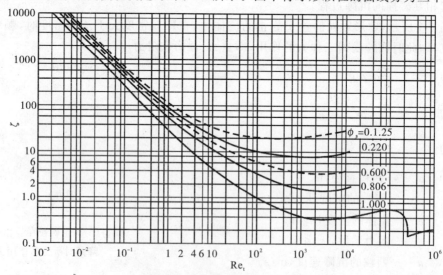

图 5-2　球形颗粒的阻力系数 ζ 和 Re_t 的关系图

(1)滞流区($10^{-4} < Re_t \leqslant 1$)　　　　　$\zeta = \dfrac{24}{Re_t}$ $\tag{5-5}$

(2)过渡区($1 < Re_t < 10^3$)　　　　　$\zeta = \dfrac{18.5}{Re_t^{0.6}}$ $\tag{5-6}$

(3)湍流区($10^3 \leqslant Re_t < 2 \times 10^5$)　　　　$\zeta = 0.44$　　　　　　　　　　　　(5-7)

当 Re_t 值超过 2×10^5 时,边界层本身也变为湍流,实验结果显示不规则现象。

为了便于计算,将式(5-5)、式(5-6)和式(5-7)分别代入式(5-3),可得到球形颗粒在各个区中沉降速度的计算公式,即

(1)滞流区　　　　$u_t = \dfrac{d_s^2 (\rho_s - \rho) g}{18 \mu}$ (m/s)　　　　　　　——斯托克斯公式

(2)过渡区　　　　$u_t = 0.27 \sqrt{\dfrac{d_s (\rho_s - \rho) g}{\rho} Re_t^{0.6}}$ (m/s)　　　　——艾伦公式

(3)湍流区　　　　$u_t = 1.74 \sqrt{\dfrac{d_s (\rho_s - \rho) g}{\rho}}$ (m/s)　　　　　　——牛顿公式

3.重力沉降速度的计算

在用各区公式计算沉降速度时,由于无法计算雷诺数 Re_t,因此常采用试差法,即先假设颗粒沉降属于某个区域,选择相对应的计算公式进行计算,然后再将计算结果用雷诺数 Re_t 进行校核。若与原假设区域一致,则计算出的 u_t 有效,否则,按计算出来的雷诺数 Re_t 另选区域,直至校核与假设相符为止。

【例 5-1】 直径为 $90 \mu m$,密度为 $3000 kg/m^3$ 的球形颗粒在 20℃的水中作自由沉降,水在容器中的深度为 0.7m,试求颗粒沉降到容器底部需多长时间?(已知 20℃水的密度 $\rho = 998.2 kg/m^3$,黏度 $\mu = 100.5 \times 10^{-5} Pa \cdot s$)

解:已知 20℃水:密度 $\rho = 998.2 kg/m^3$;黏度 $\mu = 100.5 \times 10^{-5} Pa \cdot s$

假设沉降区域属于层流,沉降速度用斯托克斯公式计算,即有:

$$u_t = \frac{d_s^2 (\rho_s - \rho) g}{18 \mu} = \frac{(90 \times 10^{-6})^2 \times (3000 - 998.2) \times 9.81}{18 \times 100.5 \times 10^{-5}} = 8.79 \times 10^{-3} m/s$$

校核流型

此时雷诺数 $Re = \dfrac{d u \rho}{\mu} = \dfrac{90 \times 10^{-6} \times 8.79 \times 10^{-3} \times 998.2}{100.5 \times 10^{-5}} = 0.7857 < 1$

因此假设正确。

所以时间 $\tau = \dfrac{l}{u} = \dfrac{0.7}{8.79 \times 10^{-3}} = 79.6 s$

4.影响重力沉降的因素

(1)壁面效应　当颗粒靠近器壁沉降时,由于器壁的影响,使颗粒的沉降速度较自由沉降时小,这种现象称为"壁面效应"。

(2)颗粒形状　沉降过程中颗粒的形状与颗粒在流体中运动时所受的阻力密切相关。实验证明,颗粒的形状偏离球形愈大,阻力系数也越大。因此,我们常将固体颗粒近似为球形颗粒来考虑其沉降速度。

(3)干扰沉降　悬浮液中颗粒的浓度比较大时,颗粒之间的距离很近,颗粒沉降时会互相干扰,这种现象称为"干扰沉降"。干扰沉降的速度比自由沉降的小,其计算也比较复杂,因此我们常不考虑干扰沉降。

二、重力沉降设备

1.降尘室

（1）结构　借助重力沉降以除去气流中的尘粒，此类设备称为"降尘室"。最常见的降尘室结构如图5-3所示。降尘室的容积一般较大，前面有一个锥形进口，供含尘气流进入室内，后面有一锥形出口，供净化后气流排出，室腔底部有集尘斗以排出尘粒。

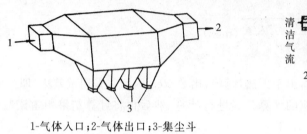

1-气体入口；2-气体出口；3-集尘斗

图5-3　降尘室

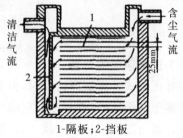

1-隔板；2-挡板

图5-4　多层降尘室

（2）工作过程　含尘气体进入降尘室后流动截面增大，流速降低，在室内有一定的停留时间使颗粒在气体离室之前沉至室底而被除去。净化后的气流从排出口排出，而沉至室底的尘粒从集尘斗除去。

（3）特点　降尘室结构简单，阻力小，成本低廉；但是体积庞大，分离效率低，只适用分离直径在 $75\mu m$ 以上的粗粒，一般作预除尘器使用。将降尘室室内设置多层水平隔板构成的多层降尘室（如图5-4所示）能分离较细小的颗粒并节省占地面积，但出灰不便。

2.沉降槽

（1）结构　沉降槽是氧化铝生产过程中液固分离的主要设备之一。沉降槽分为间歇式与连续式两种。我们这里仅介绍连续式沉降槽。连续式沉降槽是一种初步分离悬浮液的设备。图5-5所示是典型的连续沉降槽结构图。它主要由一个直径较大的浅槽、进料槽道与料井、转动机构与转耙组成。

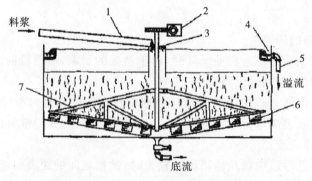

1-进料槽道；2-转动机构；3-料井；4-溢流槽；5-溢流管；6-叶片；7-转耙

图5-5　连续沉降槽

（2）工作过程　操作时料浆通过进料槽道由位于中央的圆筒形料井送至液面以下0.3～1m处，分散到槽的横截面上，要求料浆尽可能分布均匀。料浆中的颗粒向下沉降，清液向上流动,经槽顶四周的溢流堰流出。沉到槽底的颗粒沉渣由缓缓转动的耙拨向中心的卸料锥而后排出。整个工作过程实际分为两个阶段:第一阶段为沉降槽上部,颗粒浓度低,近似自由沉降;第二阶段为沉降槽下部,颗粒浓度大,属于干扰沉降。

(3)特点　连续沉降槽构造简单,生产能力大,劳动条件好,但设备庞大,占地面积大,湿沉降的处理量大。

任务三　离心沉降

当分散相与连续相密度差较小或颗粒细小时,在重力作用下沉降速度较低,利用离心力的作用,使固体颗粒沉降速度加快以达到分离的目的,这样的操作称为"离心沉降"。离心沉降不仅可以大大提高沉降速度,沉降设备的尺寸也可以大大缩小。

一、离心沉降基本概念及原理

1.离心分离因数

离心力与重力或离心加速度与重力加速度之比值称"离心分离因数",通常用 K_c 来表示。

一个质量为 m 的球形颗粒在重力场中所受的惯性力,即重力为

$$F_g = mg$$

重力场强度即重力加速度 g 基本上可视为常数,其方向指向地心。

而它在离心力场中所受的惯性力,即离心力为

$$F_c = m\frac{u^2}{R} = m\omega^2 R$$

式中　R——旋转半径,m。

　　　　u——切向速度,m/s。

　　　　ω——旋转角速度,1/s。

　　　　$\dfrac{u^2}{R}$——离心加速度,m/s²。

离心力场的强度即离心加速度 u^2/R 随位置及转速而改变,其方向是沿旋转半径从中心指向外周的。

由此可以看出颗粒在重力场和离心力场中所受的力不同,而离心分离因数 K_c 的物理意义就是表征颗粒在离心力场中所受的离心力比在重力场中所受的重力大的倍数。用数学表达式可表示为

$$K_C = \frac{F_c}{F_g} = \frac{u^2}{gR} \tag{5-8}$$

离心分离因数是衡量离心分离性能的指标。显然,旋转角速度越高,半径越大, K_c 则越高。因此可以通过人为地调节离心加速度,来获得不同的离心分离因数,从而说明离心沉降比重力沉降具有更强的适应能力和分离能力。

2.离心沉降速度

当物体受到离心力作用时,产生圆周运动。那么当流体带着颗粒旋转时,如果颗粒的密

度大于流体的密度,则惯性离心力便会使颗粒沿切线方向甩出,亦即使颗粒在径向与流体发生相对运动而飞离中心。颗粒在离心力场中与重力场中相似,也受到三种力的作用,即惯性离心力、向心力(与重力场的浮力相当,方向沿半径指向旋转中心)和阻力(与颗粒径向运动方向相反,方向沿半径指向中心)

惯性离心力(指向外周) $F_c = \dfrac{\pi}{6} d_s^3 \rho_s \dfrac{u^2}{R}$

向心力(指向中心) $F_b = \dfrac{\pi}{6} d_s^3 \rho \dfrac{u^2}{R}$

阻力(指向中心) $F_d = \xi \dfrac{\pi}{4} d_s^2 \dfrac{\rho}{2} u^2$

在三力达到平衡时,离心力－浮力－阻力＝0   即平衡时满足关系式

$$\frac{\pi}{6} d_s^3 \rho_s \frac{u^2}{R} - \frac{\pi}{6} d_s^3 \rho \frac{u^2}{R} - \zeta \frac{\pi}{4} d_s^2 \frac{\rho}{2} u^2 = 0$$

整理上式得离心沉降速度

$$u_r = \sqrt{\frac{4 d_s (\rho_s - \rho) u^2}{3 \zeta \rho R}} \tag{5-9}$$

比较上式与式(5-3),可见离心沉降速度 u_r 与重力沉降速度 u_t 具有相似的关系式,只是将式(5-3)中的重力加速度 g 换成式(5-9)中的离心加速度 u^2/R,且沉降方向不是向下,而是向外,即背离旋转中心。

将离心沉降速度与重力沉降速度作比较,可以看出,离心沉降速度比重力沉降速度增大的倍数,正等于离心加速度与重力加速度之比,即分离因数 K_c 所表示的数值。K_c 值越高,其离心分离效率越高。K_c 值一般为几百到几万,因此同一颗粒在离心沉降设备中的分离效果远比在重力沉降设备中的高。由此也可以看出,K_c 值是离心分离设备的一个重要参数。

二、离心沉降设备

1. 旋风分离器

旋风分离器在工业上应用已有近百年的历史,一般用来除去气体中粒径 $5\mu m$ 以上的颗粒。

(1)结构   旋风分离器形式多样,图 5-6 所示为最简单的一种旋风分离器之一。

主体上部为圆筒,下部为圆锥筒;顶部侧面为切线方向的矩形进口,上面中心为净化气体出口,排气管下口低于进气管下沿;底部集灰斗要求密封。

(2)工作过程   含固体颗粒的气体由矩形进口管切向进入器内,以造成气体与颗粒的圆周运动。颗粒被离心力抛至器壁并汇集于锥形底部的集尘斗中,被净化后的气体则从中央排气管排出。

(3)特点   旋风分离器构造简单,没有运动部件,操作不受温度、压强的限制。其缺点是气体在器内的流动阻力较大,对器壁的磨损较严重,分离效率对气体流量的变化较为敏感。

2. 旋液分离器

(1)结构   旋液分离器是一种利用离心沉降作用分离悬浮液的设备,其结构及操作原理与旋风分离器相类似,形状如图 5-7 所示。设备主体也是由圆筒与圆锥两部分组成,且圆筒

部分直径小,圆锥部分长,有利于提高沉降速度和增强分离效果。

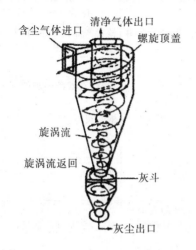

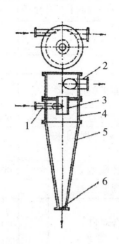

1-悬浮液进口;2-溢流出口;3-中心溢流管;

4-筒体;5-锥体;6-底流出口

图 5-6　气体在旋风分离器内的流动　　　　图 5-7　旋液分离器

（2）工作过程　悬浮液经入口管由切向进入圆筒,向下作螺旋形运动,固体颗粒受惯性离心力作用被甩向器壁与液体分离,由底部排出稠厚的悬浮液(底流);清液或者含较小颗粒的液体则形成螺旋上升的内旋流,由器顶溢流管排出,称为"溢流"。由于液体和固体的颗粒密度不同,所以借离心力作用,使悬浮液中的固液两相得以分离。

（3）特点　旋液分离器构造简单,本身无活动部件,制造方便、价廉、体积小、生产能力强,分离的颗粒范围广。缺点是固体颗粒沿壁面快速运动,对器壁产生严重磨损,因此要求旋液分离器的内衬材料必须是耐磨材料。

任务四　典型沉降设备的安装、操作及维护

一、旋风分离器的安装

由于旋风分离器历史悠久,且是目前常用的分离和除尘设备,并且形式多样。下面以锅炉旋风分离器的安装为例来讨论旋风分离器的安装步骤,见表 5-1。

表 5-1　旋风分离器的安装

工序	检验项目	性质	单位	质量标准	检验方法和器具
设备检查	零件材质			无错用,合金部件作光谱分析并在明显处作标识	核对产品技术资料,合金部件作光谱分析,并出具报告
	外观			无严重锈蚀、损伤、变形	观察
	表面平整度偏差		mm	≤3	观察,对找曲困难的用钢尺测量
	长度偏差		mm	≤10	钢卷尺
	设备圆周周长误差		mm	≤10	钢卷尺
	直径误差		mm	≤10	钢卷尺
筒体安装	椭圆度偏差		mm	≤15	钢卷尺
	组合对口		mm	对口间隙均匀,端头气割表面修理平整,对口错位≤1,且端面应加工坡口	观察,必要时用钢尺
	标高偏差		mm	≤10	以钢架基准标高为基准,用水平仪或玻璃管测量
	筒体纵横中心误差		mm	≤10	钢卷尺
	旋风分离器中心垂直度偏差	主控	mm	≤10	吊线锤检查直筒体上出口中心与锥体下出口中心
	烟气进入口角度偏差	主控	度	≤0.5	钢尺或角度尺测量
内筒安装	相对外筒中心偏差		mm	≤3	钢尺
	安装角度偏差	主控	度	≤0.5	拉钢丝后用角度尺测量
	标高误差		mm	≤3	水平仪或玻璃管测量
	挂钩安装位置			符合图纸要求	观察
	挂钩与内筒接触	主控		100%	观察,必要时用塞尺
冲击区与非冲击区隔离装置安装	结构			符合图纸设计要求	观察
	安装标高偏差		mm	±10	水平仪或玻璃管测量
	安装位置偏差		mm	±20	用钢卷尺测量
	隔离板宽度偏差		mm	±5	用钢尺测量
筒体内支承环安装	安装标高偏差		mm	20	水平仪或玻璃管测量
	支承环水平度偏差		度	不允许向下倾斜,向上倾斜不大于5度	用角度尺测量
	支承环宽度偏差		mm	±10	用钢尺测量
支架安装	布置			符合图纸要求	观察
	支座支承			与底座接触良好	观察
	限位			符合图纸要求	观察
焊接	焊接			焊接型式符合厂家技术文件要求,焊接无夹渣、咬边、气孔等缺陷,焊接成型良好	观察,焊缝尺寸用焊接检验尺检测

二、旋风分离器的操作

旋风分离器的操作随设备形式不同略有差异,但主体上还是排污操作和清洗操作。下面以某石化公司分离天然气中的尘粒为例,讨论旋风分离器的操作过程。

1. 排污操作

分离器排污前的准备工作。

(1)排污前先向调度申请,调度批准后方可实施排污工作。

(2)检查排污管地面管段的牢固情况。

(3)检查排污区及放空区周围情况,杜绝一切火种火源(如净化后气体易燃易爆)。

(4)排污区及放空区周围10米设置隔离警示带或安全警示牌,禁止一切无关人员入内。

(5)检查、测量排污池液面深度,并做好记录。

(6)准备可燃气体检测仪、防爆扳手、钢卷尺等相关工具。

(7)熟悉应急预案,掌握应急处理方法。

2. 在线排污

(1)缓慢开启靠近分离器的排污球阀,然后缓慢开启排污旋塞阀(或阀套式排污阀)。

(2)操作排污旋塞阀带压排污时,要仔细听阀内流体声音,判断排放的是粉尘、液体还是气体,一旦听到气流声,立即关闭排污阀。

(3)待排污池液面稳定后,测量排污池液面深度;当为粉尘时,估算粉尘的重量;按要求做好排污记录。

(4)重复以上步骤,对其他各路分离器进行在线排污。

(5)排污完成后,再次确认各路分离器排污球阀、排污旋塞阀(或阀套式排污阀)是否关闭。

(6)整理工具、清理现场,确认排污区一切正常后离开现场。

(7)向调度汇报排污操作的具体情况,包括排污时间、排污位置、排污结果等。

3. 离线排污

(1)关闭分离器的上下游球阀,截断气源。

(2)缓慢开启分离器的放空阀,使分离器内压力降至1.0MPa。

(3)同时安排人观察排污池放空管气体的颜色,以判断是否有粉尘。

(4)缓慢开启靠近分离器的排污球阀后,缓慢打开排污旋塞阀(或阀套式排污阀)。

(5)操作排污旋塞阀时,要仔细听阀内流体声音,判断排放的是粉尘、液体还是气体,一旦听到气流声,立即关闭排污旋塞阀,然后关闭排污球阀。

(6)待排污池液面稳定后,测量排污池液面深度;当为粉尘时,估算粉尘的重量;按要求做好排污记录。

(7)恢复分离器工艺流程。

(8)重复以上步骤,对其他各路分离器进行离线排污。

(9)排污完成后再次确认分离器工艺流程是否正确、分离器排污球阀、排污旋塞阀(或阀套式排污阀)是否关闭。

(10)整理工具、清理现场,确认排污区一切正常后离开现场。

(11)向调度汇报排污操作的具体情况,包括排污时间、排污位置、排污结果等。

4.排污操作注意事项:

(1)开启排污旋塞阀应缓慢平稳,阀的开度适中。

(2)关闭分离器排污旋塞阀应快速,避免天然气冲击排污池液面。

(3)排污区、排污池附近必须熄灭一切火种。

(4)做好排污记录,以便分析输气管内天然气气质和确定排污周期。

三、旋风分离器的维护

(1)运行参数不应超出设计参数范围。

(2)保持旋风分离器直观清洁、无锈蚀、无油污、无漏气。

(3)检查壳体焊缝有无裂纹、渗漏,尤其要注意 T 型接头部位、人孔及接管的焊缝。

(4)检查外表面是否腐蚀。

(5)检查紧固件是否齐全,是否松动。

(6)检查设备基础是否下沉、倾斜、开裂。

(7)检查地脚螺栓、螺母是否有腐蚀,连接是否紧固。

(8)检查管道上的安全附件是否齐全、灵敏,其铅封是否完好并在有效期内。

(9)检查与其相关的附件是否完好。

(10)检查安全接地线是否连接紧固。

项目 2
过滤分离

学习目标

- 了解过滤操作的相关概念
- 掌握过滤基本原理
- 掌握典型过滤设备的安装、操作与维护方法

过滤是分离悬浮液最常用和最有效的单元操作之一。与沉降分离相比,过滤操作可使悬浮液的分离更迅速、更彻底。

任务一 过滤基本概念及原理

过滤是利用重力、离心力或压力差使悬浮液通过多孔性介质的孔道,其中固体颗粒被截留,从而实现固液混合物的分离。过滤操作所处理的悬浮液称为"滤浆",所用的多孔性物质称为"过滤介质",通过介质孔道的液体称为"滤液",被截留的物质称为"滤饼"或"滤渣"。

一、过滤方式

工业上的过滤操作方式可分为饼层过滤和深层过滤两种。

1. 饼层过滤

饼层过滤的特点是固体颗粒沉积在过滤介质的上游一侧,形成滤饼层,且随着过滤时间的增加,滤饼层增厚,如图 5-8(a)所示。在饼层过滤的操作起始阶段,会有部分颗粒进入过滤介质网孔中发生架桥现象,如图 5-8(b)所示,这就是滤饼层逐渐增厚的原因。适用于处理固体含量较高的悬浮液。

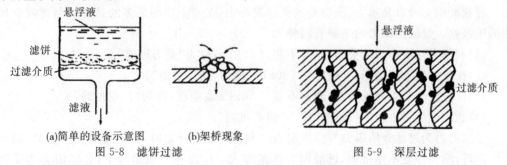

(a)简单的设备示意图　　(b)架桥现象
图 5-8　滤饼过滤　　　　　　　　　　　　　图 5-9　深层过滤

2. 深层过滤

深层过滤的特点是固体颗粒沉积在较厚的粒状过滤介质床层内部的孔道壁面上,而不形成滤饼,如图 5-9 所示。适用于处理生产量大而悬浮液中颗粒直径小或者含有粘软的絮

状物的混浊液的分离。如自来水厂用石英砂层作为过滤介质来实现水的净化。

化工生产中的过滤操作多属于饼层过滤,故本模块只讨论饼层过滤。

二、过滤介质

过滤介质是滤饼的支撑物,工业用过滤介质应具有下列条件:

(1)多孔性,孔道适当,对流体的阻力小,能拦截要分离的颗粒。

(2)物理化学性质稳定,耐热、耐化学腐蚀。

(3)足够的机械强度,使用寿命长,价廉。

工业上常用的过滤介质主要有以下几类:

(1)织物介质 又称"滤布",包括棉、麻等天然纤维和各种合成纤维制成的织物,以及由玻璃丝、金属丝等织成的网。织物介质是工业上应用最广的一种过滤介质。

(2)粒状介质 粒状介质包括颗粒状的细沙、石砾、木炭、硅藻土等堆积而成的颗粒床层。粒状介质一般用于处理含固体量很小的悬浮液,如水的净化处理。

(3)多孔性固体介质 多孔性固体介质包括多孔性陶瓷板或管、多孔性塑料板等。这种介质适用于处理只含少量细小颗粒的腐蚀性悬浮液及其他特殊场合。

在实际操作中,由于滤饼中的毛细孔道往往比过滤介质的毛细孔道还要小,因此,滤饼便成为了更有效的过滤介质。

三、滤饼的压缩性

滤饼可分为可压缩滤饼和不可压缩滤饼。不可压缩滤饼由刚性颗粒组成,滤饼的空隙结构不随操作压差的增大而变形。可压缩滤饼由非刚性颗粒组成,其滤饼在操作压差的变化下会发生不同程度的变形,致使滤饼或滤布中的流动通道缩小,流动阻力急骤增加。在实际生产中,为了计算简便,常将滤饼视为不可压缩滤饼。

四、过滤推动力与阻力

过滤推动力可以是重力、压强差或惯性离心力,工业上应用最多的是滤饼与过滤介质两侧的压强差。过滤推动力的来源有四种:

(1)利用悬浮液本身的重力,一般不超过 50kPa,称为"重力过滤"。

(2)在悬浮液上面加压,一般可达 500kPa,称为"加压过滤"。

(3)在过滤介质下面抽真空,通常不超过 80kPa 真空度,称为"真空过滤"。

(4)利用惯性离心力进行过滤,称为"离心过滤"。

过滤阻力为过滤介质阻力与滤饼阻力之和。过滤刚开始时,只有过滤介质阻力,随着过滤的进行,滤饼厚度不断增加,过滤阻力逐渐加大。所以在一般情况下,过滤阻力主要决定于滤饼阻力。滤饼越厚,颗粒越细,则阻力越大。

五、恒压过滤与恒速过滤

在过滤操作中,根据操作压强与过滤速率变化与否,将过滤分为恒压过滤与恒速过滤。恒压过滤是将过滤推动力维持在某一不变的压强下,随着过滤的进行,滤饼不断增厚,过滤阻力逐渐增大,过滤速率逐渐降低。恒速过滤是在过滤过程中推动力随滤饼的增厚而不断地增大,过滤速率保持不变。在实际生产中多采用恒压过滤。

六、过滤机的生产能力

整个过滤过程包括过滤、洗涤、干燥及卸饼四个阶段。

过滤:过滤操作进行到一定时间后,由于滤饼的增厚,过滤速率很低,再持续下去是不经济的,只有将滤饼除去后重新开始过滤,才为合理,此时应停止加入悬浮液。

滤饼的洗涤:在停止加入悬浮液以后,滤饼的孔道中存有很多滤液,为了得到较纯的滤饼,或从滤饼中回收这部分滤液,必须将此部分滤液从滤饼中分离出来,因此常用水或其他溶剂对滤饼进行洗涤,洗涤所得的液体称为“洗涤液”。

滤饼的干燥:洗涤完毕后,有时还须将滤饼进行“干燥”。所谓“干燥”并非将滤饼中的液体全部汽化,而仅是以空气在一定压强下通过滤饼,将孔道中存留的洗液排出,以使滤饼中存留的液体尽可能地减少。

滤饼的卸除:卸除滤饼要求尽可能干净彻底。这样是为了最大限度地回收滤饼(滤饼是成品时),同时便于清洗滤布而减少下一次过滤的阻力。通常采用压缩空气从过滤介质后面倒吹以卸除滤饼。

如滤饼无利用价值,则可简单地用水冲洗。滤布使用一定时期后应取下来进行清洗。

由上述可知,在过滤过程中仅有一部分时间用于过滤,另一部分时间则需消耗于滤饼的洗涤和卸除、滤布的清洗、重装等各项辅助操作上,所以过滤机的生产能力可以用下式表示,即

$$v_h = \frac{V}{\tau_{过} + \tau_{辅}} = \frac{v}{\sum \tau} \tag{5-10}$$

式中　v_h——生产能力,以每小时所得滤液量表示,m^3/h。

v——每一个循环操作(即四个阶段)所得的滤液量,m^3。

$\sum \tau$——整个循环周期的总时间,包括过滤时间和辅助时间,h。

应当指出,要使过滤机的生产能力提高,必须合理安排各阶段的时间。若过滤阶段的时间(生产时间)过长,则一方面由于过滤速率的不断降低,加之由于滤饼的增厚而大大延长了洗涤时间,因此总的生产能力是不高的;反之,若使过滤阶段的时间太短,则会使得洗涤、卸饼等辅助时间(非生产时间)在整个操作周期中所占的比重加大,这样对生产能力的提高也是不利的。因此,在过滤时应合理安排各阶段时间,以使生产能力达到最大值。

七、过滤基本方程式

过滤基本方程式的实质是反映过滤过程中所得的滤液量 V 与所需过滤时间 τ 之间的变化关系。

过滤速率是指单位时间内，通过单位过滤面积的滤液体积。它正比于过滤推动力，而反比于过滤阻力，用数学表达式可表示为：

$$U = \frac{dV}{Ad\tau} = \frac{过程推动力}{过滤阻力} = \frac{滤饼两侧压强差 + 过滤介质两侧压强差}{滤饼阻力 + 介质阻力}$$

为便于研究，过滤过程中总是把滤饼与过滤介质结合起来考虑。若滤饼两侧压强差为 Δp_1，过滤介质两侧的压强差为 Δp_2，则滤饼两侧的压强差 $\Delta p = \Delta p_1 + \Delta p_2$，即为过滤的总推动力。而过滤的总阻力为 $\mu(R_1 + R_2)$，其中 μ 代表滤液的影响，$R_1 = rvV/A$ 为滤饼阻力，$R_2 = rvV_e/A$ 为介质阻力。因此滤液通过滤饼和介质的速率为

$$\frac{dV}{Ad\tau} = \frac{\Delta p_1 + \Delta p_2}{\mu(R_1 + R_2)} = \frac{\Delta p}{\mu(R_1 + R_2)}$$

对不可压缩滤饼，过滤基本方程式可表示为：

$$\frac{dV}{d\tau} = \frac{\Delta p A^2}{\mu r v (V + V_e)} \tag{5-11}$$

式(5-11)即为不可压缩滤饼的过滤基本方程式的微分式。

式中　Δp——过滤介质与滤饼两侧的压强差，Pa。

　　　V——滤液体积，m^3。

　　　V_e——过滤介质的当量滤液体积，m^3。

　　　A——过滤面积，m^2。

　　　μ——滤液的黏度，Pa·s。

　　　r——滤饼的比阻，m^{-2}。

　　　v——单位体积滤液所对应的滤饼体积，m^3 / m^3。

不可压缩滤饼的比阻 r 不随其两侧压差变化而变化。可压缩滤饼的比阻 r 则随压差的增大而增加，可用下列经验公式表示

$$r = r' \Delta p^s \tag{5-12}$$

式中　r'——单位压强差下的滤饼比阻，m^{-2}。

　　　Δp——过滤压强差，Pa。

　　　s——滤饼的压缩性指数，无因次，$s = 0 \sim 1$；对于不可压缩滤饼，$s = 0$。

由此可得出过滤基本方程式

$$\frac{dV}{d\tau} = \frac{A^2 \Delta p^{1-s}}{\mu r' v (V + V_e)} \tag{5-13}$$

式(5-13)对于可压缩滤饼和不可压缩滤饼均适用。

八、恒压过滤方程

工业上大多数过滤属恒压过滤。在恒压过滤中，压强差 Δp 为定值，对于一定的悬浮液

和过滤介质，r、μ、v、V_e 也可视为定值，所以对式（5-11）进行积分：

$$\int_0^V (V+V_e)dV = \frac{A^2 \Delta p}{r\mu v} \int_0^\tau d\tau$$

$$V^2 + 2V_e V = \frac{2A^2 \Delta p}{rv\mu}\tau$$

令 $K = \dfrac{2\Delta p}{rv\mu}$，则：

$$V^2 + 2V_e V = KA^2 \tau \tag{5-14}$$

令 $q = \dfrac{V}{A}$，$q_e = \dfrac{V_e}{A}$，则式（5-14）变为：

$$q^2 + 2q_e q = K\tau \tag{5-15}$$

式（5-14）及式（5-15）均为恒压过滤方程式，表示过滤时间 τ 与获得滤液体积 V 或单位过滤面积上获得的滤液体积 q 的关系。式中 K、q_e 均为一定过滤条件下的过滤常数。两者均可由实验测定。

当滤饼阻力远大于过滤介质阻力时，过滤介质阻力可以忽略，于是两恒压过滤方程可分别简化为：

$$V^2 = KA^2 \tau \tag{5-16}$$

$$q^2 = K\tau \tag{5-17}$$

【例 5-2】　采用过滤面积为 $0.2\,\mathrm{m}^2$ 的过滤机，对某悬浮液进行过滤常数的测定。操作压强差为 $0.15\,\mathrm{MPa}$，温度为 $20\,℃$，过滤进行到 $5\mathrm{min}$ 时，共得滤液 $0.034\,\mathrm{m}^3$；进行到 $10\mathrm{min}$ 时，共得滤液 $0.050\,\mathrm{m}^3$。试估算：①过滤常数 K 和 q_e；②按这种操作条件，过滤进行到 $1\mathrm{h}$ 时的滤液总量。

解：①计算过滤常数 K 和 q_e。

当过滤时间 $t_1 = 300\mathrm{s}$ 时，

$$q_1 = \frac{V_1}{A} = \frac{0.034}{0.2} = 0.17\,(\mathrm{m}^3/\mathrm{m}^2)$$

当过滤时间 $t_1 = 600\mathrm{s}$ 时，

$$q_2 = \frac{V_2}{A} = \frac{0.050}{0.2} = 0.25\,(\mathrm{m}^3/\mathrm{m}^2)$$

代入公式 $q^2 + 2q_e q = K\tau$ 中可得：

$$0.17^2 + 2 \times 0.17 q_e = 300K$$

$$0.25^2 + 2 \times 0.25 q_e = 600K$$

联立解方程组得：

$$K = 1.26 \times 10^{-4}\,\mathrm{m}^2/\mathrm{s}$$

$$q_e = 2.61 \times 10^{-2}\,\mathrm{m}^3/\mathrm{m}^2$$

②计算过滤进行到 $1\mathrm{h}$ 时的滤液总量。

$$V_e = KA = 0.2 \times 2.61 \times 10^{-2}\,\mathrm{m}^3 = 5.22 \times 10^{-3}\,\mathrm{m}^3$$

由公式 $V^2 + 2V_e V = KA^2 \tau$ 可得：

$$V^2 + (2 \times 5.22 \times 10^{-3})V = 1.26 \times 10^{-4} \times 0.2^2 \times 3600$$

解得

$$V = 0.130\,\mathrm{m}^3$$

任务二 过滤设备

各种生产工艺形成的悬浮液的性质有很大差异,过滤的目的、原料的处理量也很不相同。长期以来,为适应各种不同要求而发展了多种形式的过滤机,这些过滤机可按产生压差的方式不同而分成两大类。

(1)压滤和吸滤 如板框压滤机、叶滤机、回转真空过滤机等。

(2)离心过滤 有各种间歇卸渣和连续卸渣离心机。

一、压滤和吸滤设备

压滤和吸滤过滤设备主要是借助于过滤介质两侧的压差不同。悬浮液在过滤介质两侧的压力差下液体通过介质,颗粒被截留,从而实现液—固分离。下面分别介绍几种常见的压滤和吸滤设备。

1.板框压滤机

(1)结构 板框压滤机是在工业生产中应用最早,至今仍广泛使用的一种过滤设备。其结构是由许多块正方形的滤板与滤框交替排列组合而成的,如图5-10所示。

板框压滤机的滤板和滤框可用铸铁、碳钢、不锈钢、铝、塑料、木材等制造。我国制定的板框压滤机系列规格:框的厚度为25～50mm,框每边长320～1000mm,框数可从几个到60个,随生产能力而定。板框压滤机的操作压强一般为0.3～0.5MPa,最高可达1.5MPa。

滤板和滤框的结构如图5-11所示。板和框的角端均开有小孔,装合压紧后即构成供悬浮液或洗涤水流通的孔道。框的两侧覆以滤布,空框与滤布围成了容纳悬浮液及滤饼的空间。滤板的作用一是支撑滤布,二是提供滤液流出的通道。为此,板面上制成各种凹凸纹路,凸者起支撑滤布的作用,凹者形成滤液通道。

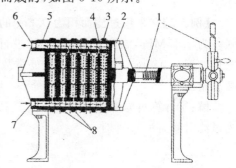

1-压紧装置;2-可动头;3-滤框;4-滤板;
5-固定头;6-滤液出口;7-滤浆进口;8-滤布

图5-10 板框压滤机

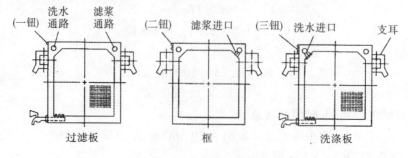

图5-11 滤板与滤框

(2)工作过程 板框压滤机为间歇操作,每个操作循环由装合、过滤、洗涤、卸饼、清理5

个阶段组成。板框装合完毕,开始过滤,悬浮液在指定压强下经滤浆通路由滤框角上的暗孔并行进入各个滤框,见图 5-12(a),滤液分别穿过滤框两侧的滤布,沿滤板板面的沟道至滤液出口排出。颗粒被滤布截留而沉积在框内,待滤饼充满全框后,停止过滤。当工艺要求对滤饼进行洗涤时,先将洗涤板上的滤液出口关闭,洗涤水经洗水通路从洗涤板角上的暗孔并行进入各个洗涤板的两侧,见图 5-12(b)。洗涤水在压差的推动下先穿过一层滤布及整个框厚的滤饼,然后再穿过一层滤布,最后沿滤板(一钮板)板面沟道至滤液出口排出。这种洗涤方法称为"横穿洗涤法",它的特点是洗涤水穿过的途径正好是过滤终了时滤液穿过途径的两倍。洗涤结束后,旋开压紧装置,将板框拉开卸出滤饼,然后清洗滤布,整理板框,重新装合,进行下一个循环。

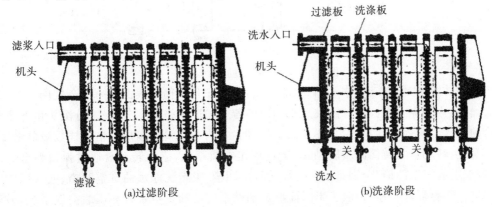

图 5-12　板框压滤机内液体流动路径

　　(3)特点　板框压滤机的优点是结构简单,制造容易,设备紧凑,过滤面积大而占地小,操作压强高,滤饼含水少,对各种物料的适应能力强。它的缺点是间歇手工操作,劳动强度大,生产效率低。

　　近年来大型板框压滤机的自动化和机械化的发展很快,国内也开始使用自动操作的板框压滤机。

2.加压叶滤机

　　(1)结构　叶滤机的主要构件是矩形或圆形的滤叶。滤叶由金属丝网组成的框架上覆以滤布构成,如图 5-13 所示。将若干个平行排列的滤叶组装成一体,安装在密闭的机壳内,即构成加压叶滤机,滤叶可以垂直放置,也可以水平放置。

　　(2)工作过程　叶滤机也是间歇操作设备。过滤时滤浆用泵压送到机壳内,滤液穿过滤布进入叶内,汇集至总管后排出机外,颗粒则积于滤布外侧形成滤饼。滤饼的厚度达到一定时,停止过滤,若需要洗涤,则进洗涤水进行洗涤,最后拆开卸料。

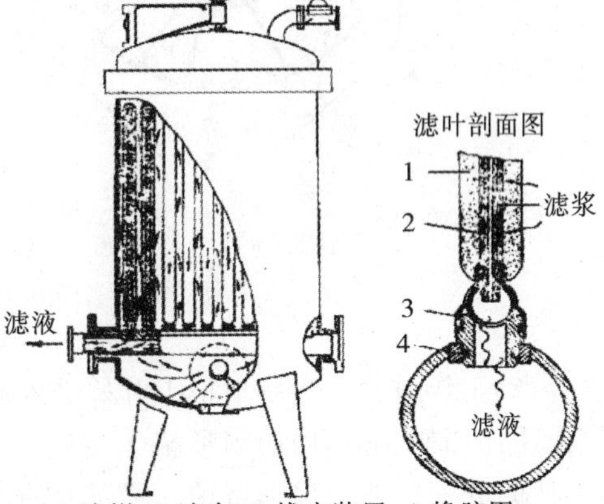

1-滤饼;2-滤布;3-拔出装置;4-橡胶圈
图 5-13　加压叶滤机

　　(3)特点　加压叶滤机的优点是密闭操作,改善了操作条件;过滤速度快,洗涤效果好。缺点是造价较高,更换滤布(尤其对于圆形滤叶)比较麻烦。

3.转筒真空过滤机

转筒真空过滤机是工业上应用最广的一种连续操作的过滤设备。

（1）结构　转筒真空过滤机（如图5-14所示）依靠真空系统造成的转筒内外的压差进行过滤。

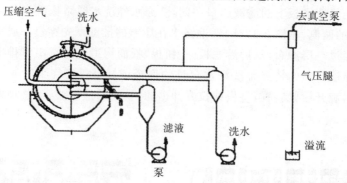

图5-14　转筒真空过滤机示意图

它的主体是：①能转动的水平圆筒，即转筒，见图5-15。筒的表面有一层金属网，网上覆盖滤布，转筒内用隔板沿圆周分隔成互不相通的若干扇形小格。②分配头，分配头由紧密相对贴合的转动盘与固定盘构成，见图5-15。转动盘上有与转筒上扇形小格同样数量的缝隙，且一一对应，转动盘与转筒同步转动；固定盘固定在机架上，它与转动盘通过弹簧贴合在一起，固定盘上有三个凹槽，分别是吸走滤液的真空凹槽、吸走洗涤水的真空凹槽、通入压缩空气的凹槽。③悬浮液料槽，一般为半圆筒形。辅助系统有抽真空系统和压缩空气系统，另外还有刮刀、洗涤水喷头等。

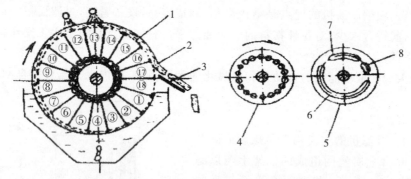

1-转筒；2-滤饼；3-割刀；4-转动盘；5-固定盘；6-吸走滤液的真空凹槽；
7-吸走洗涤水的真空凹槽；8-通入压缩空气的凹槽

图5-15　转筒及分配头的结构

（2）工作过程　当扇形格①开始进入滤浆内时，转动盘上与扇形格①相通的小孔便与固定盘上的凹槽相对，因而扇形格①与吸滤液的真空管道相通，扇形格①的过滤表面进行过滤，吸走滤液。图上扇形格①～⑦所处的位置均在进行过滤，称为"过滤区"。扇形格刚转出滤浆液面时（相当于扇形格⑧、⑨所处的位置），仍与凹槽相通，此时真空系统继续抽吸留在滤饼中的滤液，这个区域称为"吸干区"，扇形格转到⑫的位置时，洗涤水喷洒在滤饼上，扇形格与固定盘上的吸洗涤水管道连通的凹槽相通，洗涤水被吸走，扇形格⑫、⑬所处的位置称为"洗涤区"。扇形格⑪对应于转动盘上的小孔位于凹槽6与7之间，不与任何管道相连通，该位置称为"不工作区",由于不工作区的存在,当扇形格由一个区转入另一个区时,各操作区不致互相串通。扇形格⑭的位置为吸干,⑮为不工作区。扇形格⑯、⑰与固定盘上通压缩空气管道的凹槽8相通,压缩空气从扇形格⑯、⑰内穿过滤布向外吹,将转筒表面上沉积的滤饼吹松,随后由固定的刮刀将滤饼卸下,扇形格⑯、⑰的位置称为"吹松区"与"卸料区"。扇形格⑱为不工作区。如此连续运转,在整个转筒表面上构成了连续的过滤操作,过滤、洗涤、吸干、吹松、卸料等操作同时在转筒的不同位置进行,转筒真空过滤机的各个部位始终处于一定的工作状态。

转筒真空过滤机的过滤面积(指转筒表面)一般为 $5\sim40m^2$,转筒浸没部分占总面积的 $30\%\sim40\%$,转速通常为 0.1～3r/min,滤饼厚度一般保持 40mm 以下,对于难过滤的胶质颗粒滤饼,厚度可小到 10mm 以下,所得滤饼含液量较大,常达 30%,很少低于 10%。

(3)特点　转筒真空过滤机优点是连续且自动操作,省人力;适用于处理含易过滤颗粒浓度较高的悬浮液;用于过滤细和黏的物料时采用预涂助滤剂的方法也比较方便,只要调整刮刀的切削深度就能使助滤剂层在长时间内发挥作用。缺点是系统设备比较复杂,投资大;依靠真空作为过滤推动力会受限制;此外它不宜于过滤高温悬浮液。

二、离心过滤设备

离心过滤设备是各种间歇或连续操作的离心过滤机。过滤式离心机于转鼓壁上开孔,在鼓内壁上覆以滤布,悬浮液加入鼓内并随之旋转,液体受离心力作用被甩出而颗粒被截留在鼓内,从而实现固—液分离。下面从结构、工作过程及特点方面来介绍几种常见的离心过滤设备。

1.三足式离心机

三足式离心机是离心过滤机中应用最广泛、适应性最好的一种设备,可用于分离粒径从 $10\mu m$ 的小颗粒至数毫米的大颗粒,甚至纤维状或成件的物料。

(1)构造　三足式离心机是一种常用的人工卸料的间歇式离心机,间歇式人工卸料又分成上部卸料和下部卸料两大类。图 5-16 所示的为上部卸料的三足式离心机的结构。离心机的主要部件是一篮式转鼓,壁面钻有许多小孔,内壁衬有金属丝网及滤布。整个机座和外罩借三根拉杆弹簧悬挂于三足支柱上,以减轻运转时的振动。

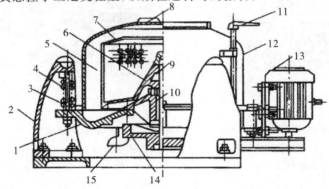

1-底盘;2-支柱;3-缓冲弹簧;4-摆杆;5-鼓壁;6-转鼓底;7-拦液板;8-机盖;
9-主轴;10-轴承座;11-制动器手柄;12-外壳;13-电动机;14-制动轮;15-滤液出口

图 5-16　三足式离心机示意图

（2）工作过程　操作时，在转鼓中加入待过滤的悬浮液，在离心力的作用下，滤液透过滤布和转鼓上的小孔进入外壳，然后再引至出口，固体则被截留在滤布上成为滤饼。待过滤了一定量的悬浮液，滤饼已积到一定厚度后，就停止加料。如需要洗涤滤饼或干燥滤饼，则应使转鼓再继续转动，待洗涤或干燥完毕再停车。

（3）特点　三足式离心机优点是结构简单、操作平稳、维修方便、价格低廉，占地面积小等，适用于过滤周期较长，处理量不大，滤渣要求含液量较低的生产过程，过滤时间可根据滤渣湿含量的要求灵活控制，所以广泛用于小批量、多品种物料的分离。其缺点是由于这种离心机需从上部人工卸除滤饼，劳动强度大。

2.卧式刮刀卸料离心机

（1）结构　卧式刮刀卸料离心机是自动操作的间歇离心机。图 5-17 为卧式刮刀卸料离心机结构及操作的示意图。它的结构主要由转鼓、外壳、刮刀、溜槽、液压缸等组成。

（2）工作过程　操作时，进料阀门自动定时开启，悬浮液进入全速运转的鼓内，滤液经滤网及鼓壁小孔被甩到鼓外，再经机壳的排液口排出。被滤网截留的颗粒被耙齿均匀分布在滤网面上。当滤饼达到指定厚度时，进料阀门自动关闭，停止进料。随后冲洗阀门自动开启，洗水喷洒在滤饼上，洗涤滤饼，再甩干一定时间后，刮刀自动上升，滤饼被刮下，并经倾斜的溜槽排出。刮刀升至极限位置后自动退下，同时冲洗阀门又开启，对滤网进行冲洗，即完成一个操作循环，接着开始下一个循环的进料。此种离心机也可人工操纵。

（3）特点　操作特点是加料、分离、洗涤、甩干、卸料、洗网等工序的循环操作都是在转鼓全速运转的情况下自动地依次进行。每一工序的操作时间可按预定要求实行自动控制。

卧式刮刀卸料离心机操作简便，生产能力大，适宜于大规模连续生产，目前已较广泛地用于石油、化工行业，如硫铵、尿素、碳酸氢铵、聚氯乙烯、食盐、糖等物料的脱水。但由于采用刮刀卸料，颗粒破碎严重，对于必须保持晶粒完整的物料不宜采用。

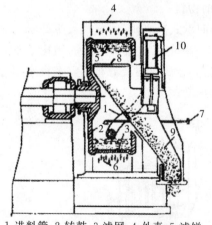

1-进料管；2-转鼓；3-滤网；4-外壳；5-滤饼；
6-滤液；7-冲洗管；8-刮刀；9-溜槽；10-液压缸
图 5-17　卧式刮刀卸料离心机

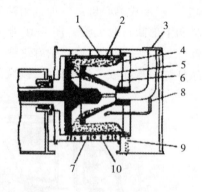

1-转鼓；2-滤网；3-进料管；4-滤饼；5-活塞推送器；
6-进料斗；7-滤液出口；8-冲洗管；9-固体排出；10-洗水出
图 5-18　活塞推料离心机

3.活塞推料离心机

（1）结构　活塞推料离心机是自动连续操作的离心机，其结构如图 5-18 所示。活塞推料离心机主要由转鼓、活塞推送器、进料斗等组成。

　　（2）工作过程　活塞推料离心机的操作一直是在全速旋转下进行的，料浆不断由进料管送入，沿锥形进料斗的内壁流到转鼓的滤网上，滤液穿过滤网经滤液出口连续排出。积于滤网表面上的滤渣则被往复运动的活塞推送器沿转鼓内壁面推出，滤渣被推至出口的途中依次进行洗涤、甩干等过程。工作过程中加料、过滤、洗涤、甩干、卸料等操作在转鼓的不同部位同时进行，与转筒真空过滤机的工作过程相似。

　　（3）特点　活塞推料离心机的优点是颗粒破碎程度小，控制系统较简单，功率消耗也较均匀。因此活塞推料离心机主要用于浓度适中并能很快脱水和失去流动性的悬浮液。缺点是对悬浮液的浓度较敏感，若料浆太稀，则滤饼来不及生成，料液将直接流出转鼓；若料浆太稠，则流动性差，易使滤渣分布不均，引起转鼓振动。

任务三　典型过滤设备的安装、操作及维护

一、板框压滤机的安装、操作及维护

1.板框压滤机的安装

（1）机器安装

①出售时机器裸露部分涂有防锈油脂，安装前应清除。待安装完毕，重新涂上润滑油。

②机器安装在混凝土基础上或钢架上。安装时以两横梁为基础校正水平。然后灌浇混凝土。

③机器周围要留有余地。考虑安装、拆卸管道以及出滤饼和检修等的方便。特大型压滤机还应考虑滤板破损后的更换设施。

④按要求接入管道、阀门等。特大型压滤机除止推板端外，在可移动的压紧板端同样装有相应的接口，联结用软管，以利伸缩。

⑤按线路容量选好橡套软电缆，外套金属软管，分别接入回路。试运转，观察油泵电机（风叶从上端往下看）应顺时针旋转。

（2）滤布安装

滤板在滤布安装完毕后，再放入压滤机，搁挂在横梁上。

滤布选择：可根据悬浮液的性质对滤饼的要求选择滤布。滤布的性能决定着过滤效果和滤布的使用寿命。

滤布结构：可根据需要选择悬挂式滤布、袖套式滤布、带夹布器的悬挂式（或袖套式）滤布。

（3）滤板的安装步骤

①压滤机的头板被安装固定在压滤机的止推板上。

②尾板安装固定在压滤机的压紧板上。

③板框式压滤机滤框和滤板交替安装。

（4）液压系统的调整

①按要求品质的液压油，经 $20\mu m$ 的滤网孔过滤后加入油箱内至视镜上限。

②启动油泵将油压入液压缸，此时液位应位于视镜中线位。

③查看压力表,表示数值应小于、等于相应款式压滤机说明书附页中所规定的液压工作压力的数。

④如查证液压泵系统正常、压力表无误、压力不符合说明书规定数值时,可调节压力。

⑤调节溢流阀:使泄压压力大于液压工作压力约1MPa。电接点压力表上限调整至液压工作压力值,下限为液压工作压力减去2MPa;自动拉板型液压工作压力下限为液压工作压力减去2～4MPa。

⑥检查并调整自动型压滤机的传动部分和拉板盒的正确位置。

2.板框压滤机的操作

(1)开车前的准备工作

①在滤框两侧先铺好滤布,将滤布上的孔对准滤框角上的进料孔,滤布如有折叠,操作时容易产生泄漏。

②板框装好后,压紧活动机头上的螺旋。

③检查滤浆进口阀及洗涤水进口阀是否关闭。

④开启空气压缩机,将压缩空气送入贮浆罐,注意压缩空气压力表的读数,待压力达到规定值,准备开始过滤。

⑤若采用螺杆泵输送滤浆,开车前的准备工作还需参见螺杆泵运行注意事项。

(2)过滤操作

①开启过滤压力调节阀,注意观察过滤压力表读数,过滤压力达到规定数值后,调节维持过滤压力的稳定(若采用螺杆泵输送滤浆,利用螺杆泵的出口旁路阀门的开度来调节过滤压力)。

②开启滤液贮槽出口阀,接着开启过滤机滤浆进口阀,将滤浆送入压滤机,过滤开始。

③观察滤液,若滤液为清液时,表明过滤正常。发现滤液有浑浊或带有滤渣,说明过滤过程中出现问题,应停止过滤,检查滤布及安装情况,滤板、滤框是否变形,有无裂纹,管路有无泄漏等。

④定时记录过滤压力,检查板与框的接触面是否有滤液泄漏。

⑤当出口处滤液量变得很小时,说明板框中已充满滤渣,过滤阻力增大使过滤速度减慢,这时可以关闭滤浆进口阀,停止过滤。

⑥洗涤。开启洗涤水出口阀,再开启过滤机洗涤水进口阀,向过滤机内送入洗涤水,在相同压力下洗涤滤渣,直至洗涤符合要求。

(3)停车 关闭过滤压力表前的调节阀及洗涤水进口阀,松开活动机头上的螺旋,将滤板、滤框拉开,卸出滤饼,并将滤板和滤框清洗干净,以备下一循环使用。

3.板框压滤机的维护

(1)压滤机停止使用时,应冲洗干净,传动机构应保持整洁,无油污、油垢。

(2)滤布每次清洗时应清洗干净,避免滤渣堵塞滤孔。

(3)电器开关应防潮保护。

二、三足式离心机的安装、操作及维护

1.三足式离心机的安装

(1)安装前,应按照制造厂提供的设备基础图要求,预先浇制混凝土基础,并留有地脚螺丝的预留孔,地脚螺丝的埋设通过预留的二次浇注来完成,基础浇注后按规程进行保养并达到保养期。

(2)将设备吊装到混凝土基础上,埋设地脚螺丝,在每个地脚螺丝附近放置垫铁。

(3)将基础水平调整模板与主轴端面用螺丝链接,用水平仪校准模板平面,放置主机倾斜,保证机器的水平误差不超过 0.1/1000mm。

(4)待机械校正好水平,填实机器和基础之间的空隙,用比混凝土高一等级的细石混凝土或膨胀水泥进行浇注,等待数小时后,机械地脚即可粉光,30 小时后可以旋紧地脚螺丝,三足式离心机安装完成。

2.三足式离心机的操作

(1)开车前检查准备

①检查机内外有无异物,主轴螺母有无松动,制动装置是否灵敏可靠,滤液出口是否通畅。

②试空车 3~5min,检查转动是否均匀正常,转鼓转动方向是否正确,转动的声音有无异常,不能有冲击声和摩擦声。

③检查确无问题,将洗净备用的滤布均匀铺在转鼓内壁上。

(2)开车

①物料要放置均匀,不能超过额定体积和质量。

②启动前盘车,检查制动装置是否拉开。

③接通电源启动,要站在侧面,不要面对离心机。

④密切注意电流变化,待电流稳定在正常参数范围内,转鼓转动正常时,进入正常运行。

⑤注意转动是否正常,有无杂音和振动,注意电流是否正常。

⑥保持滤液出口通畅。

⑦严禁用手接触外壳或脚踏外壳,机壳上不得放置任何杂物。

⑧当滤液停止排出 3~5min 后,可进行洗涤。洗涤时,加洗涤水要缓慢均匀,取滤液分析合格后停止洗涤。待洗涤水出口停止排液 3~5min 后方可停机。

(3)停车

①先切断电源,待转鼓减速后再使用制动装置,经多次制动,到转鼓转动缓慢时,再拉紧制动装置,完全停车,使用制动装置时不可面对离心机。

②完全停车后,方可卸料,卸料时注意保护滤布。

③卸料后,将机内外检查、清理,准备进行下一次操作。

3.三足式离心机的维护

(1)运转时主要检查有无杂音和振动,轴承温度是否低于 65℃,电机温度是否低于90℃,密封状况是否良好,地脚螺丝有无松动。

(2)严格执行润滑规定,经常检查油箱、油位、油质、润滑是否正常,是否按"三过滤"的要

求注油。

（3）定期洗鼓。转鼓要按时清洗，清洗时先停止进料，将自动改为手动；打开冲洗水阀门，至将整个转鼓洗净；不要停机冲洗，以免水漏进轴承室。

（4）卧式自动离心机停车时，让其自然停止，不得轻易使用紧急制动装置。不要频繁启动离心机。

习题五

1. 直径为 $95\mu m$，密度为 $3000kg/m^3$ 的球形颗粒在20℃的水中作自由沉降，水在容器中的深度为0.6m，试求颗粒沉降到容器底部需要多长时间？（答：60.9s）

2. 试计算直径为 $30\mu m$ 的球形石英颗粒（其密度为 $2650kg/m^3$），在20℃水中和20℃常压空气中的自由沉降速度。（答：$8.02\times10^{-4}m/s$；$7.18\times10^{-2}m/s$）

3. 密度为 $2150kg/m^3$ 的烟灰球形颗粒在20℃空气中在滞流沉降的最大颗粒直径是多少？（答：$77.3\mu m$）

4. 求直径为 $60\mu m$ 的石英颗粒（密度 $2600kg/m^3$）在20℃水中的沉降速度，再求它在20℃的空气中的沉降速度。（答：$3.14\times10^{-3}m/s$；$0.89m/s$）

5. 密度为 $2650kg/m^3$ 的球形石英颗粒在20℃的空气中自由沉降，计算服从斯托克斯公式的最大颗粒直径及服从牛顿公式的最小颗粒直径。（$57.4\mu m$；$1513\mu m$）

6. 密度为 $1850kg/m^3$ 的固体颗粒，在50℃和20℃的水中按斯托克斯公式沉降时，沉降速度的比值是多少？如颗粒直径增加一倍，在同温度水中按斯托克斯公式沉降时，沉降速度的比值又是多少？（答：1.84；4）

7. 直径为 $10\mu m$ 的石英颗粒随20℃的水作旋转运动，在旋转半径 $R=0.05m$ 处的切向速度为12m/s，求该处的离心沉降速度和离心分离因数。（答：0.0262m/s；294）

8. 有一过滤面积为 $0.093m^2$ 的小型板框压滤机，恒压过滤含有碳酸钙颗粒的水悬浮液。过滤时间为50s时，共得到 $2.27\times10^{-3}m^3$ 的滤液；过滤时间为100s时。共得到 $3.35\times10^{-3}m^3$ 的滤液。试求当过滤时间为200s时，可得到多少滤液？（答：$4.88\times10^{-3}m^3$）

9. 过滤含 20%（质量分数，下同）固相的水悬浮液，固相密度为 $1120kg/m^3$，求得到 $15m^3$ 滤液时所得到的湿滤饼的量是多少（滤饼内含水30%）？（答：滤饼量=4687.5kg）

10. 某悬浮液用过滤面积为 $0.2m^2$ 的板框过滤机在表压150kPa条件下恒压过滤。2h后，得滤液体积 $40m^3$。若过滤介质阻力忽略不计，试问：（1）若其他条件不变，而过滤面积加倍，可得滤液多少？（2）若其他条件不变，而将过滤时间缩短一半，所得滤液量为多少？（答：$80m^3$；$28.3m^3$）

11. 在202.7kPa操作压强下用板框过滤机处理某物料，操作周期为3h，其中过滤1.5h，滤饼不需洗涤。已知每获 $1m^3$ 滤液得滤饼 $0.05m^3$，操作条件下过滤常数 $K=3.3\times10^{-5}m^2/s$，介质阻力可忽略，滤饼不可压缩。若要求每周期获 $0.6m^3$ 的滤饼，需多大过滤面积？（答：$28.43m^2$）

本模块主要符号说明

英文

a——加速度或颗粒比表面积，m/s^2 或 m^2/m^3；

A——面积，m^2；

B——降尘室的宽度，m；

B——旋风分离器进口宽度，m；

C——气体含尘浓度，g/m^3；

Δp——过滤压强差，Pa；

S——滤饼的压缩性指数；

v——单位体积滤液所对应的滤饼体积，m^3/m^3；

t——时间，s；

u——气体在降尘室的水平速度，m/s；

U——过滤速率或干燥速率，$m^3/(m^2\cdot s)$；

d——颗粒的直径,m;

D——设备直径,m;

F——作用力,N;

g——重力加速度,m/s^2;

h——降尘室的高度,m;

K——过滤常数,m^2/s;

K_c——离心分离因数;

L——滤饼厚度,m;

l——降尘室的长度,m;

m——物质质量,kg;

n——物质的量数,kmol;

p——分压,Pa;

P——总压,Pa;

Q——单位过滤面积上获得的滤液体积,m^3/m^2;

V——滤液体积,m^3;

Re——雷诺准数;

q_V——体积流量或生产能力,m^3/s;

r——滤饼的比阻,m^{-2};

r'——单位压强差下的滤饼比阻,m^{-2};

u_t——颗粒的沉降速度,m/s。

希文

ρ_s——颗粒的密度,kg/m^3;

ρ——流体密度,kg/m^3;

ζ——阻力系数;

M——流体的黏度,Pa·s;

τ——时间,s;

$d\tau$——微分时间,s;

ϕ——填料因子,1/m。

下标

b——浮力的;

c——离心的;

d——阻力的;

e——当量的,有效的;

g——重力的;

r——径向的;

s——固相的;

T——切向的;

W——洗涤的。

蒸　发

项目 1
蒸发操作的基本知识及原理

学习目标

- 理解蒸发的分类、蒸发过程的特点
- 理解单效蒸发、多效蒸发的概念及流程
- 掌握单效蒸发过程中的相关计算
- 理解多效蒸发效数的限制
- 了解提高蒸发器生产强度的途径

蒸发操作是通过加热的方法将含有不挥发溶质的稀溶液沸腾汽化并移除蒸汽,从而使溶液中溶质浓度提高的一种单元操作,是分离液态均相(溶液)的单元操作之一。用来实现蒸发操作的设备称为"蒸发器"。

任务一　蒸发操作的基本知识

蒸发操作中被蒸发的溶液大多是水溶液,因此本模块仅讨论水溶液的蒸发。工业上常用水蒸气作为加热热源,汽化出来的也是水蒸气,为区别起见,我们把作热源用的蒸汽称为"加热蒸汽"或"生蒸汽",把由溶剂汽化生成的蒸汽称为"二次蒸汽"。二次蒸汽必须不断地用冷凝等方法加以移除,否则蒸汽和溶液渐趋平衡,致使蒸发操作无法进行。

一、蒸发操作的目的

蒸发操作广泛应用于石油化工、制药、制糖、造纸、海水淡化及原子能工业中。其目的主要有以下几点:

(1)将溶液浓缩后,冷却结晶,获得固体产品;例如电解烧碱液的浓缩、食糖的生产等。

(2)获得纯净的溶剂产品;例如海水淡化等。

(3)获得浓缩的溶液产品和回收溶剂;例如中药生产中酒精浸出液的蒸发等。

二、蒸发操作的特点

尽管蒸发操作的目的是物质的分离,但其过程的实质是热量传递而不是物质传递,溶剂汽化的速率取决于传热速率。因此,蒸发操作应属于传热过程,但它具有某些不同于一般传热过程的特殊性,具体如下:

（1）溶液性质：在蒸发过程中溶液的黏度逐渐增大，腐蚀性逐渐加强。有些溶液在蒸发过程中有晶体析出、易结垢、易产生泡沫，在高温下易分解或聚合。

（2）传热性质：传热壁面一侧为加热蒸汽冷凝，另一侧为溶液沸腾，所以属于壁面两侧流体均有相变化的恒温传热过程。

（3）溶液沸点的改变：由于不挥发溶质的存在，溶液的蒸汽压低于同温度下纯溶剂的蒸汽压。因此，在相同压力下，溶液的沸点高于纯溶剂的沸点，这种现象称为"溶液的沸点升高"。溶液的沸点升高导致蒸发的传热温度差的降低。

（4）泡沫夹带：二次蒸汽中常夹带大量液沫，冷凝前必须设法除去，否则不但损失物料，而且污染冷凝设备。

（5）能源利用：蒸发操作所汽化的溶剂量较大，需要消耗大量的加热蒸汽。因此需要考虑热量的利用问题。

三、蒸发的分类

按操作方式可以分为间歇式和连续式，大多数蒸发过程为连续操作的稳态过程。

按二次蒸汽的利用情况可以分为单效蒸发和多效蒸发，若产生的二次蒸汽不加利用，直接经冷凝器冷凝后排出，这种操作称为"单效蒸发"。若把二次蒸汽引至另一操作压力较低的蒸发器作为加热蒸汽，并把若干个蒸发器串联组合使用，这种操作称为"多效蒸发"。多效蒸发中，二次蒸汽的潜热得到较为充分的利用，提高了加热蒸汽的利用率。

按操作压强可分为加压蒸发、常压蒸发和减压（真空）蒸发。一般无特殊要求的溶液均采用常压蒸发。

按操作温度可分为自然蒸发和沸腾蒸发。自然蒸发是溶液中的溶剂在低于沸点时汽化，蒸发速率缓慢。沸腾蒸发是使溶液中的溶剂在沸点时汽化，蒸发速率快。工业上的蒸发操作大多采用沸腾蒸发。

蒸发操作应用广泛，实际生产中应根据被蒸发溶液的性质和工艺条件，选择适宜的蒸发方式和流程。下面仅从单效蒸发和多效蒸发两种蒸发方式来介绍蒸发操作的基本原理及相关理论知识。

任务二 单效蒸发

溶液在蒸发时，所产生的二次蒸汽不再利用或被用于蒸发器以外的操作，称为"单效蒸发"。单效蒸发是在一个蒸发器内进行的蒸发操作，可以是连续的，也可以是间歇的。工业上大量物料的蒸发，通常是在稳定和连续的条件下进行的。

一、单效蒸发的流程

我们以硝酸铵水溶液的蒸发流程（如图6-1所示）为例来讨论单效蒸发的流程。该流程包括蒸发器和冷凝器。蒸发器由加热室和蒸发室组成，下部的加热室由多根加热管组成，管外通入加热蒸汽，放出潜热，加热管内溶液，使之沸腾汽化；上部为蒸发室，用于除去溶剂蒸汽中夹带的雾沫和液滴。稀硝酸铵溶液（料液）经预热后进入蒸发器，在加热室中被加热气化，浓缩后的溶液（常称为"完成液"）从蒸发器底部排出，产生的溶剂蒸汽（称为"二次蒸汽"）通过蒸发室及其顶部的除沫器，与所夹带的液沫分离，经冷凝器冷凝后排出。

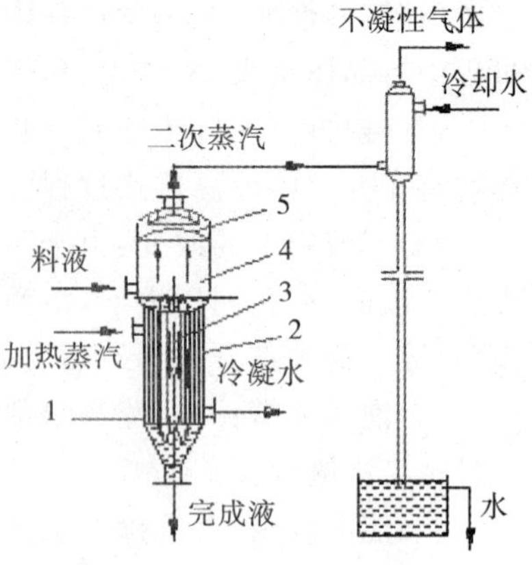

二、单效蒸发的工艺计算

对于连续稳定操作的单效蒸发，可根据生产任务给出的热负荷，运用物料衡算、热量衡算和传热速率方程式，计算出单效蒸发操作中的溶剂蒸发量、加热蒸汽消耗量以及蒸发器的传热面积等。

1-加热管；2-加热室；3-中央循环管；
4-蒸发室；5-除沫器；6-冷凝器
图 6-1　硝酸铵水溶液的蒸发流程图

1.溶剂蒸发量（W）的计算

在蒸发操作中，从溶液中蒸发出来的溶剂量可通过物料衡算来确定。现对图 6-2 所示的单效蒸发器以溶质为基准作物料衡算，可得：

$$Fx_0 = (F - W)x \qquad (6-1)$$

式中　F——料液的流量，kg/s。

　　　x_0——原料液中溶质的浓度（质量分数）。

　　　W——溶剂的蒸发量，kg/s。

　　　x——完成液中溶质的浓度（质量分数）。

由式 6-1，已知 F，x_0，x，即可求溶剂的蒸发量

$$W = F\left(1 - \frac{x_0}{x}\right) \qquad (6-2)$$

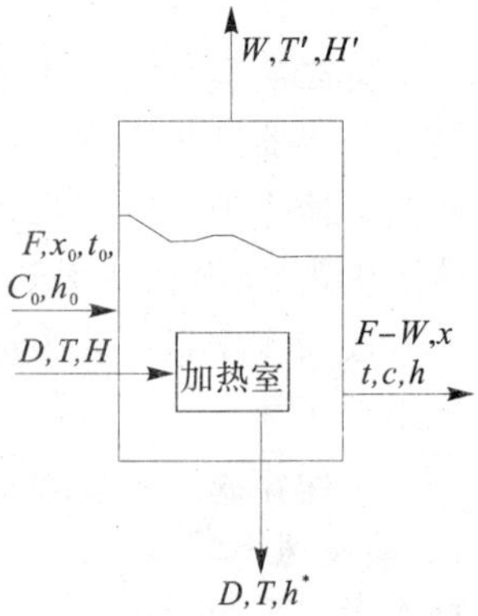

2.加热蒸汽消耗量（D）的计算

蒸发操作中，加热蒸汽的消耗量可通过热量衡算来确定。

图 6-2　单效蒸发的示意图

（1）热量衡算式

现对图 6-2 所示的蒸发器作热量衡算。由原料液带入蒸发器的热量和加热蒸汽带入的热量应与二次蒸汽带出的热量、完成液带出的热量、加热蒸汽的冷凝液带出的热量以及蒸发器损失的热量相等。

$$DH + Fh_0 = Dh^* + (F - W)h + WH' + Q_L \qquad (6-3)$$

或

$$Q = D(H - h^*) = F(h - h_0) + W(H' - h) + Q_L \qquad (6-4)$$

式中　D——加热蒸汽的消耗量，kg/s。

　　　H——加热蒸汽的质量焓，J/kg。

　　　h_0——料液的质量焓，J/kg。

　　　h^*——冷凝水的质量焓，J/kg。

　　　h——完成液的质量焓，J/kg。

　　　H'——二次蒸汽的质量焓，J/kg。

　　　Q_L——蒸发器的热损失，W。

　　　Q——蒸发器的热流量，W。

由式(6-3)可知,已知各项热焓和热损失,即可求得蒸发器的热流量 Q 和加热蒸汽消耗量 D。

（2）热量衡算式简化

对于许多物系,溶解热和稀释热不大,通常可以忽略。对这类物系,溶液的热焓和比热容可以取质量平均,热量衡算式可以简化为

$$Q = Dr_0 = Fc_0(t - t_0) + W'_r + Q_L \tag{6-5}$$

$$D = \frac{Fc_0(t - t_0) + W'_r + Q_L}{r_0} \tag{6-6}$$

式中　r_0——加热蒸汽的冷凝潜热,J/kg。

　　t——完成液的温度,K。

　　t_0——料液的温度,K。

　　r'——二次蒸汽的冷凝潜热,J/kg。

　　c_0——料液的比热容,J/(kg·℃)。

由式(6-6)可见,当沸点进料,且忽略热损失时,$W/D = r_0/r' \approx 1$。考虑到实际有热损失等因素,单效蒸发的 W/D 约为 0.9。通常,将 1kg 生蒸汽所能蒸发的水量 W/D 称为"生蒸汽的经济性"或"经济程度",它反应了蒸发操作的能耗大小,是蒸发操作的重要经济指标之一。

【例 6-1】 用单效蒸发器将质量分数为 0.68 的硝酸铵水溶液浓缩至 0.9;进料量为 10^4 kg/h,加热用饱和蒸汽压力为 294kPa(绝),蒸发室内压力为 20kPa,溶液沸点为 $100℃$,沸点进料,热损失为 2.7×10^4W。试求:水分蒸发量,加热蒸汽消耗量和生蒸汽的经济性。

解： 由式(6-2)可得

$$W = F\left(1 - \frac{x_0}{x}\right) = 10^4\left(1 - \frac{68}{90}\right) = 2.44 \times 10^3 \text{kg/h}$$

由加热蒸汽压力,查水蒸气压表:$T = 132.9℃$,$r_0 = 2238.8$kJ/kg,由蒸发室压力查得二次蒸汽:$r' = 2356$kJ/kg,代入式(6-6)可得

$$D = \frac{W'_r + Q_L}{r_0} = \frac{2.44 \times 10^3 \times 2356 + 2.7 \times 10^4 \times 3600/1000}{2238.8}$$

$$= 2.61 \times 10^3 \text{kg/h}$$

$$\frac{W}{D} = \frac{2.44 \times 10^3}{2.61 \times 10^3} = 0.934$$

3．蒸发器的传热面积（A）的计算

蒸发器的传热面积可依据传热速率方程式求得,即

$$A = Q/K\Delta t_m \tag{6-7}$$

式中　Q——蒸发器的热流量,W。

　　A——蒸发器的传热面积,m^2。

　　K——蒸发器的传热系数,W/($m^2 \cdot$ K)。

　　Δt_m——蒸发器的平均传热温差,K。

由公式可见,计算传热面积需知传热温度差和传热系数。

（1）蒸发器中传热平均温度差 Δt_m 的确定

在蒸发操作中,蒸发器加热室一侧是蒸汽冷凝,另一侧为液体沸腾,因此蒸发操作中的传热是间壁两侧流体皆有相变的恒温传热过程。其传热平均温度差 Δt_m 为加热蒸汽温度 T 与溶液沸点 t 的差值,称为"有效温度差",即

$$\Delta t_m = T - t \qquad\qquad (6\text{-}8)$$

式中　T——加热蒸汽的温度,℃。

　　　　t——操作条件下溶液的沸点,℃。

实际上,由于受溶剂的性质、溶质的含量、操作压力、管路损失等因素的影响,溶液的沸点 t 要大于二次蒸汽的温度 T'。通常,我们把加热蒸汽的温度和二次蒸汽温度的差值称为"蒸发器的理论传热温度差",记为 Δt_T,$\Delta t_T = T - T'$;而把理论传热温度差 Δt_T 和有效传热温度差 Δt_m 之间的差值称为"蒸发器的传热温度差损失",记作 Δ,$\Delta = \Delta t_T - \Delta t_m$。蒸发操作中,产生温度差损失主要有以下三方面的原因。

①溶质存在使溶液沸点升高,产生的温度差损失记为 Δ'。

②液柱静压力引起的溶液沸点升高,产生的温度差损失记为 Δ''。

③管路中二次蒸汽流动阻力的影响,产生的温度差损失记为 Δ'''。

综上所述,蒸发器中总的温度差损失为:$\Delta = \Delta' + \Delta'' + \Delta'''$ 　　　　(6-9)

因此,溶液的沸点可由下式计算:

$$t = T' + \Delta' + \Delta'' + \Delta''' = T' + \Delta \qquad\qquad (6\text{-}10)$$

应当指出,溶液的温度差损失不仅是计算沸点所必需的,而且对选择加热蒸汽的压力也是很重要的。

(2)蒸发器传热系数 K 的确定

与一般的换热器确定 K 的方法一样,蒸发器 K 值的确定也有三种主要途径:一是选取经验值;二是实验测定 K 值;三是理论计算 K 值。在参考经验数据选择时,应注意选择与操作条件相近的数值,尽可能使选用的 K 值合理。表6-1列出了不同类型蒸发器的 K 值范围,供选用时参考。

表 6-1　蒸发器的总传热系数 K 值

蒸发器的型式	总传热系数 $W/(m^2 \cdot ℃)$
水平沉浸加热式	600~2300
标准式(自然循环)	600~3000
标准式(强制循环)	1200~6000
悬筐式	600~3000
外加热式(自然循环)	1200~6000
外加热式(强制循环)	1200~7000
升膜式	1200~6000
降膜式	1200~3500
蛇管式	350~2300

三、蒸发器的生产强度及其提高途径

1.蒸发器的生产强度 U

评价蒸发器的性能时,多用蒸发器的生产强度作为衡量的标准。蒸发器的生产强度 U 是指单位传热面积上单位时间内所蒸发的水量,其单位为 $kg/(m^2 \cdot h)$,即

$$U = \frac{W}{A} \tag{6-11}$$

若原料为沸点进料,且忽略蒸发器的热损失,则有:

$$U = \frac{W}{A} = \frac{K\Delta t_m}{r} \tag{6-12}$$

由式(6-12)可以看出,欲提高蒸发器的生产强度,必需设法提高蒸发器的传热温度差和总传热系数。

2.提高蒸发器生产强度的途径

(1)提高传热温度差

蒸发的传热温度差 Δt_m 主要取决于加热蒸汽和冷凝器中二次蒸汽的压力,因此工程上常采取以下措施来实现:

①提高加热蒸汽压力。加热蒸汽的压力越高,其饱和温度也越高。但是加热蒸汽压力常受工厂的供汽条件所限,一般为 $300\sim500kPa$,有时可达到 $600\sim800kPa$。

②采用真空操作。真空操作会使溶液的沸点降低,可以提高 Δt_m 和生产强度,还可以防止或者减少热敏性物料的分解。但是真空操作时,不仅会增加能耗而且还会使溶液黏度增大,造成沸腾传热系数下降。因此一般冷凝器中的操作压力为 $10\sim20kPa$。

(2)提高总传热系数

通常,增大总传热系数是提高蒸发器生产强度的主要途径。总传热系数 K 值主要取决于溶液的性质、沸腾状态、操作条件和蒸发器的结构等。因此合理的设计和操作能够提高和保持蒸发器高强度的工作状态。

总之,蒸发操作应根据溶液的性质及设备的结构形式等对蒸发强度的影响,按照工艺条件权衡采取相应的措施,以强化蒸发器的生产强度,达到优化蒸发操作的目的。

任务三　多效蒸发

把蒸发产生的二次蒸汽引至另一操作压力较低的蒸发器作为加热蒸汽,并把若干个蒸发器串联组合使用,这种操作称为多效蒸发。

一、多效蒸发及效数的概念

为了减少蒸汽消耗量,人们考虑利用前一个蒸发器生成的二次蒸汽,来作为后一个蒸发器的加热介质。后一个蒸发器的蒸发室是前一个蒸发器的冷凝器,此即多效蒸发的原理。因为二次蒸汽的压力较前一个加热蒸汽的压力低。所以后一个蒸发器应在较低的压力下操

作,即需有抽真空的装置。

多效蒸发中的每一个蒸发器称为"一效"。通入加热蒸汽的蒸发器称为"第一效"。用第一效的二次蒸汽作为加热蒸汽的蒸发器称为"第二效",用第二效的二次蒸汽作为加热蒸汽的蒸发器称为"第三效",依此类推。理论上效数越多,单位蒸汽消耗量越小,但实际上由于热损失、汽化潜热随着温度降低而增大、温度差损失等原因,单位蒸汽消耗量并不能达到如此经济的数值。根据经验,最小 D/W 的大致数值见表 6-2 所示。

表 6-2　单位蒸汽消耗量

效数	单效	双效	三效	四效	五效
$(D/W)_{最小}$	1.1	0.57	0.4	0.3	0.27

然而,多效蒸发与单效蒸发相比,并没有提高生产能力。加热蒸汽用量的减少、热能经济性的提高是以增大传热面积、增加设备费用为代价的。

二、多效蒸发的流程

根据原料加入方法的不同,多效蒸发流程可分为顺流、逆流和平流三种形式。

1.顺流(并流)法蒸发流程

顺流加料(也称"并流加料")法是工业生产中常用的加料法,其流程如图 6-3 所示。

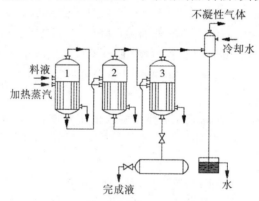

图 6-3　顺流(并流)法加料三效蒸发流程

在这种流程中,溶液的流向和蒸汽的流向相同,从第 1 效到第 3 效,压力逐效降低,溶液浓度逐效升高。

特点:

(1)溶液的输送可以利用各效间的压力差进行。

(2)溶液由前一效进入后一效时,由于减压,存在自蒸发现象,故后一效产生的二次蒸汽略多。

(3)传热系数逐效减小,最末一、二效尤为显著。

因此对黏度随浓度增加而迅速增大的溶液,不宜采用顺流(并流)法进行多效蒸发。

2.逆流法蒸发流程

逆流加料流程如图 6-4 所示。溶液的流向和蒸汽的流向相反。原料液从末效加入,用泵打入前一效,完成液由第一效底部排出,而加热蒸汽仍是加入第一效加热室,与顺流加料的蒸汽流向相同。此流程中压力逐效降低,溶液浓度逐效降低。

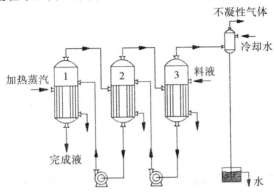

图 6-4　逆流法加料三效蒸发流程

特点:

(1)黏度大的一效,加热蒸汽温度高,所以各效的黏度值较为接近,传热系数也大致相同,这样蒸发速率大致相同。这是逆流加料的优点。

(2)效与效之间需要有泵来输送,增加了动力消耗。

因此逆流加料适用于黏度随浓度和温度变化较大的溶液,而不适于热敏性物料的蒸发。

3.平流(错流)法蒸发流程

平流(也称"错流")加料方法是按各效分别加料和分别出料的方式进行操作,各效溶液的流向互相平行。流程如图 6-5 所示。

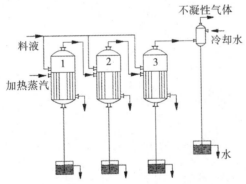

图 6-5　平流(错流)法加料三效蒸发流程

特点:

每效皆处于最大浓度下进行蒸发,所以溶液黏度大,致使传热损失较大;同时各效的温度差损失较大,故降低了蒸发设备的生产能力。

因此平流(错流)加料方法适用于在蒸发过程中同时有结晶析出的场合,因其可避去结晶体在效间输送时堵塞管道,或用于对稀溶液稍加浓缩的场合。

以上介绍的是几种基本的加料方法及其相应流程。在实际生产中,还常根据具体情况采用这些基本加料方法和流程的变型。

三、多效蒸发的效数限制

多效蒸发效数主要受有效温度差和经济效益两个因素的限制。

1.有效温度差

蒸发装置中效数越多,温度差损失越大。根据经验,每效分配到的温度差不应小于5～7℃,否则就不可能使溶液维持在泡核沸腾阶段。若效数过多还可能发生总温度差损失等于或大于有效总温度差,从而使蒸发操作无法进行。因此效数受到有效温度差的限制。

2.经济效益

多效蒸发中随着效数增加,单位蒸汽消耗量虽然不断减小,但加热蒸汽消耗量的降低率也随之减小。同时,随着效数增加,蒸发器及其附属设备的费用成倍地增加,当增加一效的设备费用不能与所节省的加热蒸汽的收益相抵时,就没有必要再增加效数了。所以经济效益也是限制效数的重要因素。

基于上述理由,工业上使用的多效蒸发装置,其效数并不是很多。一般对于电解质溶液,如NaOH等水溶液的蒸发,由于其沸点升高较大,故采用2～3效;对于非电解质溶液,如糖的水溶液或其他有机溶液的蒸发,由于其沸点升高较小所用的效数可取4～6效;而在海水淡化的蒸发装置中,效数可多达20～30效。

项目 2
蒸发设备

学习目标

- 理解蒸发操作常见设备的结构、工作过程及特点
- 了解蒸发操作的辅助设备
- 理解蒸发器的安装、操作与维护

蒸发设备不仅包括蒸发器还包括使液沫进一步分离的除沫器、除去二次蒸汽的冷凝器以及真空蒸发采用的真空泵等辅助设备。下面分别介绍常用的蒸发器及蒸发辅助设备。

任务一　蒸发器

随着生产要求的不断提高,科学技术的不断发展,蒸发器的构型也日渐繁多。尽管蒸发器的类型各异,但都是由加热室和分离室两部分组成。蒸发器分类按照操作方式分为间歇式和连续式蒸发器;按溶液在蒸发器内的循环方式可分为自然循环型和强制循环型蒸发器;按溶液在加热室内的流动情况又可分为膜式蒸发器和非膜式蒸发器等。总体上针对常用的间壁传统式蒸发器,按溶液在蒸发器中的运动情况,大致分为循环型(非膜式)蒸发器和单程型(膜式)蒸发器,下面仅按照循环型(非膜式)蒸发器和单程型(膜式)蒸发器两种类型介绍工业上常用的几种蒸发设备。

一、循环型(非膜式)蒸发器

循环型蒸发器的特点是溶液在蒸发器中循环流动,蒸发器内溶液浓度基本相同,接近于完成液的浓度。操作稳定。由于引起循环的原因不同,又可分为自然循环与强制循环两类。前者是由于溶液在加热室不同位置上的受热程度不同,产生了密度差而引起的循环运动;后者是依靠外加动力迫使溶液沿一个方向作循环流动。

1.中央循环管式(标准式)蒸发器

(1)结构　如图 6-6 所示,其下部的加热室由垂直管束组成,中间是一根直径较大的中央循环管。当管内液体被加热沸腾时,中央循环管内气液混合物的平均密度较大;而其余加热管内气液混合物的平均密度较小。在密度差的作用下,溶液由中央循环管下降,而由加热管上升,做自然循环流动。溶液的循环流动提高了沸腾表面传热系数,强化了蒸发过程。

(2)特点　这种蒸发器具有结构紧凑,制造方便,传热较好,操作可靠等优点,应用十分广泛。为使溶液有良好的循环,中央循环管的截面积一般为其余加热管总截面积的 $40\%\sim$

100％;加热管的高度一般为 1～2m;加热管径多为 25～75mm 之间。但实际上由于结构上的限制,其循环速度一般在 0.4～0.5m/s 以下;蒸发器内溶液浓度始终接近完成液浓度;清洗和维修也不够方便。

2.悬筐式蒸发器

(1)结构　如图 6-7 所示,其加热室像篮筐,悬挂在蒸发器壳体的下部,加热蒸汽由顶部引入,在管间加热管内的溶液。其原理和中央循环管式相同,但溶液沿悬筐外壁和外壳体内壁所形成的环隙向下做循环流动。循环速度略大。

(2)特点　悬筐式蒸发器优点是加热室可由顶部取出,便于检修和更换,适用于易结晶、结垢溶液的蒸发;热损失较小。但是结构复杂,单位传热面的金属消耗量较多。

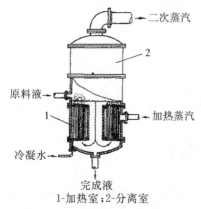

1-加热室;2-分离室

图 6-6　中央循环管式蒸发器

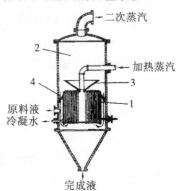

1-加热室;2-分离室;3-除沫器;4-环形循环通道

图 6-7　悬筐式蒸发器

3.外热式蒸发器

(1)结构　外热式蒸发器其结构如图 6-8 所示,主要是将加热室与蒸发室分开安装。采用了长加热管(管长与管径之比为 50～100);由于循环管内的溶液未受蒸汽加热,其密度较加热管内的大,因此形成溶液沿循环管下降而沿加热管上升的循环运动,且循环速度大。

(2)特点　循环速度较大(可达 1.5m/s);加热室便于清洗和更换。

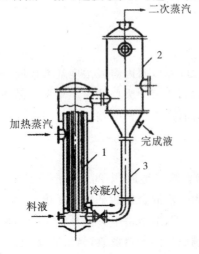

1-加热室;2-分离室;3-循环管

图 6-8　外加热式蒸发器

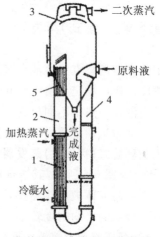

1-加热室;2-沸腾室;3-分离室;
4-循环管;5-挡板

图 6-9　列文蒸发器

4.列文蒸发器

(1)结构　列文蒸发器其结构如图 6-9 所示,是自然循环蒸发器中比较先进的一种形式,主要部件为加热室、沸腾室、循环管和蒸发室。列文蒸发器在加热室之上增设 2.7~5m 高的沸腾室。蒸发器内由于沸腾室内液柱静压力的作用,加热管内的溶液只升温不沸腾,升温后的溶液上升至沸腾室时,压力降低,沸腾汽化。这样就将溶液的沸腾汽化由加热室转移到没有传热面的沸腾室,另外,其循环管的截面积为加热管总截面积的 2~3 倍,溶液流动阻力小,因而循环速度可达 1.5~2.5m/s。

(2)特点　列文蒸发器可显著减轻和避免加热管表面的结晶和结垢,较长时间不需要清洗,传热效果较好。但由液柱静压力引起的温度差损失较大,要求加热蒸汽有较高的压力;设备庞大,消耗材料多,需要高大的厂房。这种蒸发器在一些大中型电化厂的烧碱生产中应用较广。

5.强制循环蒸发器

(1)结构　前面四种蒸发器都是自然循环型蒸发器,他们的共同不足之处是溶液的循环速度较低,传热效果欠佳。强制循环蒸发器其结构如图 6-10 所示,是利用外加动力(循环泵)促使溶液沿一定方向循环,其循环速度可达 2.5~3.5m/s。循环速度的大小可通过流量来调节。

(2)特点　优点是循环速度大,且可调节;可用于蒸发黏度大,易结晶、结垢的物料;传热系数较大。而不足是输送设备能耗大,每平方米加热面积需 0.4~0.8kW。

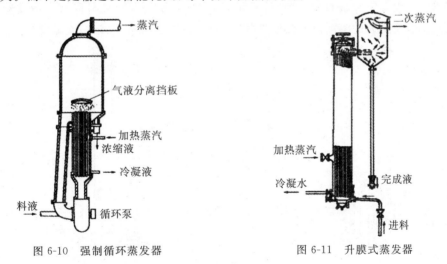

图 6-10　强制循环蒸发器　　　　图 6-11　升膜式蒸发器

二、单程(膜式)型蒸发器

循环型蒸发器的主要缺点是溶液在蒸发器内停留时间较长,对热敏性物料容易造成分解和变质。在膜式蒸发器内,溶液沿加热管呈膜状流动,一次通过加热室即可浓缩到要求的浓度,停留时间短(几秒至十几秒),故特别适用于热敏性物料的蒸发;温度差损失较小,表面传热系数较大。但是设计或操作不当时不易成膜,热流量将明显下降;不适用于易结晶、结垢物料的蒸发。单程(膜式)型蒸发器是目前广泛应用的高效蒸发设备。

根据溶液在加热管内的流动方向以及成膜原因的不同,膜式蒸发器可分为以下几种类型:

1. 升膜式蒸发器

（1）结构　升膜式蒸发器结构如图 6-11 所示。其加热室由许多垂直长管组成,常用管径为 25~50mm,管长与管径之比为 100~150。热的料液自蒸发器底部进入加热管内迅速汽化,在蒸汽的带动下,溶液沿管壁呈膜状迅速上升,并继续蒸发,气液混合物由管口高速冲出。被浓缩的液体经气液分离即排出蒸发器。升膜式蒸发器内的物料随着汽速的变化,可能出现不同的流动状态,但以膜状流动时传热系数最大,因此溶液应预热到接近沸点下进入蒸发器,以避免出现显热段,使器内膜状流动所占比例较大。

（2）特点　升膜式蒸发器适用于处理蒸发量较大的稀溶液以及热敏性或易生泡的溶液;不适用于处理高黏度、有晶体析出或易结垢的溶液。

2. 降膜式蒸发器

（1）结构　降膜式蒸发器的结构如图 6-12 所示,它与升膜式蒸发器的结构基本相同,主要区别在于其原料液由加热管的顶部加入,溶液在自身重力作用下沿管内壁呈膜状下降并进行蒸发,浓缩后的液体从加热室的底部进入分离器内,并从底部排出,二次蒸汽由分离室顶部溢出。在该蒸发器中,每根加热管的顶部必须装有降膜分布器,以保证每根管子的内壁都能为料液所润湿,并不断有液体缓缓流过;否则,一部分管壁将出现干壁现象,使其达不到最大生产能力,甚至不能保证产品质量。

（2）特点　降膜式蒸发器中由于蒸发温和,液体的滞留量少,当加料、浓度、压强等操作条件变化时,过程反应灵敏而易于控制,有利于提高产物的质量。此外降膜式蒸发器还适用于蒸发浓度大,黏度大的溶液以及热敏性物料,而不适用于易结晶、结垢或黏度很大的物料。

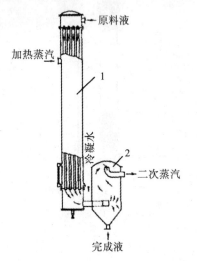

图 6-12　降膜式蒸发器

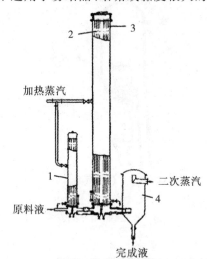

1-预热器;2-升膜加热室;3-降膜加热室;4-分离器

图 6-13　升—降膜式蒸发器

3. 升—降膜式蒸发器

（1）结构　升—降膜式蒸发器结构如图 6-13 所示。蒸发器底部的封头内装置有一块隔板,该隔板将加热管束分为两部分,形成类似于双管程换热器的结构。原料也经预热达到沸点或接近沸点后引入升膜加热管束的底部,液体沿管壁向上呈膜状流动。接着气液混合物由顶部流入降膜加热管束,液体又呈膜状沿管壁向下流动,最后气液混合物进入分离室进行分离后即得完成液。

（2）特点 升－降膜式蒸发器一般用于浓缩过程中黏度变化大的溶液，或厂房高度有一定限制的场合。若蒸发过程中溶液的黏度变化大，推荐采用常压操作。

4.旋转刮板式蒸发器

（1）结构 旋转刮板式蒸发器的结构如图 6-14 所示。此种蒸发器的加热管是一根较粗的直立圆管，中、下部设有两个夹套进行加热，圆管中心装有旋转刮板，刮板借旋转离心力紧压于液膜表面。原料液自顶部进入蒸发器后，在刮板的搅动下分布于加热管内壁，并成膜状旋转向下流动。汽化的二次蒸汽在加热管上端无夹套部分中被旋转刮板分去液沫，然后由上部抽出并加以冷凝。浓缩液由蒸发器底部排出。

（2）特点 旋转刮板式蒸发器适应高黏度、易结晶、易结垢的浓溶液的蒸发。在某些场合下，可将溶液蒸干，而由底部直接获得粉末状固体产物；但其缺点是结构稍复杂，制造要求高，加热面不大，且需要消耗一定的动力。

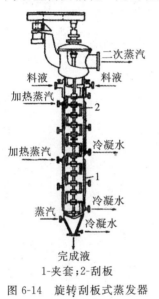

图 6-14 旋转刮板式蒸发器

1-夹套；2-刮板

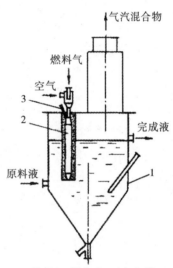

图 6-15 浸没燃烧式蒸发器

1-外壳；2-燃烧室；3-点火管

三、直接加热式蒸发器

（1）结构 直接加热式蒸发器，也称为"浸没燃烧式蒸发器"（如图 6-15 所示），是一种加热方式采用直接加热的蒸发器，前述的几种蒸发器的加热方式都是间接加热，工业上有时候也采用这种浸没燃烧式蒸发器。工作时一般将一定比例的燃烧气与空气直接喷入溶液中，燃烧气的温度可高达 1200～1800℃，由于气、液间的温度差大，且气体对溶液产生强烈的鼓泡作用，使水分迅速蒸发，蒸出的二次蒸汽与烟道气一同由顶部排出。

（2）特点 浸没燃烧器的结构简单，不需要固定的传热面，热利用率高，适用于易结垢、易结晶或有腐蚀性溶液的蒸发，但不适于处理不能被燃烧气污染及热敏性物料的蒸发。目前广泛应用于废酸处理工业。

蒸发器随生产工艺及生产条件的不同而各异，下面总结了几种常见的蒸发器的主要性能。

表 6-3 常见蒸发器的一些主要性能

蒸发器形式	制造价格	传热系数		溶液在管内的速度	停留时间	完成液浓度能否恒定	浓缩比	处理量	能否适应物料的工艺特性					
		稀溶液	高黏度						稀溶液	高黏度	易产生泡沫	易结垢	有结晶析出	热敏性
水平管式	最廉	良好	低	—	长	能	良好	一般	适	适	适	不适	不适	不适
中央循环管式	最廉	良好	低	0.1~0.5	长	能	良好	一般	适	适	适	尚适	稍适	尚适
外热式（自然循环）	廉	高	良好	0.4~1.5	较长	能	良好	较大	适	尚适	较好	尚适	稍适	尚适
列文式	高	高	良好	1.5~2.5	较长	能	良好	较大	适	尚适	较好	尚适	稍适	尚适
强制循环	高	高	高	2.0~3.5	—	能	较高	大	适	好	好	适		尚适
升膜式	廉	高	良好	0.4~1.0	短	较难	高	大	适	尚适	好	尚适	不适	良好
降膜式	廉	良好	高	0.4~1.0	短	尚能	高	大	较适	好	适	不适	不适	良好
刮板式	最高	高	良好	—	短	尚能	高	小	较适	好		适		良好
旋风式	最廉	高	良好	1.5~2.0	短	较难	较高	小	适	适	适	尚适	适	良好
板式	高	高	良好	—	较短	尚能	良好	较小	适	尚适	适	不适	不适	尚适
浸没燃烧式	廉	高	高	—	短	能	良好	较小	适	适	适	适	适	不适

　　蒸发操作是一种常见的单元操作,广泛应用于各种工业中。对这类应用量大且面广的设备,通过技术改进来提高蒸发强度,可以对社会产生显著的经济影响。从上述的各种设备结构描述中我们不难发现,不论是间接加热的非膜式还是膜式蒸发器,其主要元件都是加热管束。所以改造蒸发器的加热管束,是提高蒸发器的传热强度的可行途径。近年来,国内外差不多都是从改造管束着手以减薄液膜厚度从而提高蒸发强度。

任务二 蒸发器的辅助设备

　　蒸发器的辅助设备主要包括除沫器、冷凝器和形成真空的装置。下面简单的介绍各种辅助装置。

一、除沫器

(1)结构　除沫器工作时是借液滴运动的惯性撞击金属物或壁面而被捕集。除沫器型式有多种,图 6-16 为常用的几种除沫器结构。图中的 1～4 可直接安装在蒸发器的顶部,而 5～7 安装在蒸发器的外部。同时在图中的几种除沫器中,丝网式除沫器的分离效果最好。丝网除沫器通常是将金属或合成纤维网叠合或卷制成整体后装入筒体而成,必要时可以更换。

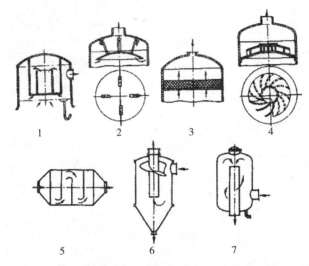

1-折流式除沫器;2-球形除沫器;3-金属丝网除沫器;4-离心式除沫器;
5-冲击式除沫器;6-旋风式除沫器;7-离心式除沫器
图 6-16　除沫器的主要类型

(2)用途　蒸发操作时,二次蒸汽中夹带大量的液体,为防止溶质损失或者污染冷凝液体,还要设法减少液沫,安装除沫器就是为了减少液沫。

二、冷凝器及真空装置

(1)结构　冷凝器有间壁式和直接接触式两类。间壁式冷凝器主要用于二次蒸汽是有价值的产品需要回收,或会严重污染冷却水的情况;而其他大部分情况下均采用的是直接接触的混合式冷凝器。图 6-17 为逆流高位混合式冷凝器,是冷凝器中较为常见的一种。其顶部用冷却水喷淋,使之与二次蒸汽直接接触将其冷凝。这种冷凝器一般均处于负压操作,为将混合冷凝后的水排向大气,冷凝器的安装必须足够高。因此冷凝器底部连接一长管(称为"大气腿")正是这个原因。

(2)用途　冷凝器是一般蒸发操作中不可缺少的辅助设备之一。由于要使蒸发操作连续进行,除了必须不断地提供溶剂汽化所需的热量外,还必须及时排除二次蒸汽,通常采用的方法就是将二次蒸汽冷凝成液态水后排出。

当减压蒸发操作时,需在冷凝器后设置真空装置,不断排除二次蒸汽中不凝性气体,从而维持蒸发操作所需的真空度。常用的真空装置有喷射泵、往复式真空泵以及水环式真空泵等。

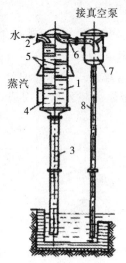
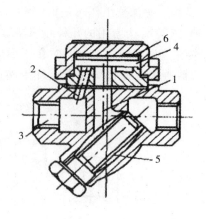

1-外壳；2-进水口；3,8-气压管；4-蒸汽进口；
5-淋水板；6-不凝性气体导管；7-分离器
图 6-17　逆流高位混合式冷凝器

1-冷凝水入口；2-冷凝水出口；3-排出管；
4-变压室；5-滤网；6-阀片
图 6-18　热动力式疏水器

三、疏水器

　　(1)结构　疏水器结构形式多样，按其启闭的作用原理大致有机械式、热膨胀式和热动力式等类型。热动力式疏水器的体积小造价低，其应用日趋广泛。图 6-18 所示为目前常用的热动力式疏水器的一种。冷凝水在加热蒸汽压强下流入冷凝水入口(如图 6-18 所示)，将阀片顶开，由出口排出。当冷凝水趋于排尽，排出液夹带的蒸汽较多，温度升高，促使阀片上方的背压升高。同时，阀片在自重及压差的作用下自动落下，切断进出口之间的通道。经一段时间后，由于疏水器散热，阀片上方背压室内的蒸汽部分冷凝，背压下降，阀片重新开启，实现周期性地排水。

　　(2)用途　疏水器是蒸发器的必须辅助设备之一。疏水器的作用是将冷凝水及时排出，且能防止加热蒸汽由排出管逃逸而造成浪费。同时，疏水器的结构应便于排除不凝性气体。

任务三　蒸发器的安装、操作与维护

　　蒸发操作是化工生产中常见的单元操作之一，操作中所使用的主要设备蒸发器属于压力容器的范畴。因此，必须要求操作人员做到"四懂"、"四会"，才能上岗进行操作。所谓"四懂"是指操作人员要懂得蒸发器的结构、原理、性能和用途；而"四会"则是指操作人员要会操作、会保养、会检查及会排除故障。除此之外，还须具有蒸发器的安全操作知识，才能使蒸发器安全正常运行，使其发挥最大的效益。尽管蒸发器有多种结构形式，但其基本的操作和维护还是具有一些共同的规律。下面以薄膜蒸发器为例介绍蒸发器的简单整体安装步骤以及蒸发器的一些共同的操作和维护规律。

一、安装

（1）设备出厂前一般已经进行过整体试车，因此安装时可把设备整体吊装至设备基础上。

（2）设备应整体找平，找平的位置可参考减速机机架上平面，并把设备固定在楼面上或钢架上。

（3）对于规格较大的设备为了增加设备的稳定程度，可在底法兰上部适当部位，增加水平方向辅助支撑，辅助支点只限制设备径向位移，不限制其轴向位移。

（4）按工艺要求配置好管道，排清异物，清洗置换设备，接通电源。

二、操作

蒸发系统的日常运行操作包括系统开车、设备运行及停车等方面。

1.系统开车

首先应严格按照操作规程，进行开车前准备。先认真检查加热室是否有水，避免在通入蒸汽时剧热或水击引起蒸发器的整体剧振；检查泵、仪表、蒸汽与冷凝液管路、加料管路等是否完好。开车时，根据物料、蒸发设备及所附带的自控装置的不同，按照事先设定好的程序，通过控制室依次按规定的开度、规定的顺序开启加料阀、蒸汽阀，并依次查看各效分离罐的液位显示。当液位达到规定值时再开启相关输送泵；设置有关仪表设定值，同时置其为自动状态；对需要抽真空的装置进行抽真空；监测各效温度，检查其蒸发情况；通过有关仪表观测产品浓度，然后增大有关蒸汽阀门开度以提高蒸汽流量；当蒸汽流量达到期望值时，调节加料流量以控制浓缩液浓度。一般来说，减少加料流量则产品浓度增大，而增大加料流量，则产品浓度降低。

在开车过程中由于非正常操作常会出现许多故障。最常见的是蒸汽供给不稳定。这可能是因为管路冷或冷凝液管路内有空气所致，应注意检查阀、泵的密封及出口，当达到正常操作温度时，就不会出现这种问题；也可能是由于空气漏入二效、三效蒸发器所致，当一效分离罐工艺蒸汽压力升高超过一定数值时，这种泄漏就会自行消失。

2.操作运行

设备运行中，必须精心操作，严格控制。注意监测蒸发器各部分的运行情况及规定指标。通常情况下，操作人员应按规定的时间间隔检查调整蒸发器的运行情况并如实做好操作记录。当装置处于稳定运行状态下，不要轻易变动性能参数，否则会使装置处于不平衡状态，并需花费一定时间调整以达平缓，这样就造成生产的损失或者出现更坏的影响。控制蒸发装置的液位是关键，目的是使装置运行平稳，从一效到另一效的流量更趋于合理、恒定。有效地控制液位也能避免泵的"汽蚀"现象，大多数泵输送的是沸腾液体，所以不可忽视发生"汽蚀"的危险。只有控制好液位，才能保证泵的使用寿命。

为确保故障条件下连续运转，所有的泵都应配有备用泵，并在启动泵之前，检查泵的工作情况，严格按照要求进行操作。

按规定时间检查控制室仪表和现场仪表读数,如超出规定,应迅速查找原因。如果蒸发料液为腐蚀性溶液,应注意检查视镜玻璃,防止腐蚀。一旦视镜玻璃腐蚀严重,当液面传感器发生故障时,会造成危险。

3. 停车

停车有完全停车、短期停车和紧急停车之分。当蒸发器装置将长时间不启动或因维修需要排空的情况下,应完全停车。对装置进行小型维修只需短时间停车时,应使装置处于备用状态。如果发生重大事故,则应采取紧急停车。对于事故停车,很难预知可能发生的情况,一般应遵循如下几点:

(1)当事故发生时,首先用最快的方式切断蒸汽(或关闭控制室气动阀,或现场关闭手动截止阀),以避免料液温度继续升高。

(2)考虑停止料液供给是否安全,如果安全,应用最快方式停止进料。

(3)再考虑破坏真空会发生什么情况,如果判断出不会发生不利情况,应该打开靠近末效真空器的开关以打破真空状态,停止蒸发操作。

(4)要小心处理热料液,避免造成伤亡事故。

三、维护

(1)定期洗效

对蒸发器的维护通常采用"洗效"(又称"洗炉")的方法,即清洗蒸发装置内的污垢。不同类型的蒸发器在不同的运转条件下结垢情况是不同的,因此要根据生产实际和经验,定期进行洗效。洗效周期的长短与生产强度及蒸汽消耗紧密相关。因此要特别重视操作质量,延长洗效周期。洗效方法分大洗和小洗两种。

①大洗。大洗就是排出洗效水的洗效方法。首先降低进汽量,将效内料液出尽,然后将冷凝水加至规定液面,并提高蒸汽压力,使水沸腾以溶解效内污垢,开启循环泵冲洗管道,当达到洗涤要求时,降低蒸汽压力,再排出洗效水。若结垢严重,可进行两次洗涤。

②小洗。小洗就是不排出洗效水的方法。一般蒸发器加热室上方易结垢,在未整体结垢前可定时水洗,以清除加热室局部垢层,从而恢复正常蒸发强度。方法是降低蒸汽量之后,将加热室及循环管内料液出尽,然后循环管内进水达一定液位时,再提高蒸汽压,并恢复正常生产,让洗效水在效内循环洗涤。

(2)经常观察各台加料泵、过料泵、强制循环泵的运行电流及工况。

(3)蒸发器周围环境要保持清洁无杂物,设备外部的保温保护层要完好,如有损坏,应及时进行维护,以减小热损失。

(4)严格执行大、中、小修计划,定期进行拆卸检查修理,并做好记录,积累设备检查修理的数据,以利于加强技术改进。

(5)蒸发器的测量及安全附件、温度计、压力表、真空表及安全阀等都必须定期校验,要求准确可靠,确保蒸发器的正确操作控制及安全运行。

(6)蒸发器为一类压力容器,日常的维护和检修必须严格执行压力容器规程的规定;对蒸发室主要进行外观和壁厚检查。加热室每年进行一次外观检查和壳体水压试验;定期对加热管进行无损壁厚测定,根据测定结果采取相应措施。

四、蒸发安全操作要点

(1)严格控制各效蒸发器的液面,使其处于工艺要求的适宜位置。

(2)在蒸发容易析出结晶的物料时,易发生管路、加热室、阀门等的结垢堵塞现象。因此需定期用水冲洗保持畅通,或者采用真空抽拉等措施补救。

(3)经常调校仪表,使其灵敏可靠。如果发现仪表失灵,要及时查找原因并处理。

(4)经常对设备、管路进行严格检查、探伤,特别是视镜玻璃要经常检查、适时更换,以防因腐蚀造成事故。

(5)检修设备前,要泄压泄料,并用水冲洗降温,去除设备内残存的腐蚀性液体。

(6)操作、检修人员应穿戴好防护衣物,避免热液、热蒸汽造成人身伤害。

(7)拆卸法兰螺丝时应对角拆卸或紧固,而且按步骤执行,特别是拆卸时,确认已经无液体时再卸下,以免液体喷出,并且注意管口下面不能有人。

(8)检修蒸发器要将物料排放干净,并用热水清洗处理,再用冷水进行冒顶洗出处理。同时要检查有关阀门是否能关死,否则加盲板,以防检修过程中物料喷出伤人。蒸发器放水后,打开入孔应让空气置换并降温至36℃以下,此时检修人员方可穿戴好衣物进入检修,外面需有人监护,便于发生意外时及时抢救。

习题六

1.将 700kg/h、浓度为 6%(质量分数,下同)的某溶液蒸发浓缩到 95%。试求每小时溶剂的蒸发量和完成液量。(答:665.79kg/h;44.21kg/h)

2.在单效蒸发器中,将某种水溶液从 10% 连续浓缩到 30%(质量分数,下同),原料液流量为 2000kg/h,温度为 70℃,比热为 3.77kJ/(kg·℃),蒸发操作的平均压强为 39.3kPa,相应的溶液沸点为 80℃,加热蒸汽绝对压强为 196kPa。如果蒸发器的传热系数 K 为 1000W/(m²·℃),热损失为蒸发器传热量的 5%。试求蒸发量、蒸发器的传热面积和加热蒸汽消耗量(溶剂的汽化潜热为 273.0kJ/kg)。(答:1333.33kg/h;22.23m²;1432.13kg/h)

3.用一单效蒸发器,将流量 1000kg/h 的 NaCl 水溶液由 5%(质量分数,下同)蒸浓至 30%,蒸发压力为 20kPa(绝),进料温度 30℃,料液比热容为 4kJ/(kg·℃),蒸发器内溶液的沸点为 75℃,蒸发器的传热系数为 1500W/(m²·℃),加热蒸汽压力为 120kPa(绝),若不计热损失,求所得完成液量,加热蒸汽消耗量和经济程度 W/D,以及所需的蒸发器传热面积。(答:166.7kg/h;954kg/h;0.874;13.6m²)

4.一常压蒸发器,每小时处理 2700kg 浓度为 7%(质量分数,下同)的水溶液,溶液的沸点为 103℃,加料温度为 15℃,加热蒸汽的表压为 196kPa,蒸发器的传热面积为 50m²,传热系数为 930W/(m²·℃)。求溶液的最终浓度和加热蒸汽消耗量。(答:21.5%;2.32×10³kg/h)

本模块主要符号说明

英文

A——传热面积，m^2；

B——壁厚，m；

C——比热容，$kJ/kg \cdot K$；

D——管径，m；

D——设备直径，m；

F——校正系数；

L——液面高度，m；

N——效数；

P——加热蒸汽压力，Pa；

g——重力加速度，m/s^2；

F——料液的流量，kg/s；

x_0——溶质浓度（质量分数）；

W——蒸发水分的流量，kg/s；

x——完成液中溶质的浓度（质量分数）；

D——加热蒸汽的消耗量，kg/s；

R——污垢热阻，$m^2 \cdot K/W$；

H——加热蒸汽的质量焓，J/kg；

h_0——料液的质量焓，J/kg；

h^*——冷凝水的质量焓，J/kg；

h——完成液的质量焓，J/kg；

H'——二次蒸汽的质量焓，J/kg；

Q_L——蒸发器的热损失，W；

Q——蒸发器的热流量，W；

U——蒸发器的生产强度，$kg/(m^2 \cdot h)$；

t——完成液的温度，K；

t_0——料液的温度，K；

T——蒸汽温度，K；

r——汽化热，kJ/kg；

r'——二次蒸汽的冷凝潜热，J/kg；

c_0——料液的比热容，$J/(kg \cdot ℃$

K——蒸发器的传热系数，$W/m^2 \cdot K)$；

Δt_m——蒸发器的平均传热温差，K。

希文

α——对流传热系数，$W/m^2 \cdot K$；

λ——导热系数，$W/m \cdot K$；

μ——流体的黏度，$Pa \cdot s$；

ρ——流体密度，kg/m^3；

η——热利用系数；

Δ——温度差损失，K；

σ——表面张力，N/m。

下标

m——平均；

c——冷凝；

1、2、3——效数序号。

模块七

干　燥

项目 **1**
干燥基础知识

学习目标

- 了解各种去湿方法的特点；理解对流干燥过程的机理
- 理解湿空气的性质、湿空气的湿度图及其在干燥中的应用
- 掌握空气参数的确定方法

任务一　干燥技术概述

一、干燥技术在工业上的应用

干燥技术在化工、石油化工、医药、食品、原子能、纺织、建材、采矿、电工和机械制造以及农产品等行业中都有广泛应用，在国民经济中占有很重要的地位。比如：

①在化学工业中洗衣粉、塑料、树脂、染料、颜料、农药（除草剂、杀菌剂、杀虫剂）、肥料（硝酸铵、尿素等）、陶瓷材料（壁面砖、地面砖、电瓷、高压电瓷、玻璃粉等）、矿山提浓物（硫化物矿、铁石矿、冰晶石）、催化剂、水泥、TNT 炸药等的生产。

②在食品工业中奶制品（脱脂奶粉、全奶粉、乳清粉、干酪等）、蛋类（蛋白粉、蛋黄粉）、香料（香料粉）、饮料（速溶咖啡、速溶茶）、植物性蛋白粉、水果类粉、蔬菜类粉等的生产。

③在医药和生化工业中酶（淀粉酶、蛋白酶、果胶酶等）、抗生素、血清、血浆、血浆代用品、疫苗、酵母、维生素等的生产。

二、干燥的概念

化工生产中的固体原料、产品或半成品为便于进一步的加工、运输、贮存和使用，常常需要将其中所含的湿分（水或有机溶剂）去除，使其湿分含量符合指定的要求。例如，树脂颗粒如含水超过规定，则在其成型加工过程中会有气泡产生，影响产品品质，如聚氯乙烯的含水量就必须低于 0.2%；药品和食品中湿含量过高就会影响其使用期限。除去湿分的方法很多，化工生产中常用的主要有三类。

（1）机械去湿法　用沉降、压滤、离心分离等机械方法除去湿分。这种方法除湿不完全，但能量消耗较低，适用于物料中含湿量较大、不需要将湿分完全除去的情况。

（2）化学去湿法　又称"吸附去湿法"，它用吸湿性物料吸附湿物料中的水分，如生石灰，

浓硫酸,磷酸酐,无水氯化钙,硅胶,片状烧碱等。该法只能除去少量湿分,而且操作费用高,操作麻烦,通常用在小批量固体物料的去湿,如液体或气体中水分的脱除。

(3)热能去湿法　即用热能使湿分从物料中汽化并除去的方法来去湿。这种去湿操作称为固体的干燥。该法除湿较彻底,但能耗较高。

化工生产中,为了使去湿操作经济有效地进行,通常先用机械方法除去湿物料中的大部分湿分后再进行热能去湿(干燥操作),以制成湿含量符合规定的产品。

三、干燥过程的分类

1.按操作压强来分

主要有常压干燥和真空干燥。真空干燥时温度较低、蒸汽不易外泄,适宜于处理热敏性、易氧化、易爆或有毒物料以及产品要求含水量较低、防止污染及湿分蒸汽需要回收的情况。加压干燥只在特殊情况下应用,通常是在压力下加热后突然减压,水分瞬间发生汽化,使物料发生破碎或膨化。

2.按操作方式来分

有连续干燥和间歇干燥。工业生产中多为连续干燥,其生产能力大,产品质量较均匀,热效率较高,劳动条件也较好;间歇干燥的投资费用较低,操作控制灵活方便,故适用于小批量、多品种或要求干燥时间较长的物料。

3.按热量供给方式分

有传导干燥、对流干燥、辐射干燥和介电加热干燥。

(1)传导干燥　热能以传导方式通过传热壁面加热物料,使其中的湿分汽化。传导干燥是间接加热,常用饱和水蒸气、热烟道气或电热作为间接热源,其热利用率较高,但与传热壁面接触的物料易造成过热,物料层不宜太厚,而且金属消耗量较大。

(2)对流干燥　干燥介质与湿物料直接接触,以对流方式给湿物料供热使湿分汽化,汽化后产生的蒸汽被干燥介质带走。热气流的温度和湿含量调节方便,物料不易过热。对流干燥生产能力较大,相对来说设备投资较低,操作控制方便,是应用最为广泛的一种干燥方式;其缺点是热气流用量大,带走的热量较多,热利用率比传导干燥要低。

(3)辐射干燥　热能以电磁波的形式由辐射器发射到湿物料表面。被物料吸收并转化为热能,使湿分汽化。辐射干燥特别适用于物料表面薄层的干燥。辐射源可按被干燥物件的形状布置,这种情况下,辐射干燥可比传导或对流干燥的生产强度大几十倍,产品干燥程度均匀而不受污染,干燥时间短,如汽车漆层的干燥,但电能消耗大。

(4)介电加热干燥　将需要干燥的物料置于高频电场内,利用高频电场的交变作用,将湿物料加热并汽化湿分。这种干燥的特点是,物料中水分含量越高的部位获得的热量越多,故加热特别均匀。这是由于水分的介电常数比固体物料要大得多,而一般物料内部的含水量比表面高,因此,介电加热干燥时物料内部的温度比表面要高,与其他加热方式不同,介电加热干燥时传热的方向与水分扩散方向是一致的,这样可以加快水分由物料内部向表面的扩散和汽化,缩短干燥时间,得到的干燥产品质量均匀,自动化程度较高。尤其适用于当加热不匀时易引起变形、表面结壳或变质的物料,或内部水分较难除去的物料。但是,这种方法电能消耗量大,设备和操作费用都很高。

在工业上对湿分较高的散粒状物料,常常是先用机械分离或蒸发除去湿物料中的大部分水分,然后再用对流干燥获得合格的干燥产品。其他干燥方式也往往和对流方式结合使用。本模块主要介绍以空气为干燥介质,除去的湿分为水的对流干燥过程。

四、对流干燥过程分析

对流干燥是一个传热和传质相结合的过程。图 7-1 为典型对流干燥流程图。空气经预热器预热至一定温度后进入干燥器,干燥器内热空气(气相)与湿物料(固相)直接接触,气—固两相间进行着热、传质传递。图 7-2 表示了热空气与湿物料间的传热与传质情况。当热空气温度 t 高于湿物料温度时,热量 Q 以对流方式由热空气不断传至湿物料表面,物料表面的水分受热后温度升高而部分汽化。当物料表面汽膜内的水汽分压 p_w 大于热空气流中的水汽分压 p_v 时,在压力差 $\Delta p = p_w - p_v$ 的作用下,水蒸气将不断地由物料表面向热空气流中扩散,其扩散速率用 W 表示。由于物料表面的水分不断汽化,当物料内部水分浓度 c 大于物料表面水分浓度 c_w 时,在浓度差 $\Delta c = c - c_w$ 的作用下,物料内部的水分不断向表面扩散。这样,湿物料的含水量将随过程的进行而不断减少,空气温度则不断下降,但其所含水汽将不断增加。传热和传质两过程同时而反向进行。因而干燥速率既和传热速率有关,又和传质速率有关。

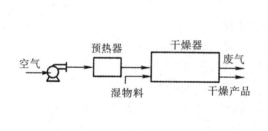

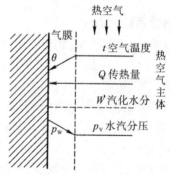

图 7-1 对流干燥流程   图 7-2 对流干燥的热、质传递过程

干燥过程中,要使被除去的水分不断地从固相中转移到气相中,必要条件是物料表面的水汽分压必须大于干燥介质中的水汽分压,在其他条件相同的情况下,两者差别越大,干燥操作进行得越快。所以,干燥介质应及时将汽化的水汽带走,以维持一定的传质推动力。如干燥介质为水汽所饱和,或物料表面的水汽分压等于干燥介质中的水汽分压,则推动力为零,此时干燥过程停止进行。

在对流干燥过程中,空气既是载热体,又是载湿体,故对于干燥过程来说,空气的参数是非常重要的控制参数。

任务二 湿空气的性质

湿空气是绝干空气和水汽的混合物。对流干燥操作中,常采用一定温度的不饱和空气作为干燥介质,因此有必要首先讨论湿空气的性质。由于在干燥过程中,湿空气中水汽的含量不断增加,而绝干空气质量不变,因此湿空气的许多相关性质常取干空气作为物料基准。干燥过程中干空气量不变,正如吸收过程中混合气里的惰性气体量不变一样。

一、湿空气中水分含量的表示方法

1. 水汽分压 p_w

作为干燥介质的湿空气应为不饱和空气,即空气中水汽的分压低于同温度下水的饱和蒸汽压。根据道尔顿分压定律,有

$$p = p_g + p_w \tag{7-1}$$

式中　p——湿空气总压强,Pa。

p_g——湿空气中干空气的分压,Pa。

p_w——湿空气中水汽的分压,Pa。

当操作压力较低时,湿空气中水汽分压越大,表明空气中水分的含量越高。

2. 湿度 H

又称"湿含量"或"绝对湿度"(简称"湿度"),其定义为单位质量绝干空气所携带的水汽质量,即

$$H = \frac{\text{湿空气中水汽的质量}}{\text{湿空气中绝干空气的质量}} = \frac{n_w M_W}{n_g M_g} = 0.622 \frac{n_w}{n_g} \tag{7-2}$$

式中　H——湿空气的湿度,kg 水汽/kg 绝干空气。

M_w, n_w——水汽的摩尔质量和水汽的摩尔数,18kg/kmol 和 mol 数。

M_g, n_g——绝干空气的摩尔质量和绝干空气的摩尔数,28.959kg/kmol 和 mol 数。

常压下湿空气可视为理想气体,根据道尔顿分压定律:

$$H = 0.622 \frac{p_w}{p - p_w} \tag{7-3}$$

可见湿度是总压和水汽分压的函数,当总压 p 一定时,H 只与 p_w 有关。

当空气中的水汽分压等于同温度下水的饱和蒸汽压 p_s 时,表明湿空气呈饱和状态,此时湿空气的湿度称为"饱和湿度",用 H_s 表示,即

$$H_s = 0.622 \frac{p_s}{p - p_s} \tag{7-4}$$

式中　H_s——湿空气的饱和湿度,kg 水汽/kg 绝干空气。

p_s——空气温度下水的饱和蒸汽压,kPa 或 Pa。

3. 相对湿度 φ

在一定的温度和压力下,湿空气中的水汽分压 p_w 与同温度下水的饱和蒸汽压 p_s 之比的百分数,称为"相对湿度",以 φ 表示,即

$$\varphi = \frac{p_w}{p_s} \times 100\% \tag{7-5}$$

当 $p_w = 0$ 时,$\varphi = 0$,此时湿空气中不含水分,为绝干空气;当 $p_w = p_s$ 时,$\varphi = 1$,此时湿空气为饱和湿空气,水汽分压达到最高值,这种湿空气不能用作干燥介质。相对湿度 φ 值越小,表明湿空气吸收水分的能力越强。可见,相对湿度可用来判断干燥过程能否进行,以及湿空气的吸

湿能力。而湿度只表明湿空气中水汽含量,不能表明湿空气吸湿能力的强弱,作为干燥介质的湿空气大多直接取自大气,在干燥计算中,湿空气的初始性质要按当地气象资料选取。由于夏天空气的 H、φ 值相对比冬季要大得多,通常可取夏季的平均最高值作为设计数据。

将式(7-5)代入式(7-3)中,有

$$H = 0.622\,\frac{\varphi p_s}{p - \varphi p_s} \qquad (7\text{-}6)$$

式(7-6)表明,当总压一定时,湿度是相对湿度和温度的函数。

二、湿空气的比热容和焓

1. 湿空气的比热容 c_H

湿空气的比热容简称"湿热",以 c_H 表示。它是指 1kg 干空气为基准的湿空气温度升高 1℃ 所需的热量。

$$c_H = c_g + c_V H \qquad (7\text{-}7)$$

式中　c_H——湿空气的比热容,kJ/(kg 绝干空气·℃)。

c_g——绝干空气的比热容,kJ/(kg 绝干空气·℃)。

c_V——水汽的比热容,kJ/(kg 水汽·℃)。

在 273~393K 的温度范围内,绝干空气和水汽的平均定压比热容分别为 $c_g = 1.01$ kJ/(kg绝干空气·℃)和 $c_V = 1.88$kJ/(kg 水汽·℃),则

$$c_H = 1.01 + 1.88H \qquad (7\text{-}8)$$

可见,湿空气的比热容只是湿度的函数。

2. 湿空气的焓 I

湿空气中 1kg 绝干空气及其所携带的 H(kg)水汽的焓之和,称为"湿空气的焓",以 I 表示。

$$I = I_g + HI_V \qquad (7\text{-}9)$$

式中　I——湿空气的焓,kJ/kg 绝干空气。

I_g——绝干空气的焓,kJ/kg 绝干空气。

I_V——水汽的焓,kJ/kg 水汽。

通常取 0℃ 时绝干空气和液态水的焓为基准,0℃ 时水的汽化潜热为 $r_0 = 2490$kJ/kg,则

$$I_g = c_g t \qquad (7\text{-}10)$$

$$I_V = r_0 + c_V t = 2490 + c_V t \qquad (7\text{-}11)$$

将 c_g、c_V 及 $r_0 = 2490$kJ/kg 代入式(7-10)、式(7-11),有

$$I = (1.01 + 1.88H)t + 2490H \qquad (7\text{-}12)$$

可见,湿空气的焓随空气的温度 t、湿度 H 的增加而增大。

三、湿空气的比容 v_H

湿空气的比容又称"湿容积"或"比体积",它表示 1kg 绝干空气和其所携带的 H(kg)水汽的总体积,用 v_H 表示。

按理想气体定律,在总压 p、温度 t 下,1kg 干空气的体积为:

$$\upsilon_g = \frac{22.4}{M_g} \cdot \frac{273+t}{273} \cdot \frac{101.33}{p} = 0.773 \times \frac{273+t}{273} \cdot \frac{101.33}{p} \qquad (7\text{-}13)$$

1kg 水汽的体积为:

$$\upsilon_w = \frac{22.4}{M_w} \cdot \frac{273+t}{273} \cdot \frac{101.33}{p} = 1.244 \times \frac{273+t}{273} \cdot \frac{101.33}{p} \qquad (7\text{-}14)$$

所以,湿空气的比容为:

$$\upsilon_H = \upsilon_g + H\upsilon_w = (0.773 + 1.244H) \times \frac{273+t}{273} \cdot \frac{101.33}{p} \qquad (7\text{-}15)$$

式中　υ_H——湿空气比容,m^3/kg 绝干空气。

　　　υ_g——干空气比容,m^3/kg 绝干空气。

　　　υ_w——水汽的比容,m^3/kg 水汽。

　　　p——系统的总压,kPa。

四、湿空气的温度

1. 干球温度 t

在空气流中放置一支普通温度计,所测得空气的温度为 t,此温度称为"空气的干球温度",是空气的实际温度。

2. 露点温度 t_d

不饱和湿空气在总压 p 和湿度 H 一定的情况下进行冷却,直至水汽达到饱和状态,此时的温度称为"露点",用 t_d 表示,相应的湿度称为露点下的饱和湿度。根据式(7-4):

$$H_s = 0.622 \frac{p_s}{p - p_s}$$

可见,在一定总压下,只要测出露点温度 t_d,便可从手册中查得此温度下对应的饱和蒸汽压 p_s,从而根据式(7-4)求得空气的湿度。反之若已知空气的湿度,可根据式(7-4)求得饱和蒸汽压 p_s,再从水蒸气表中查出相应的温度,即为 t_d。

3. 湿球温度 t_w

普通温度计的感温球用湿纱布包裹,纱布下端浸在水中,使纱布一直处于湿润状态,这种温度计称为"湿球温度计",如图 7-3 所示。湿球温度计在空气中达到稳定或平衡的温度称为"该空气的湿球温度",用 t_w 表示。

湿球温度计测温原理如下:

将湿球温度计置于温度为 t、湿度为 H 的不饱和空气流中,假定开始时湿纱布上的水温与湿空气的温度 t 相同,空气与湿纱布上的水之间没有热量传递。由于湿纱布表面空气的湿度大于空气主体的湿度 H,因此纱布表面的水分汽化到空气中。此时汽化水分所需的潜热只能由水分本身温度下降放出的显热供给,因此,湿纱布上的水温下降,与空气之间产生了温度差,引起对流传热。当空气向湿纱布传递的热量正好等于湿纱

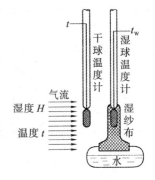

图 7-3　干、湿球温度计

布表面水分汽化所需的热量时,过程达到动态平衡,此时湿纱布的水温不再下降,而达到一个稳定的温度。这个稳定温度就是该空气状态(温度 t,湿度 H)下空气的湿球温度 t_w。

湿球温度 t_w 是湿纱布上水的温度,它由流过湿纱布的大量空气的温度 t 和湿度 H 所决定。当空气的温度 t 一定时,若其湿度 H 越大,则湿球温度 t_w 也越高;对于饱和湿空气,则湿球温度与干球温度以及露点三者相等。因此,湿球温度 t_w 是湿空气的状态参数。经推导得:

$$t_w = t - \frac{k_H r_w}{\alpha}(H_w - H) \tag{7-16}$$

式中 k_H——以湿度差为推动力的对流传质系数,$kg/(m^2 \cdot s)$。

  H_w——湿空气在温度 t_w 下的饱和湿度,kg 水/kg 干空气。

  H——空气的湿度,kg 水/kg 干空气。

  r_w——湿球温度 t_w 下水的汽化潜热,kJ/kg。

  α——空气主体与湿纱布表面之间的对流传热系数,$W/(m^2 \cdot \text{℃})$。

实验表明:当流速足够大时,热、质传递均以对流为主。且 k_H 及 α 都与空气速度的 0.8 次幂成正比,一般在气速为 $3.8 \sim 10.2 m/s$ 的范围内,比值 α/k_H 近似为一常数(对于水蒸气与空气的系统,$\alpha/k_H = 0.96 \sim 1.005$)。此时,湿球温度 t_w 为湿空气温度 t 和湿度 H 的函数。

注意:

①湿球温度 t_w 为湿空气温度 t 和湿度 H 的函数,$t_w \leqslant t$,湿度越大,湿球温度 t_w 越高,越接近于湿空气的温度 t,当空气达到饱和湿度时,$t_w = t$。

②在测量湿球温度时,空气速度一般需大于 5m/s,使对流传热起主要作用,相应减少热辐射和传导的影响,使测量较为准确。

4.绝热饱和温度 t_{as}

绝热饱和过程中,气、液两相最终达到的平衡温度称为"绝热饱和温度",以 t_{as} 表示。

绝热饱和过程:不饱和气体在与外界绝热的条件下和大量的液体接触,若时间足够长,使传热、传质趋于平衡,则最终气体被液体蒸汽所饱和,气体与液体温度相等,此过程称为"绝热饱和过程"。

绝热饱和温度的测量见图 7-4。设有温度为 t、湿度为 H 的不饱和空气在绝热饱和塔内和大量水充分接触,水用泵循环,使塔内水温完全均匀。若塔与周围环境绝热,则水向空气中汽化所需的潜热,只能由空气温度下降而放出的显热供给,同时水又将这部分热量带回空气中,因此空气的焓值不变,湿度不断增加。这一绝热冷却过程,实际上是等焓过程。

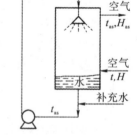

图 7-4 绝热饱和器示意图

绝热冷却过程进行到空气被水汽饱和时,空气的温度不再下降,而与循环水的温度相同,此时的温度称为"该空气的绝热饱和温度",用 t_{as} 表示,与之对应的湿度称为"绝热饱和湿度",用 H_{as} 表示。

根据以上分析可知,以单位质量的干空气为基准,在稳态下对全塔做热量衡算:

$$c_H(t - t_{as}) = (H_{as} - H)r_{as}$$

或

$$t_{as} = t - \frac{r_{as}}{c_H}(H_{as} - H) \tag{7-17}$$

式中　r_{as}——温度为 t_{as} 时水的汽化潜热，kJ/kg。

上式表明，空气的绝热饱和温度 t_{as} 是空气湿度 H 和温度 t 的函数，是湿空气的状态参数，也是湿空气的性质。当 t、t_{as} 已知时，可用上式来确定空气的湿度 H。

在绝热条件下，空气放出的显热全部变为水分汽化的潜热返回气体中，对 1kg 干空气来说，水分汽化的量等于其湿度差（$H_m - H$），由于这些水分汽化时，除潜热外，还将温度为 t_{as} 的显热也带至气体中。所以，绝热饱和过程终了时，气体的焓比原来增加了 $4.187t_{as}(H_m - H)$。但此值和气体的焓相比很小，可忽略不计，故绝热饱和过程又可当作等焓过程处理。

对于空气和水系统，湿球温度可视为等于绝热饱和温度。因为在绝热条件下，用湿空气干燥湿物料的过程中，气体温度的变化是趋向于绝热饱和温度 t_{as} 的。如果湿物料足够润湿，则其表面温度也就是湿空气的绝热饱和温度 t_{as}，亦即湿球温度 t_w，而湿球温度是很容易测定的，因此湿空气在等焓过程中的其他参数的确定就比较容易了。

比较干球温度 t、湿球温度 t_w、绝热饱和温度 t_{as} 及露点温度 t_d 可以得出：

不饱和湿空气：$t > t_w(t_{as}) > t_d$

饱和湿空气：$t = t_w(t_{as}) = t_d$

【例 7-1】　已知湿空气的总压 $p = 101.3kPa$，相对湿度 $\varphi = 0.6$，干球温度 $t = 30℃$。试求：①湿度 H；②露点 t_d；③绝热饱和温度；④将上述状况的空气在预热器中加热至 $100℃$ 所需的热量，已知空气质量流量为 100kg（以绝干空气计）/h；⑤送入预热器的湿空气体积流量，m³/h。

解：已知 $p = 101.3kPa$，$\varphi = 0.6$，$t = 30℃$。

由饱和水蒸气表查得水在 30℃ 时的蒸汽压 $p_s = 4.25kPa$

①湿度 H 可由式（7-6）求得：

$$H = 0.622\varphi p_s/(p - \varphi p_s) = 0.622 \times 0.6 \times 4.25/(101.3 - 0.6 \times 4.25) = 0.016(kg/kg 绝干空气)$$

②按定义，露点是空气在湿度不变的条件下冷却到饱和时的温度，现已知

$$p_w = \varphi p_s = 0.6 \times 4.25 = 2.55(kPa)$$

由水蒸气表查得其对应的温度 $t_d = 21.4℃$

③求绝热饱和温度 t_{as}。按式（7-17）

$$t_{as} = t - (r_{as}/c_H)(H_{as} - H) \qquad\qquad (例 7-1a)$$

已知 $t = 30℃$，并已算出 $H = 0.016kg/kg$，又 $c_H = 1.01 + 1.88H = 1.01 + 1.88 \times 0.016 = 1.04(kJ/kg 绝干空气 \cdot ℃)$，而 r_{as}、H_{as} 是 t_{as} 的函数，皆为未知，可用试差法求解：

设 $t = 25℃$，$p_{as} = 3.17kPa$，$H_{as} = 0.622p_{as}/(p_{as} - p_{as}) = 0.622 \times 3.17(101.3 - 3.17) = 0.02(kg/kg 绝干空气)$，$r_{as} = 2435kJ/kg$，代入式（例 7-1a）得 $t_{as} = 30 - (2435/1.04)(0.02 - 0.016) = 20.6℃ < 25℃$。

可见所设的 t_{as} 偏高，由此求得的 H_{as} 也偏高，重设 $t_{as} = 23.7℃$，相应的 $p_{as} = 2.94kPa$，

$H_{as} = 0.622 \times 2.94/(101.3 - 2.94) = 0.186(kg/kg 绝干空气)$，$r_{as} = 2438kJ/kg$，代入式（例 7-1a）得

$$t_{as} = 30 - (2438/1.04)(0.0186 - 0.016) = 23.9℃。$$ 两者基本相符，可认为 $t_{as} = 23.7℃$。

④预热器中加入的热量

$$Q = 100 \times (1.01 + 1.88 \times 0.016) \times (100 - 30)$$
$$= 7280(kJ/h) 或 2.02(kW)$$

⑤送入预热器的湿空气体积流量

$$V=100×(22.4/29)×[(273+30)/273]×(101.3/101.3)=86(\mathrm{m}^3/\mathrm{h})$$

任务三　湿空气的湿—焓($H-I$)图及其应用

由例 7-1 的计算看出,计算湿空气的某些状态参数时,要用麻烦的试差计算法。为此将表达湿空气各种参数的计算式标绘在同一坐标图上,只要知道湿空气任意两个独立参数,即可从图上迅速地查出其他参数,常用的图有湿度—焓($H-I$)图、温度—湿度($t-H$)图等。本书采用 $H-I$ 图。

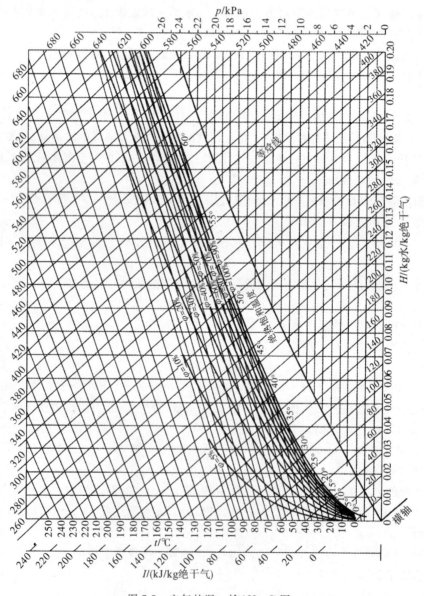

图 7-5　空气的湿—焓($H-I$)图

一、$H-I$ 图的绘制

如图 7-5 所示,为常压下湿空气的 $H-I$ 图,为了使各种关系曲线分散开,采用两个坐标夹角为 135°的坐标图,以提高读数的准确性。更为了便于读取数据及节省图的幅面,将斜轴(图中没有将斜轴全部画出)上的数值投影在辅助水平轴上。

图 7-5 是按总压为常压(即 101.33kPa)制得的。若系统总压偏离此值较远,则不能应用此图。

湿空气的 $H-I$ 图由以下诸线群组成。

1. 等湿度线(等 H 线)群

等湿度线是平行于纵轴的线群,图 7-5 中 H 的读数范围为 0kg/kg 绝干气～0.2kg/kg 绝干气。

2. 等焓线(等 I 线)群

等焓线是平行于斜轴的线群,图 7-5 中 I 的读数范围为 0kJ/kg 绝干气～680kJ/kg 绝干气。

3. 等干球温度线(等 t 线)群

将式(7-12)变形为

$$I = (1.88t + 2490)H + 1.01t \qquad (7\text{-}12a)$$

在总压一定的条件下,任意规定温度 t 为某值,式(7-12a)变为 I 与 H 的简单关系式,按此式算出若干组 I 与 H 的对应关系,并标绘在 $H-I$ 坐标图中,关系线为某温度 t 时的等 t 线。如此规定一系列的温度 t 值,可得到等 t 线群。式(7-12a)为线性方程,斜率(1.88$t+2490$)是温度 t 的函数,故诸等 t 线是不平行的。图 7-5 中的 t 读数范围为 0～250℃。

4. 等相对湿度(等 φ)线群

根据式(7-6)可标绘等相对湿度线。

当总压一定时,任意规定相对湿度 φ 为某值,于是式(7-6)简化为 H 与 p_s 的关系式,而 p_s 又是温度 t 的函数,按式(7-6)算出若干组 H 与 t 的对应关系,并标绘于 $H-I$ 坐标图中,即为等 φ 线。如果规定一系列 φ 值,可得等 φ 线群。图 7-5 中共有 11 条等 φ 线。由 $\varphi=5\%$ 到 $\varphi=100\%$。$\varphi=100\%$ 的等 φ 线称为"饱和湿空气线",此时空气为水汽饱和。

以上诸线群是 $H-I$ 图中四种基本线群。

5. 蒸汽分压线

将式(7-3)改为:

$$p_w = \frac{Hp}{0.622 + H} \qquad (7\text{-}3a)$$

总压一定时,上式表示水汽分压 p_w 与湿度 H 间的关系。因 H 远小于 0.622,故上式可近似地视为是线性方程,按式(7-3a)算出若干组 p_w 与 H 的对应关系,并标绘于 $H-I$ 图上,得到蒸汽分压线。为了保持图面清晰,蒸汽分压线标绘在 $\varphi=100\%$ 曲线的下方。

应指出,在有些湿空气的性质图上,还绘出比热容 c_H 与湿度 H、绝干空气比容 v_g 与温度 t、饱和空气比容 v_{HS} 与温度 t 之间的关系曲线。

二、$H-I$ 图的应用

根据湿空气的两个独立参数,可从 $H-I$ 图上确定其他参数。应指出,并非所有参数都是独立的,例如 t_d-H、$p-H$、t_d-p 或 t_w(或 t_{as})$-I$ 间都不是彼此独立的,它们都在同一条等 H 线或等 I 线上,因此在 $H-I$ 图上,根据上述的各种数据不能确定空气的状态点,如图 7-6 所示。

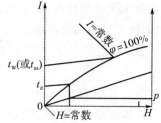

图 7-6 湿空气中的非独立变量

湿空气的两个独立参数常为:干球温度和相对湿度、干球温度和湿度、干球温度和绝热饱和温度(或湿球温度)、露点温度和焓等,先通过两个独立参数确定空气状态点 A 后,即可查出其他参数,如图 7-7 所示。

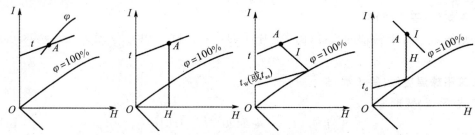

图 7-7 在 $H-I$ 图上确定湿空气的状态点

【例 7-2】 已知湿空气的总压为 101.3kPa,相对湿度为 50%,干球温度为 20℃。试用 $H-I$ 图求解:

(1)水汽分压 p_w。

(2)湿度 H。

(3)焓 I。

(4)露点 t_d。

(5)湿球温度 t_w。

(6)抑将含 500kg/h 干空气的湿空气预热至 117℃,求所需热量 Q。

解:见本题附图。

由已知条件:$p=101.3$kPa,$\varphi_0=50\%$,$t_0=20℃$,在 $I-H$ 图上定出湿空气状态 A 点。

(1)水汽分压:由图 A 点沿等 H 线向下交水汽分压线于 C,在图右端纵坐标上读得 $p_w=1.2$kPa。

(2)湿度 H:由 A 点沿等 H 线交水平辅助轴于点 $H=0.0075$kg 水/kg 绝干空气。

(3)焓 I:通过 A 点作斜轴的平行线,读得 $I_0=39$kJ/kg 绝干空气。

(4)露点 t_d:由 A 点沿等 H 线与 $\varphi=100\%$ 饱和线相交于 B 点,由通过 B 点的等 t 线读得 $t_d=10℃$。

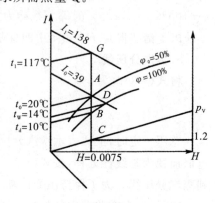

例 7-2 附图

（5）湿球温度 t_W（绝热饱和温度 t_{as}）：由 A 点沿等 I 线与 $\varphi=100\%$ 饱和线相交于 D 点，由通过 D 点的等 t 线读得 $t_W=14℃$（即 $t_{as}=14℃$）。

（6）热量 Q：因湿空气通过预热器加热时其湿度不变，所以可由 A 点沿等 H 线向上与 $t_1=117℃$ 线相交于 G 点，读得 $I_1=138kJ/kg$ 绝干空气（即湿空气离开预热器时的焓值）含 1kg 绝干空气的湿空气通过预热器所获得的热量为：

$$Q'=I_1-I_0=138-39=99(kJ/kg)$$

每小时含有 500kg 干空气的湿空气通过预热器所获得的热量为：

$$Q=500Q'=500\times99=49500(kJ/h)=13.8(kW)$$

通过上例的计算过程说明，采用湿—焓图求取湿空气的各项参数，与用数学式计算相比不仅计算迅速简便，而且物理意义也较明确。

项目 2
干燥过程的物料衡算和热量衡算

学习目标

- 掌握湿物料含水量的表示方法及其确定
- 掌握恒定干燥条件下的物料衡算及热量衡算
- 理解干燥系统的热效率及节能方法

对流干燥过程利用不饱和热空气除去湿物料中的水分,所以常温下的空气通常先通过预热器加热至一定温度后再进入干燥器。在干燥器中热空气和湿物料接触,使湿物料表面的水分汽化并将水汽带走。在设计干燥器前,通常已知湿物料的处理量、湿物料在干燥前后的含水量及进入干燥器的湿空气的初始状态,要求计算水分蒸发量、空气用量以及干燥过程所需的热量,为此需对干燥器做物料衡算和热量衡算,以便选择适宜型号的风机和换热器。

任务一　湿物料含水量的表示方法

日常生活中我们都有这样的生活经验,刚洗好的衣物在晴好的天气晾晒比在阴雨天晾晒干得快,同时洗好的不同质地的衣物,在同样的天气条件下晾晒,衣服干的快慢也不相同。这说明衣服干的快慢不仅与空气的性质和流动状况有关,也与衣物所含水分的性质有关。同理,工业生产中湿物料的干燥过程也是这个道理。因此,研究干燥过程不仅要研究湿空气的性质,也要研究湿物料所含水分的性质。湿物料中的含水量有两种表示方法:

(1)湿基含水量 w 　水分在湿物料中的质量分数,即:

$$w = （湿物料中水分的质量 / 湿物料总质量）\times 100\% \tag{7-18}$$

(2)干基含水量 X 　湿物料中的水分与绝干物料的质量比,即

$$X = （湿物料中水分的质量 / 湿物料中绝干物料的质量）\times 100\% \tag{7-19}$$

上述两种含水量之间的换算关系如下:

$$X = \frac{w}{1-w}（kg 水 /kg 干物料）$$

$$w = \frac{X}{1+X}（kg 水 /kg 湿物料） \tag{7-20}$$

工业生产中,通常用湿基含水量来表示物料中水分的多少。但在干燥器的物料衡算中,由于干燥过程中湿物料的质量不断变化。而绝对干物料质量不变,故采用干基含水量计算较为方便。

任务二　干燥过程的物料衡算

通过对图 7-8 所示干燥过程的物料衡算可以求出:水分蒸发量、空气消耗量、干燥产品流量等。

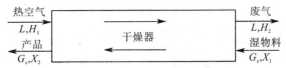

图 7-8　各物流进出逆流干燥器的示意图

设 G_1——进入干燥器的湿物料质量流量,kg/s。

G_2——出干燥器的产品质量流量,kg/s。

G_c——湿物料中绝对干料质量流量,kg/s。

w_1,w_2——干燥前后物料的湿基含水量,kg 水/kg 湿物料。

X_1,X_2——干燥前后物料的干基含水量,kg 水/kg 干物料。

H_1,H_2——进出干燥器的湿空气的湿度,kg 水/kg 绝干空气。

W——水分蒸发量,kg/s。

L——湿空气中绝干空气的质量流量,kg/s。

1.水分蒸发量

若不计干燥过程中物料的损失量,则在干燥前、后物料中绝干物料质量流量 G_c 不变,即

$$G_c = G_1(1 - w_1) = G_2(1 - w_2) \tag{7-21}$$

整理得

$$G_2 = G_1 \frac{1 - w_1}{1 - w_2} \tag{7-22}$$

干燥器的总物料衡算

$$G_1 = G_2 + W \tag{7-23}$$

则得

$$W = G_1 - G_2 = G_1 \frac{w_1 - w_2}{1 - w_2} = G_2 \frac{w_1 - w_2}{1 - w_1} \tag{7-24}$$

对干燥器中水分做物料衡算可得

$$W = L(H_1 - H_2) = G_c(X_1 - X_2) \tag{7-25}$$

2.干空气消耗量

整理式(7-25)得

$$L = \frac{G_c(X_1 - X_2)}{H_2 - H_1} = \frac{W}{H_2 - H_1} \tag{7-26}$$

蒸发 1kg 水分所消耗的干空气量,称为"单位空气消耗量",其单位为 kg 绝干空气/kg水分,用 l 表示,则

$$l = \frac{L}{W} = \frac{1}{H_2 - H_1} \tag{7-27}$$

如果以 H_0 表示空气预热前的湿度,而空气经预热器后,其湿度不变,故 $H_0 = H_1$,则式(7-27)可写为

$$l = \frac{1}{H_2 - H_0} \tag{7-27a}$$

由上式可见,单位空气消耗量仅与 H_2、H_0 有关,与路径无关。H_0 愈大,l 亦愈大,由于 H 是由空气的初温 t 及相对湿度 φ 所决定,所以在其他条件相同的情况下,l 将随着 t 及 φ 的增加而增大,也就是说,对同一干燥过程而言,夏季的空气消耗量比冬季为大,故选择输送空气的风机装置,也必须按全年最大空气消耗量而定。

t_0 及 φ_0 的数据是由干燥器所在地区的气象条件所决定的,其数值可参考我国各地的气象统计资料或从手册中查到。

风机是输送新鲜空气的,是干空气和水蒸气的混合物,而前面我们计算的是干燥操作所需干空气的量,所以干燥装置中鼓风机所需提供的风量要由干空气的量进行转换。

湿空气用量为

$$L' = L(1 + H_0) \tag{7-28}$$

或单位湿空气用量为

$$l' = l(1 + H_0) \tag{7-29}$$

湿空气的体积流量为

$$V = L v_H \tag{7-30}$$

式中　L'——湿空气的质量流量,kg 湿空气/s。

　　　l'——蒸发 1kg 水分所需要的湿空气的量,kg 湿空气/kg 水。

　　　V——湿空气的体积流量,m^3/s。

　　　v_H——湿空气的比容,m^3 湿气/kg 干空气。

【例 7-3】　今有一干燥器,湿物料处理量为 800kg/h,要求物料干燥后含水量由 30% 减至 4%(均为湿基)。干燥介质为空气,初温 15℃,相对湿度为 50%,经预热器加热至 120℃ 进入干燥器,出干燥器时降温至 45℃,相对湿度为 80%。试求:

(1)水分蒸发量 W;

(2)空气消耗量 L、单位空气消耗量 l;

(3)如鼓风机装在进口处,求鼓风机之风量 V。

解:(1)水分蒸发量 W

已知:$G_1 = 800$kg/h,$w_1 = 30\%$,$w_2 = 4\%$,则

$$Gc = G_1(1 - w_1) = 800(1 - 0.3) = 560(\text{kg/h})$$

$$X_1 = \frac{w_1}{1 - w_1} = \frac{0.3}{1 - 0.3} = 0.429$$

$$X_2 = \frac{w_2}{1 - w_2} = \frac{0.04}{1 - 0.04} = 0.042$$

$$W = G_c(X_1 - X_2) = 560 \times (0.429 - 0.042) = 216.7(\text{kg 水 /h})$$

(2)空气消耗量 L、单位空气消耗量 l

由 $H-I$ 图中查得,空气在 $t = 15℃$,$\varphi = 50\%$ 时的湿度为 $H = 0.005$kg 水/kg 绝干空气,在 $t_2 = 45℃$,$\varphi_2 = 80\%$ 时的湿度为 $H_2 = 0.052$kg 水/kg 绝干空气。

空气通过预热器湿度不变,即 $H_0 = H_1$

$$L = \frac{W}{H_2 - H_1} = \frac{W}{H_2 - H_0} = \frac{216.7}{0.052 - 0.005} = 4610(\text{kg 绝干空气 /h})$$

$$l = \frac{1}{H_2 - H_0} = \frac{1}{0.052 - 0.005} = 21.3(\text{kg 干空气 /kg 水})$$

(3)风量 V

用式(7-15)计算 20℃、101.325kPa 下的湿空气比容为

$$\upsilon_H = (0.773 + 1.244H_0) \times [(273+t)/273] \times 101.33/p$$
$$= (0.773 + 1.244 \times 0.005) \times [(273+20)/273]$$
$$= 0.836(m^3/kg \text{ 绝干空气})$$

$$V = L\upsilon_H = 4610 \times 0.836 = 3850(m^3/h)$$

任务三　干燥过程的热量衡算

一、干燥流程

通过干燥系统的热量衡算,可以求出物料干燥所消耗的热量和预热器的传热面积,同时确定干燥器排出废气的湿度 H_2 和焓 I_2 等状态参数。

干燥过程的热量衡算如图 7-9 所示,包括预热器和干燥器两部分。

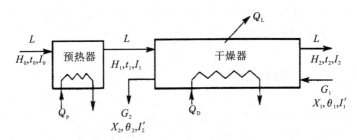

图 7-9　连续干燥过程的热量衡算示意图

图中　I_0、I_1、I_2——分别为新鲜湿空气进入预热器、离开预热器(即进入干燥器和离开干燥器时的焓,kJ/kg 绝干空气。

t_0、t_1、t_2——分别为新鲜湿空气进入预热器、离开预热器(即进入干燥器)和离开干燥器时温度,℃。

L——绝干空气的流量,kg 绝干气/s。

Q_P——单位时间内预热器中空气消耗的热量,kW。

G_1、G_2——分别为湿物料进入和离开干燥器的质量流量,kg/s。

θ_1、θ_2——分别为湿物料进入和离开干燥器的温度,℃。

I'_1、I'_2——分别为湿物料进入和离开干燥器的焓,kJ/kg 绝干物料。

Q_D——单位时间内向干燥器补充的热量,kW。

Q_L——干燥器的热损失速率,kW。

二、预热器的热量衡算

若忽略预热器的热损失,对图 7-9 中的预热器做热量衡算,得

$$Q_p = L(I_1 - I_0) = L(1.01 + 1.88H_0)(t_1 - t_0) \tag{7-31}$$

三、干燥器的热量衡算

以图 7-9 中干燥器为研究对象做热量衡算，得

单位时间内进入干燥器的热量＝单位时间内带出干燥器的热量

$$LI_1 + G_c I'_1 + Q_D = LI_2 + G_c I'_2 + Q_L \tag{7-32}$$

整理得

$$L(I_1 - I_2) + Q_D = G_c(I'_2 - I'_1) + Q_L \tag{7-33}$$

式中 $I = (1.01 + 1.88H)t$，$I' = c_m \theta [c_m$ 为湿物料的比热容，$kJ/(kg$ 干物料 $\cdot ℃)]$，由绝干物料的比热容 c_s 和水的比热容 $c_w [c_o = 4.187 kJ/kg$ 水 $\cdot ℃)]$ 按加和原则计算，即

$$c_m = c_s + X c_w \tag{7-34}$$

四、干燥系统消耗的总热量 Q

干燥系统消耗的总热量 Q 为 Q_p 与 Q_D 之和，即

$$Q = Q_p + Q_D = L(I_2 - I_o) + G_c(I'_2 - I'_1) + Q_L \tag{7-35}$$

式中　Q——干燥系统消耗的总热量，kW。

五、空气通过干燥器的状态变化

在设计干燥器时，空气的进口状态是给定的，出口状态往往根据工艺规定的条件（如空气出口温度不低于某值或相对湿度不高于某值）通过计算求得。对不同的干燥过程分析如下：

1. 理想干燥过程

若干燥过程中忽略设备的热损失和物料进出干燥器温度的变化，而且不向干燥器补充热量，此时干燥器内空气放出的显热全部用于蒸发湿物料中的水分（或称最后水分），又将潜热带回空气中，此时 $I_1 = I_2$，这种干燥过程称为"理想干燥过程"，又称"绝热干燥过程"或"等焓干燥过程"。

理想干燥过程中气体状态变化如图 7-10 所示。由湿空气初始状态 (t_0, H_o) 确定点 A；预热器中空气湿度不变，沿等湿度线升温至 t_1，即 B 点；进入干燥器后气体沿等焓线降温至 t_2，交点 C 即为空气出干燥器时的状态点。

2. 实际干燥过程

在实际干燥过程中，干燥器有一定的热损失，而且湿物料本身也要被加热。即 $\theta_1 \neq \theta_2$，因此空气的状态不是沿着绝热冷却线变化，如图 7-11 所示。图中 BC_1 线表明干燥器出口气体的焓小于进口气体的焓，此时不向干燥器补充热量或补充的热量小于损失的热量与加热物料所消耗的热量之和；BC_2 线表明干燥器出口气体的焓高于进口气体的焓，此时向干燥器补充的热量大于损失的热量与加热物料所消耗的热量之和。

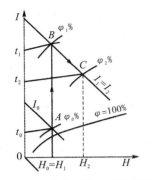

图 7-10　等焓干燥过程中湿空
气的状态变化示意图

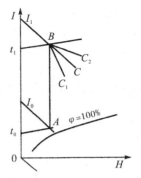

图 7-11　非等焓干燥过程中湿空
气的状态变化示意图

六、干燥系统的热效率

干燥过程中,蒸发水分所消耗的热量与从外热源所获得的热量之比为"干燥器的热效率"。即

$$\eta = Q_{汽化}/Q_{T} \tag{7-36}$$

式中,蒸发水分所需的热量可用下式计算

$$Q_{汽化} = W(2490 + 1.88t_2 - 4.187\theta_1) \tag{7-37}$$

从外热源获得的热量 $Q_T = Q_P + Q_D$

如干燥器中空气所放出的热量全部用来汽化物料中的水分,即空气沿绝热冷却线变化,则

$$Q_{汽化} = Lc_{H2}(t_1 - t_2) \tag{7-38}$$

且干燥器中无补充热量,$Q_D = 0$,则

$$Q_P = Q_D = Lc_{H1}(t_1 - t_0)$$

若忽略湿比热的变化,则干燥过程的热效率可表示为

$$\eta = (t_1 - t_2)/(t_1 - t_0) \tag{7-39}$$

热效率越高表示热利用率越好,若空气离开干燥器的温度较低,而湿度较高,则干燥操作的热效率高。但空气湿度增加,使物料与空气间的推动力下降。

提高空气的预热温度,可提高热效率。空气预热温度高,单位质量干空气携带的热量多,干燥过程所需要的空气量少,废气带走的热量相应减少,故热效率得以提高。但是,空气的预热温度应以湿物料不致在高温下受热破坏为限。对不能经受高温的材料,采用中间加热的方式,即在干燥器内设置一个或多个中间加热器,往往可提高热效率。

一般来说,对于吸水性物料的干燥,空气出口温度应高些,而湿度应低些,即相对湿度要低些。在实际干燥操作中,空气离开干燥器的温度 t_2 需比进入干燥器时的绝热饱和温度高 $20\sim25\text{℃}$,这样才能保证在干燥系统后面的设备内不致析出水滴,否则可能使干燥产品返潮,且易造成管路的堵塞和设备材料的腐蚀。

项目 3
干燥速率和干燥时间

学习目标

- 了解湿物料所含水分的性质
- 能通过物料衡算确定干燥过程水分蒸发量及空气消耗量
- 理解恒定干燥条件下干燥速率和干燥时间计算
- 能通过工艺计算对干燥器进行设计选型

通过干燥器的物料衡算及热量衡算可以计算出完成一定干燥任务所需的空气量及热量。但需要多大尺寸的干燥器以及干燥时间长短等问题,则必须通过干燥速率计算方可解决。

任务一　湿物料所含水分的性质

一、物料中的水分

对于物料的去湿过程经历了两步:首先是水分从物料内部迁移至表面,然后再由表面汽化而进入空气主体。故干燥速率不仅取决于空气的性质及干燥操作条件,而且还与物料中所含水分的性质有关。

1.平衡水分和自由水分

根据物料在一定干燥条件下,其所含水分能否用干燥的方法除去来划分,可分为平衡水分与自由水分。

平衡水分:当物料与一定温度和湿度的空气接触时,势必会释放出水分或吸收水分,最后使物料的含水量恒定。只要空气的状态不变,物料中所含水分就总是维持这个定值,并不因和空气接触时间的延长而改变,这种恒定的含水量称为"该物料在一定空气状态下的平衡水分",用 X^* 表示。

自由水分:物料中超过平衡水分的那一部分水分,称为"该物料在一定空气状态下的自由水分"。

物料所含总水分为平衡水分与自由水分之和,其中平衡水分是湿物料在一定空气状态下干燥的极限。平衡水分(自由水分)的量与物料和干燥介质的性质有关,见图 7-12。

由图 7-12 可知:

①物料种类不可,其平衡水分含量相差较大。例如,当空气的相对湿度为 40％时,氯化

锌的 $X^* \approx 0$，烟叶的 $X^* = 0.17 \mathrm{kg}$ 水/kg 绝干料。

②对于同种物料，在一定温度下，空气的相对湿度越大，平衡水分含量越高。

③若要得到绝干产品，只能用绝干空气作为干燥介质。

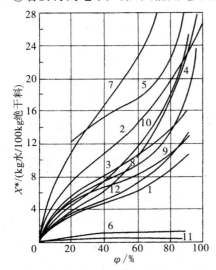

1-新闻纸；2-羊毛，毛织物；3-硝化纤维；4-丝；
5-皮革；6-陶土；7-烟叶；8-肥皂；9-牛皮胶；
10-木材；11-玻璃绒；12-棉花

图 7-12　某些物料的平衡含水量曲线

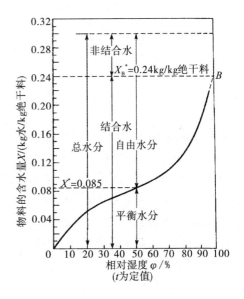

图 7-13　固体物料的含水性质

2.结合水分和非结合水分

根据物料与水分结合力的状况，可分为结合水分和非结合水分。

结合水分：凡湿物料的含水量小于 X^* 的那部分水分称为"结合水分"。此时，其蒸汽压都小于同温度下纯水的饱和蒸汽压。

非结合水分：含水量超过 X^* 的那部分水分称为"非结合水分"。此时，湿物料中的水分的蒸汽压等于同温度下纯水的饱和蒸汽压。

结合水分和非结合水分，自由水分和平衡水分以及它们与物料的总水分之间的关系见图 7-13。

两种分类方法的不同：自由水分是在干燥中可以除去的水分，而平衡水分是不能除去的，自由水分和平衡水分的划分除与物料性质有关外，还决定于空气的状态。非结合水分是在干燥中容易除去的水分，而结合水分较难除去。是结合水还是非结合水仅决定于固体物料本身的性质，与空气状态无关。

任务二　干燥速率与干燥时间

干燥过程的计算内容包括确定干燥操作条件、干燥时间及干燥器尺寸，为此，须求出干燥过程的干燥速率。干燥速率的大小直接影响到物料干燥所需要的时间，所以干燥速率是影响干燥操作的重要条件。所谓干燥速率指单位时间、单位干燥面积汽化的水分量。

$$U = \frac{dW}{Ad\tau} = -\frac{G_{\mathrm{C}}dX}{Ad\tau} \tag{7-40}$$

式中　　U——干燥速率，$\mathrm{kg/(m^2 \cdot h)}$。

　　　　W——汽化水分量，kg。

　　　　A——干燥面积，$\mathrm{m^2}$。

　　　　τ——干燥所需时间，h。

　　负号表示物料含水量随着干燥时间的增加而减少。

一、干燥曲线与干燥速率曲线

　　干燥机理及干燥过程皆很复杂，直至目前研究得尚不够充分，所以干燥速率的数据多取自实验测定值。为了简化影响因素，测定干燥速率的实验是在恒定条件下进行的。恒定干燥条件指干燥过程中空气的湿度、温度、速度以及与湿物料的接触状况都不变。如用大量的空气干燥少量的湿物料时可以认为接近于恒定干燥情况，某物料在恒定干燥条件下干燥，可用实验方法测定干燥曲线及干燥速率曲线。

　　如图 7-14 所示为干燥过程中物料含水量 X 与干燥时间 τ 的关系曲线，此曲线称为"干燥曲线"。

　　由图 7-14 的干燥曲线，测出不同 X 下的斜率 $dX/d\tau$ 然后乘以常数 Gc/A 后取负号即为干燥速率 U。按照上述方法，测得一系列的 X 和 U，标绘成曲线，即为干燥速率曲线，如图 7-15 所示。由图 7-15 可见：

　　①曲线 BC 段，物料含水量从 X' 到 X_c 的范围内，物料的干燥速率保持恒定，其值不随物料含水量而变，称为"恒速干燥阶段"。

　　②曲线 CE 段，物料的含水量低于 X_c，直至达到平衡水分 X^* 为止。在此段内，干燥速率随物料含水量的减少而降低，称为"降速干燥阶段"。

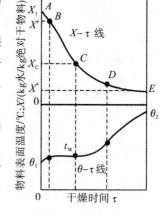

图 7-14　干燥曲线

　　③图中 C 点为恒速与降速段之分界点，称为"临界点"。该点之干燥速率仍为恒速阶段的干燥速率，与该点对应的物料含水量 X_c 称为"临界含水量"。

　　④线段 CE 在 D 点有转折，这是随物料性质决定的，有的平滑，有的有转折。

　　⑤只要湿物料中含有非结合水分，一般总存在恒速与降速两个不同的阶段。

　　在恒速阶段转向降速阶段内，物料的干燥机理和影响因素各不相同，下面分别予以讨论。

二、恒速干燥阶段

　　在此阶段，整个物料表面都有充分的非结合水分，物料表面的蒸汽压与同温度下水的蒸汽压相同，所以在恒定干燥条件下，物料表面与空气间的传热和传质过程与测定湿球温度的情况类似。此时物料内部水分扩散速率大于表面水分汽化速率，故属于表面汽化控制阶段。空气传给物料的热量等于水分汽化所需的热量，物料表面的温度始终保持为空气的湿球温度（忽略辐射热）。该阶段干燥速率的大小，主要取决于空气的性质，而与湿物料性质关系很小。

图 7-15 中的 AB 段为物料预热段,此段称为"调整阶段",时间不长,一般可忽略不计。

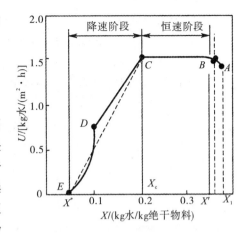

图 7-15　干燥速率曲线

三、降速干燥阶段

当物料含水量降至临界含水量 X_c 以后,由图 7-15可知,干燥速率随含水量的减少而降低。这是由于水分由物料内部向物料表面迁移的速率低于湿物料表面水分汽化的速率,在物料表面出现干燥区域,表面温度逐渐升高,随着干燥的进行,干燥区域逐渐增大,而干燥速率的计算是以总表面积 S 为基准的,所以干燥速率下降。此为降速干燥过程的第一阶段,称为"不饱和表面干燥",如图 7-15 中 CD 段所示。最后物料表面的水分完全汽化,水分的汽化平面由物料表面移向内部,随着干燥的进行,水分的汽化平面继续内移,直至物料的含水量降至平衡含水量 X^* 时,干燥过程即停止,如图 7-15 中 E 点所示。

在降速阶段,干燥速率主要取决于水分在物料内部的迁移速率。所以又称降速阶段为内部迁移控制阶段。这时外界空气条件不是影响干燥速率的主要因素,主要因素是物料的结构、形状和大小等。

综上所述,当物料中含水量大于临界含水量 X_c 时,属于表面汽化控制阶段,亦即等速干燥阶段;而当物料含水量小于临界含水量 X_c 时。属于内部扩散控制阶段,即降速干燥阶段。而当达到平衡含水量 X^* 时,则干燥速率为零。实际上,在工业生产中,物料不会被干燥到平衡含水量,而是在临界含水量和平衡含水量之间,这要根据产品要求和经济核算决定。

四、恒定干燥条件下干燥时间的计算

1.恒速段干燥时间

$$\tau_1 = \frac{G_C}{AU}(X_1 - X_C) \tag{7-41}$$

式中　τ_1——恒速阶段干燥时间,s。

U_c 的来源可由干燥速率曲线查取,也可用 α,k_H 计算得到。

2.降速段干燥时间

$$\tau_2 = \frac{G_C}{A}\int_{X_2}^{X_C}\frac{dX}{U} \tag{7-42}$$

式中　τ_2——降速阶段干燥时间,s。

U 也是变量,τ_2 通常由图解积分法或近似计算法求取,式(7-43)就是降速阶段时间的近似计算式。

当降速干燥阶段的干燥速率与物料的自由含水量$(X-X^*)$成正比时,有

$$\tau_2 = \frac{G_C(X_C - X^*)}{AU_C}\ln\frac{X_C - X^*}{X_2 - X^*} \tag{7-43}$$

3.总干燥时间

因此，物料干燥所需的总时间 τ 为

$$\tau = \tau_1 + \tau_2 \tag{7-44}$$

对于间歇操作的干燥器而言，还需要考虑装卸物料所需时间 τ'，则每批物料干燥周期为：

$$\tau = \tau_1 + \tau_2 + \tau' \tag{7-45}$$

项目 4
干燥设备

学习目标

- 了解干燥器的基本要求与分类
- 掌握干燥器的选型方法;能分析影响干燥操作的因素,正确选择干燥操作的条件
- 了解干燥器的操作与维护技术

任务一 干燥器的基本要求与分类

在化工生产中,由于被干燥物料的形状(如块状、粒状、溶液、浆状及膏糊状等)和性质(耐热性、含水量、分散性、黏性、酸碱性、防爆性及湿态等)都各不相同;生产规模或生产能力差别悬殊;对于干燥后的产品要求(含水量、形状、强度及粒径等)也不尽相同,所以采用的干燥方法和干燥器的类型也是多种多样的。通常,对干燥器的要求为:

①能保证干燥产品的质量要求,如含水量、强度、形状等。

②要求干燥速率快,干燥时间短,以减小干燥器尺寸,降低能耗量(即蒸发 1kg 水或干燥 1t 成品的耗能量),同时还考虑干燥器的辅助设备的规格和成本,即经济性能。

③操作控制方便,劳动条件好。

干燥器通常可按加热的方式来分类,如表 7-1 所示。

表 7-1 常用干燥器的分类

类型	干燥器
对流干燥器	箱式干燥器 气流干燥器 沸腾干燥器 转筒干燥器 喷雾干燥器
传导干燥器	滚筒干燥器 真空盘架式干燥器
辐射干燥器	红外线干燥器
介电干燥器	微波干燥器

任务二　工业常用干燥器

一、箱式干燥器

箱式干燥器主要是把气流通过湿物料的表面,从而达到干燥的目的。按气体流动方式,可分为①水平气流箱式干燥器(热风沿着物料的表面通过),如图 7-16 所示;②穿流气流箱式干燥器(热风垂直穿过物料),如图 7-17 所示;③真空箱式干燥器(被干燥物料置于真空条件下进行加热干燥),如图 7-18 所示。

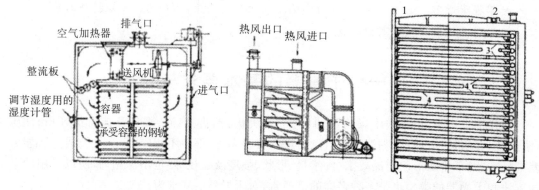

图 7-16　箱式干燥器　　　　图 7-17　穿流式干燥器　　图 7-18　箱式真空干燥器

此类干燥器的特点是间歇操作,结构简单,设备投资少,适应性强,故使用较多。缺点是每次操作都要装卸物料,劳动强度大,设备利用率低。每干燥 1kg 水分,约消耗蒸汽 2.5kg 以上,热效率只有 40% 左右。同时,产品质量也不够均匀。所以它只能在下列情况下使用才合理:①小规模生产;②物料破损及粉尘少,物料允许在干燥器内停留时间长,而不影响产品质量;③同时干燥几种品种;④适用于能适当改变温度而进行干燥的程序控制方式。

水平气流箱式干燥器,整体制成箱式,周围设有保温壁,以防止散热。前面是门,用以取放容器。内部装有风扇、空气加热器、热风整流板、送排风口等。风的流动方向与物料平行,从物料表面进行干燥。干燥器内热风风速通常为 1m/s 左右,根据物料的物性可在 0.5～3m/s 范围内选择。物料层的装填厚度一般为 10～100mm。水平气流箱式干燥器适用于染料、颜料等干燥末期容易产生粉尘的泥状物料,以及药品等少量多品种必须干燥的粉粒状物料、电器部件、树脂等需要程序控制的块状物料,还适用于兼有干燥与热处理的场合,以及除去量少而形状繁多的物料的吸附水的场合等。这种干燥器虽然结构简单,适用于一切干燥,但一般干燥时间长,比较费工。

穿流气流箱式干燥器的搁板或容器的底由金属网或多孔板构成,使风能够均匀地通过物料层。图 7-17 为在盛料盘上盖有金属网的穿流气流箱式干燥器,它防止物料的飞散。穿流气流箱式干燥器适用于通气性好的物料,即使是泥状物料,利用成形前处理也可成为通气性好的物料。例如,颗粒状物料、与食品有关的谷物、葡萄干、胡椒、经切片加工的洋葱、胡萝卜、蒜、薯类等,以及已成形的医药品、染料、汤的调味品等。干燥时间比较短,为 20～

60min。

真空箱式干燥器有一个钢制外壳,断面为长方形或圆筒形,内有许多空心隔板,在隔板中通入水蒸气或热水。短管 3 连接空心隔板和多支管。总管 1 内通入蒸汽。2 管排出冷凝水。将铺有待干燥物料的料盘放置在隔板上,关闭室门,用真空泵将箱体内抽成真空。隔板内的蒸汽渐渐将盘中物料加热到指定的温度,水分即在室内压力下汽化,并在冷凝器中冷凝。冷凝器安装在干燥器和真空泵之间。将被干燥物料置放在密闭的干燥室内,用真空系统抽真空的同时对被干燥物料不断加热,使物料内部的水分通过压力差或浓度差扩散到表面,水分子在物料表面获得足够的动能,在克服分子间的相互吸引力后,逃逸到真空室的低压空间,从而被真空泵抽走的过程。在真空干燥过程中,干燥室内的压力始终低于大气压力,气体分子数少,密度低,含氧量低,因而能干燥容易氧化变质的物料、易燃易爆的危险品等。对药品、食品和生物制品能起到一定的消毒灭菌作用,可以减少物料染菌的机会或者抑制某些细菌的生长。因为水在汽化过程中其温度与蒸汽压是成正比的,所以真空干燥时物料中的水分在低温下就能汽化,可以实现低温干燥。这对于某些药品、食品和农副产品中热敏性物料的干燥是有利的。另外,在低温下干燥,对热能的利用率是合理的。所以适用于不耐高温热敏性的物料,用其他干燥方法时物料会变质或黏结从而使产品价值下降的物料,不能氧化或被细菌污染的物料,要求水分含量低、常压下难以干燥的物料,或以有机溶剂作为干燥介质的泥状、膏状物料,以及贵重的生物制品。

箱式干燥器的优点是构造简单,设备投资少,适应性较强。缺点是装卸物料时劳动强度大,设备的利用率低、热利用率低及产品质量不易稳定。它适用于小规模多品种,要求干燥条件变动大及干燥时间长等场合的干燥操作,特别适合于作为实验室或中间试验的干燥装置。

箱式干燥器不太适应大批量生产的要求,洞道式干燥器是箱式干燥器的自然发展结果,也可视为连续化的箱式干燥器。如图 7-19 所示,在一狭长的通道内铺设铁轨,物料放置在一串小车上,小车可以连续地或半连续地进、出通道。空气连续地在洞道内被加热并强制地流过物料表面,流程可安排成并流或逆流,还可根据需要安排中间加热或废气循环,干燥介质可用热空气和烟道气,气体速度一般在 2～3m/s。洞道式干燥器容积大,小车在洞道内停留时间长,适用于具有一定形状的比较大的物料如木材、皮革或陶器等的干燥。

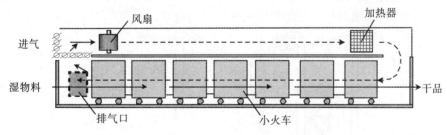

图 7-19 洞道式干燥器

二、带式干燥器

带式干燥器如图 7-20 所示,在截面为长方形的干燥室或隧道内,安装带式输送设备。传送带多为网状,气流与物料成错流,传送带在前移过程中,物料不断地与热空气接触而被干燥。传送带可以是多层的,带宽为 1～3m,长度为 4～50m,干燥时间为 5～20min。通常在物料的运动方向上分成许多区段,每个区段都可装设风机和加热器。在不同区段内,气流方向及气体的温度、湿度和速度都可不同,例如在湿料区段,采用的气流速度可大于干燥产品区段的气流速度。

由于被干燥物料的性质不同,传送带可用帆布、橡胶、涂胶布或金属丝网制成。

带式干燥器的优点是物料在干燥器内翻动较少,故可保持物料的形状,也可同时连续干燥多种固体物料,但要求带上的堆积厚度、装载密度均匀一致,否则通风不均匀,使产品质量下降。缺点是这种干燥器的生产能力及热效率均较低,热效率约在 40% 以下。带式干燥器适用于干燥颗粒状、块状和纤维状的物料。

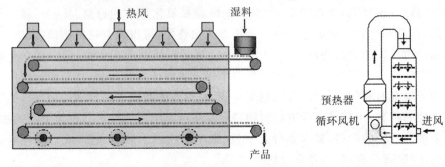

图 7-20　带式干燥器

三、气流干燥器

气流干燥法是一种连续式高效固体流态化干燥方法。它把呈泥状、粉粒状或块状的湿料送入热气流中,与之并流,从而得到分散成粒状的干燥产品。目前,气流干燥器在化工、医药、染料以及塑料等工业中得到了广泛的应用。

气流干燥的基本流程如图 7-21 所示。湿物料自螺旋加料器进入干燥管,空气由鼓风机鼓入,经加热器加热后与物料汇合,在干燥管内达到干燥目的。

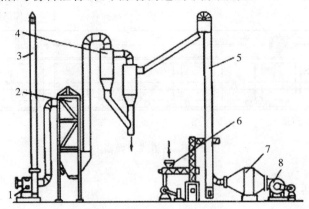

1-抽风机;2-袋式除尘器;3-排气管;4-旋风除尘器;5-干燥管;6-螺旋加料器;7-加料器;8-鼓风机

图 7-21　气流干燥基本流程图

干燥后的物料在旋风除尘器和袋式除尘器里得到回收,废气经排风机由排出管排出。

在气流干燥中,一般使用的干燥介质除不饱和热空气外,在高温干燥时也可采用烟道气。为避免物料被污染或氧化,可采用过热水蒸气。对含有机溶剂的物料干燥,也可采用氮或溶剂的过热蒸汽作干燥介质。

气流干燥器具有以下特点:

①干燥强度大　气流干燥由于气流速度高,粒子在气相中分散良好,可以把粒子的全部表面积作为干燥的有效面积,因此,干燥的有效面积大大增加。

②干燥时间短　气固两相的接触时间极短,干燥时间一般在 $0.5\sim2s$,最长为 5s。物料的热变性一般是温度和时间的函数,因此,对于热敏性或低熔点物料不会造成过热或分解而影响其质量。

③热效率高　气流干燥采用气固相并流操作,而且在表面气化阶段,物料始终处于与其接触的气体的湿球温度,一般不超过 65℃。在干燥末期物料温度上升的阶段,气体温度已大大降低,产品温度不会超过 90℃。因此,可以使用高温气体。

④处理量大　一根直径为 0.7m、长为 10～15m 的气流干燥管,每小时可处理 25t 煤或15t 硫酸铵。

⑤设备简单　气流干燥器设备简单,占地小,投资省。与回转干燥器相比,占地面积减少 60%,投资约省 80%。同时,可以把干燥、粉碎、筛分、输送等单元过程联合操作,不但流程简化,而且操作易于自动控制。

⑥应用范围广　气流干燥可使用于各种粉粒状物料。在气流干燥管直接加料情况下,粒径可达 10mm,湿含量可在 10%～40% 之间。

由于气流速度较高,粒子有一定的磨损和粉碎,对于要求有一定形状的颗粒产品不宜采用。对于易于粘壁的、非常黏稠的物料以及需干燥至临界湿含量以下的物料也不宜采用。在干燥时要产生毒气的物料,以及所需的风量比较大的情况下,也不宜采用气流干燥。

气流干燥装置可分为直接进料的、带有分散器的和带有粉碎机的。另外,还可分为有返料、热风循环以及并流或环流操作的装置。

直接进料的气流干燥装置是目前应用最广泛的一种,适用于湿物料分散性良好和只除去表面水分的场合,如干燥合成树脂、某些药品、有机化学产品、煤、淀粉和面粉等。若湿物料含水量较高,加料时容易结团,可以将一部分已干燥的成品作为返料,在混合加料器中和湿物料混合,以利干燥操作。

带有分散器的气流干燥装置的流程如图 7-22 所示。该装置的主体是干燥管,湿物料由加料斗加入螺旋桨式输送混合器中,与一定量的干燥物料混合后进入粉碎机。从燃烧炉来的烟道气(也可以是热空气)也同时进入粉碎机,将粉粒状的固体吹入气流干燥器中。由于热气体作高速运动,使物料颗粒分散并悬浮于热气体中。热气流与物料间进行传热和传质,物料得以干燥,

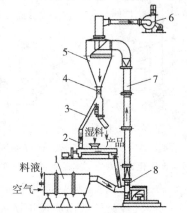

1-燃烧室;2-混合器;3-干料分配器;
4-加料器;5-旋风除尘器;6-排风机;
7-干燥管;8-鼠笼式分散器

图 7-22　带有分散器的气流干燥器

并随气流进入旋风除尘器,经分离后由底部排出,再借分配器的作用定时地排出作为产品或送入螺旋混合器供循环使用。废气经排风机放空。其特点是干燥管下面装有一台鼠笼式分散器打散物料。它适合于含水量较低、松散性尚好的块状物料。如离心机、过滤机的滤饼,以及磷石膏、碳酸钙、氟硅酸钠、黏土、咖啡渣、污泥渣、玉米渣等。如含水量较多,可用返料法改善操作。

带有粉碎机的气流干燥装置在气流干燥管下面装有一台冲击式锤磨机,用以粉碎湿物料,减小粒径,增加物料表面积,强化干燥。因此,大量的水分在粉碎过程中得到蒸发,在一般情况下,可完成气化水分量的80%。这样,便于采用较高的进气温度,以获得强的生产能力和高的传热效率。对许多热敏性物料,其进气温度仍可高于其熔点、软化点和分解点。

四、流化床干燥器

流化床干燥器是指被干燥物料在干燥过程中呈流化状态的干燥器,它是流态化原理在干燥操作中的应用。其干燥的物料可以是粒状、膏状、悬浮液和溶液等具有流动性的物料。按操作方式不同,流化床干燥器可分为间歇式和连续式。按设备结构形式不同,流化床干燥器可分为单层、多层、多室、喷动床、振动、脉冲、锥形等类型。

单层流化床干燥器结构简单,操作方便,生产能力较强,应用也较为广泛。一般都在床层颗粒静止高度不太高的情况下使用(床层高度300~400mm)。根据所干燥的介质不同,生产强度可达每平方米分布板从物料中干燥水分500~1000kg/h,其空气消耗量为3~12kg/h。适用于较易干燥或要求不严格的湿粒状物料,如粉煤、细矿石、砂和无机盐等。其主要缺点是不能保证固体颗粒干燥均匀。所以一般用于要求干燥程度不高的固体颗粒物料。氯化铵流化床干燥器的主要设备和工艺流程,如图7-23所示。

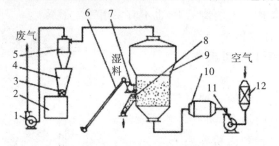

1-抽风机;2-料仓;3-星型下料器;4-集灰斗;5-旋风
除尘器(4只);6-皮带输送机;7-抛料机;8-卸料管;
9-流化床;10-加热器;11-鼓风机;12-空气过滤器

图7-23 氯化铵沸腾干燥流程图

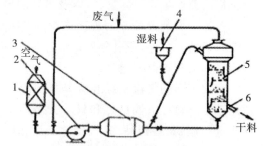

1-空气过滤器;2-鼓风机;3-电加热器;
4-料斗;5-干燥器;6-出料管

图7-24 涤纶切片五层沸腾干燥流程图

空气经过滤器由鼓风机送入空气加热器,加热后的热空气进入流化床底部分布板,干燥湿氯化铵。干燥后的氯化铵经溢流口由卸料管排出。干燥后空气夹带的粉尘经4个并联的旋风除尘器分离后,由抽风机排出。

多层流化床干燥器是为了克服单层流化床干燥器干燥产品湿度不均匀的缺点而设计的。图7-24所示为五层流化床干燥器干燥涤纶切片的主要设备和工艺流程。经结晶后的涤纶树脂由料斗送人气流输送干燥器上部,由上溢流而下,干燥后的合格产品(含水量≤

0.02％)由出料管卸出。空气经过滤器,由鼓风机送入电加热器,加热后从干燥器底部进入,将湿料沸腾干燥。为了提高热利用率,可将部分气体循环使用。

多层流化床干燥器结构上类似于板式塔,可分为溢流管式和穿流板式。国内目前均用溢流管式多层流化床干燥器。

穿流板式流化床干燥器结构较为简单,如图 7-25 所示。其特点是没有溢流管,物料直接从筛板孔由上而下的流动,同时气体通过筛孔由下向上运动,在每块筛板上形成沸腾床,故比溢流管简单。但操作控制更为严格。

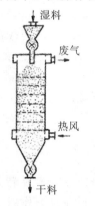

图 7-25　穿流板式多层流化床干燥器

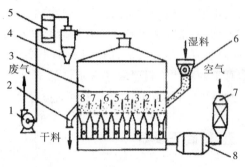

1-抽风机;2-出料管;3-干燥器;4-旋风分离器;
5-袋式除尘器;6-进料器;8-空气过滤器

图 7-26　卧式多池流化床干燥器

卧式多室流化床干燥器如图 7-26 所示,干燥器为一长方方形箱式流化床,底部为多孔筛板,筛板的开孔率一般为 4％～13％,孔径 1.5～2.0mm。筛板上方有竖向挡板,将流化床分隔成 8 个小室,每块挡板可上下移动,以调节其与筛板的间距。每一小室的下部,有一进气支管,支管上有调节气体流量的阀门。湿物料由摇摆颗粒机连续加料于干燥器的第 1 室内,由第 1 室逐渐向第 8 室移动。干燥后的物料由第 8 室卸料口卸出。而空气经过滤器到加热器加热后,分别从 8 个支管进入 8 个室的下部,通过多孔板进入干燥室,流化干燥物料。其废气由干燥器顶部排出,经旋风除尘器、袋式除尘器,由抽风机排出。适合干燥各种难以干燥的颗粒状粉料、片状等物料和热敏性物料。其所干燥的物料,大多是经造粒机制成的 4～14 目散粒状物料,初湿量一般在 10％～30％,干燥后物料的终湿量一般在 0.02％～0.3％。由于物料在床层内相互剧烈的碰撞摩擦,干燥后物料粒度变小。此类干燥器对多种物料适应性较大。它较箱式干燥器占地面积小,生产能力强,热效率高,干燥后产品湿度也较均匀。同气流式干燥器比较,可调节物料在床层内的停留时间,易于操作控制,而且物料颗粒粉碎率较小,因此应用较为广泛。但它的热效率比多层流化床干燥器低,特别是采用较高热风温度时更为明显。若在不同室调整进风量及风温,逐室降低风量、风温和热风串联通过各室,可提高热效率。另外,物料过湿会在第 1、2 室内易产生结块,需经常清扫。

流化床干燥与气流干燥一样,具有较高的传热和传质速率。因为在流化床中,颗粒浓度很高,单位体积干燥器的传热面积很大,所以体积传热系数也高,可达 2300～7000W/(m³·℃)。

在流化床中,颗粒仅在热气流中上下翻动,彼此碰撞和混合,气固间进行传热和传质,以达到干燥的目的。当颗粒床层膨胀到一定高度时,因床层空隙率增大而使气速下降,颗粒又重新落下而不致被气流带走、若气速增高到颗粒的自由沉降速度 u_0 时,颗粒就会从干燥器的顶部吹出,而成为气流干燥了。此时的气速称为“带出速度”。所以沸腾床中的适宜气体速度应在临界流化速度与带出速度之间。当静止物料层的高度为 $0.05 \sim 0.15m$ 时,对于粒径大于 $0.5mm$ 的物料,适宜的气速可取为 $(0.4 \sim 0.8)u_0$;对于较小的粒径,因颗粒在床内可能结块,采用上述的速度范围嫌小,一般这种情况下的操作气速需由实验确定。

流化床干燥器结构简单,造价低,活动部件少,操作维修方便。与气流干燥相比,它的气流阻力较低,物料磨损较轻,气固分离较易及热效率较高(对非结合水的干燥为 $60\% \sim 80\%$,对结合水的干燥为 $30\% \sim 50\%$)。此外物料在干燥器中的停留时间可用出料口控制,因此可改变产品的含水量。当物料干燥过程存在降速阶段时,采用沸腾干燥较为有利。

流化床干燥器适于处理粉粒状物料,而且粒径最好在 $30 \sim 60\mu m$ 范围,这是因为粒径小于 $20 \sim 40\mu m$ 时,气体通过分布板后易产生局部沟流;大于 $4 \sim 8mm$ 时,需要较高的气体速度,从而使流动阻力增加且物料磨损更为严重。处理粉粒状物料时要求其含水量为 $2\% \sim 5\%$,对于颗粒状物料要求其含水量低于 $10\% \sim 15\%$,若高于上述的含水量,物料的流动性能差,为此可加入部分干料或在床内加搅拌器,以利于物料的流化及防止结块。

五、转筒干燥器

转筒干燥器的主体是略带倾斜(也有水平的)并能回转的圆筒体。物料从转筒较高的一端送入,与由另一端进入的热空气逆流接触,随着圆筒的旋转,物料在重力作用下流向较低的一端时即被干燥完毕,然后送出。通常圆筒内壁上装有若干块抄板,其作用是将物料抄起后再撒下,以增大干燥表面积,使干燥速率增高,同时还促使物料向前运行。当圆筒旋转一周时,物料被抄起和撒下一次,物料前进的距离等于其落下的高度乘以圆筒的倾斜度。抄板的型式很多,常用的有直立抄板、45°和90°抄板。其中直立抄板适用于处理黏性或较湿的物料;45°和90°的抄板适用于处理散粒状或较干的物料。抄板基本上纵贯整个圆筒内壁,在物料入口端的抄板也可制成螺旋形的,以促进物料的初始运动并导入物料。湿物料经过圆筒内部时,与通过筒内的热风或加热壁面有效地接触而被干燥。它是目前仍被广泛使用的一种干燥器。转筒干燥器可分为直接加热式、间接加热式和复式加热式三种。

直接加热式转筒干燥器有并流式、逆流式、错流式三种形式。如图 7-27 所示,是使被干燥物料与热风逆流直接接触而进行干燥的形式,应用较广。并流式是热风与物料同方向移动的形式,即使是入口处热风温度较高,因物料处于表面蒸发阶段,故产品温度仍然大致保持湿球温度。出口侧的物料处于温度上升阶段,但因热风温度已下降,故产品的温度亦升高不多。因此,即使用较高的热风温度,也不会损坏产品的质量。逆流式是热风流动方向与物料移动方向相反的形式,适合于将产品加热到某一温度以上的场合。

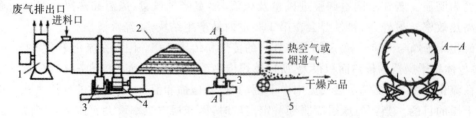

1-鼓风机;2-转筒;3-支撑装置;4-驱动齿轮;5-带式输送器

图 7-27　直接加热逆流操作的转筒干燥器

间接加热式转筒干燥器分内置加热管型和筒壁加热型两种,是通过金属壁间接地以传导和辐射方式加热物料的干燥器。其特点是仅需少量空气作蒸汽的携带气体,排气带走的热量少,故热效率高。此外,因排气湿度高,对于溶剂回收较为有利,产生的粉尘也较少。外壁加热型是将整个干燥筒外壳砌在炉内,用烟道气加热外壳的方式。除干燥外,也可用于加热、焙烧、煅烧等。

复式加热转筒干燥器为同时使用上述两种型式的干燥器,根据不同的使用目的有各种方案。复式加热转筒干燥器由内外两个圆管组成,热风穿过内筒,由产品出口端折入外筒,然后由原料供给端排出。物料通过外筒与热风逆流接触,并接触内筒壁传给的热量。

干燥器内空气与物料间的流向可采用逆流、并流或并逆流相结合的操作。通常在处理含水量较高、允许快速干燥而不致发生裂纹或焦化、产品不能耐高温而吸水性又较低的物料时,宜采用并流操作;当处理不允许快速干燥而产品能耐高温的物料时,宜采用逆流操作。

为了减少粉尘的飞扬,气体在干燥器内的流速不宜过高,对粒径为 1mm 左右的物料,气速为 $0.3\sim1.0\mathrm{m/s}$;对粒径为 5mm 左右的物料,气速在 3m/s 以下。有时为防止转筒中粉尘外流,可采用真空操作。转筒干燥器的体积传热系数较低,为 $0.2\sim0.5\mathrm{W/(m^3\cdot{}^{\circ}\!C)}$。

转筒干燥器的优点是机械化程度高,生产能力强,流动阻力小,容易控制,产品质量均匀。此外,转筒干燥器对物料的适应性较强,不仅适用于处理散粒状物料,当处理黏性膏状物料或含水量较高的物料时,可向其中掺入部分干料以降低黏性。转筒干燥器的缺点是设备笨重,金属材料耗量多,热效率低(约为 50%),结构复杂,占地面积大,传动部件需经常维修等。目前国内采用的转筒干燥器直径为 $0.6\sim2.5\mathrm{m}$,长度为 $2\sim27\mathrm{m}$,处理物料的含水量为 3%~50%,产品含水量可降到 0.5%,甚至低到 0.1%(均为湿基)。物料在转筒内的停留时间为几分钟到 2 小时(或更长时间)。

六、喷雾干燥器

喷雾干燥器是将溶液、膏状物或含有微粒的悬浮液通过喷雾而成雾状细滴分散于热气流中,使水汽迅速汽化而达到干燥的目的,如果将 $1\mathrm{cm^3}$ 体积的液体雾化成直径为 $10\mu\mathrm{m}$ 的球形雾滴,其表面积将增加数千倍,显著地加大了水分蒸发面积,提高了干燥速率,缩短了干燥时间。

热气流与物料以并流、逆流或混合流的方式相互接触而使物料得到干燥。这种干燥方法不需要将原料预先进行机械分离,而操作终了可获得 $30\sim50\mu\mathrm{m}$ 微粒的干燥产品,且干燥时间很短,仅为 5~30s,因此适宜于热敏性物料的干燥。目前喷雾干燥已广泛地应用于食品、医药、染料、塑料及化肥等工业生产中。

常用的喷雾干燥流程如图 7-28 所示。浆液用送料泵压至喷雾器,在干燥室中喷成雾滴而分散在热气流中,雾滴在与干燥器内壁接触前水分已迅速汽化,成为微粒或细粉落到器底,产品由风机吸至旋风分离器中而被回收,废气经风机排出。

一般喷雾干燥操作中雾滴的平均直径为 $20\sim60\mu\mathrm{m}$。液滴的大小及均匀度对产品的质量和技术经济等指标影响颇大,特别是干燥热敏性物料时,雾滴的均匀度尤其重要,如雾滴尺寸不均,就会出现大颗料还没有达到干燥要求,小颗粒却已干燥过度而变质的现象。因此,使溶液雾化所用的喷雾器(又称"雾化器")是喷雾干燥器的关键元件。对喷雾器的一般要求为,所产生的雾滴均匀,结构简单,生产能力大,能量消耗低及操作容易等。常用的喷雾器有离心式、压力式和气流式三种基本型式。压力喷雾器适用于一般黏度的液体,动力消耗最少,大约每千克溶液消耗 $4\sim10W$ 能量,但必须有高压液泵,且因喷孔小,易被堵塞及磨损而影响正常雾化,操作弹性小,产量可调节范围窄。气流式喷雾器动能消耗最大、每千克料液需要消耗 $0.4\sim0.8kg$ 的压缩空气($100\sim700kPa$ 表压),但其结构简单,制造容易,适用于任何黏度或较稀的悬浮液。离心式喷雾器能量消耗介于上述二者之间,由于转盘没有小孔,因此适用于高黏度($9Pa\cdot s$)或带固体的料液,操作弹性大,可以在设计生产能力的 $\pm25\%$ 范围内调节流量,对产品粒度的影响并不大,但离心式喷雾器的机械加工要求严格,制造费用高,雾滴较粗,喷距(喷滴飞行的径向距离)较大,因此干燥器的直径也相应地比采用另两种喷雾器时要大。

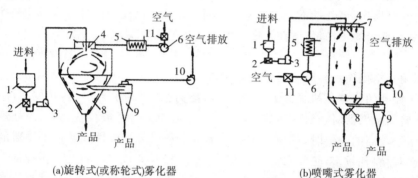

(a)旋转式(或称轮式)雾化器   (b)喷嘴式雾化器

1-料罐;2-过滤器;3-泵;4-雾化器;5-空气加热器;6-鼓风机;
7-空气分布器;8-干燥室;9-旋风分离器;10-排风机;11-过滤器

图 7-28　喷雾干燥典型流程图

喷雾干燥的特点如下。

①干燥速度十分迅速　料液经喷雾后,表面积很大,例如将 1L 料液雾化成 $50\mu m$ 的液滴,其表面积可增大至 $120m^2$。在高温气流中,瞬间就可蒸发 $95\%\sim98\%$ 的水分,完成干燥时间一般仅需 $5\sim40s$。

②干燥过程中液滴的温度不高,产品质量较好。喷雾干燥使用的温度范围非常广($80\sim800℃$),即使采用高温热风,其排风温度仍不会很高。在干燥初期,物料温度不超过周围热空气的湿球温度,干燥产品质量较好。例如不容易发生蛋白质变化、维生素损失、氧化等情况。对热敏性物料、生物和药物的质量,基本上能接近于真空下干燥的标准。

③产品具有良好的分散性、流动性和溶解性　由于干燥过程是在空气中完成的,产品基本上能保持与液滴相近似的球状,具有良好的分散性、流动性和溶解性。

④生产过程简化,操作控制方便　喷雾干燥通常用于处理湿含量 $40\%\sim60\%$ 的溶液,特殊物料即使湿含量高达 90%,也可不经浓缩,同样能一次干燥成粉状产品。大部分产品干燥后不需要再进行粉碎和筛选,从而减少了生产工序,简化了生产工艺流程。产品的粒径、松密度、水分,在一定范围内,可用改变操作条件进行调整,控制管理都很方便。

⑤防止发生公害,改善生产环境　由于喷雾干燥是在密闭的干燥塔内进行的,这就避免了干燥产品在车间里飞扬。对于有毒气、臭气物料,可采用封闭循环系统的生产流程,将毒气、臭气烧毁,防止大气污染,改善生产环境。

⑥适宜于连续化大规模生产 喷雾干燥能适应工业上大规模生产的要求,干燥产品经连续排料,在后处理上可结合冷却器和风力输送,组成连续生产作业线。

⑦对气体的分离要求较高,对于微小粉末状产品应选择可靠的气—固分离装置,以避免产品的损失及污染周围环境。缺点是经常发生粘壁现象,影响产品质量,目前尚无成熟方法解决粘壁现象。

七、滚筒干燥器

滚筒干燥器是间接加热的连续干燥器,它适用于溶液、悬浮液、胶体溶液等流动性物料的干燥。

图 7-29 所示为双滚筒干燥器,其结构较两个单滚筒干燥器紧凑而所需的功率相近。两滚筒的旋转方向相反,部分表面浸在料槽中,从料槽中转出来的那部分表面粘上了厚度为 0.3~5mm 的薄层浆料。加热蒸汽通入滚筒内部,通过筒壁的热传导,使物料中的水分蒸发,水汽与其夹带的粉尘由滚筒上方的排气罩排出。滚筒转动一周,物料即被干燥,并由滚筒壁上的刮刀刮下,经螺旋输送器送出。对易沉淀的料浆也可将原料向两滚筒间的缝隙处洒下。这一类型的干燥器是以传导方式传热的,湿物料中的水分先被加热到沸点,干料则被加热到接近于滚筒表面的温度。

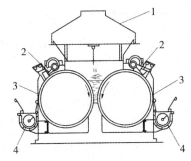

1-排气罩;2-刮刀;
3-蒸汽加热滚筒;4-螺旋输送器
图 7-29　双滚筒干燥器(中央进料)

滚筒直径一般为 0.5~1.5m,长度为 1~3m,转速为 1~3r/min。处理物料的含水量可为 10%~80%,一般可干燥到 3%~4%,最低为 0.5% 左右,由于干燥时可直接利用蒸汽的汽化热,故热效率较高,为 70%~90%。单位加热蒸汽耗量为 1.2~1.5kg 蒸汽/kg 水,总传热系数为 180~240W/(m² · ℃)。

滚筒干燥器与喷雾干燥器相比,具有动力消耗低,投资少,维修费用省,干燥时间和干燥温度容易调节(可改变滚筒转速和加热蒸汽压强)等优点,但是在生产能力、劳动强度和条件等方面则不如喷雾干燥器。若能考虑滚筒干燥器的密封而改用真空操作,则可进一步改善操作条件。

八、冷冻干燥器

冷冻干燥器属于传导加热的真空干燥器,冷冻干燥又称为"生华干燥",湿物料在低温下将其中的水分直接由固相升华进入气相而达到干燥目的。

如图 7-30 所示,湿物料置于干燥器内的若干层搁板上。首先用冷冻剂预冷,将物料中的水分冻结成冰。由于物料中水溶液的冰点较纯水为低,预冷温度应比溶液冰点低 5℃ 左右,一般为 -5~-30℃。随后对系统抽真空,使干燥器内的绝对压强约保持为 130Pa,物料中的水分由冰升华为水汽并进入冷凝器中冻结成霜。此阶段应向物料供热以补偿冰升华所需的热量,物料温度几乎不变,是一恒速阶段。供热的方式可用电热元件辐射加热,也可通入热媒加热。干燥后期,为一升温阶段,可将物料升温至 30~40℃ 并保持 2~3h,使物料中剩余水分去除干净。

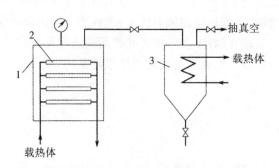

1-干燥器；2-搁板；3-冷凝器

图 7-30 冷冻干燥器

冷冻干燥器主要用于生物制品、药物、食品等热敏性物料的脱水，以保持酶、天然香料等有效成分不受高温或氧化破坏。在冷冻干燥过程中物料的物理结构未遭破坏，产品加水后易于恢复原有的组织状态。但冷冻干燥费用很高，只用于少量贵重物品的干燥。

九、红外线干燥器

红外线干燥器利用红外线辐射源发出波长为 $0.72\sim1000\mu m$ 的红外线投射于被干燥物体上，可使物体温度升高，水分或溶剂汽化。通常把波长为 $5.6\sim1000\mu m$ 范围的红外线称为"远红外线"。

不同物质的分子吸收红外线的能力不同。像氢、氮、氧等双原子的分子不吸收红外线，而水、溶剂、树脂等有机物则能很好地吸收红外线。此外，当物体表面被干燥之后，红外线要穿透干固体层深入物料内部比较困难。因此红外线干燥器主要用于薄层物料的干燥，如涂料、油漆、油墨的干燥等。

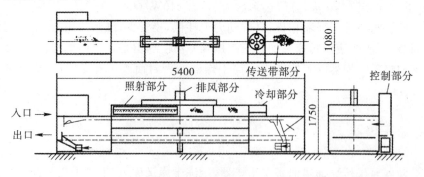

图 7-31 远红外线干燥器的结构

远红外线干燥器由照射部分、冷却部分、传送带部分、排风部分和控制部分等组成，如图7-31 所示。传送带部分用运输带连续地移动干燥物件。控制部件是照射部分、传送带部分和冷却部分的电控部件。目前常用的红外线辐射源有两种：一种是红外线灯，用高穿透性玻璃和钨丝制成。红外线灯也可以制成管状或板状。灯与物体的距离直接影响物体的干燥温度和时间。另一种辐射源是使煤气与空气的混合气（一般空气量是煤气量的 $3.5\sim3.7$ 倍）在薄金属板或钻了许多小孔的陶瓷板背面发生无烟燃烧，当板的温度达到 $400\sim500℃$ 时即发出红外线。

红外线干燥器干燥速率快,操作方便灵活,但是耗能大。可以适应干燥物品的变化,适用于薄层物料的干燥;能保持干燥系统的密闭性,免除干燥过程中溶剂或其他毒物挥发对人体的危害,或避免空气中的尘粒污染物料。

任务三　干燥器的选型和设计

一、干燥器的选型

在化工生产中,为了完成一定的干燥任务,需要选择适宜的干燥器类型。

通常,干燥器选型应考虑以下各项因素:

(1)产品的质量　例如在医药工业中许多产品要求无菌,避免高温分解,此时干燥器的选型主要从保证质量上考虑,其次才考虑经济性等问题。

(2)物料的特性　物料的特性不同,采用的干燥方法也不同。物料的特性包括物料形状、含水量、水分结合方式、热敏性等。例如对于散粒状物料,以选用气流干燥器和沸腾干燥器为多。

(3)生产能力　生产能力不同,干燥方法也不尽相同。例如当干燥大量浆液时可采用喷雾干燥,而生产能力低时宜用滚筒干燥。

(4)劳动条件　某些干燥器虽然经济适用,但劳动强度大、条件差,且生产不能连续化,这样的干燥器特别不宜处理高温、有毒、粉尘多的物料。

(5)经济性　在符合上述要求下,应使干燥器的投资费用和操作费用为最低,即采用适宜的或最优的干燥器。

(6)其他要求　例如设备的制造、维修、操作及设备尺寸是否受到限制等也是应考虑的因素。

此外,根据干燥过程的特点和要求,还可采用组合式干燥器。例如,对于最终含水量要求较高的可采用气流-沸腾干燥;对于膏状物料,可采用沸腾-气流干燥器。

二、干燥器的设计

干燥器设计中,主要利用以下基本关系:

①物料衡算。

②热量衡算。

③传热速率方程式。

④传质速率方程式。

但是,对于对流传热系数 α 及传质系数 K 均随干燥器类型、物料性质及操作条件而异,而目前还没有通用的求算 α 和 K 的关联式,因此干燥器的设计仍靠经验或半经验方法进行。设计的基本原则是物料在干燥器中的停留时间必须等于或稍大于所需的干燥时间。

干燥器操作条件的确定与许多因素(例如干燥器的型式、物料的特性及干燥过程的工艺要求等)有关。而且各种操作条件(例如干燥介质的温度和湿度等)之间又是相互制约的,应予综合考虑。有利于强化干燥过程的最佳操作条件,通常由实验测定。下面介绍一般的选择原则。

(1)干燥介质的选择　干燥介质的选择,决定于干燥过程的工艺及可利用的热源。基本热源有饱和水蒸气、液态或气态的燃料和电能。在对流干燥中,干燥介质可采用空气、惰性气体、烟道气和过热蒸汽。

当干燥温度不太高、且氧气的存在不影响被干燥物料的性能时,可采用热空气作为开燥介质。对某些易氧化的物料,或从物料中蒸发出易爆的气体时,则宜采用惰性气体作为干燥介质。烟道气适用于高温干燥,但要求被干燥的物料不怕污染、且不与烟气中的 SO_2 和 CO_2 等气体发生作用。由于烟道气温度高,故可强化干燥过程,缩短干燥时间。

(2)流动方式的选择　气体和物料在干燥器中的流动方式,一般可分为并流、逆流和错流。

在并流操作中,物料的移动方向和介质的流动方向相同。因在干燥的第一阶段中,物料的温度等于空气的湿球温度,故并流时要采用较高的气体初始温度,或在相同的气体温度下,物料的出口温度较逆流时的为低,被物料带走的热量就少。可见,在干燥强度和经济性方面,并流优于逆流。但是,并流干燥的推动力沿程逐渐下降,干燥后阶段的推动力变得很小,使干燥速率降低,因而难以获得含水量低的产品。并流操作适用于:

①当物料含水量较高时,允许进行快速干燥而不产生龟裂或焦化的物料。

②干燥后期不耐高温,即干燥产品易发生变色、氧化或分解等变化的物料。

在逆流操作中,物料的移动方向和介质的流动方向相反,整个干燥过程中的干燥推动力较均匀。它适用于:

①在高含水量时,不允许采用快速干燥的物料。

②在干燥后期,可耐高温的物料。

③要求获得含水量很低的干燥产品。

在错流操作中,干燥介质与物料间运动方向相互垂直,各个位置上的物料都与高温、低湿的介质相接触,因此干燥推动力比较大,且有较大的气固接触面积,又可采用较高的气体速度,所以干燥速率很高。它适用于:

①无论在高或低的含水量时,都可进行快速干燥,且可耐高温的物料。

②因阻力大或干燥器构造的要求不适宜采用并流或逆流操作的场合。

(3)干燥介质的进口温度　为了强化干燥过程和提高经济性,干燥介质的进口温度宜保持在物料允许的最高温度范围内,但应考虑避免物料发生变色、分解等理化变化。对于同一种物料,允许的介质进口温度随干燥器型式不同而异,例如,在箱式干燥器中。由于物料是静止的,因此应选用较低的介质进口温度。在转筒、沸腾、气流等干燥器中,由于物料不断地翻动,致使干燥较均匀,速率快、时间短,因此介质进口温度可高些。

(4)干燥介质出口的相对湿度和温度　提高干燥介质出口的相对湿度 φ_2,可以减少空气消耗量及传热量,即可降低操作费用;但因 φ_2 增大,干燥介质中水汽分压增高,使干燥过程的平均推动力下降,为了保持相同的干燥能力,就需增大干燥器的尺寸,即加大了投资费用。所以,最适宜的 φ_2 值应通过经济核算来决定。

对于同一种物料,所选的干燥器的类型不同,适宜的 φ_2 值也不相同。例如,对气流干燥器,由于物料在干燥器内的停留时间很短,就要求有较大的推动力以提高干燥速率。因此,一般出口气体水汽分压需低于出口物料表面水蒸气压的50%,对转筒干燥器,出口气体中水汽分压一般为物料表面水蒸气压的50%~80%。对某些干燥器,要求保证一定的空气速度,因此应考虑气量和φ_2的关系,即为了满足较大气速的要求,可使用较多的空气量而减少φ_2值。干燥介质的出口温度t_2应该与φ_2同时予以考虑。若t_2增高,则热损失增加,干燥热效率就低;若t_2降低,而φ_2又较高,此时湿空气可能会在干燥器后面的设备和管路中析出水滴,因此破坏了干燥的正常操作。对气流干燥器,一般要求t_2较物料出口温度高10~30℃,或t_2较入口气体的绝热饱和温度高20~50℃,以免物料返潮,造成管道堵塞、设备腐蚀。

对于一台干燥设备,干燥介质的最佳出口温度和湿度应通过操作实践来确定,生产上主要是通过控制、调节干燥介质的预热温度和流量来实现的。例如,对同样的干燥任务,加大介质的流量或提高其预热温度,可使介质的相对湿度降低而出口温度上升。

在有废气循环的干燥设备中,通常将循环的废气与新鲜空气混合后进入预热器加热,然后再送入干燥器,以提高传热和传质系数,减少热损失,提高热能的利用率。但循环废气的加入,会使进入干燥器的介质湿度增加,将使过程的传质推动力下降。因此,采用循环废气操作时,应根据实际情况,在保证产品质量和产量的前提下,调节适宜的循环此。

(5)物料的出口温度 物料的出口温度与很多因素有关,但主要取决于物料的临界含水量及降速干燥阶段的传质系数。物料的临界含水量愈低,物料的出口温度也愈低,传质系数愈高。目前还没有求算物料出口温度的理论公式,设计时可进行估计,具体方法参见相关手册。

任务四 干燥设备的操作与维护技术

干燥设备的种类较多,操作技术由于设备差异、干燥物料以及干燥介质的不同而有很大差别。下面仅介绍几种常用干燥设备的操作步骤、维护保养以及常见故障的处理方法。

一、喷雾干燥设备的操作与维护

1.正确操作

喷雾干燥设备主要有高压供料泵、雾化器、干燥塔、出料机、加热器和风机等组成。通过雾化器(喷嘴)将溶液(乳浊液)喷洒成细小的液滴,随后与热气流混合,迅速蒸发干燥而成为成品,如一些奶粉、药物、尿素造粒、合成洗涤剂生产等属于此种生产工艺。操作步骤如下:

①此种干燥设备包括不同的化工机械和设备,在投产前应做好准备工作;检查供料泵、雾化器、送风机及出料机是否运转正常;检查蒸汽、溶液阀门是否灵活好用,各种管路是否畅通;清理塔内积料和杂物;刮掉塔壁挂疤;排除加热器和管路中的积水,并进行预热,向塔内送热风;清洗雾化器,达到流道通畅。

②启动供料泵向雾化器输送溶液,观察压力大小和输送量,以保证雾化器需要。

③经常检查、调节雾化器的喷嘴位置和转速,确保雾化颗粒大小合格。

④经常查看和调节干燥塔的负压数值,一般控制在1.33~4kPa。

⑤定时巡回检查各种管路与阀门是否渗漏,各转动设备的密封装置是否泄漏,做到及时

调整和拧紧。

2.维护保养

在使用干燥器的过程中,应坚持做好如下维护保养工作。

①雾化器、输送溶液管路和阀门停止使用时应清洗干净,或放净溶液,防止凝固堵塞。

②进入塔内的热风流速不可过高,防止塔壁表皮破碎。

③经常清理塔内黏附的物料。

④保持供料泵、风机、雾化器及出料机等转动设备的零部件齐全。

喷雾干燥操作过程中,常见的故障与处理方法见表7-2。

表7-2　常见故障及处理方法(离心式雾化器)

不正常现象	原因	处理方法
产品水分含量高	溶液雾化不均匀,喷出的颗粒大	提高溶液压力和雾化器转速
	热风的相对湿度大	提高送风温度
	溶液供量大,雾化效果差	调节雾化器进料量或更换雾化器
塔壁粘有积粉	进料太多,蒸发不充分	减小进料量
	气流分布不均匀	调节热风分布器
	个别喷嘴堵塞	清洗或更换喷嘴
	塔壁预热温度不够	提高热风温度
产品颗粒太细	溶液的浓度太低	提高溶液浓度
	喷嘴孔径太小	换大孔径喷嘴
	溶液压力太高	适当降低压力
	离心盘转速太快	降低转速
尾气含粉尘太多	分离器堵塞或积料多	清理物料
	过滤袋破裂	修补破口
	风速大,细粉含量大	降低风速

二、滚筒干燥器的操作与维护

1.正确操作

(1)开车前的准备工作

①检查填料部分的密封腔表面有无损伤,必要时调整四周间隙,加入新填料前加二硫化钼润滑脂,压紧的紧力要均匀。

②检查螺旋进料部分的螺旋主轴有无裂纹,主轴直线度偏差不得超过1mm,螺旋装入进料箱后,叶片与壁间隙不得小于5mm,轴套、滚动轴承磨损不得大于1mm,否则要更换。检查传动链条、链轮的磨损情况,链条安装松弛量取两链轮中心距的2%为宜,用直尺校正两链轮平面。

③拆卸滚动部分的螺旋输送器,拆除排气弯管保温,充空气检查蒸汽列管和排气弯管的泄漏情况;拆卸罩壳、弯管,更换敲击锤头子、钢球;检查滚筒内部的腐蚀情况;检查或更换滚筒两端盖的垫片、蒸汽列管束填料。更换托轮、轴承采取单头起重筒体取出托轮,托轮取出前要用枕木将筒体垫实。拆下托轮前,在托轮支架与基础底板结合处做好标记,复位时可利用此标记对中。托轮复位后检查筒体与进、排料端部件对中,校正大密封腔的间隙,必要时

移动托轮来调整。

④测量驱动部分筒体的倾斜度,筒体与大密封腔找正。

⑤清洗油箱、滤油阀、吹扫油管。

(2)空负荷试车

①点动油泵、螺旋输送器、主机,确认转向。

②启动油泵、螺旋输送器、主机,检查有无异常、振动、声响、电流是否正常等。

③检查轴承有无异常,温度不得超过70℃。

④检查填料腔有无异音,温度不得超过90℃。

(3)升温试车

①升温运转按操作手册规定缓慢运行。

②检查机械密封、蒸汽系统有无泄漏。

③检查填料腔温度有无异常情况。

④干燥机升温运转至温度、蒸汽压力符合工艺要求后,无情况,即可投料运行。

2.干燥器的维护

①检查油泵运行是否正常,各润滑点定时定量加油。

②检查蒸汽疏水器排液是否畅通。

③检查回转接头是否漏气,有无异音。

④检查冷却筒体大密封填料的空气、氮气和冷却水是否畅通。

⑤检查螺旋进料器的滑动轴承,吹扫氮气是否畅通。

⑥检查各处轴承温度是否正常、有无异音。

⑦检查各处填料是否泄漏,温度是否正常。

⑧检查支承弹簧有无改变,检查紧固件有无松动。

⑨检查主机、副机的电流是否正常,进料螺旋输送器、减速机、变送机、联轴器等是否运转良好。

⑩检查链条传动有无异常、链条紧松适中,润滑是否良好。

三、气流干燥器的操作与维护

气流干燥装置主要由空气加热器、加料器、干燥管、旋风分离器和风机等设备组成。其主要设备是直立圆筒形的干燥管,其长度一般为10～20m,热空气进入干燥管底部,将加料器连续送入的湿物料吹散,并悬浮在其中。干燥后的物料随气流进入旋风分离器,产品由下部收集,湿空气经袋式过滤器(或湿法、电除尘等)回收粉尘后排出。

1.正确操作

①准备工作:查看风机、抽风机周围有无障碍物,地脚螺栓是否牢固,干燥系统管路应完整无损。

②启动抽风机、送风机。

③打开空气加热器加热源,对空气进行加热。

④待入干燥器的气流温度达到工艺要求后,启动加料器加料。

⑤正常操作期间,控制干燥器内的温度就可得到水分含量合格的产品。

2.常见故障及其处理方法(见表 7-3)

表 7-3 常见故障及处理方法

故障现象	原因	处理方法
气流风压偏高或偏低	干燥风管或弯头堵塞 风机挡板移动 空气过滤介质脏	停车清理 调整风机挡板 更换或清洗过滤介质
干燥器物料过多	未开抽风机	开抽风机
成品水分过高	风温低 风量不合适 空气加热器漏损 加料速度过快	调节风温 调节风量 修理空气加热器 调整进料速度

四、沸腾干燥器的操作与维护

沸腾干燥器是自 20 世纪 60 年代发展起来的干燥设备。在干燥过程中固体颗粒悬浮于干燥介质中,传热效率高,能够连续生产和便于控制。沸腾干燥器密封性能好,干燥过程无杂质混入,目前在化工、轻工、医药、食品等工业上得到了广泛应用。

1.正确操作

①开炉前首先试开送风机和引风机,检查有无摩擦和碰撞声,轴承的润滑油是否充足够用和风压是否正常。

②沸腾炉投料前应先烤炉。打开加热器疏水阀、风箱室的排水阀和炉体的放空阀,然后逐渐开大蒸汽阀门和进风阀门进行烤炉,除去炉内湿气,直到炉内石子和炉壁达到规定温度,结束烤炉操作。

③停下送风机和引风机,敞开大孔,向炉内铺撒干料,料层高度约 250mm。至此,已完成了开炉的准备工作。

④再次开动送风机和引风机,关闭有关阀门,向炉内送热风,并开动给料机抛撒湿物料,要求进料量由少增多,布料应均匀。

⑤根据进料量,调节风量和热风温度,保证成品含水量合格。

⑥经常检查卸出的物料有无结块,观察炉内物料面的沸腾情况,发现有死角,调节各风箱室的进风量和风压大小。

⑦经常检查风机的轴承温度,机身有无振动以及风道有无漏风,发现问题及时解决。

⑧经常检查引风机出口的带料情况和尾气管线的腐蚀程度,及时解决发现的问题。

2.维护保养

①停炉时应将炉内物料清理干净,并保持干燥。

②保持保温层完好,有破裂时应及时修补好。

③加热器停用时应打开疏水阀门,排净冷凝水,防止锈蚀。

④经常清理引风机内部黏附的物料和送风机进口的防护网。

⑤经常检查并保持炉内分离器畅通和炉壁不锈蚀。

3.常见故障及其处理方法(见表 7-4)

表 7-4　常见故障及其处理方法

故障现象	原因	处理方法
发生死床	火炉物料过湿或结块多 热风量少或温度低 床面干料层高度不够 热风量分配不均匀	降低物料的含水量 增加风量,升高温度 缓慢出料,增加干料层厚度 调整进风阀开度
尾气含尘量大	分离器破损,效率下降 风量大或炉内温度高 物料颗粒变细小	检查修理 调整风量和温度 检查操作指标变化
沸腾流动不好	风压低或物料多 热风温度低 风量分布不合理	调节风量和物料量 加大加热蒸汽量 调节进风板阀开度

习题七

1.湿空气总压力为 101.33kPa,干球温度为 40℃,露点为 25℃,试求:(1)水汽分压;(2)湿度;(3)相对湿度;(4)焓。(答:3.17kPa;0.022kg/kg 干空气;43％;91.9kJ/kg 干空气)

2.湿空气总压为 50kPa,干球温度为 60℃,相对湿度为 40％,试求:(1)水汽分压;(2)湿度;(3)湿比容。(答:7.97kPa;0.118kgH_2O/kg 干空气;2.27m^3/kg 干空气)

3.去湿设备中将空气中的部分蒸汽除去,操作压力为 101.33kPa。空气进口温度为 20℃,水蒸气分压为 6.62kPa,出口处水蒸气分压为 1.4kPa。试计算每 100m^3 进口空气所除去的水分量。(答:4.22kgH_2O)

4.用一干燥器干燥某物料,已知湿物料处理量为 l000kg/h,含水量由 40％干燥至 5％(均为湿基)。试计算干燥水分量和干燥收率为 94％时的产品量。(答:368.42kg/h;593.69kg/h)

5.用连续干燥器干燥某物料,已知湿物料处理量为 0.3kg/s,物料由含水量 40％干燥到 5％(均为湿基),试求绝干物料量 G_c 水分蒸发量 W 及干燥产品量 G_2。(答:0.18kg/s;0.11kg/s;0.19kg/s)

6.在常压连续干燥器中干燥某湿物料,每小时处理物料 1000kg,经干燥后物料含水量由 40％降至 5％(均为湿基)。进干燥器空气温度为 10℃,其中所含水汽分压为 1.0kPa,空气在 40℃、$\varphi=70$％下离开干燥器。试求所需新鲜空气量,kg/s,40℃下水饱和蒸汽压为 7.4kPa。(答:2.98m^3/s)

7.在某干燥器中干燥砂糖晶粒,物料处理量为 100kg/h,物料含水量由 40％降到 5％(均为湿基)。空气初始温度为 20℃,湿度为 0.01kg/kg 绝干气,经预热至 80℃后送入干燥器。空气在干燥器内的过程为等焓变化,出干燥器时温度为 30℃,总压是 101.33kPa。试求:(1)水分蒸发量;(2)湿空气消耗量;(3)预热器加热量。(答:36.9kg/h;1863kg/h;31.6kW)

8.利用气流干燥器将含水量 20％的物料干燥到 5％(均为湿基)。已知湿物料处理量为 1000kg/h。空气初始温度为 20℃,湿度为 0.011kg/kg 绝干气,空气经预热后进入干燥器,空气离开干燥器时温度为 60℃,湿度为 0.04kg/kg 绝干气,并为等焓干燥过程。试求(1)空气量,m^3/h(按进预热器状态计);(2)进干燥器时空气温度;(3)预热器传热量。(答:4595m^3/h;133℃;175.43kW)

9.在恒定干燥条件下干燥某湿物料。降速阶段干燥速率曲线为直线,且已知恒速阶段干燥速率 U_c 为 1.5kg/(m^3·h),临界含水量 X_c 为 0.2(干基,下同),平衡含水量 X^* 为 0.05,单位干燥面积的绝干物料量 G_c/A 为 40kg 绝干料/m^2。湿物料质量为 2000kg。试求将该物料由含水量 $X_1=0.38$ 降到 $X_2=0.1$ 时所需的干燥时间。(答:$\tau=9.2$h)

10.用一台连续操作的干燥器来处理某物料。空气进预热器前的状态是干球温度为 26℃,湿球温度为

23℃,经预热器加热到95℃后,再送入干燥器,空气出干燥器时的温度为65℃。被干燥物料的状况是湿物料进口温度为25℃,产品的出口温度为35℃。湿物料的湿基含水量为1.5%,干燥后最终湿基含水量为0.2%。绝干料的比热容为1.842kJ/kg·K。干燥器的生产能力为9216kg 湿物料/h。干燥器的热损失为586kJ/kg 汽化水分。试求产品量及空气消耗量。(答:2.53kg/S,4.92kg 新鲜空气/S)

11. 某物料的干燥速率曲线如图 7-15 所示。欲将该湿物料由湿基含水量30%干燥到8%,湿物料处理量为 10kg,干燥表面积为 0.52m²。试估算干燥时间。(降速阶段的干燥速率可近似按直线处理)。(答:$\tau = 3.94h$)

12. 在恒定干燥条件下,将某湿物料由 $X_1 = 0.33$(干基含水量,下同),干燥至 $X_2 = 0.09$,共需 7 小时。已知物料的临界含水量为 $X_C = 0.16$,平衡含水量为 $X^* = 0.05$。问继续干燥至 $X_3 = 0.07$,再需多少小时?(答:2.9h)

本模块主要符号说明

英文

A——干燥面积,m²;

U——干燥速率,kg/m²·s;

G_C——湿物料中绝对干料量,kg/s;

H——湿空气的绝对湿度湿度,kg 水/kg 干空气;

I——湿空气的比焓,kJ/kg 干空气;

L——绝干空气的消耗量,kg 绝干气/s;

l'——单位湿空气耗量,kg 湿空气/kg 水;

L——绝干空气消耗量,kg 干气/s;

L'——湿空气的质量流量,kg 湿空气/s;

P——总压,Pa;

p_V——水汽分压,Pa;

t——干球温度,℃;

t_w——湿球温度,℃;

t_{as}——绝热饱和温度,℃;

v_H——湿空气的比体积(湿容积),m³湿空气/kg 干空气;

W——湿基含水量;

X——干基含水量。

希文

τ——气体在气道内的停留时间,s;

ϕ——相对湿度;

$d\tau$——微分干燥时间,s。

下标

1——进口的;

2——出口的;

a——干空气的;

B——惰性组分的;

C——绝干的;

V——水汽的;

S——饱和的;

W——水的。

模块八

萃 取

项目 1
液—液萃取过程分析

学习目标

- 了解液—液萃取的应用及影响萃取操作的主要因素
- 掌握液—液萃取基本原理
- 掌握液—液相平衡原理
- 掌握萃取过程在三角形相图上的表示方法

任务一　液—液萃取基本原理及其应用

利用原料液中各组分在适当溶剂中溶解度的差异而实现混合液中组分分离的过程称为"液—液萃取",又称"溶剂萃取"。液—液萃取是 20 世纪 30 年代用于工业生产处理均相液体混合物的分离技术,随着萃取应用领域的扩展,回流萃取、双溶剂萃取、反应萃取、超临界萃取及液膜分离等技术相继问世,使得萃取成为分离液体混合物很有生命力的操作单元之一。

一、基本原理

液—液萃取是分离均相液体混合物的单元操作之一。利用液体混合物中各组分在某溶剂中溶解度的差异,而达到混合物分离的目的。

所选用溶剂称为"萃取剂 S",也称为"溶剂";混合液中被分离出的组分称为"溶质 A";原混合液中与萃取剂不互溶或仅部分互溶的组分称为"原溶剂 B",也称为"稀释剂"。操作完成后所获得的以萃取剂为主的溶液称为"萃取相 E",而以原溶剂为主的溶液称为"萃余相 R"。除去萃取相中的萃取剂后得到的液体称为"萃取液 E'",同样,除去萃余相中的萃取剂后得到的液体称为"萃余液 R'"。

如图 8-1 所示,萃取操作包括下列步骤:

①混合过程:原料液($A+B$)与萃取剂充分接触,各组分发生了不同程度的相际转移,进行了质量传递。

②澄清过程:分散的液滴凝聚合并,形成的两相萃取相和萃余相由于密度差而分层。

③脱除溶剂操作:萃取相脱除溶剂得到萃取液,萃余相脱除溶剂得到萃余液,脱除溶剂操作常采用精馏操作。

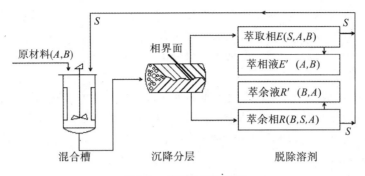

图 8-1 萃取操作示意图

二、萃取在工业生产中的应用

1.溶液中各组分的相对挥发度很接近或能形成恒沸物,采用一般精馏方法进行分离需要很多的理论板数和很大的回流比,操作费用高,设备过于庞大或根本不能分离。

2.组分的热敏性大,采用蒸馏方法易导致热分解、聚合等化学变化。

3.溶液沸点高,需要在高真空下进行蒸馏。

4.溶液中溶质的浓度很低,用蒸馏方法能耗太大,经济上不合理。

5.多种金属物质的提取,如核燃料及稀有金属的提取。

萃取操作在工业上得到广泛应用,在石油化学工业尤为突出。在制药工业、食品工业、湿法冶炼工业、核工业材料提取和环境保护治理污染中均起到重要作用。

任务二　液-液相平衡

液-液萃取至少涉及三种物质,即原料液中的溶质 A 和原溶剂 B,以及萃取剂 S。加入的萃取剂与原料液($A+B$)形成的三组分物系有三种类型。①溶质 A 完全溶于原溶剂 B 及萃取剂 S 中,但萃取剂 S 与原溶剂 B 完全不互溶,形成一对完全不互溶的混合液;②萃取剂 S 与原溶剂 B 部分互溶,与溶质 A 完全互溶,形成一对部分互溶的混合液;③萃取剂 S 不仅与原溶剂 B 部分互溶而且与溶质 A 也部分互溶,形成两对部分互溶的混合液。第一种情况较少见,第三种情况应尽量避免,我们讨论的是第二种情况。

一、三组分系统组成的表示法

液-液萃取过程也是以相际的平衡为极限。三组分系统的相平衡关系常用三角形坐标图来表示。混合液的组成以在等腰直角三角形坐标图上表示最方便,因此萃取计算中常采用等腰直角三角形坐标图。

在图 8-2 中,三角形的三个顶点分别表示纯组分。习惯上以顶点 A 表示溶质,顶点 B 表示原溶剂,顶点 S 表示萃取剂。三角形任何一个边上的任一点代表一个二元混合物,如 AB 边上的 H 点代表由 A 和 B 两组分组成的混合液,其中 A 的质量分数为 0.7,B 为 0.3。三角形内任一点代表一个三元混合物,如图中的 M 点,过 M 点分别作三个边的平行线 ED、

$\overline{HG}$ 与 $\overline{KF}$，其中 A 的质量分数以线段 $\overline{MF}$ 表示，B 的以线段 $\overline{MK}$ 表示，S 的以线段 $\overline{ME}$ 表示。由图可读得：$w_A=0.4$，$w_B=0.3$，$w_S=0.3$。可见三个组分的质量分数之和等于 1。

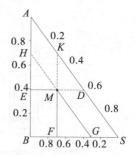

图 8-2　组成在三角形相图上的表示方法

此外，M 点的组成也可由 $\overline{ME}$ 线段读出萃取剂 S 的含量，$\overline{MF}$ 线段读出溶质 A 的含量，原溶剂 B 的含量不直接从图上读出，而是可方便地计算出，即：$B=200-(S+A)$。

直角等腰三角形可用普通直角坐标纸绘制。有时，也采用不等腰直角三角形表示相组成，只有在各线密集不便于绘制时，可根据需要将某直角边适当放大，使所标绘的曲线展开，以方便使用。

二、溶解度曲线和联结线

在原料液$(A+B)$中加入适量的萃取剂 S，经过充分的接触和静置后，形成两个液层萃取相 E 及萃余相 R。达到平衡时的两个液层称为"共轭相"。若改变萃取剂 S 的用量，则得到新的共轭相。在三角形坐标图上，将代表各平衡液层的组成坐标点联结起来的曲线称为"溶解度曲线"，如图 8-3 所示。曲线以内为两相区，以外为单相区。图中点 R 及 E 表示两平衡液层萃余相及萃取相的组成坐标，两点的联线称为"联结线"。溶解度曲线是根据若干组共轭相的组成绘出的。溶解度曲线在点 P 分为左右两部分，P 点称为"临界混溶点"，又称"褶点"。通过这一点的联结线无限短，在此点处 R 和 E 两相组成完全相同，溶液变为均一相。

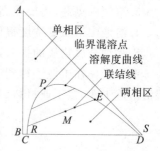

图 8-3　溶解度曲线和联结线

溶解度曲线及联结线数据均由实验测得。

三、辅助曲线

在一定温度下，任何物系的联结线有无穷多条，而且互成平衡两液层的组成是由实验测定的。因此，常用一条辅助曲线间接表示互成平衡的两液层组成之间的关系。

参阅图 8-4，图中已知四对相互平衡液层的坐标位置，即 R_1，E_1；R_2，E_2；R_3，E_3 及 R_4，E_4 各点。从点 E_1 作边 AB 的平行线，从点 R_1 作 BS 边的平行线，两线相交于点 F。再从另三组的坐标点用同样的方法作图得交点 G、H 和 J，联各交点的曲线 $FGHJ$ 即为辅助曲线，又称共轭曲线。辅助曲线与溶解度曲线的交点即为临界混溶点。借辅助曲线即可从某一液相（E 相和 R 相）的已知组成，用图解内插法求出与此液相平衡的另

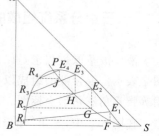

图 8-4　三元物系的辅助曲线

一液相(E 相和 R 相)的组成。若已测出的某条联结线位置接近临界混溶点,则可将辅助线外推求出 P,若距离较远,用外延辅助曲线方法求点 P 是不准确的。临界混溶点数据应由实验测定出。

四、杠杆规则

如图 8-5 所示,分层区内任一点所代表的混合液可以分为两个液层,即互成平衡的相 E 和相 R。若将相 E 与相 R 混合,则总组成 M 即为混合点,M 点称为"和点",而 E 点与 R 点称为"差点"。混合液 M 与两液层 E 与 R 之间的数量关系可用杠杆规则说明。

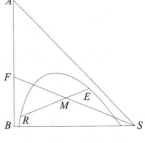

(1)代表混合液总组成的点 M 和代表两平衡液层的两点(E 和 R)应处于一直线上。

(2)E 相和 R 相的量与线段 $\overline{MR}$ 和 $\overline{ME}$ 的长度成比例,即:

$$\frac{E}{R} = \frac{\overline{MR}}{\overline{ME}} \tag{8-1}$$

图 8-5　杠杆规则的应用

式中　E、R——分别代表萃取相和萃余相的质量,kg。

$\overline{MR}$、$\overline{ME}$——分别代表线段 MR 和 ME 的长度。

若三元混合物 M 是由二元混合液 F 和纯组分 S 混合而成的,如图 8-5 所示,则 M 为 F 与 S 的和点,M 与 S、F 处于同一直线上。同样可依杠杆规则得出如下关系:

$$\frac{S}{F} = \frac{\overline{MF}}{\overline{MS}} \tag{8-2}$$

式中　S、F——分别代表纯组分和二元混合物的质量,kg。

$\overline{MF}$、$\overline{MS}$——分别代表线段 MF 和 MS 的长度。

若向二元混合物 F 中逐渐加入 S,则其组成变化沿线 FS 由 F 向 S 线逐渐移动,而其余二组分(A 与 B)的比例则保持不变(仍是原来在二元溶液 F 中的比例关系)。

【例 8-1】　某液体组成为 $w_A = 0.6$(质量分数,下同),$w_B = 0.4$,若加入等量的纯萃取剂 S,加入后的组成 w'_A、w'_B、w'_S 各是多少?

解:由 $w_A = 0.6$ 和 $w_B = 0.4$ 确定 F 点在三角形相图 AB 上的位置,如例题 8-1 附图所示。

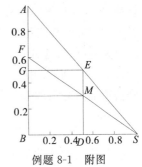

连接 FS,则加入 S 后的组成点 M 必在 FS 上。由 $\dfrac{S}{F} = \dfrac{\overline{MF}}{\overline{MS}} = 1$ 可确定 M 点的位置。

由附图可读出:$w'_A = \overline{MD} = 0.3$;$w'_B = \overline{ME} = 0.2$;$w'_S = \overline{MG} = 0.5$

例题 8-1　附图

五、分配系数

在一定温度下,当达到平衡时,溶质组分 A 在两个液层(E 相和 R 相)中的浓度之比称为"分配系数",以 k_A 表示,即:

$$k_A = \frac{\text{组分}\,A\,\text{在}\,E\,\text{相中的组成}}{\text{组分}\,A\,\text{在}\,R\,\text{相中的组成}} = \frac{y_A}{x_A} \tag{8-3a}$$

同样,对于组分 B 也可写出相应的分配系数表达式,即:

$$k_B = \frac{\text{组分}\,B\,\text{在}\,E\,\text{相中的组成}}{\text{组分}\,B\,\text{在}\,R\,\text{相中的组成}} = \frac{y_B}{x_B} \tag{8-3b}$$

式中　　y_A、y_B——分别为组分 A、B 在萃取相中的质量分数。

　　　　x_A、x_B——分别为组分 A、B 在萃余相中的质量分数。

　　分配系数表达了某一组分在两个平衡液相中的分配关系。显然,k_A 值愈大,萃取分离的效果愈好。k_A 值与联结线的斜率有关。当 $k_A=1$,则 $y_A=x_A$,联结线与底边 BS 平行,其斜率为零;如 $k_A>1$,则 $y_A>x_A$,联结线的斜率大于零;也有时 $k_A<1$,则 $y_A<x_A$,斜率小于零。不同物系具有不同的分配系数 k_A 值,同一物系 k_A 值随温度及溶质浓度而变化,在恒定温度下,k_A 值只随溶质 A 的组成而变化。

任务三　萃取过程在三角形相图上的表示

　　当进行萃取操作时,原料液 F 为二元混合物(含有组分 A 与 B),F 点必在边 AB 上。若在原料液 F 中加入纯萃取剂,S 由杠杆规则知,加入 S 以后的混合液组成点 M 必在直线 FS 上。S 与 F 的数量关系依杠杆规则确定。

　　M 点位于两相区内,当 F 和 S 经充分混合后,分为两个液层相 E 与相 R(参看图 8-6)。此两液层达到平衡时,其数量间的关系同样可依杠杆规则确定。

　　进行萃取操作之后,可得到萃取相 E 与萃余相 R。其中所含萃取剂 S 必须回收循环使用,同时可获得含溶质浓度较高的产品。若从萃取相 E 和萃余相 R 中完全脱除萃取剂 S,则可以得到萃取液 E' 和萃余液 R'。延长 SE 和 SR 线,分别交 AB 边于点 E' 与点 R',即为该两液相组成的坐标位置。从图 8-6 可看出萃取液 E' 中溶质 A 的含量比原料液 F 中为高(F 中含 A 40%,而 E' 中含 A 65%)。萃余液 R' 中含原溶剂的量比原料液中要高(F 中含 B 60%,而 R' 中含 B 88%)。原料液 F 经过萃取并脱除萃取剂 S 以后,所含有的 A、B 组分获得部分分离的效果。E' 与 R' 间的数量关系仍用杠杆规则来确定,即:

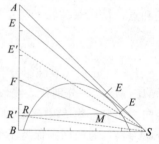

图 8-6　萃取过程在三角形相图上的表示

$$\frac{E'}{R'} = \frac{\overline{FR'}}{\overline{FE'}}$$

　　若从点 S 作溶解度曲线的切线,切点为 $E_{\star}$,延长此切线与 AB 边相交于 $E'_{\star}$ 点,此 $E'_{\star}$ 点即为在一定操作条件下,可能获得的含组分 A 最高的萃取液的组成点。即萃取液中组分 A 能达到的极限浓度。

　　【例 8-2】　乙酸—苯—水三元混合溶液,在 25℃ 的液—液平衡数据如下本例附表所示,表中所列出的数据均为苯相与水相互成平衡的两液层的组成。依此数据,在直角三角形坐标上标绘:①溶解度曲线;②与例 8-2 附表中实验序号第 2、3、4、6、8 组数据相对应的联结线;③临界混溶点及辅助曲线。

例题 8-2 附表　乙酸—苯—水系统的液—液平衡数据(25℃)

实验序号	苯相质量分数%			水相质量分数%		
	乙酸	苯	水	乙酸	苯	水
1	0.15	99.85	0.001	4.56	0.04	95.4
2	1.4	98.56	0.04	17.7	0.20	82.1
3	3.27	96.62	0.11	29.0	0.40	70.6
4	13.3	86.3	0.4	56.9	3.3	39.8
5	15.0	84.5	0.5	59.2	4.0	36.8
6	19.0	79.4	0.7	63.9	6.5	29.6
7	22.8	76.35	0.85	64.8	7.7	27.5
8	31.0	67.1	1.9	65.8	18.1	16.1
9	35.3	62.2	2.5	64.5	21.1	14.4
10	37.8	59.2	3.0	63.4	23.4	13.2
11	44.7	50.7	4.6	59.3	30.0	10.7
12	52.3	40.5	7.2	52.3	40.5	7.2

解:①根据附本例题附表所给出的数据,首先在三角形坐标上标出此混合液的各组成点,联结各点即可得出如附图所示的溶解度曲线。

②根据附表中第 2、3、4、6、8 组数据,在本例附图上先标绘了 $R_1 \cdots R_5$ 及 $E_1 \cdots E_5$ 各点,连接 R_1E_1、R_2E_2、R_3E_3、R_4E_4、R_5E_5 即为所求的联结线。

③附表中最末一组数据 E 与 R 的组成相同,即表明互成平衡的两液相组成重合于一点,此点即为临界混溶点(见附图中的 P 点)。

从 E_1 点作垂直线,从 R_1 点作水平线,两线相交于 G 点;同样从 E_2、E_3、E_4、E_5 作垂直线,再从 R_2、R_3、R_4、R_5 作水平线,得出交点 H、I、J、L,联结 P、L、J、I、H、G 诸点,即得辅助曲线。

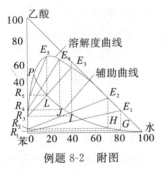

例题 8-2　附图

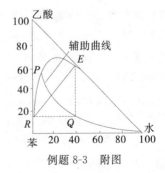

例题 8-3　附图

【例 8-3】　在例题 8-2 的系统中,若已知在 25℃ 时,此三元溶液以充分混合并静置后,分为两个液层。其中一个液层有组成为 0.15(均为质量分数)的乙酸、0.005 的水,其余为苯。利用例题 8-2 已绘出的辅助曲线,图解求出与其相平衡的另一液相组成,绘出联结线,并求出在本例题条件下乙酸在两液相中的分配系数 k_A 的数值。

解:①在例题 8-2 附图中,溶解度曲线与辅助曲线是已知的,按题意首先标出组成为

0.15乙酸、0.005水的组成点，此点在临界混溶点 P 的左侧，即 R 点作水平线与辅助曲线相交于 Q 点，再由 Q 点作垂直线与溶解度曲线相交于 E 点，联 RE 即为所求联结线（见本题附图）。由图上 E 点可以读出与含有 0.15 乙酸、0.005 水的 R 相成平衡的 E 相组成为 0.59 乙酸、0.37 水、0.04 苯。

②乙酸在苯相中的含量为 0.15，在水相中的含量为 0.59。于是分配系数 k_A 数值为

$$k_A = \frac{y_A}{x_A} = \frac{0.59}{0.15} = 3.93$$

任务四　影响萃取操作的主要因素

影响萃取操作的因素很多，主要有三个方面：①物系本身的性质，其中萃取剂的选择是主要因素；②操作因素，其中温度是主要因素；③设备因素。

下面将依次讨论萃取剂的选择和操作温度的影响，而在设备一节单独讨论设备的影响。

一、萃取剂的选择

选择适宜的萃取剂是萃取操作分离效果和经济性的关键。选择萃取剂时主要应考虑以下性能：

1. 萃取剂的选择性及选择性系数

选择性是指萃取剂 S 对原料液中 A、B 两个组分溶解能力的差别。若萃取剂 S 对溶质 A 的溶解能力比对原溶剂 B 的溶解能力强得多，那么这种萃取剂的选择性就好。萃取剂的选择性可用选择性系数 β 来衡量，即：

$$\beta = \frac{y_A/x_A}{y_B/x_B} = \frac{k_A}{k_B} \tag{8-4}$$

由式（8-4）可知，选择性系数 β 是溶质 A 和原溶剂 B 分别在萃取相和萃余相中的分配系数之比。β 与蒸馏中的相对挥发度 α 很相似，如 $\beta=1$，则 $k_A = k_B$，$y_A/x_A = y_B/x_B$，即，$y_A/y_B = x_A/x_B$ 即萃取相和萃余项脱出萃取剂后得到的萃取液与萃余液将具有同样的组成，并与料液的组成一样，所以不可能用萃取方法分离。如 $\beta>1$，则 $k_A > k_B$，萃取能够实现，β 越大，分离越易。由 β 值的大小可判断所选择萃取剂是否适宜和分离的难易。

萃取剂的选择性好，对一定的分离任务，可减少萃取剂用量，降低回收溶剂操作的能量消耗，并且可获得纯度较高的产品。

2. 萃取剂 S 与原溶剂 B 的互溶度

图 8-7 表示了在相同温度下，同一种含 A、B 组分的原料液与不同性能的萃取剂 S_1、S_2 所构成的相平衡关系图。图 8-7(a) 表明 B、S_1 互溶度小，两相区面积大，萃取液中组分 A 的极限浓度 y'_{max} 较大，图 8-7(b) 表明选用萃取剂 S_2 时，其极限浓度 y'_{max} 较小。显然萃取剂与原溶剂的互溶度越小，越有利于萃取。

3. 萃取剂回收的难易与经济性

萃取剂通常需要回收后循环使用，萃取剂回收的难易直接影响萃取的操作费用。回收萃取剂所用的方法主要是蒸馏。若被萃取的溶质是不挥发的，而物系中各组分的热稳定性

又较好,可采用蒸发操作回收萃取剂。

在一般萃取操作中,回收萃取剂往往是费用最多的环节,有时某种萃取剂具有许多良好的性能,仅由于回收困难而不能选用。

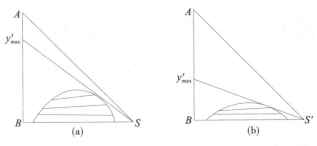

图 8-7 萃取剂与原溶剂的互溶度的影响

4.萃取剂的物理性质

(1)密度

萃余相与萃取相之间应有一定的密度差,以利于两个液相在充分接触以后能较快地分层,提高设备的生产能力。

(2)界面张力

物系的界面张力较大时,细小的液滴比较容易聚结,使两相易于分层,但分散程度较差。界面张力过小时,易产生乳化现象,使两相较难分层。在实际操作中,液滴的聚集更为重要,故一般多选用界面张力较大的萃取剂。有人建议,将萃取剂和原料液加入分液漏斗中,经充分剧烈摇动后,以两液相在 5 分钟以内能够分层的,作为萃取剂界面张力适当与否的大致判别标准。

(3)其他

为了便于操作、输送及贮存,萃取剂的黏度与凝固点应较低,并应具有不易燃、毒性小等优点。此外,萃取剂还应具有化学稳定性、热稳定性以及抗氧化稳定性,对设备的腐蚀性也应较小。

二、操作温度的影响

相图上两相区面积的大小,不仅取决于物系本身的性质,而且与操作温度有关。一般情况下,温度升高溶解度增大,温度降低溶解度减小。如图 8-8 所示,两相区的面积随温度升高而缩小。若温度继续上升,两相区就会完全消失,成为一个完全互溶的均相三元物系。此时萃取操作便无法进行。

对同一物系,当温度降低时,两相区增加,对萃取有利。但温度降低会使溶液黏度增加,不利于两相间的分散、混合和分离,因此萃取操作温度应作适当的选择。

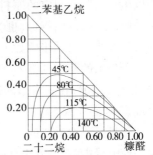

图 8-8 温度对互溶度的影响

项目 2
萃取操作流程与萃取过程的计算

学习目标

- 了解多级萃取流程
- 掌握单级接触萃取流程与计算方法

任务一　单级接触萃取流程与计算

单级萃取流程较简单,如图 8-9 所示,既可用于间歇操作,也可用于连续生产。原料液与萃取剂借助于搅拌器的作用在萃取器内进行充分混合,然后将混合液引入分离器,分为萃取相与萃余相两层。最后将两相分别引入萃取剂回收设备以回收萃取剂。

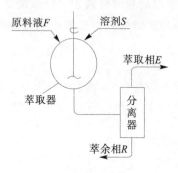

图 8-9　单级接触萃取流程示意图

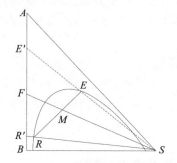

图 8-10　单级接触萃取操作图解法

图 8-10 所示为单级接触萃取操作的图解,图中各点所用符号意义同前。在计算中,一般以生产任务所规定的原料液量及其组成为根据。此外,萃余相(或萃余液)的组成大多为生产中所要控制的指标,也为已知值。通过计算可求出萃取剂的需用量,以及萃取相和萃余相的量及组成。其步骤如下:

① 设加的萃取剂 S 是纯态的,则其组成即为 S 顶点。由已知原料液组成(假定其中只含有组分 A 和 B)在三角形的边 AB 上确定 F 点,联 SF 线,代表原料液与萃取剂的混合液的组成点 M 必在线 SF 上。

② 根据萃取系统的液—液相平衡数据可作出辅助曲线(图中未画出)。前已述及,只要两平衡液层中,已知其中任一个液层的组成,则另一液层的组成可利用此辅助曲线求出(参看例 8-3)。先由已知的萃余液组成,在 AB 边上确定 R',联 SR' 线,与溶解度曲线相交于 R 点,再由 R 点利用辅助曲线求出 E 点(图中未示出此步骤)。联 RE 直线,RE 线与 SF 线的

交点即为混合液的组成点 M。按杠杆规则可求出 S 的量为：

$$S/F = \overline{MF}/\overline{MS}$$

故

$$S = F \cdot \overline{MF}/\overline{MS} \tag{8-5}$$

式中 F 的量为已知，MF 与 MS 两线段长度可从图上量出，则萃取剂 S 的量可由上式求出。

③求 R、E 及 R'、E' 的量

联线 SE 并延长与边 AB 相交于 E' 点，即为萃取液的组成点。萃取相与萃余相的量 E、R 也可由杠杆规则求得：

$$E/R = \overline{MR}/\overline{ME}$$
$$E = R \cdot \overline{MR}/\overline{ME} \tag{8-6}$$

因 $M = S + R$ 为已知，MR 与 ER 两线段长度可从图上量出，故 E 可由上式求得。

依总物料衡算：$F + S = R + E = M$

则

$$R = M - E \tag{8-7}$$

从萃取相和萃余相中回收萃取剂后所得的萃取液 E' 和 R' 萃余液，其组成点均在三角形相图的边 AB 上（假定 R' 与 E' 中的萃取剂已脱净），故 R' 与 E' 的量也可依杠杆规则求得：

$$E'/F = \overline{FR'}/\overline{E'R'}$$

则

$$E' = F \cdot \overline{FR'}/\overline{E'R'} \tag{8-8}$$

由式(8-8)求得 E' 后，则可依下式求：

$$R' = F - E' \tag{8-9}$$

任务二　多级萃取流程

一、多级错流萃取流程

单级接触式萃取设备中所得到的萃余相中，往往还含有较多的溶质。为了将这些溶质进一步萃取出来，可采用多级错流萃取，即将若干个单级萃取设备串联使用，并在每一级中均加入新鲜萃取剂。如图 8-11 所示(图中为 N 级)，原料液 F 从第 1 级中加入，各级中均加入新鲜萃取剂 S，由第 1 级中分出的萃余相 R_1 引入第 2 级，由第 2 级中分出的萃余相 R_2 再引

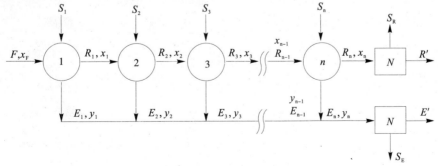

图 8-11　多级错流萃取流程示意图

入第 3 级,依此类推,第 n 级分出萃余相 R_n 进入萃取剂回收装置,得到萃余液 R'。各级分出的萃取相 E_1、E_2、$E_3 \cdots E_n$ 汇集后送到萃取剂回收设备,得到萃取液 E'。回收的萃取剂循环使用。

多级错流萃取时,由于每一级都加入新鲜萃取剂,使过程推动力增加,有利于萃取传质,并可降低最后萃余相中的溶质浓度。但萃取剂用量大,使其回收和输送的能耗增加。因此,这一流程的应用受到一定限制。

二、多级逆流萃取流程

多级逆流萃取流程与上述多级错流萃取流程相比,所不同的是萃取剂 S 不是分别加入各级,而是在最后一级加入,逐次通过各级,最终萃取相由第 1 级排出。参看图 8-12,原料液从第 1 级加入,逐次通过各级,萃余相 R_N 由末一级(图中第 N 级)排出。萃余相 R_N 与萃取相 E_1 可分别送入萃取剂回收设备回收萃取剂循环使用。这种流程与上述多级错流萃取流程相比,萃取剂耗用量大为减少,因而在工业上应用广泛。

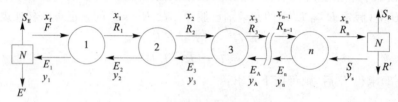

图 8-12　多级逆流萃取流程示意图

项目 3
液—液萃取设备

学习目标

- 了解液—液萃取设备
- 掌握萃取设备选择的依据

在液—液萃取过程中,要求萃取设备能使萃取剂与混合物接触充分,以达到良好的传质目的,而经过一段萃取时间后,萃取相与萃余相能很好地分离。显然,萃取设备应具有"混合充分与分离完全"的能力。

与吸收和蒸馏过程类似,在萃取设备中有两个液相,连续相和分散相,传质发生在液滴群(分散相)与连续相之间。液滴在生成上升或下降运动阶段和液滴聚集时均发生传质。通常是使一相分散成液滴状态分布于另一作为连续相的液相中,液滴的大小对萃取有重要影响。如液滴过大,则传质表面积减少,对传质不利;但如液滴过小,虽然传质面积增加,但分散液滴的凝集速度随之下降,有时甚至会发生乳化,同时液相间的密度差较气液相间的密度差要小得多,这些因素都会使混合后两液相的重新分层更加困难。因此,要根据物系性质选择适宜的萃取设备。

液—液萃取设备类型很多,按两相接触方式分有逐级接触式和连续接触式;按操作方式有间歇式和连续式;按萃取级可分为单级和多级;按有无外功输入分为有外加能量和无外加能量两种。

任务一　混合—澄清槽

如图 8-13(a)所示,由带有搅拌器的混合槽和分离槽组合成一组的萃取设备,称为"混合—澄清萃取器"。操作时,原料液和萃取剂加入混合槽中经一定时间激烈的搅拌后,再进入分离槽内澄清分层。密度较小的液相在上层,较大的在下层。图 8-13(b)为将混合器与澄清

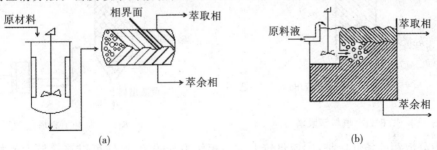

图 8-13　典型的混合、澄清槽

器组装于同一容器内的混合－澄清槽。

可以将多个混合－澄清槽串联操作,这样便构成了多级混合－澄清槽。

任务二　塔式萃取设备

用于萃取的塔设备有填料塔、筛板塔、转盘塔等。塔式液－液萃取设备适宜于连续逆流操作。原料液、萃取剂两液体中的重液由塔顶部进入,轻液由塔底部进入,在塔内两液相呈逆流接触进行萃取。单位时间内通过萃取塔的原料液与萃取剂的流量不能任意加大。一方面由于通入液体量过大,则两项接触时间减少,会使萃取效果差。另外,因两相是逆流流动,随着两相流速的加大,流体流动的阻力也随之加大。当流速增大到某一定值时,一相会因流体阻力加大而被另一相夹带流出塔外,此种两个液体相互夹带的现象称为萃取塔的"液泛",它是萃取操作中流量达到了负荷的最大极限值的标志。

一、填料萃取塔

填料萃取塔与用于吸收的填料塔基本相同,即在塔体内支承板上充填一定高度的填料层,如图 8-14 所示。塔内填料的作用除可使分散相的液滴不断破裂与再生,以使液滴表面不断更新外,还可减少连续相在塔内的轴向混合。轴向混合会降低传质的推动力。

填料萃取塔中所用填料的材质应有所选择,除应考虑溶液的腐蚀性外,还应考虑填料的材质是否易为连续相所润湿。一般,陶瓷填料易为水溶液润湿;炭质或塑料填料易为有机溶液所润湿,如聚乙烯、聚丙烯、含氟塑料等均是不亲水的;金属填料对水溶液与有机溶液的润湿性能无显著差异,一般均可为二者润湿。如果所确定的分散相很易于润湿填料,则分散相将在填料表面形成小的流股,从而减少了相际接触面积,降低了萃取速率。

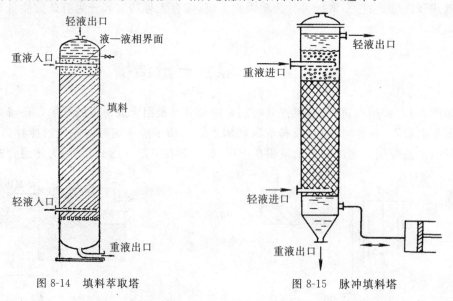

图 8-14　填料萃取塔　　　　　　　　图 8-15　脉冲填料塔

作为分散相的条件应是:①流量较大的一相作为分散相,这样可以获得较大的相际接触表面。②不易润湿填料表面的液相作为分散相,如这样是可保持分散相更好地形成液滴状而分散于连续相之中,以增大相际接触面积。

在普通填料萃取塔内,两相依靠密度差而逆流流动,相对速度较小,界面湍动程度低,限制了传质速率的进一步提高。为了防止分散相液滴过多聚结,可向填料提供外加脉动能量,造成液滴脉动,这种填料塔称为脉冲填料萃取塔。脉动的产生,通常采用往复泵,有时也采用压缩空气来实现。如图 8-15 所示为借助活塞往复运动使塔内液体产生脉动运动。但需注意,向填料塔加入脉冲会使乱堆填料趋向定向排列,导致沟流,因而使脉冲填料塔的应用受到限制。

填料萃取塔因构造简单,萃取效果较好,广泛应用于工业生产中,尤其适宜处理腐蚀性液体。

二、筛板萃取塔

筛板萃取塔与用于蒸馏的设备是同样构造的设备,图 8-16(a)是以轻液相为分散相的筛板塔示意图,塔内有若干层开有小孔的筛板。若轻液相为分散相,操作时轻相通过板上筛孔分成细滴向上流,然后又聚结于上一层筛板的下面。连续相出溢流管流至下层,横向流过筛板并与分散相接触。图 8-16(b)是以重液相为分散相的筛板塔板示意图。若以重液相为分散相,则重液相的液滴聚结于筛板上面,然后穿过板上小孔分散成液滴。当以重液相为分散相时,则应将溢流管的位置改装在筛板的上方。筛板塔内一般也应选取不易润湿塔板的一相作为分散相。由于液滴的分散与聚结在每一塔板上反复进行,筛板萃取塔的萃取效果比填料萃取塔有所提高。

三、转盘萃取塔

转盘萃取塔的结构如图 8-17 所示。塔体内装有多层固定在塔体上的环形挡板,挡板称为固定环,它使塔内形成许多分隔开的空间。在每一个分割空间的中央位置处均有一层固

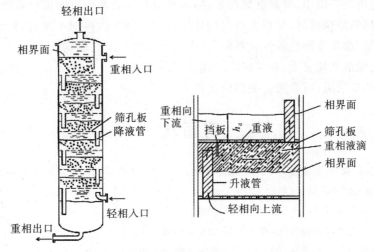

图 8-16　筛板萃取塔和筛板结构示意图

定在中央转轴上的水平圆盘,圆盘称为"转盘"。操作时水平圆盘随中心轴高速旋转,促进了液滴的分散,因而加大了相际接触面积。

转盘萃取塔的萃取效果较好,设备也可以小型化,近年来应用于各种萃取场合。

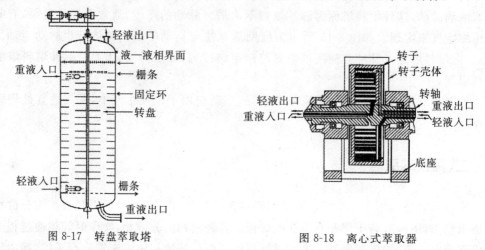

图 8-17　转盘萃取塔　　　　　　　　图 8-18　离心式萃取器

四、离心式萃取器

图 8-18 所示为常用的离心式萃取器,又称"离心萃取机"。它由一个高速旋转的螺旋转子,装在固定的外壳中组成。螺旋转子是由多孔长带卷成的,它的旋转速度为 2000～5000r/min。操作时,轻液被送至螺旋的外圈,而重液则由螺旋中心引入。在离心力场的作用下,重液相由螺旋的中部向外流,轻液相由外圈向中部流动,于是两相在相互逆流过程中,于螺旋形通道内密切接触。重液相从螺旋的最外层经出口通道而流到器外,轻液相则由萃取器中部经出口通道流到器外。

离心萃取机的特点在于高速度旋转时,能产生 500～5000 倍于重力的离心力来完成两相的分离,所以密度差很小、容易乳化的液体,都可以在离心萃取机内进行高效率的萃取。

离心萃取机的结构紧凑,可以节省时间,降低机内储液量,再加流速高,使得料液在机内的停留时间很短,这在处理热敏性物料时,显得很有成效。但它的构造复杂,制造较困难,投资也较大,加之能量消耗又大,使其推广应用受到一定限制。

其他类型的萃取塔,可参考有关萃取操作专论,在此不一一列举。

习题八

1. 以异丙醚为萃取剂,从浓度为 0.5(质量分数)的乙酸水溶液中萃取乙酸。在单级萃取器中,用 600kg 异丙醚萃取 500kg 乙酸水溶液,试做以下各项:

(1)首先在三角形相图上绘出溶解度曲线与辅助线;

(2)确定原料液与萃取剂混合后,混合液 M 的坐标位置;

(3)此混合液分为两个平衡液层 E 与 R 后,两液层的组成与量;

(4)两平衡液层 E 与 R 中溶质(乙酸)的分配系数及溶剂的选择性系数。

习题 1　附表

萃余相(水相)质量分数/%			萃余相(异丙醚相)质量分数/%		
乙酸	水	异丙醚	乙酸	水	异丙醚
0.69	98.1	1.2	0.18	0.5	99.3
1.41	97.1	1.5	0.37	0.7	98.9
2.89	95.5	1.6	0.79	0.8	98.4
6.42	91.7	1.9	1.93	1.0	97.1
13.30	84.4	2.3	4.82	1.9	93.3
25.50	71.1	3.4	11.40	3.9	84.7
36.70	58.9	4.4	21.60	6.9	71.5
44.30	45.1	10.6	31.10	10.8	58.1
46.40	37.1	16.5	36.20	15.1	48.7

（答：萃取相 E 的组成为含乙酸 0.18，异丙醚 0.762，水 0.058，萃取相 E 的量 773kg；萃余相 R 的组成为含乙酸 0.33，异丙醚 0.035，水 0.635，萃余相 R 的量 327kg。分配系数 0.545，选择性系数）

2.用 1000kg 水为萃取剂，从乙酸与氯仿的混合液中萃取乙酸。若原料液的量也为 1000kg，其中乙酸的质量分数为 0.35。在操作条件下（25℃）平衡线的数据如附表所示：

习题 2　附表

氯仿层		水层		氯仿层		水层	
乙酸	水	乙酸	水	乙酸	水	乙酸	水
0.00	0.99	0.00	99.16	27.65	5.2	50.56	31.11
6.77	1.38	25.1	73.69	32.08	7.93	49.41	25.39
17.72	2.28	44.12	48.58	34.16	10.03	47.87	23.28
25.72	4.15	50.18	34.71	42.5	16.5	42.5	16.5

(1)经单级萃取后萃余相 R 中乙酸的质量分数为 0.07，试求萃取相 E 中乙酸的含量；

(2)求萃取相 E 与萃余相 R 的量；

(3)E、R 两相均脱除萃取剂后，试求萃取液 E' 及萃余液 R' 的组成及量。（答：萃取相 E 中含乙酸 0.233；萃取相 E 的量为 1316kg，萃余相 R 的量为 684kg；萃取液 E' 的组成为含乙酸 0.97，含氯仿 0.03；萃余液 R' 的组成为含乙酸 0.071，含氯仿 0.929；萃取液 E' 的量 312.5kg，萃余液 R' 的量 687.5kg）

本模块主要符号说明

英文

A——溶质的质量或质量流量，kg 或 kg/h；

B——原料液中溶剂的质量或质量流量，kg 或 kg/h；

S——萃取剂的质量或质量流量，kg 或 kg/h；

F——原混合液的质量或质量流量，kg 或 kg/h；

E——萃取相的质量或质量流量，kg 或 kg/h；

R——萃余相的质量或质量流量，kg 或 kg/h；

E'——萃取液的质量或质量流量，kg 或 kg/h；

R'——萃余液的质量或质量流量，kg 或 kg/h；

M——混合液的质量或质量流量，kg 或 kg/h；

x——萃余相中溶质的质量分数；

X——萃余相中溶质的质量比；

y——萃取相中溶质的质量分数；

Y——萃取相中溶质的质量比；

K——分配系数；

w——质量分数。

希文

β——选择性系数。

附　录

一、中华人民共和国法定计量单位(摘录)

1.化工中常用的单位与其符号

	项　目	单位符号	词　头		项　目	单位符号	词　头
基本单位	长度	m	k,c,m,μ	导出单位	面积	m^2	k,d,c,m
	时间	s	k,m,μ		容积	m^3	d,c,m
		min				L 或 l	
		h			密度	kg/m^3	
	质量	kg	m,μ		角速度	rad/s	
		t(吨)			速度	m/s	
					加速度	m/s^2	
	温度	K			旋转速度	r/min	
		℃			力	N	k,m,μ
	物质的量	mol	k,m,μ		压强,压力,应力	Pa	k,m,μ
辅助单位	平面角	rad			黏度	Pa·s	m
		°(度)			功,能,热量	J	k,m
		′(分)			功率	W	k,m,μ
		″(秒)			热流量	W	k
					热导率	W/(m·K)或 W/(m·℃)	k

2.化工中常用单位的词头

词头符号	词头名称	所表示的因数	词头符号	词头名称	所表示的因数
k	千	10^3	m	毫	10^{-3}
d	分	10^{-1}	μ	微	10^{-6}
c	厘	10^{-2}			

3.应废除的常用计量单位

名　称	单位符号	用法定计量单位表示的形式	名　称	单位符号	用法定计量单位表示的形式
标准大气压	atm	Pa	达因	dyn	N
工程大气压	at	Pa	公斤(力)	kgf	N
毫米水柱	mmH_2O	Pa	泊	P	Pa·s
毫米汞柱	mmHg	Pa			

二、某些气体的重要物理性质

名　　称	分子式	密度(0℃，101.3kPa)/(kg/m³)	比热容/[kJ/(kg·℃)]	黏度 $\mu \times 10^5$/(Pa·s)	沸点(101.3kPa)/℃	汽化热/(kJ/kg)	临界点 温度/℃	临界点 压力/kPa	热导率[W/(m·℃)]
空气		1.293	1.009	1.73	−195	197	−140.7	3768.4	0.0244
氧	O_2	1.429	0.653	2.03	−132.98	213	−118.82	5036.6	0.0240
氮	N_2	1.251	0.745	1.70	−195.78	199.2	−147.13	3392.5	0.0228
氢	H_2	0.0899	10.13	0.842	−252.75	454.2	−239.9	1296.6	0.163
氦	He	0.1785	3.18	1.88	−268.95	19.5	−267.96	228.94	0.144
氩	Ar	1.7820	0.322	2.09	−185.87	163	−122.44	4862.4	0.0173
氯	Cl_2	3.217	0.355	1.29(16℃)	−33.8	305	+144.0	7708.9	0.0072
氨	NH_3	0.771	0.67	0.918	−33.4	1373	+132.4	11295.0	0.0215
一氧化碳	CO	1.250	0.754	1.66	−191.48	211	−140.2	3497.9	0.0226
二氧化碳	CO_2	1.976	0.653	1.37	−78.2	574	+31.1	7384.8	0.0137
硫化氢	H_2S	1.539	0.804	1.166	−60.0	548	+100.4	19136.0	0.0131
甲烷	CH_4	0.717	1.70	1.03	−161.58	511	−82.15	4619.3	0.0300
乙烷	C_2H_6	1.357	1.44	0.850	−88.5	486	+32.1	4948.5	0.0180
丙烷	C_3H_8	2.020	1.65	0.795(18℃)	−42.1	427	+95.6	4355.0	0.0148
正丁烷	C_4H_{10}	2.673	1.73	0.810	−0.5	386	+152.0	3798.8	0.0135
正戊烷	C_5H_{12}	—	1.57	0.874	−36.08	151	+197.1	3342.9	0.0128
乙烯	C_2H_4	1.261	1.222	0.935	+103.7	481	+9.7	5135.9	0.0164
丙烯	C_3H_8	1.914	2.436	0.835(20℃)	−47.7	440	+91.4	4599.0	—
乙炔	C_2H_2	1.71	1.352	0.935	−83.66（升华）	829	+35.7	6240.0	0.0184
氯甲烷	CH_3Cl	2.303	0.582	0.989	−24.1	406	+148.0	6685.8	0.0085
苯	C_6H_6	—	1.139	0.72	+80.2	394	+288.5	4832.0	0.0088
二氧化硫	SO_2	2.927	0.502	1.17	−10.8	394	+157.5	7879.1	0.0077
二氧化氮	NO_2	—	0.315	—	+21.2	712	+158.2	10130.0	0.0400

三、某些液体的重要物理性质

名　称	分子式	密度(20℃)/(kg/m³)	沸点(101.3 kPa)/℃	汽化热/(kJ/kg)	比热容(20℃)/[kJ/(kg·℃)]	黏度(20℃)/(mPa·s)	热导率(20℃)[W/(m·℃)]	体积膨胀系数 $\beta \times 10^4$ (20℃)/℃⁻¹	表面张力 $\sigma \times 10^3$ (20℃)/(N/m)
水	H_2O	998	100	2258	4.183	1.005	0.599	1.82	72.8
氯化钠盐水(25%)	—	1186(25℃)	107	—	3.39	2.3	0.57(30℃)	4.4	—
氯化钙盐水(25%)	—	1228	107	—	2.89	2.5	0.57	(3.4)	—
硫酸	H_2SO_4	1831	340(分解)	—	1.47(98%)	—	0.38	5.7	—
硝酸	HNO_3	1513	86	481.1	—	1.17(10℃)	—	—	—
盐酸(30%)	HCl	1149	—	—	2.55	2(31.5%)	0.42	—	—
二硫化碳	CS_2	1262	46.3	352	1.005	0.38	0.16	12.1	32.0
戊烷	C_5H_{12}	626	36.07	357.4	2.24(15.6℃)	0.229	0.113	15.9	16.2
己烷	C_6H_{14}	659	68.74	335.1	2.31(15.6℃)	0.313	0.119	—	18.2
庚烷	C_7H_{16}	684	98.43	316.5	2.21(15.6℃)	0.411	0.123	—	20.1
辛烷	C_8H_{18}	763	125.67	306.4	2.19(15.6℃)	0.540	0.131	—	21.3
三氯甲烷	$CHCl_3$	1489	61.2	253.7	0.992	0.58	0.138(30℃)	12.6	28.5(10℃)
四氯化碳	CCl_4	1594	76.8	195	0.850	1.0	0.12	—	26.8
1,2-二氯乙烷	$C_2H_4Cl_2$	1253	83.6	324	1.260	0.83	0.14(60℃)	—	30.8
苯	C_6H_6	879	80.10	393.9	1.704	0.737	0.148	12.4	28.6
甲苯	C_7H_8	867	110.63	363	1.70	0.675	0.138	10.9	27.9
邻二甲苯	C_8H_{10}	880	144.42	347	1.74	0.811	0.142	—	30.2
间二甲苯	C_8H_{10}	864	139.10	343	1.70	0.611	0.167	10.1	29.0
对二甲苯	C_8H_{10}	861	138.35	340	1.704	0.643	0.129	—	28.0
苯乙烯	C_8H_9	911(15.6℃)	145.2	352	1.733	0.72	—	—	—
氯苯	C_6H_5Cl	1106	131.8	325	1.298	0.85	1.14(30℃)	—	32
硝基苯	$C_6H_5NO_2$	1203	210.9	396	1.47	2.1	0.15	—	41
苯胺	$C_6H_5NH_2$	1022	184.4	448	2.07	4.3	0.17	8.5	42.9
苯酚	C_6H_5OH	1050(50℃)	181.8(熔点40.9℃)	511	—	3.4(50℃)	—	—	—
萘	$C_{16}H_8$	1145(固体)	217.9(熔点80.2℃)	314	1.80(100℃)	0.59(100℃)	—	—	—
甲醇	CH_3OH	791	64.7	1101	2.48	0.6	0.212	12.2	22.6
乙醇	C_2H_5OH	789	78.3	846	2.39	1.15	0.172	11.6	22.8
乙醇(95%)	—	804	78.2	—	—	1.4	—	—	—
乙二醇	$C_2H_4(OH)_2$	1113	197.6	780	2.35	23	—	—	47.7
甘油	$C_3H_5(OH)_3$	1261	290(分解)	—	—	1499	0.59	5.3	63
乙醚	$(C_2H_5)_2O$	714	34.6	360	2.34	0.24	0.14	16.3	18
乙醛	CH_3CHO	783(18℃)	20.2	574	1.9	1.3(18℃)	—	—	21.2
糠醛	$C_5H_4O_2$	1168	161.7	452	1.6	1.15(50℃)	—	—	43.5
丙酮	CH_3COCH_3	792	56.2	523	2.35	0.32	0.17	—	23.7
甲酸	$HCOOH$	1220	100.7	494	2.17	1.9	0.26	—	27.8
乙酸	CH_3COOH	1049	118.1	406	1.99	1.3	0.17	10.7	23.9
乙酸乙酯	$CH_3COOC_2H_5$	901	77.1	368	1.92	0.48	0.14(10℃)	—	—
煤油	—	780~820	—	—	—	3	0.15	10.0	—
汽油	—	680~800	—	—	—	0.7~0.8	0.19(30℃)	12.5	—

四、干空气的物理性质(101.33kPa)

温度 t/℃	密度 ρ(kg/m³)	比热容 c_p/ [kJ/(kg・℃)]	热导率 $k\times10^2$/ [W/(m・℃)]	黏度 $\mu\times10^5$/ (Pa・s)	普朗特数 P_r
−50	1.584	1.013	2.035	1.46	0.728
−40	1.515	1.013	2.117	1.52	0.728
−30	1.453	1.013	2.198	1.57	0.723
−20	1.395	1.009	2.279	1.62	0.716
−10	1.342	1.009	2.360	1.67	0.712
0	1.293	1.005	2.442	1.72	0.707
10	1.247	1.005	2.512	1.77	0.705
20	1.205	1.005	2.593	1.81	0.703
30	1.165	1.005	2.675	1.86	0.701
40	1.128	1.005	2.756	1.91	0.699
50	1.093	1.005	2.826	1.96	0.698
60	1.060	1.005	2.896	2.01	0.696
70	1.029	1.009	2.966	2.06	0.694
80	1.000	1.009	3.047	2.11	0.692
90	0.972	1.009	3.128	2.15	0.690
100	0.946	1.009	3.210	2.19	0.688
120	0.898	1.009	3.338	2.29	0.686
140	0.854	1.013	3.489	2.37	0.684
160	0.815	1.017	3.640	2.45	0.682
180	0.779	1.022	3.780	2.53	0.681
200	0.746	1.026	3.931	2.60	0.680
250	0.674	1.038	4.288	2.74	0.677
300	0.615	1.048	4.605	2.97	0.674
350	0.566	1.059	4.908	3.14	0.676
400	0.524	1.068	5.210	3.31	0.678
500	0.456	1.093	5.745	3.62	0.687
600	0.404	1.114	6.222	3.91	0.699
700	0.362	1.135	6.711	4.18	0.706
800	0.329	1.156	7.176	4.43	0.713
900	0.301	1.172	7.630	4.67	0.717
1000	0.277	1.185	8.041	4.90	0.719
1100	0.257	1.197	8.502	5.12	0.722
1200	0.239	1.206	9.153	5.35	0.724

五、水的物理性质

温度/℃	饱和蒸气压/kPa	密度/(kg/m³)	焓/(kJ/kg)	比热容/[kJ/(kg·℃)]	热导率 $k \times 10^2$/[W/(m·℃)]	黏度 $\mu \times 10^5$/(Pa·s)	体积膨胀系数 $\beta \times 10^4$/℃$^{-1}$	表面张力 $\sigma \times 10^3$/(N/m)	普朗特数 P_r
0	0.6082	999.9	0	4.212	55.13	179.21	−0.63	75.6	13.66
10	1.2262	999.7	42.04	4.191	57.45	130.77	+0.70	74.1	9.52
20	2.3346	998.2	83.90	4.183	59.89	100.50	1.82	72.6	7.01
30	4.2474	995.7	125.69	4.174	61.76	80.07	3.21	71.2	5.42
40	7.3766	992.2	167.51	4.174	63.38	65.60	3.87	69.6	4.32
50	12.34	988.1	209.30	4.174	64.78	54.94	4.49	67.7	3.54
60	19.923	983.2	251.12	4.178	65.94	46.88	5.11	66.2	2.98
70	31.164	977.8	292.99	4.187	66.76	40.61	5.70	64.3	2.54
80	47.379	971.8	334.94	4.195	67.45	35.65	6.32	62.6	2.22
90	70.136	965.3	376.98	4.208	68.04	31.65	6.95	60.7	1.96
100	101.33	958.4	419.10	4.220	68.27	28.38	7.52	58.8	1.76
110	143.31	951.0	461.34	4.238	68.50	25.89	8.08	56.9	1.61
120	198.64	943.1	503.67	4.260	68.62	23.73	8.64	54.8	1.47
130	270.25	934.8	546.38	4.266	68.62	21.77	9.17	52.8	1.36
140	361.47	926.1	589.08	4.287	68.50	20.10	9.72	50.7	1.26
150	476.24	917.0	632.20	4.312	68.38	18.63	10.3	48.6	1.18
160	618.28	907.4	675.33	4.346	68.27	17.36	10.7	46.6	1.11
170	792.59	897.3	719.29	4.379	67.92	16.28	11.3	45.3	1.05
180	1003.5	886.9	763.25	4.417	67.45	15.30	11.9	42.3	1.00
190	1255.6	876.0	807.63	4.460	66.99	14.42	12.6	40.0	0.96
200	1554.77	863.0	852.43	4.505	66.29	13.63	13.3	37.7	0.93
210	1917.72	852.8	897.65	4.555	65.48	13.04	14.1	35.4	0.91
220	2320.88	840.3	943.70	4.614	64.55	12.46	14.8	33.1	0.89
230	2798.59	827.3	990.18	4.681	63.73	11.97	15.9	31	0.88
240	3347.91	813.6	1037.49	4.756	62.80	11.47	16.8	28.5	0.87
250	3977.67	799.0	1085.64	4.844	61.76	10.98	18.1	26.2	0.86
260	4693.75	784.0	1135.04	4.949	60.48	10.59	19.7	23.8	0.87
270	5503.99	767.9	1185.28	5.070	59.96	10.20	21.6	21.5	0.88
280	6417.24	750.7	1236.28	5.229	57.45	9.81	23.7	19.1	0.89
290	7443.29	732.3	1289.95	5.485	55.82	8.42	26.2	16.9	0.93
300	8592.94	712.5	1344.80	5.736	53.96	9.12	29.2	14.4	0.97
310	9877.6	691.1	1402.16	6.071	52.34	8.83	32.9	12.1	1.02
320	11300.3	667.1	1462.03	6.573	50.59	8.3	38.2	9.81	1.11
330	12879.6	640.2	1526.19	7.243	48.73	8.14	43.3	7.67	1.22
340	14615.8	610.1	1594.75	8.164	45.71	7.75	53.4	5.67	1.38
350	16538.5	574.4	1671.37	9.504	43.03	7.26	66.8	3.81	1.60
360	18667.1	528.0	1761.39	13.984	39.54	6.67	109	2.02	2.36
370	21040.9	450.5	1892.43	40.319	33.73	5.69	264	0.471	6.80

六、常用固体材料的密度和比热容

名　称	密度/(kg/m³)	质量热容/[kJ/(kg·℃)]	名　称	密度/(kg/m³)	质量热容/[kJ/(kg·℃)]
钢	7850	0.4605	高压聚氯乙烯	920	2.2190
不锈钢	7900	0.5024	干砂	1500～1700	0.7955
铸铁	7220	0.5024	黏土	1600～1800	0.7536(−20～20℃)
铜	8800	0.4062	黏土砖	1600～1900	0.9211
青铜	8000	0.3810	耐火砖	1840	0.8792～1.0048
黄铜	8600	0.3768	混凝土	2000～2400	0.8374
铝	2670	0.9211	松木	500～600	2.7214(0～100℃)
镍	9000	0.4605	软木	100～300	0.9630
铅	11400	0.1298	石棉板	770	0.8164
酚醛	1250～1300	1.2560～1.6747	玻璃	2500	0.6699
脲醛	1400～1500	1.2560～1.6747	耐酸砖和板	2100～2400	0.7536～0.7955
聚氨乙烯	1380～1400	1.8422	耐酸搪瓷	2300～2700	0.8374～1.2560
聚苯乙烯	1050～1070	1.3398	有机玻璃	1180～1190	
低压聚氯乙烯	940	2.5539	多孔绝热砖	600～1400	

七、饱和水蒸气表（以温度为基准）

温度/℃	压力/kPa	蒸汽的密度/(kg/m³)	液体的焓/(kJ/kg)	蒸汽的焓/(kJ/kg)	汽化热/(kJ/kg)
0	0.6082	0.00484	0.00	2491.1	2491.1
5	0.8730	0.00680	20.94	2500.8	2479.9
10	1.2262	0.00940	41.87	2510.4	2468.5
15	1.7068	0.01283	62.80	2520.5	2457.7
20	2.3346	0.01719	83.74	2530.1	2446.4
25	3.1684	0.02304	104.67	2539.7	2435.0
30	4.2474	0.03036	125.60	2549.3	2423.7
35	5.6207	0.03960	146.54	2559.0	2412.5
40	7.3766	0.05114	167.47	2568.6	2401.1
45	9.5837	0.06543	188.41	2577.8	2389.4
50	12.3400	0.08300	209.34	2587.4	2378.1
55	15.7430	0.10430	230.27	2596.7	2366.4
60	19.9230	0.13010	251.21	2606.3	2355.1
65	25.0140	0.16110	272.14	2615.5	2343.4
70	31.1640	0.19790	293.08	2624.3	2331.2
75	38.5510	0.24160	314.01	2633.5	2319.5
80	47.3790	0.29290	334.94	2642.3	2307.4
85	57.8750	0.35310	355.88	2651.1	2295.2
90	70.1360	0.42290	376.81	2659.9	2283.1

温度/℃	压力/kPa	蒸汽的密度/(kg/m³)	液体的焓/(kJ/kg)	蒸汽的焓/(kJ/kg)	汽化热/(kJ/kg)
95	84.5560	0.50390	397.75	2668.7	2271.0
100	101.3300	0.59700	418.68	2677.0	2258.3
105	120.8500	0.70360	440.03	2685.0	2245.0
110	143.3100	0.82540	460.97	2693.4	2232.4
115	169.1100	0.96350	482.32	2701.3	2219.0
120	198.6400	1.11990	503.67	2708.9	2205.2
125	232.1900	1.29600	525.02	2716.4	2191.4
130	270.2500	1.49400	546.38	2723.9	2177.5
135	313.1100	1.71500	567.73	2731.0	2163.3
140	361.4700	1.96200	589.08	2737.7	2148.6
145	415.7200	2.23800	610.85	2744.4	2133.6
150	476.2400	2.54300	632.21	2750.7	2118.5
160	618.2800	3.25200	675.75	2762.9	2087.2
170	792.5900	4.11300	719.29	2773.3	2054.0
180	1003.5000	5.14500	763.25	2782.5	2019.3
190	1255.6000	6.37800	807.64	2790.1	1982.5
200	1554.7700	7.84000	852.01	2795.5	1943.5
210	1917.7200	9.56700	897.23	2799.3	1902.1
220	2320.8800	11.60000	942.45	2801.1	1858.7
230	2798.5900	13.98000	988.50	2800.1	1811.6
240	3347.9100	16..76000	1034.56	2796.8	1762.2
250	3977.6700	20.01000	1081.45	2790.1	1708.7
260	4693.7500	23.82000	1128.76	2780.9	1652.1
270	5503.9900	28.27000	1176.91	2768.3	1591.4
280	6417.2400	33.47000	1225.48	2752.0	1526.5
290	7443.2900	39.60000	1274.46	2732.3	1457.8
300	8592.9400	46.93000	1325.54	2708.0	1382.5
310	9877.9600	55.59000	1378.71	2680.0	1301.3
320	11300.3000	65.95000	1436.07	2648.2	1212.1
330	12879.6000	78.53000	1446.78	2610.5	1163.7
340	14615.8000	93.98000	1562.93	2568.6	1005.7
350	16538.5000	113.20000	1636.20	2516.7	880.5
360	18667.1000	139.60000	1729.15	2442.6	713.0
370	21040.9000	171.00000	1888.25	2301.9	411.1
374	22070.9000	322.60000	2098.00	2098.0	0.0

八、饱和水蒸气表（以用 kPa 为单位的压力作基准）

绝对压力/kPa	温度/℃	蒸汽的密度/(kg/m³)	焓/(kJ/kg)		汽化热/(kJ/kg)
			液　体	蒸　汽	
1.0	6.3	0.00773	26.48	2503.1	2476.8
1.5	12.5	0.01133	52.26	2515.3	2463.0
2.0	17.0	0.01486	71.21	2524.2	2452.9
2.5	20.9	0.01836	87.45	2531.8	2444.3
3.0	23.5	0.02179	98.38	2536.8	2438.4
3.5	26.1	0.02523	109.30	2541.8	2432.5
4.0	28.7	0.02867	120.23	2546.8	2426.6
4.5	30.8	0.03205	129.00	2550.9	2421.9
5.0	32.4	0.03537	135.69	2554.0	2418.3
6.0	35.6	0.04200	149.06	2560.1	2411.0
7.0	38.8	0.04864	162.44	2566.3	2403.8
8.0	41.3	0.05514	172.73	2571.0	2398.2
9.0	43.3	0.06156	181.16	2574.8	2393.6
10.0	45.3	0.06798	189.59	2578.5	2388.9
15.0	53.5	0.09956	224.03	2594.0	2370.0
20.0	60.1	0.13068	251.51	2606.4	2854.9
30.0	66.5	0.19093	288.77	2622.4	2333.7
40.0	75.0	0.24975	315.93	2634.1	2312.2
50.0	81.2	0.30799	339.80	2644.3	2304.5
60.0	85.6	0.36514	358.21	2652.1	2393.9
70.0	89.9	0.42229	376.61	2659.8	2283.2
80.0	93.2	0.47807	390.08	2665.3	2275.3
90.0	96.4	0.53384	403.49	2670.8	2267.4
100.0	99.6	0.58961	416.90	2676.3	2259.5
120.0	104.5	0.69868	437.51	2684.3	2246.8
140.0	109.2	0.80758	457.67	2692.1	2234.4
160.0	113.0	0.82981	473.88	2698.1	2224.2
180.0	116.6	1.0209	489.32	2703.7	2214.3
200.0	120.2	1.1273	493.71	2709.2	2204.6
250.0	127.2	1.3904	534.39	2719.7	2185.4
300.0	133.3	1.6501	560.38	278.5	2168.1
350.0	138.8	1.9074	583.76	2736.1	2152.3
400.0	143.4	2.1618	603.61	2742.1	2138.5
450.0	147.7	2.4152	622.42	2747.8	2125.4
500.0	151.7	2.6673	639.59	2752.8	2113.2
600.0	158.7	3.1686	670.22	2761.4	2091.1
700	164.7	3.6657	696.27	2767.8	2071.5
800	170.4	4.1614	720.96	2773.7	2052.7
900	175.1	4.6525	741.82	2778.1	2036.2
1.0×10^3	179.9	5.1432	762.68	2782.5	2019.7

绝对压力/kPa	温度/℃	蒸汽的密度/(kg/m³)	焓/(kJ/kg)		汽化热/(kJ/kg)
			液 体	蒸 汽	
$1.1×10^3$	180.2	5.6339	780.34	2785.5	2005.1
$1.2×10^3$	187.8	6.1241	797.92	2788.5	1990.6
$1.3×10^3$	191.5	6.6141	814.25	2790.9	1976.7
$1.4×10^3$	194.8	7.1038	829.06	2792.4	1963.7
$1.5×10^3$	198.2	7.5935	843.86	2794.5	1950.7
$1.6×10^3$	201.3	8.0814	857.77	2796.0	1938.2
$1.7×10^3$	204.1	8.5674	870.58	2797.1	1926.5
$1.8×10^3$	206.9	9.0533	883.39	2798.1	1914.8
$1.9×10^3$	209.8	9.5392	896.21	2799.2	1903.0
$2×10^3$	212.2	10.0338	907.32	2799.7	1892.4
$3×10^3$	233.7	15.0075	1005.4	2798.9	1793.5
$4×10^3$	250.3	20.0969	1082.9	2789.8	1706.8
$5×10^3$	263.8	25.3663	1146.9	2776.2	1629.2
$6×10^3$	275.4	30.8494	1203.2	2759.5	1556.3
$7×10^3$	285.7	36.5744	1253.2	2740.8	1487.6
$8×10^3$	294.8	42.5768	1299.2	2720.5	1403.7
$9×10^3$	303.2	48.8945	1343.5	2699.1	1356.6
$10×10^3$	310.9	55.5407	1384.0	2677.1	1293.1
$12×10^3$	324.5	70.3075	1463.4	2631.2	1167.7
$14×10^3$	336.5	87.3020	1567.9	2583.2	1043.4
$16×10^3$	347.2	107.8010	1615.8	2531.1	915.4
$18×10^3$	356.9	134.4813	1699.8	2466.0	766.1
$20×10^3$	365.6	176.5961	1817.8	2364.2	544.9

附录图 1 为几种常用液体的热导率与温度的关系。

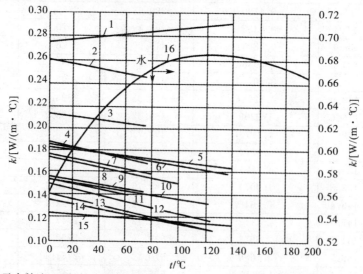

1-无水甘油;2-甲酸;3-甲醇;4-乙醇;5-蓖麻油;6-苯胺;7-乙酸;8-丙酮;9-丁醇;
10-硝基苯;11-异丙醇;12-苯;13-甲苯;14-二甲苯;15-凡士林油;16-水(用右边的坐标)

附录图 1　液体的热导度

九、某些液体的热导率

液　体		温度 t/℃	热导率 k/[W/(m·℃)]	液　体		温度 t/℃	热导率 k/[W/(m·℃)]
乙酸	100%	20	0.171	苯胺		0～20	0.173
	50%	20	0.35	苯		30	0.159
丙酮		30	0.177			60	0.151
		75	0.164	正丁醇		30	0.168
丙烯醇		25～30	0.180			75	0.164
氨		25～30	0.50	异丁醇		10	0.157
氨,水溶液		20	0.45	氯化钙盐水	30%	32	0.55
		60	0.50		15%	30	0.59
正戊醇		30	0.163	二硫化碳		30	0.161
		100	0.154			75	0.152
异戊醇		30	0.152	四氯化碳		0	0.185
		75	0.151			68	0.163
氯苯		10	0.144	甲醇	20%	20	0.492
三氯甲烷		30	0.138		100%	50	0.197
乙酸乙酯		20	0.175	氯甲烷		−15	0.192
乙醇	100%	20	0.182			30	0.154
	80%	20	0.237	硝基苯		30	0.164
	60%	20	0.305			100	0.152
	40%	20	0.388	硝基甲苯		30	0.216
	20%	20	0.486			60	0.208
	100%	50	0.151	正辛烷		60	0.14
乙苯		30	0.149			0	0.138～0.156
		60	0.142	石油		20	0.180
乙醚		30	0.138	蓖麻油		0	0.173
		75	0.135			20	0.168
汽油		30	0.135	橄榄油		100	0.164
三元醇	100%	20	0.284	正戊烷		30	0.135
	80%	20	0.327			75	0.128
	60%	20	0.381	氯化钾	15%	32	0.58
	40%	20	0.448		30%	32	0.56
	20%	20	0.481	氢氧化钾	21%	32	0.58
	100%	100	0.284		42%	32	0.55
正庚烷		30	0.140	硫酸钾	10%	32	0.60
		60	0.137	正丙醇		30	0.171
正己烷		30	0.138			75	0.164
		60	0.135	异丙醇		30	0.157
正庚醇		30	0.163			60	0.155
		75	0.157	氯化钠盐水	25%	30	0.57
正己醇		30	0.164		12.5%	30	0.59
		75	0.156	硫酸	90%	30	0.36
煤油		20	0.149		60%	30	0.43
		75	0.140		30%	30	0.52
盐酸	12.5%	32	0.52	二氯化硫		15	0.22
	25%	32	0.48			30	0.192
	28%	32	0.44	甲苯		75	0.149
水银		28	0.36			15	0.145
甲醇	100%	20	0.215	松节油		20	0.128
	80%	20	0.267	二甲苯	邻位	20	0.155
	60%	20	0.329		对位		0.155
	40%	20	0.405				

十、某些气体和蒸气的热导率

下表中所列出的极限温度数值是实验范围的数值。若外推到其他温度时，建议将所列出的数据按 $\lg k$ 对 $\lg T$（k——热导率，$W/(m \cdot \text{℃})$；T——温度，K）作图，或者假定 Pr 数与温度（或压力，在适当范围内）无关。

物　质	温度/℃	热导率 $k/[W/(m \cdot ℃)]$	物　质	温度/℃	热导率 $k/[W/(m \cdot ℃)]$
丙酮	0	0.0098		212	0.0164
	46	0.0128	乙烷	−70	0.0114
	100	0.0171		−34	0.0149
	184	0.0254		0	0.0183
空气	0	0.0242		100	0.0303
	100	0.0317	乙醇	20	0.0154
	200	0.0391		100	0.0215
	300	0.0459	乙醚	0	0.0133
氨	−60	0.0164		46	0.0171
	0	0.0222	氨	100	0.0320
	50	0.0272	苯	0	0.0090
二氧化碳	0	0.0147		46	0.0126
	100	0.0230		100	0.0178
	200	0.0313		184	0.0263
	300	0.0396		212	0.0305
二硫化物	0	0.0069	正丁烷	0	0.0135
	−73	0.0073		100	0.0234
一氧化碳	−189	0.0071	异丁烷	0	0.0138
	−179	0.0080		100	0.0241
	−60	0.0234	二氧化碳	−50	0.0118
四氯化碳	46	0.0071	乙醚	100	0.0227
	100	0.0090		184	0.0327
	184	0.01112		212	0.0362
氯	0	0.0074	乙烯	−71	0.0111
三氯甲烷	0	0.0066		0	0.0175
	46	0.0080		50	0.0267
	100	0.0100		100	0.0279
	184	0.0133	正庚烷	200	0.0194
硫化氢	0	0.0132		100	0.0178
水银	200	0.0341	正己烷	0	0.0125
甲烷	−100	0.0173		20	0.0138
	−50	0.0251	氢	−100	0.0113
	0	0.0302		−50	0.0144
	50	0.0372		0	0.0173
甲醇	0	0.0144		50	0.0199
	100	0.0222		100	0.0223
氯甲烷	0	0.0067		300	0.0308
	46	0.0085	氮	−100	0.0164
	100	0.0109		0	0.0242
	50	0.0277	二氧化硫	0	0.0087

物　质	温度/℃	热导率 k/[W/(m·℃)]	物　质	温度/℃	热导率 k/[W/(m·℃)]
	100	0.0312		100	0.0119
氧	−100	0.0164	水蒸气	46	0.0208
	−50	0.0206		100	0.0237
	0	0.0246		200	0.0324
	50	0.0284		300	0.0429
	100	0.0321		400	0.0545
丙烷	0	0.0151		500	0.0763
	100	0.0261			

十一、某些固体材料的热导率

1. 常用金属的热导率

热导率 k/[W/(m·℃)] ＼ 温度/℃	0	100	200	300	400
铝	227.95	227.95	227.95	227.95	227.95
铜	383.79	379.14	372.16	367.51	362.86
铁	73.27	67.45	61.64	54.66	48.85
铅	35.12	33.38	31.40	29.77	—
镁	172.12	167.47	162.82	158.17	—
镍	93.04	82.57	73.27	63.97	59.31
银	414.03	409.38	373.32	361.69	359.37
锌	112.81	109.90	105.83	401.18	93.04
碳钢	52.34	48.85	44.19	41.87	34.89
不锈钢	16.28	17.45	17.45	18.49	—

2. 常用非金属材料

材　料	温度 t/℃	热导率 k/[W/(m·℃)]	材　料	温度 t/℃	热导率 k/[W/(m·℃)]
软木	30	0.04303	泡沫塑料	—	0.04652
玻璃棉	—	0.03489～0.06978	木材(横向)	—	0.1396～0.1745
保温灰	—	0.06978	(纵向)	—	0.3838
锯屑	20	0.04652～0.05815	耐火砖	230	0.8723
棉花	100	0.06978		1200	1.6398
厚纸	20	0.01369～0.3489	混凝土	—	1.2793
玻璃	30	1.0932	绒毛毡	—	0.0465
	−20	0.7560	85％氧化镁粉	0～100	0.06978
搪瓷	—	0.8723～1.163	聚氯乙烯	—	0.1163～0.1745
云母	50	0.4303	酚醛加玻璃纤维	—	0.2593
泥土	20	0.6978～0.9304	酚醛加石棉纤维	—	0.2942
冰	0	2.326	聚酯加玻璃纤维	—	0.2594
软橡胶	—	0.1291～0.1593	聚碳酸酯	—	0.1907
硬橡胶	0	0.1500	聚苯乙烯泡沫	25	0.04187
聚四氟乙烯	—	0.2419		−150	0.001745
泡沫玻璃	−15	0.004885	聚乙烯	—	0.3291
	−80	0.003489	石墨	—	139.56

十二、液体的黏度共线图

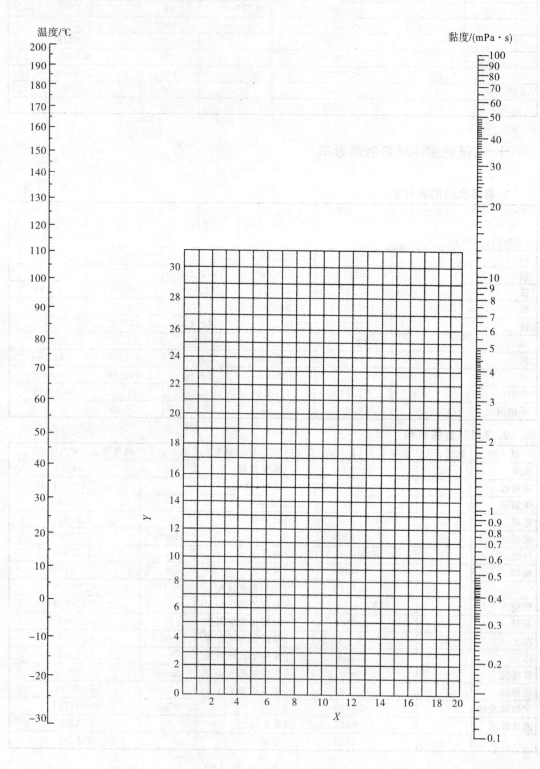

液体黏度共线图的坐标值列于下表中。

序号	名　称	X	Y	序号	名　称	X	Y
1	水	10.2	13.0	31	乙苯	13.2	11.5
2	盐水(25%NaCl)	10.2	16.6	32	氯苯	12.3	12.4
3	盐水(25%CaCl₂)	6.6	15.9	33	硝基苯	10.6	16.2
4	氨	12.6	2.2	34	苯胺	8.1	18.7
5	氨水(26%)	10.1	13.9	35	酚	6.9	20.8
6	二氧化碳	11.6	0.3	36	联苯	12.0	18.3
7	二氧化硫	15.2	7.1	37	萘	7.9	18.1
8	二硫化碳	16.1	7.5	38	甲醇(100%)	12.4	10.5
9	溴	14.2	18.2	39	甲醇(90%)	12.3	11.8
10	汞	18.4	16.4	40	甲醇(40%)	7.8	15.5
11	硫酸(110%)	7.2	27.4	41	乙醇(100%)	10.5	13.8
12	硫酸(100%)	8.0	25.1	42	乙醇(95%)	9.8	14.3
13	硫酸(98%)	7.0	24.8	43	乙醇(40%)	6.5	16.6
14	硫酸(60%)	10.2	21.3	44	乙二醇	6.0	23.6
15	硝酸(95%)	12.8	13.8	45	甘油(100%)	2.0	30.0
16	硝酸(60%)	10.8	17.0	46	甘油(50%)	6.9	19.6
17	盐酸(31.5%)	13.0	16.6	47	乙醚	14.5	5.3
18	氢氧化钠(50%)	3.2	25.8	48	乙醛	15.2	14.8
19	戊烷	14.9	5.2	49	丙酮	14.5	7.2
20	己烷	14.7	7.0	50	甲酸	10.7	15.8
21	庚烷	14.1	8.4	51	乙酸(100%)	12.1	14.2
22	辛烷	13.7	10.0	52	乙酸(70%)	9.5	17.0
23	三氯甲烷	14.4	10.2	53	乙酸酐	12.7	12.8
24	四氯化碳	12.7	13.1	54	乙酸乙酯	13.7	9.1
25	二氯乙烷	13.2	12.2	55	乙酸戊酯	11.8	12.5
26	苯	12.5	10.9	56	氟利昂-11	14.4	9.0
27	甲苯	13.7	10.4	57	氟利昂-12	16.8	5.6
28	邻二甲苯	13.5	12.1	58	氟利昂-21	15.7	7.5
29	间二甲苯	13.9	10.6	59	氟利昂-22	17.2	4.7
30	对二甲苯	13.9	10.9	60	煤油	10.2	16.8

　　用法举例:求苯在50℃时的黏度,从本表序号26查得苯的 $X=12.5,Y=10.9$。把这两个数值标在前页共线图的 X-Y 坐标上得一点,把这点与图中左方温度标尺上50℃的点连成一条直线并延长,与右方黏度标尺相交,由此交点定出50℃苯的黏度为0.44mPa·s。

十三、101.33kPa 压力下气体的黏度共线图

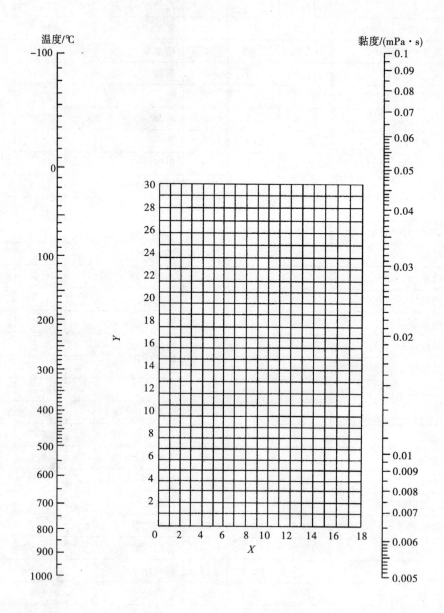

气体黏度共线图坐标值列于下表中。

序号	名　称	X	Y	序号	名　称	X	Y
1	空气	11.0	20.0	21	乙炔	9.8	14.9
2	氧	11.0	21.3	22	丙烷	9.7	12.9
3	氮	10.6	20.0	23	丙烯	9.0	13.8
4	氢	11.2	12.4	24	丁烯	9.2	13.7
5	$3H_2+1N_2$	11.2	17.2	25	戊烷	7.0	12.8
6	水蒸气	8.0	16.0	26	己烷	8.6	11.8
7	二氧化碳	9.5	18.7	27	三氯甲烷	8.9	15.7
8	一氧化碳	11.0	20.0	28	苯	8.5	13.2
9	氨	8.4	16.0	29	甲苯	8.6	12.4
10	硫化氢	8.6	18.0	30	甲醇	8.5	15.6
11	二氧化硫	9.6	17.0	31	乙醇	9.2	14.2
12	二硫化碳	8.0	16.0	32	丙醇	8.4	13.4
13	一氧化二氮	8.8	19.0	33	乙酸	7.7	14.3
14	一氧化氮	10.9	20.5	34	丙酮	8.9	13.0
15	氟	7.3	23.8	35	乙醚	8.9	13.0
16	氯	9.0	18.4	36	乙酸乙酯	8.5	13.2
17	氯化氢	8.8	18.7	37	氟利昂-11	10.6	15.1
18	甲烷	9.9	15.5	38	氟利昂-12	11.1	16.0
19	乙烷	9.1	14.5	39	氟利昂-21	10.8	15.3
20	乙烯	9.5	15.1	40	氟利昂-22	10.1	17.0

十四、液体的比热容共线图

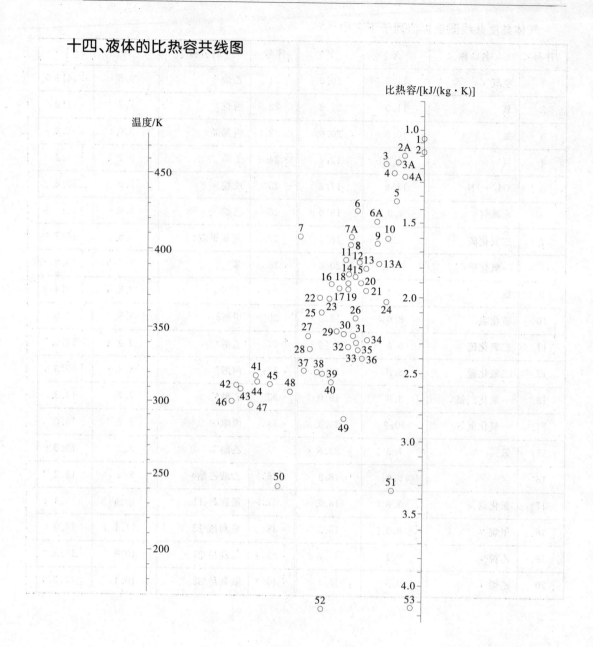

液体比热容共线图中的编号列于下表中。

编号	名　　称	温度范围/℃	编号	名　　称	温度范围/℃
53	水	10～200	35	己烷	−80～20
51	盐水(25%NaCl)	−40～20	28	庚烷	0～60
49	盐水(25%CaCl₂)	−40～20	33	辛烷	−50～25
52	氨	−70～50	34	壬烷	−50～25
11	二氧化硫	−20～100	21	癸烷	−80～25
2	二氧化碳	−100～25	13A	氯甲烷	−80～20
9	硫酸(98%)	10～45	5	二氯甲烷	−40～50
48	盐酸(30%)	20～100	4	三氯甲烷	0～50
22	二苯基甲烷	30～100	46	乙醇(95%)	20～80
3	四氯化碳	10～60	50	乙醇(50%)	20～80
13	氯乙烷	−30～40	45	丙醇	−20～100
1	溴乙烷	5～25	47	异丙醇	20～50
7	碘乙烷	0～100	44	丁醇	0～100
6A	二氯乙烷	−30～60	43	异丁醇	0～100
3	过氯乙烯	−30～140	37	戊醇	−50～25
23	苯	10～80	41	异戊醇	10～100
23	甲苯	0～60	39	乙二醇	−40～200
17	对二甲苯	0～100	38	甘油	−40～20
18	间二甲苯	0～100	27	苯甲醇	−20～30
19	邻二甲苯	0～100	36	乙醚	−100～25
8	氯苯	0～100	31	异丙醚	−80～200
12	硝基苯	0～100	32	丙酮	20～50
30	苯胺	0～130	29	乙酸	0～80
10	苯甲基氯	−30～30	24	乙酸乙酯	−50～25
25	乙苯	0～100	26	乙酸戊酯	−20～70
15	联苯	80～120	20	吡啶	−40～15
16	联苯醚	0～200	2A	氟利昂-11	−20～70
16	道舍姆A(DowthermA)(联苯-联苯醚)	0～200	6	氟利昂-12	−40～15
14	萘	90～200	4A	氟利昂-21	−20～70
40	甲醇	−40～20	7A	氟利昂-22	−20～60
42	乙醇(100%)	30～80	3A	氟利昂-113	−20～70

　　用法举例：求丙醇在47℃(320K)时的比热容,从本表找到丙醇的编号为45,通过图中标号45的圆圈与图中左边温度标尺上320K的点联成直线并延长与右边比热容标尺相交由此交点定出320K时丙醇的比热容为2.71kJ/(kg·K)。

十五、气体的比热容共线图(101.33kPa)

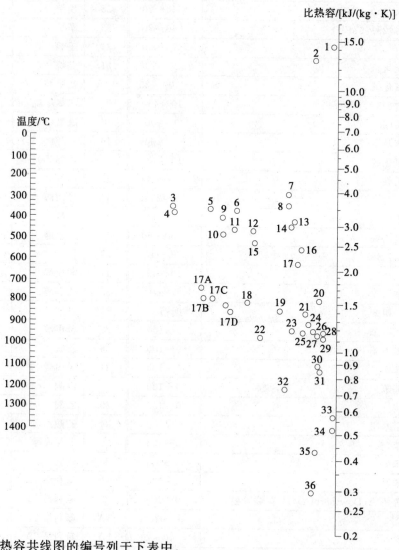

气体比热容共线图的编号列于下表中。

编号	气　体	温度范围/K	编号	气　体	温度范围/K
10	乙炔	273～473	34	氯气	473～1673
15	乙炔	473～673	3	乙烷	273～473
16	乙炔	673～1673	9	乙烷	473～873
27	空气	273～1673	8	乙烷	873～1673
12	氨	273～873	4	乙烯	273～473
14	氨	873～1673	11	乙烯	473～873
18	二氧化碳	273～673	13	乙烯	873～1673
24	二氧化碳	673～1673	17B	氟利昂-11(CCl_3F)	273～423
26	一氧化碳	273～1673	17C	氟利昂-21($CHCl_3F$)	273～423
32	氯气	273～473	17A	氟利昂-22($CHClF_2$)	273～423

十六、蒸发潜热(汽化热)共线图

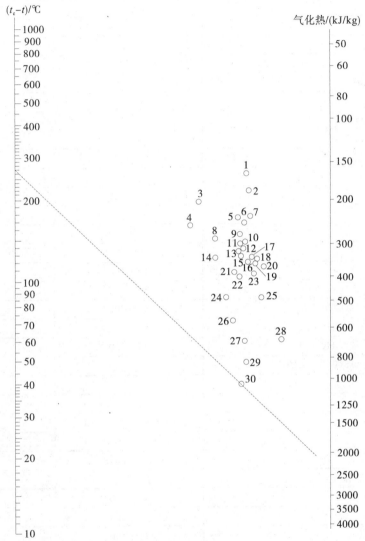

编号	气　体	温度范围/K	编号	气　体	温度范围/K
17D	氟利昂-113($CCl_2F-CClF_2$)	273～423	6	甲烷	573～973
1	氢	273～873	7	甲烷	973～1673
2	氢	873～1673	25	一氧化氮	273～973
35	溴化氢	273～1673	28	一氧化氮	973～1673
30	氯化氢	273～1673	26	氮	273～1673
20	氟化氢	273～1673	23	氧	273～773
36	碘化氢	273～1673	29	氧	773～1673
19	硫化氢	273～973	33	硫	573～1673
21	硫化氢	973～1673	22	二氧化硫	272～673
5	甲烷	273～573	31	二氧化硫	673～1673
17	水	273～1673			

蒸发潜热共线图的编号列于下表中。

编　号	化　合　物	范围($t_c - t$)/℃	临界温度 t_c/℃
18	乙酸	100～225	321
22	丙酮	120～210	235
29	氨	50～200	133
13	苯	10～400	289
16	丁烷	90～200	153
21	二氧化碳	10～100	31
4	二硫化碳	140～275	273
2	四氯化碳	30～250	283
7	三氯甲烷	140～275	263
8	二氯甲烷	150～250	216
3	联苯	175～400	527
25	乙烷	25～150	32
26	乙醇	20～140	243
28	乙醇	140～300	243
17	氯乙烷	100～250	187
13	乙醚	10～400	194
2	氟利昂-11(CCl_3F)	70～250	198
2	氟利昂-12(CCl_2F_2)	40～200	111
5	氟利昂-21($CHCl_2F$)	70～250	178
6	氟利昂-22($CHClF_2$)	50～170	96
1	氟利昂-113($CCl_2F\text{-}CClF_2$)	90～250	214
10	庚烷	20～300	267
11	己烷	50～225	235
15	异丁烷	80～200	134
27	甲醇	40～250	240
20	氯甲烷	70～250	143
19	一氧化二氮	25～150	36
9	辛烷	30～300	296
12	戊烷	20～200	197
23	丙烷	40～200	96
24	丙醇	20～200	264
14	二氧化硫	90～160	157
30	水	10～500	374

用法举例:求 100℃水蒸气的蒸发潜热。从表中查出水的编号为 30,临界温度 t_c 为 274℃,故

$$t_c - t = 374 - 100 = 274℃$$

在温度标尺上找出相应于 274℃ 的点,将该点与编号 30 的点相连,延长与蒸发潜热标尺相交,由此读出 100℃ 时水的蒸发潜热为 2257kJ/kg。

十七、某些有机液体的相对密度共线图

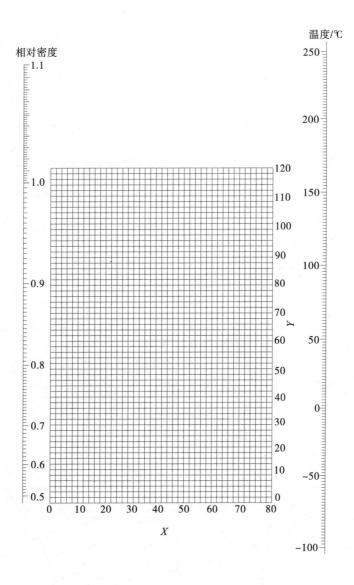

有机液本相对密度共线图的坐标值。

有 机 液 体	X	Y	有 机 液 体	X	Y
乙炔	20.8	10.1	甲酸乙酯	37.6	68.4
乙烷	10.8	4.4	甲酸丙酯	33.8	66.7
乙烯	17.0	3.5	丙烷	14.2	12.2
乙醇	24.2	48.6	丙酮	26.1	47.8
乙醚	22.8	35.8	丙醇	23.8	50.8
乙丙醚	20.0	37.0	丙酸	35.0	83.5
乙硫醇	32.0	55.5	丙酸甲酯	36.5	68.3
乙硫醚	25.7	55.3	丙酸乙酯	32.1	63.9
二乙胺	17.8	33.5	戊烷	12.6	22.6
二氧化碳	78.6	45.4	异戊烷	13.5	22.5
异丁烷	13.7	16.5	辛烷	12.7	32.5
丁酸	31.3	78.7	庚烷	12.6	29.8
丁酸甲酯	31.5	65.5	苯	32.7	63.0
异丁酸	31.5	75.9	苯酚	35.7	103.8
丁酸(异)甲酯	33.0	64.1	苯胺	33.5	92.5
十一烷	14.4	39.2	氯苯	41.9	86.7
十二烷	14.3	41.4	癸烷	16.0	38.2
十三烷	15.3	42.4	氨	22.4	24.6
十四烷	15.8	43.3	氯乙烷	42.7	62.4
三乙胺	17.9	37.0	氯甲烷	52.3	62.9
三氯化磷	38.0	22.1	氯苯	41.7	105.0
己烷	13.5	27.0	氰丙烷	20.1	44.6
壬烷	16.2	36.5	氰甲烷	27.8	44.9
六氢吡啶	27.5	60.0	环己烷	19.6	44.0
甲乙醚	25.0	34.4	乙酸	40.6	93.5
甲醇	25.8	49.1	乙酸甲酯	40.1	70.3
甲硫醇	37.3	59.6	乙酸乙酯	35.0	65.0
甲硫醚	31.9	57.4	乙酸丙酯	33.0	65.5
甲醚	27.2	30.1	甲苯	27.0	61.0
甲酸甲酯	46.4	74.6	异戊醇	20.5	52.0

十八、壁面污垢热阻(污垢系数)

1.冷却水

加热液体温度/℃	115 以下		115～205	
水的温度/℃	25 以下		25 以上	
水的速度/(m/s)	1 以下	1 以上	1 以下	1 以上
	热阻/(m² · ℃/W)			
海水	$0.8598×10^{-4}$	$0.8598×10^{-4}$	$1.7197×10^{-4}$	$1.7197×10^{-4}$
自来水、井水、潮水、软化锅炉水	$1.7197×10^{-4}$	$1.7197×10^{-4}$	$3.4394×10^{-4}$	$3.4394×10^{-4}$
蒸馏水	$0.8598×10^{-4}$	$0.8598×10^{-4}$	$0.8598×10^{-4}$	$0.8598×10^{-4}$
硬水	$5.1590×10^{-4}$	$5.1590×10^{-4}$	$8.5980×10^{-4}$	$8.5980×10^{-4}$
河水	$5.1590×10^{-4}$	$3.4394×10^{-4}$	$6.8788×10^{-4}$	$5.1590×10^{-4}$

2.工业用气体

气 体 名 称	热阻/(m² · ℃/W)	气 体 名 称	热阻/(m² · ℃/W)
有机化合物	$0.8598×10^{-4}$	溶剂蒸气	$1.7197×10^{-4}$
水蒸气	$0.8598×10^{-4}$	天然气	$1.7197×10^{-4}$
空气	$3.4394×10^{-4}$	焦炉气	$1.7197×10^{-4}$

3.工业用液体

液 体 名 称	热阻/(m² · ℃/W)	液 体 名 称	热阻/(m² · ℃/W)
有机化合物	$1.7197×10^{-4}$	溶盐	$0.8598×10^{-4}$
盐水	$1.7197×10^{-4}$	植物油	$5.1590×10^{-4}$

4.石油分馏物

馏出物名称	热阻/(m² · ℃/W)	馏出物名称	热阻/(m² · ℃/W)
原油	$(3.4394～12.098)×10^{-4}$	柴油	$(3.4394～5.1590)×10^{-4}$
汽油	$1.7197×10^{-4}$	重油	$8.5980×10^{-4}$
石脑油	$1.7197×10^{-4}$	沥青油	$17.197×10^{-4}$
煤油	$1.7197×10^{-4}$		

十九、离心泵的规格（摘录）

1. IS 型单级单吸离心泵性能表（摘录）

型　号	转速 n /(r/min)	流　量 /(m³/h)	/(L/s)	扬程 H /m	效率 η	功率/kW 轴功率	电机功率	必需汽蚀余量 $(NPSH)_r$/m	质量(泵/底座)/kg
IS50-32-125	2900	7.5	2.08	22	47%	0.96	2.2	2.0	32/46
		12.5	3.47	20	60%	1.13		2.0	
		15	4.17	18.5	60%	1.26		2.5	
	1450	3.75	1.04	5.4	43%	0.13	0.55	2.0	32/38
		6.3	1.74	5	54%	0.16		2.0	
		7.5	2.08	4.6	55%	0.17		2.5	
IS50-32-160	2900	7.5	2.08	34.3	44%	1.59	3	2.0	50/46
		12.5	3.47	32	54%	2.02		2.0	
		15	4.17	29.6	56%	2.16		2.5	
	1450	3.75	1.04	13.1	35%	0.25	0.55	2.0	50/38
		6.3	1.74	12.5	48%	0.29		2.0	
		7.5	2.08	12	49%	0.31		2.5	
IS50-32-200	2900	7.5	2.08	82	38%	2.82	5.5	2.0	52/66
		12.5	3.47	80	48%	3.54		2.0	
		15	4.17	78.5	51%	3.95		2.5	
	1450	3.75	1.04	20.5	33%	0.41	0.75	2.0	52/38
		6.3	1.74	20	42%	0.51		2.0	
		7.5	2.08	19.5	44%	0.56		2.5	
IS50-32-250	2900	7.5	2.08	21.8	23.5%	5.87	11	2.0	88/110
		12.5	3.47	20	38%	7.16		2.0	
		15	4.17	18.5	41%	7.83		2.5	
	1450	3.75	1.04	5.35	23%	0.91	1.5	2.0	88/64
		6.3	1.74	5	32%	1.07		2.0	
		7.5	2.08	4.7	35%	1.14		3.0	
IS65-50-125	2900	7.5	4.17	35	58%	1.54	3	2.0	50/41
		12.5	6.94	32	69%	1.97		2.0	
		15	8.33	30	68%	2.22		3.0	
	1450	3.75	2.08	8.8	53%	0.21	0.55	2.0	50/38
		6.3	3.47	8.0	64%	0.27		2.0	
		7.5	4.17	7.2	65%	0.30		2.5	
IS65-50-160	2900	15	4.17	53	54%	2.65	5.5	2.0	51/66
		25	6.94	50	65%	3.35		2.0	
		30	8.33	47	66%	3.71		2.5	
	1450	7.5	2.08	13.2	50%	0.36	0.75	2.0	51/38
		12.5	3.47	12.5	60%	0.45		2.0	
		15	4.17	11.8	60%	0.49		2.5	

| 型　号 | 转速 n /(r/min) | 流　量 | | 扬程 H /m | 效率 η | 功率/kW | | 必需汽蚀余量 $(NPSH)_r$/m | 质量(泵/底座)/kg |
		/(m³/h)	/(L/s)			轴功率	电机功率		
IS65-40-200	2900	15	4.17	53	49%	4.42	7.5	2.0	62/66
		25	6.94	50	60%	5.67		2.0	
		30	8.33	47	61%	6.29		2.5	
	1450	7.5	2.08	13.2	43%	0.63	1.1	2.0	62/46
		12.5	3.47	12.5	55%	0.77		2.0	
		15	4.17	11.8	57%	0.85		2.5	
IS65-40-250	2900	15	4.17	82	37%	9.05	15	2.0	82/110
		25	6.94	80	50%	10.89		2.0	
		30	8.33	78	53%	12.02		2.5	
	1450	7.5	2.08	21	35%	1.23	2.2	2.0	82/67
		12.5	3.47	20	46%	1.48		2.0	
		15	4.17	19.4	48%	1.65		2.5	
IS65-40-315	2900	15	4.17	127	28%	18.5	30	2.5	152/110
		25	6.94	125	40%	21.3		2.5	
		30	8.33	123	44%	22.8		3.0	
	1450	7.5	2.08	32.2	25%	6.63	4	2.5	152/67
		12.5	3.47	32.0	37%	2.94		2.5	
		15	4.17	31.7	41%	3.16		3.0	
IS80-65-125	2900	30	8.33	22.5	64%	2.87	5.5	3.0	44/46
		50	13.9	20	75%	3.63		3.0	
		60	16.7	18	74%	3.98		3.5	
	1450	15	4.17	5.6	55%	0.42	0.75	2.5	44/38
		25	6.94	5	71%	0.48		2.5	
		30	8.33	4.5	72%	0.51		3.0	
IS80-65-160	2900	30	8.33	36	61%	4.82	7.5	2.5	48/66
		50	13.9	32	73%	5.97		2.5	
		60	16.7	29	72%	6.59		3.0	
	1450	15	4.17	9	55%	0.67	1.5	2.5	48/46
		25	6.94	8	69%	0.79		2.5	
		30	8.33	7.2	68%	0.86		3.0	
IS80-50-200	2900	30	8.33	53	55%	7.87	15	2.5	64/124
		50	13.9	50	69%	9.87		2.5	
		60	16.7	47	71%	10.8		3.0	
	1450	15	4.17	13.2	51%	1.06	2.2	2.5	64/46
		25	6.94	12.5	65%	1.31		2.5	
		30	8.33	11.8	67%	1.44		3.0	
IS80-50-250	2900	30	8.33	84	52%	13.2	22	2.5	90/110
		50	13.9	80	63%	17.3		2.5	
		60	16.7	75	64%	19.2		3.0	
	1450	15	4.17	21	49%	1.75	3	2.5	90/64
		25	6.94	20	60%	2.22		2.5	
		30	8.33	18.8	61%	2.52		3.0	

| 型　号 | 转速 n /(r/min) | 流　量 | | 扬程 H /m | 效率 η | 功率/kW | | 必需汽蚀余量 $(NPSH)_r$/m | 质量(泵/底座)/kg |
		/(m³/h)	/(L/s)			轴功率	电机功率		
IS80-50-315	2900	30	8.33	128	41%	25.5	37	2.5	125/160
		50	13.9	125	54%	31.5		2.5	
		60	16.7	123	57%	35.3		3.0	
	1450	15	4.17	32.5	39%	3.4	5.5	2.5	125/66
		25	6.94	32	52%	4.19		2.5	
		30	8.33	31.5	56%	4.6		3.0	
IS100-80-125	2900	60	16.7	24	67%	5.86	11	4.0	49/64
		100	27.8	20	78%	7.00		4.5	
		120	33.3	16.5	74%	7.28		5.0	
	1450	30	8.33	6	64%	0.77	1	2.5	49/46
		50	13.9	5	75%	0.91		2.5	
		60	16.7	4	71%	0.92		3.0	
IS100-80-160	2900	60	16.7	36	70%	8.42	15	3.5	69/110
		100	27.8	32	78%	11.2		4.0	
		120	33.3	28	75%	12.2		5.0	
	1450	30	8.33	9.2	67%	1.12	2.2	2.0	69/64
		50	13.9	8.0	75%	1.45		2.5	
		60	16.7	6.8	71%	1.57		3.5	
IS100-65-200	2900	60	16.7	54	65%	13.6	22	3.0	81/110
		100	27.8	50	76%	17.9		3.6	
		120	33.3	47	77%	19.9		4.8	
	1450	30	8.33	13.5	60%	1.84	4	2.0	81/64
		50	13.9	12.5	73%	2.33		2.0	
		60	16.7	11.8	74%	2.61		2.5	
IS100-65-250	2900	60	16.7	87	61%	23.4	37	3.5	90/160
		100	27.8	80	72%	30.0		3.8	
		120	33.3	74.5	73%	33.3		4.8	
	1450	30	8.33	21.3	55%	3.16	5.5	2.0	90/66
		50	13.9	20	68%	4.00		2.0	
		60	16.7	19	70%	4.44		2.5	
IS100-65-315	2900	60	16.7	133	55%	39.6	75	3.0	180/295
		100	27.8	125	66%	51.6		3.6	
		120	33.3	118	67%	57.5		4.2	
	1450	30	8.33	34	51%	5.44	11	2.0	180/112
		50	13.9	32	63%	6.92		2.0	
		60	16.7	30	64%	7.67		2.5	
IS125-100-200	2900	120	33.3	57.5	67%	28.0	45	4.5	108/160
		200	55.6	50	81%	33.6		4.5	
		240	66.7	44.5	80%	36.4		5.0	
	1450	60	16.7	14.5	62%	3.83	7.5	2.5	108/66
		100	27.8	12.5	76%	4.48		2.5	
		120	33.3	11	75%	4.79		3.0	

型　号	转速 n /(r/min)	流　量		扬程 H /m	效率 η	功率/kW		必需汽蚀余量 $(NPSH)_r$/m	质量(泵/底座)/kg
		/(m³/h)	/(L/s)			轴功率	电机功率		
IS125-100-250	2900	120	33.3	87	66%	43.0		3.8	166/295
		200	55.6	80	78%	55.9	75	4.2	
		240	66.7	72	75%	62.8		5.0	
	1450	60	16.7	21.5	63%	5.59		2.5	166/112
		100	27.8	20	76%	7.17	11	2.5	
		120	33.3	18.5	77%	7.84		3.0	
IS125-100-315	2900	120	33.3	132.5	60%	72.1		4.0	189/330
		200	55.6	125	75%	90.8	110	4.5	
		240	66.7	120	77%	101.9		5.0	
	1450	60	16.7	33.5	58%	9.4		2.5	189/160
		100	27.8	32	73%	7.9	15	2.5	
		120	33.3	30.5	74%	13.5		3.0	
IS125-100-400	1450	60	16.7	52	53%	16.1		2.5	205/233
		100	27.8	50	65%	21.0	30	2.5	
		120	33.3	48.5	67%	23.6		3.0	
IS150-125-250	1450	120	33.3	22.5	71%	10.4		3.0	188/158
		200	55.6	20	81%	13.5	18.5	3.0	
		240	66.7	17.5	78%	14.7		3.5	
IS150-125-315	1450	120	33.3	34	70%	15.9		2.5	192/233
		200	55.6	32	79%	22.1	30	2.5	
		240	66.7	29	80%	23.7		3.0	
IS150-125-400	1450	120	33.3	53	62%	27.9		2.0	223/233
		200	55.6	50	75%	36.3	45	2.8	
		240	66.7	46	74%	40.6		3.5	
IS200-150-250	1450	240	66.7	20	82%	26.6	37	—	203/233
		400	111.1						
		460	127.8						
IS200-150-315	1450	240	66.7	37	70%	34.6		3.0	262/295
		400	111.1	32	82%	42.5	55	3.5	
		460	127.8	28.5	80%	44.6		4.0	
IS200-150-400	1450	240	66.7	55	74%	48.6		3.0	295/298
		400	111.1	50	81%	67.2	90	3.8	
		460	127.8	48	76%	74.2		4.5	

2. Y型离心油泵性能表

型　号	流量/(m³/h)	扬程/m	转速/(r/min)	功率/kW 轴	功率/kW 电机	效率	气蚀余量/m	泵壳许用应力/Pa	结构型式	备　注
50Y-60	12.5	60	2950	5.95	11	35%	2.3	1570/2550	单级悬臂	泵壳许用应力内的分子表示第Ⅰ类材料相应的许用应力数,分母表示Ⅱ、Ⅲ类材料相应的许用应力数
50Y-60A	11.2	49	2950	4.27	8	—	—	1570/2550	单级悬臂	
50Y-60B	9.9	38	2950	2.39	5.5	35%		1570/2550	单级悬臂	
50Y-60×2	12.5	120	2950	11.7	15	35%	2.3	2158/3138	两级悬臂	
50Y-60×2A	11.7	105	2950	9.55	15	—	—	2158/3138	两级悬臂	
50Y-60×2B	10.8	90	2950	7.65	11	—	—	2158/3138	两级悬臂	
50Y-60×2C	9.9	75	2950	5.9	8			2158/3138	两级悬臂	
65Y-60	25	60	2950	7.5	11	55%	2.6	1570/2550	单级悬臂	
65Y-60A	22.5	49	2950	5.5	8			1570/2550	单级悬臂	
65Y-60B	19.8	38	2950	3.75	5.5	—	—	1570/2550	单级悬臂	
65Y-100	25	100	2950	17.0	32	40%	2.6	1570/2550	单级悬臂	
65Y-100A	23	85	2950	13.3	20			1570/2550	单级悬臂	
65Y-100B	21	70	2950	10.0	15			1570/2550	单级悬臂	
65Y-100×2	25	200	2950	34	55	40%	2.6	2942/3923	两级悬臂	
65Y-100×2A	23.3	175	2950	27.8	40			2942/3923	两级悬臂	
65Y-100×2B	21.6	150	2950	22.0	32			2942/3923	两级悬臂	
65Y-100×2C	19.8	125	2950	16.8	20			2942/3923	两级悬臂	
80Y-60	50	60	2950	12.8	15	64%	3.0	1570/2550	单级悬臂	
80Y-60A	45	49	2950	9.4	11			1570/2550	单级悬臂	
80Y-60B	39.5	38	2950	6.5	8	—	—	1570/2550	单级悬臂	
80Y-100	50	100	2950	22.7	32	60%	3.0	1961/2942	单级悬臂	
80Y-100A	45	85	2950	18.0	25	—	—	1961/2942	单级悬臂	
80Y-100B	39.5	70	2950	12.6	20	—	—	1961/2942	单级悬臂	
80Y-100×2	50	200	2950	45.4	75	60%	3.0	2942/3923	单级悬臂	
80Y-100×2A	46.6	175	2950	37.0	55	60%	3.0	2942/3923	两级悬臂	
80Y-100×2B	43.2	150	2950	29.5	40	—	—	—	两级悬臂	
80Y-100×2C	39.6	125	2950	22.7	32			—	两级悬臂	

注:与介质接触的且受温度影响的零件,根据介质的性质需要采用不同性质的材料,所以分为三种材料,但泵的结构相同。第Ⅰ类材料不耐硫腐蚀,操作温度在−20~200℃之间,第Ⅱ类材料不耐硫腐蚀,操作温度在−45~400℃之间,第Ⅲ类材料耐硫腐蚀,操作温度在−45~200℃之间。

二十、管壳式换热器系列标准(摘录)

1. 固定管板式(代号 G)

公称直径 D_N/mm	管程数 N_p	换热管数量 n	换热器面积 S_0/m² 换热管长 L/mm 1500	2000	3000	6000	管程通道截面积/m² 碳钢管 φ25×2.5 不锈耐酸钢管 φ25×2	管程流速为 0.5m/s 时的流量/(m³/h)	公称压力/MPa
159	I	13	1 / 1.43	2 / 1.94	3 / 2.96	—	0.0041 / 0.0045	7.35 / 8.10	2.5
273	I	38	4 / 4.18	5 / 5.66	8 / 8.66	16 / 17.6	0.0119 / 0.0132	21.5 / 23.7	2.5
273	II	32	3 / 3.52	4 / 4.76	7 / 7.30	14 / 14.8	0.0050 / 0.0055	9.05 / 9.98	2.5
400	I	109	12 / 12.0	16 / 16.3	25 / 24.8	50 / 50.5	0.0342 / 0.0378	61.6 / 68.0	1.6
400	II	102	10 / 11.2	15 / 15.2	22 / 23.2	45 / 47.2	0.0160 / 0.0177	28.8 / 31.8	1.6
400	IV	86	10 / 9.46	12 / 12.8	20 / 19.6	40 / 39.8	0.0068 / 0.0074	12.2 / 13.4	1.6
500	I	177	—	—	40 / 40.4	80 / 82.0	0.0556 / 0.0613	100.1 / 110.4	2.5
500	II	168	—	—	40 / 38.3	80 / 77.9	0.0264 / 0.0291	47.5 / 52.4	2.5
500	IV	152	—	—	35 / 34.6	70 / 70.5	0.0119 / 0.0132	21.5 / 23.7	2.5
600	I	269	—	—	60 / 61.2	125 / 124.5	0.0845 / 0.0932	152.1 / 167.7	1.0
600	II	254	—	—	55 / 58.0	120 / 118	0.0399 / 0.0440	71.8 / 79.2	1.6
600	IV	242	—	—	55 / 55.0	110 / 112	0.0190 / 0.0210	34.2 / 37.7	2.5
800	I	501	—	—	110 / 114	230 / 232	0.1574 / 0.0735	283.3 / 312.3	0.6
800	II	488	—	—	110 / 111	225 / 227	0.0767 / 0.0845	138.0 / 152.1	1.0
800	IV	456	—	—	100 / 104	210 / 212	0.0358 / 0.0395	64.5 / 71.1	1.6
800	VI	444	—	—	100 / 101	200 / 206	0.0232 / 0.0258	41.8 / 46.1	2.5
1000	I	801	—	—	180 / 183	370 / 371	0.2516 / 0.2774	453.0 / 499.4	0.6
1000	II	770	—	—	175 / 176	350 / 356	0.1210 / 0.1333	217.7 / 240	1.0
1000	IV	758	—	—	170 / 173	350 / 352	0.0595 / 0.0656	107.2 / 118.1	1.6
1000	VI	750	—	—	170 / 171	350 / 348	0.0393 / 0.0433	70.7 / 77.9	2.5

说明:1. 表中换热器面积按下式计算 $S_0 = \pi n d_0 (L - 0.1)$

式中　S_0——计算换热面积;m²;L——换热管长;m;d_0——换热管外径;m;n——换热管数目。

2. 通道截面积按各程平均值计算。

3. 管内流速 0.5m/s 为 20℃ 的水在 φ25×2.5 的管内达到湍流状态时的速度。

4. 换热管排列方式为正三角形,管间距 $t = 32$mm。

2. 浮头式（代号 F）

（1）F_A 系列

公称直径 D_N/mm	325	400	500	600	700	800
公称压力/MPa	4.0	4.0	1.6 2.5 4.0	1.6 2.5 4.0	1.6 2.5 4.0	2.5
公称面积/m²	10	25	80	130	185	245
管长/m	3	3	6	6	6	6
管子尺寸/mm	$\phi19\times2$	$\phi19\times2$	$\phi19\times2$	$\phi19\times2$	$\phi19\times2$	$\phi19\times2$
管子总数	76	138	228(224)①	372(368)	528(528)	700(696)
管程数	2	2	2(4)①	2(4)	2(4)	2(4)
管子排列方法	△②	△	△	△	△	△

①括号内的数据为四管程的；

②表示管子为正三角形排列，管子中心距为 25mm。

（2）F_B 系列

公称直径 D_N/mm	325	400	500	600	700	800
公称压力/MPa	4.0	4.0	1.6 2.5 4.0	1.6 2.5 4.0	1.6 2.5 4.0	1.0 1.6 2.5
公称面积/m²	10	25	65	95	135	180
管长/m	3	3	6	6	6	6
管子尺寸/mm	$\phi25\times2.5$	$\phi25\times2.5$	$\phi25\times2.5$	$\phi25\times2.5$	$\phi25\times2.5$	$\phi25\times2.5$
管子总数	36	72	124(120)①	208(192)	292(292)	388(384)
管程数	2	2	2(4)①	2(4)	2(4)	2(4)
管子排列方法	◇②	◇	◇	◇	◇	◇

公称直径/mm	900	110
公称压力/MPa	1.0 1.6 2.5	1.0 1.6
公称面积/m²	225	365
管长/m	6	6
管子尺寸/mm	$\phi25\times2.5$	$\phi25\times2.5$
管子总数	512(508)	(748)
管程数	2	4
管子排列方法	◇	◇

①括号内的数据为四管程的；

②表示管子为正方形斜转 45° 排列，管子中心距为 32mm。

3.冷凝器规格

序号	D_N/mm	公称压力/MPa	管程数	壳程数	管长/m	管径/m	管束图型号	公称换热面积/m²	计算换热面积/m²	规格型号	设备质量/kg
1	400	2.5	2	1	3	19	A	25	23.7	FL$_A$400-25-25-2	1300
						25	B	15	16.5	FL$_B$400-15-25-2	1250
2	500	2.5	2	1	3	19	A	40	39.0	FL$_A$500-40-25-2	2000
						25	B	30	32.0	FL$_B$500-30-25-2	2000
3	500	2.5	2	1	6	19	A	80	79.0	FL$_A$500-80-25-2	3100
						25	B	65	65.0	FL$_B$500-65-25-2	3100
4	500	2.5	4	1	6	19	A	80	79.0	FL$_A$500-80-25-4	3100
						25	B	65	65.0	FL$_B$500-65-25-4	3100
5	600	1.6	2	1	6	19	A	130	131	FL$_A$600-130-16-2	4100
						25	B	95	97.0	FL$_B$600-95-16-2	4000
6	600	1.6	4	1	6	19	A	130	131	FL$_A$600-130-16-4	4100
						25	B	95	97.0	FL$_B$600-95-16-4	4000
7	600	2.5	2	1	6	19	A	130	131	FL$_A$600-130-25-2	4500
						25	B	95	97.0	FL$_B$600-95-25-2	4350
8	600	2.5	4	1	6	19	A	130	131	FL$_A$600-130-25-4	4500
						25	B	95	97.0	FL$_B$600-95-25-4	4350
9	700	1.6	2	1	6	19	A	185	187	FL$_A$700-185-16-2	5500
						25	B	135	135	FL$_B$700-135-16-2	5250
10	700	1.6	4	1	6	19	A	185	187	FL$_A$700-185-16-4	5500
						25	B	135	135	FL$_B$700-135-16-4	5250
11	700	2.5	2	1	6	19	A	185	187	FL$_A$700-185-25-2	5800
						25	B	135	135	FL$_B$700-135-25-2	5550
12	700	2.5	4	1	6	19	A	185	187	FL$_A$700-185-25-4	5800
						25	B	135	135	FL$_B$700-135-25-4	5550
13	800	1.6	2	1	6	19	A	245	246	FL$_A$800-240-16-2	7100
						25	B	180	182	FL$_B$800-185-16-2	6850
14	800	1.6	4	1	6	19	A	245	246	FL$_A$800-245-16-4	7100
						25	B	180	182	FL$_B$800-180-16-4	6850
15	800	2.5	2	1	6	19	A	245	246	FL$_A$800-245-25-2	7800
						25	B	180	182	FL$_B$800-180-25-2	7550
16	800	2.5	4	1	6	19	A	245	246	FL$_A$800-245-25-4	7800
						25	B	180	182	FL$_B$800-180-25-4	7550
17	900	1.6	4	1	6	19	A	325	325	FL$_A$900-325-16-4	8500

序号	D_N/mm	公称压力/MPa	管程数	壳程数	管长/m	管径/m	管束图型号	公称换热面积/m²	计算换热面积/m²	规格型号	设备质量/kg
						25	B	225	224	FL$_B$900-225-16-4	7900
18	900	2.5	4	1	6	19	A	325	325	FL$_A$900-325-25-4	8900
						25	B	225	224	FL$_B$900-225-25-4	8300
19	1000	1.6	4	1	6	19	A	410	412	FL$_A$1000-410-16-4	10500
						25	B	285	285	FL$_B$1000-285-16-4	10050
20	1100	1.6	4	1	6	19	A	500	502	FL$_A$1100-500-16-4	12800
						25	B	365	366	FL$_B$1100-365-16-4	12300
21	1200	1.6	4	1	6	19	A	600	604	FL$_A$1200-600-16-4	14900
						25	B	430	430	FL$_B$1200-430-16-4	13700
22	800	1.0	2	1	6	25	B	180	182	FL$_B$800-180-10-2	6600
23	800	1.0	4	1	6	25	B	180	182	FL$_B$800-180-10-4	6600
24	900	1.0	4	1	6	25	B	225	224	FL$_B$900-225-10-4	7500
25	1000	1.0	4	1	6	25	B	285	285	FL$_B$1000-285-10-4Ⅲ	9400
26	1100	1.0	4	1	6	25	B	365	366	FL$_B$1100-365-10-4Ⅲ	11900
27	1200	1.0	4	1	6	25	B	430	430	FL$_B$1200-430-10-4Ⅲ	13500

二十一、某些二元物系在 101.33kPa（绝压）下的气液平衡组成

1. 苯-甲苯

苯摩尔分数		温度/℃	苯摩尔分数		温度/℃
液相中	气相中		液相中	气相中	
0	0	110.6	59.2%	78.9%	89.4
8.8%	21.2%	106.1	70.0%	85.3%	86.8
20.0%	37.0%	102.2	80.3%	91.4%	84.4
30.0%	50.0%	98.6	90.3%	95.7%	82.3
39.7%	61.8%	95.2	95.0%	97.0%	81.2
48.9%	71.0%	92.1	100.0%	100.0%	80.2

2. 乙醇-水

乙醇摩尔分数		温度/℃	乙醇摩尔分数		温度/℃
液相中	气相中		液相中	气相中	
0	0	100.0	32.73%	58.26%	81.5
1.90%	17.00%	95.5	39.65%	61.22%	80.7
7.21%	38.91%	89.0	50.79%	65.64%	79.8
9.66%	43.75%	86.7	51.98%	65.99%	79.7
12.38%	47.04%	85.3	57.32%	68.41%	79.3
16.61%	50.89%	84.1	67.63%	73.85%	78.74
23.37%	54.45%	82.7	74.72%	78.15%	78.41
26.08%	55.80%	82.3	89.43%	89.43%	78.15

3. 硝酸-水

硝酸摩尔分数		温度/℃	硝酸摩尔分数		温度/℃
液相中	气相中		液相中	气相中	
0	0	100.0	45%	64.6%	119.5
5%	0.3%	103.0	50%	83.6%	115.6
10%	1.0%	109.0	55%	92.0%	109.0
15%	2.5%	114.3	60%	95.2%	101.0
20%	5.2%	117.4	70%	98.0%	98.0
25%	9.8%	120.1	80%	99.3%	81.8
30%	16.5%	121.4	90%	99.8%	85.6
38.4%	38.4%	121.9	100%	100%	85.4
40%	46.0%	121.6			

4. 甲醇-水

甲醇摩尔分数		温度/℃	甲醇摩尔分数		温度/℃
液相中	气相中		液相中	气相中	
0	0	100.0	29.09%	68.01%	77.8
5.31%	28.34%	92.9	33.33%	69.18%	76.7
7.67%	40.01%	90.3	35.13%	73.47%	76.2
9.26%	43.53%	88.9	46.20%	77.56%	73.8
12.57%	48.31%	86.6	52.92%	79.71%	72.7
13.15%	54.55%	85.0	59.37%	81.83%	71.3
16.74%	55.85%	83.2	68.49%	84.92%	70.0
18.18%	57.75%	82.3	77.01%	89.62%	68.0
20.83%	62.73%	81.6	87.41%	91.94%	66.9
23.19%	64.85%	80.2	100.00%	100.00%	64.7
28.18%	67.75%	78.0			

二十二、管子规格

1.无缝钢管规格简表(摘自 YB 231—70)

公称直径 /mm	实际外径 /mm	管壁厚度/mm						
		PN=15	PN=25	PN=40	PN=64	PN=100	PN=160	PN=200
15	18	2.5	2.5	2.5	2.5	3	3	3
20	25	2.5	2.5	2.5	2.5	3	3	4
25	32	2.5	2.5	2.5	3	3.5	3.5	5
32	38	2.5	2.5	3	3	3.5	3.5	6
40	45	2.5	3	3	3.5	3.5	4.5	6
50	57	2.5	3	3.5	3.5	4.5	5	7
70	76	3	3.5	3.5	4.5	6	6	9
80	89	3.5	4	4	5	6	7	11
100	108	4	4	4	6	7	12	13
125	133	4	4	4.5	6	9	13	17
150	159	4.5	4.5	5	7	10	17	—
200	219	6	6	7	10	13	21	—
250	273	8	7	8	11	16	—	—
300	325	8	8	9	12	—	—	—
350	377	9	9	10	13	—	—	—
400	426	9	10	12	15	—	—	—

注:表中的 PN 为公称压力,指管内可承受的流体表压力,单位为 MPa。

2.水、煤气输送钢管(即有缝钢管)**规格**(摘自 YB 234—3)

公称直径		外径/mm	壁厚/mm	
in(英寸)	mm		普通级	加强级
1/4	8	13.50	2.25	2.75
3/8	10	17.00	2.25	2.75
1/2	15	21.25	2.75	3.25
3/4	20	26.75	2.75	3.60
1	25	33.50	3.25	4.00
$1\frac{1}{4}$	32	42.25	3.25	4.00
$1\frac{1}{2}$	40	48.00	3.50	4.25
2	50	60.00	3.50	4.50
$2\frac{1}{2}$	70	75.00	3.75	4.50
3	80	88.50	4.00	4.75
4	100	114.00	4.00	6.00
5	125	140.00	4.50	5.50
6	150	165.00	4.50	5.50

3.承插式铸铁管规格(摘自 YB 428—64)

公称直径/mm	内径/mm	壁厚/mm	公称直径/mm	内径/mm	壁厚/mm
低压管、工作压力≤0.44MPa					
75	75	9	300	302.4	10.2
100	100	9	400	403.6	11
125	125	9	450	453.8	11.5
150	151	9	500	504	12
200	201.2	9.4	600	604.8	13
250	252	9.8	800	806.4	14.8
普通管、工作压力≤0.735MPa					
75	75	9	500	500	14
100	100	9	600	600	15.4
125	125	9	700	700	16.5
150	150	9	800	800	18.0
200	200	10	900	900	19.5
250	250	10.8	1100	997	22
300	300	11.4	1100	1097	23.5
350	350	12	1200	1196	25
400	400	12.8	1350	1345	27.5
450	450	13.4	1500	1494	30

参考文献

[1] 天津大学化工原理教研室. 化工原理[M]. 天津:天津科学技术出版社,1983.

[2] 李居参,周波,乔子荣. 化工单元操作实用技术[M]. 北京:高等教育出版社,2008

[3] 黄徽,周杰. 化工单元操作技术[M]. 北京:化学工业出版社,2010.

[4] 大连理工大学. 化工原理[M]. 第二版. 北京:高等教育出版社,2009.

[5] 冷士良,张旭光. 化工基础[M]. 北京:化学工业出版社,2010

[6] 陆美娟,张浩勤. 化工原理[M]. 第二版. 北京:化学工业出版社,2006.

[7] 柴诚敬. 化工原理[M]. 北京:高等教育出版社,2005.

[8] 吴红. 化工单元过程及操作[M]. 北京:化学工业出版社,2008.

[9] 姚玉英等. 化工原理[M]. 天津:天津大学出版社,1996.

[10] 柴诚敬,张国亮. 化工流体流动与传热[M]. 第二版. 北京:化学工业出版社,2007

[11] 陈敏恒等. 化工原理[M]. 第 3 版. 北京:化学工业出版社,2006.

[12] 严希康. 生化分离工程[M]. 北京:化学工业出版社,2001.

[13] 陶贤平. 化工单元操作实训[M]. 北京:化学工业出版社,2008.

[14] 化工部人教司. 流体力学基础[M]. 北京:化学工业出版社,1997.

[15] 化工部人教司. 化工管路安装与维修[M]. 北京:化学工业出版社,1997.

[16] 丛德滋,方图南. 化工原理示例与练习[M]. 上海:华东化工学院出版社,1992.

[17] 王锡玉,刘建忠. 化工基础. 北京:化学工业出版社,2000.

[18] 张宏丽等. 化工单元操作技术[M]. 第二版. 北京:化学工业出版社,2010.

[19] 李殿宝. 化工原理[M]. 第 2 版. 大连:大连理工大学出版社,2009.

[20] 蒋维钧,余立新. 化工原理[M]. 北京:清华大学出版社,2005.

[21] 张裕萍. 流体输送与过滤操作实训[M]. 北京:化学工业出版社,2006.

[22] 化工部人教司培训中心. 加热与冷却[M]. 北京:化学工业出版社,1997.

[23] 贾绍义,柴诚敬. 化工传质与分离过程[M]. 第二版. 北京:化学工业出版社,2007.

[24] 王树楹. 现代填料塔技术指南[M]. 北京:中国石化出版社,1998.

[25] 谭天恩等. 化工原理. 下册[M]. 第二版. 北京:化学工业出版社,1998.

[26] 何潮洪等. 化工原理操作型问题的分析[M]. 北京:化学工业出版社,1998.

[27] 张弓. 化工原理[M]. 第二版. 北京:化学工业出版社,2000.

[28] 刘佩田,闫晔. 化工单元操作过程[M]. 北京:化学工业出版社,2004.

[29] 雷燕等. 实用化工材料手册. 广州:广东科技出版社,1994.

[30] 刘承先,张裕萍. 流体输送与非均相分离技术[M]. 北京:化学工业出版社,2008.

[31] 钟秦,陈迁乔,王娟等. 化工原理[M]. 第二版. 北京:国防工业出版社,2007.

[32] 杨祖荣. 化工原理[M]. 北京:化学工业出版社,2004.

[33] 周长丽,田海玲. 化工单元操作[M]. 北京:化学工业出版社,2010.

[34] 祁存谦,丁楠,吕树申. 化工原理(第二版)[M]. 北京:化学工业出版社,2012.